POUR LE PIRE ET LE MEILLEUR

Cathy Kelly

POUR LE PIRE
ET LE MEILLEUR

Roman

Traduit de l'anglais (Irlande)
par Colette Vlérick

PRESSES
DE LA CITÉ

Titre original : *Always and Forever*

© Cathy Kelly, 2005

© Presses de la Cité, un département de [place des éditeurs], 2007, pour la traduction française
ISBN 978-2-258-07082-0

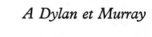

A Dylan et Murray

Prologue

La femme ne bougeait pas, absorbée par la contemplation de Mount Carraig House : les jardins redevenus sauvages, balayés par le vent, et le sentier à demi enseveli sous les broussailles qui descendait vers le petit lac. Derrière elle se dressait le mont Carraig lui-même. Rob, l'agent immobilier, avait expliqué qu'en gaélique *carraig* signifie « roc ». C'était la parfaite définition de Mount Carraig : un pic spectaculaire dominant une chaîne montagneuse appelée les Four Sisters, les Quatre Sœurs, qui s'étendait en direction du sud-ouest.

Devant la visiteuse s'étalait Carrickwell, une cité très active qui tenait son nom de l'éminence. Le ruban argenté de la Tullow la traversait. De la hauteur où se tenait la femme, on devinait le tracé légèrement sinueux de la rue principale et, autour de la cathédrale, la distribution des maisons, des magasins, des parcs et des écoles.

Un quart de siècle plus tôt, Carrickwell était une bourgade endormie, encore très rurale, malgré la faible distance qui la séparait de Dublin. Au fil des années, et grâce au prix intéressant des maisons, Carrickwell s'était transformée en ville active, mais sans perdre son atmosphère paisible.

Certains attribuaient sa tranquillité au fait qu'elle était construite au croisement d'anciennes lignes de force telluriques. Les druides, les premiers chrétiens, les fugitifs persécutés pour leur foi, tous étaient venus à Carrickwell et s'étaient installés à l'ombre bienveillante de Mount Carraig. Ils y avaient trouvé un refuge, tandis que l'eau pure leur avait redonné la santé.

Sur le flanc gauche du relief se dressaient les ruines d'un monastère cistercien, qui attiraient les touristes, les peintres et les universitaires. On y voyait aussi les vestiges d'une tour ronde sans porte, où les moines grimpaient à l'aide d'échelles de corde, en cas d'invasion.

De l'autre côté de Carrickwell, près du Willow Hotel, un établissement charmant mais vétuste, on découvrait enfin un cercle de pierres. Pour les archéologues, il indiquait sans doute un site druidique. En ville, la boutique Mystical Fires vendait des piles entières d'ouvrages sur le druidisme au moment du solstice d'été. Elle proposait aussi toutes sortes d'objets plus ou moins ésotériques, allant des boules de cristal et des tarots aux attrape-rêves et aux broches représentant des anges.

A Noël, les visiteurs passaient sans y penser de Mystical Fires à la librairie chrétienne, The Holy Land. Ils y achetaient des enregistrements de chants grégoriens, des livres de prières, de délicats bénitiers en porcelaine Hummel et la spécialité du magasin : des grains de chapelet en nacre.

Les propriétaires respectives des deux enseignes, de charmantes septuagénaires, se montraient fidèles à leurs convictions. Elles ne se formalisaient pas de voir leurs affaires prospérer puis péricliter au fil des saisons. « La roue de la fortune tourne comme elle veut », disait Zara, qui présidait aux destinées de Mystical Fires. « Dieu sait ce qui est le mieux pour nous », renchérissait Una, de Holy Land.

Avec ces multiples vibrations spirituelles, une profonde sensation de paix régnait dans Carrickwell, ce qui attirait les voyageurs.

A n'en pas douter, c'était cette aura qui avait amené Leah Meyer à Mount Carraig House par un froid matin de septembre.

Malgré le gros pull qu'elle portait sous sa vieille veste de ski, Leah se sentait transpercée par le vent. Elle avait l'habitude de la chaleur sèche de la Californie, où on considérait qu'il faisait froid quand on avait moins besoin de lotion solaire, c'est-à-dire au-dessous de 22 °C. En Irlande, le climat était différent, et Leah avait les articulations douloureuses. Frissonnante, elle pensa qu'elle commençait à sentir son âge. On la croyait pourtant toujours beaucoup plus jeune qu'elle ne l'était.

Elle avait pris soin d'elle toute sa vie, mais le temps ne pouvait être arrêté, même par la meilleure des crèmes. Quelques années auparavant, un discret lifting des yeux et des sourcils avait redonné leur finesse à ses traits. A présent, pensa-t-elle en souriant, il suffisait de connaître un bon chirurgien pour paraître quarante ans, même après la soixantaine !

Quant à ses articulations, elle pouvait les oublier pendant un moment, car elle avait enfin trouvé l'endroit qu'elle cherchait pour y construire un spa. Carrickwell et Mount Carraig House étaient le lieu idéal pour ses projets. Dans cet état d'esprit, l'air ne lui paraissait plus glacé, mais propre et vivifiant.

Elle se tourna enfin vers Rob, qui se tenait poliment à l'écart.

— Paisible, dit-elle. C'est le mot que je cherchais. Ne trouvez-vous pas qu'on se sent tout de suite apaisé, ici ?

Rob considéra la ruine qui s'appelait Mount Carraig House et se demanda si c'était lui ou l'élégante Américaine qui avait besoin d'un psychiatre. Il ne voyait qu'un bâtiment à la limite de l'effondrement au milieu d'un désert et qu'il avait à vendre depuis quatre ans sans que personne s'y soit jamais intéressé. Quelques clients étaient venus voir, attirés par la description lyrique d'une ancienne employée, très douée quand il s'agissait de faire passer des vessies pour des lanternes :

Cette élégante demeure du dix-huitième siècle fut la résidence des célèbres Delaney, de Carrickwell. De belle architecture classique, elle a conservé les magnifiques pièces à haut plafond de l'époque. Le grand portail et l'allée gravillonnée qui décrit une courbe majestueuse évoquent le charme des attelages, tandis que la roseraie richement plantée, à l'abri du vent de la montagne, n'attend qu'un jardinier habile pour retrouver sa splendeur. Le site offre des points de vue sans comparaison sur la beauté sauvage de Mount Carraig et sur la vallée, et un chemin bordé de rhododendrons centenaires mène à la rive du majestueux Lough Enla.

11

Ces boniments avaient dû séduire Mme Meyer car, après avoir découvert la maison sur le site Internet de l'agence, elle avait voulu la voir et semblait à présent être tombée sous le charme. Rob savait quand des acquéreurs aimaient une propriété : ils ne faisaient plus attention à lui et s'imaginaient dans les lieux. Ils se voyaient installant leurs meubles dans les pièces et écoutant les membres de leur famille rire dans le jardin. Or, tout chez Mme Meyer montrait qu'elle avait eu le coup de foudre pour la vieille bâtisse. Rob savait aussi que l'Américaine avait de l'argent, car elle était arrivée de l'aéroport dans une limousine noire conduite par un chauffeur. Elle n'était pas habillée comme une millionnaire, cependant ; elle portait un jean, une veste matelassée ordinaire, des mocassins clairs et n'arborait aucun bijou.

Il aurait été difficile de lui donner un âge. Rob aimait pouvoir dater les biens et les êtres : château du dix-huitième siècle ; pavillon des années soixante-dix ; homme d'affaires d'une quarantaine d'années, acheteur. Mais Mme Meyer restait une énigme : minceur élégante, cheveux châtains soyeux, grands yeux sombres. Elle pouvait avoir n'importe quel âge entre trente et soixante ans. Pas une ride ne marquait son visage au teint mat et lumineux, et elle semblait sereine. Une petite quarantaine, peut-être...

— J'aime cette maison, dit Leah.

Il était inutile de traîner !

— Je la prends, ajouta-t-elle.

Elle serra la main de Rob en souriant. A présent qu'elle avait pris sa décision, elle se sentait en paix. Malgré la fatigue qu'elle éprouvait depuis longtemps, elle aurait aimé se mettre au travail sur-le-champ. Le Spa de Mount Carraig ? Le Spa du Rocher ? Le nom s'imposerait de lui-même, capable d'évoquer un havre de tranquillité, pas un endroit où des femmes viendraient tromper l'ennui en se faisant vernir les ongles des pieds, tandis que des hommes feraient quelques longueurs dans la piscine, dans l'espoir que cela suffirait à arrêter le temps.

Non ! Les gens viendraient là pour se sentir bien dans leur corps parce qu'ils seraient bien dans leur tête. Le spa serait un établissement sans équivalent, qui accueillerait les personnes épuisées, vidées de leur énergie. Elles pourraient nager en oubliant tout, s'allonger sur le lit de massage et sentir leurs douleurs s'envoler en même temps que leurs soucis. L'eau fraîche de la montagne et les vibrations apaisantes de Carrick-well les revitaliseraient et les guériraient.

A une époque, un endroit aussi magique que celui-ci avait redonné un semblant de sérénité à Leah. Il s'appelait Cloud's Hill, la Colline du Nuage, d'après l'ancien nom amérindien de l'éminence où on l'avait construit. Leah comprit soudain que cela convenait pour son projet.

Cloud's Hill, où elle avait retrouvé le goût de la vie, se situait de l'autre côté du monde, mais elle sentait une magie identique à Mount Carraig House. En y créant un spa, elle ferait pour autrui ce qu'on avait fait pour elle. Donner à son tour serait sa façon de dire merci. Elle rêvait depuis des années de fonder un centre, mais n'avait pas, jusqu'alors, découvert l'emplacement idéal. Si elle commençait les travaux tout de suite, elle pourrait ouvrir dans un an, au plus tard un an et demi.

— Vous... Vous voulez dire que vous achetez la maison ? demanda Rob, ahuri par une pareille rapidité de décision.

Le visage de Leah resta serein.

— Oui, répondit-elle d'une voix douce.

Rob en aurait crié de soulagement.

— Ça s'arrose. C'est moi qui paie !

1

Janvier, un an et demi plus tard.

Melanie Redmond, plus couramment appelée Mel, laissa tomber son attaché-case en similicuir italien sur le sol des toilettes, rabattit le couvercle pour s'asseoir et déchira la pochette en cellophane du collant gris fumé. Sa hâte la rendait maladroite. Fichu emballage ! Etaient-ils donc tous conçus pour que les enfants ne réussissent pas à les ouvrir ?

Mel parvint à ses fins et le luxueux accessoire se déplia, révélant son bel aspect soyeux. Le petit magasin à côté de Lorimar Health Insurance n'avait plus de collant noir ou gris, ce qui était stupide compte tenu de sa situation, au cœur du quartier des affaires de Dublin. Mel avait été obligée de courir dans la boutique de luxe qui se trouvait juste après la banque et en avait eu pour 16 euros. Une somme scandaleuse ! Elle ne pouvait pas se retrouver avec un collant filé le jour où le directeur général de la société haranguait ses troupes.

Des années d'expérience dans les relations publiques avaient appris à Mel à respecter l'article essentiel du credo des femmes qui travaillent : sois impeccable et on te remarquera ; si tu es négligée, on ne retiendra que le détail qui ne va pas, l'eyeliner qui coule, le vernis écaillé sur l'ongle de ton auriculaire ou – abomination ! – tes racines.

Hilary, chef du département publicité et marketing, supérieure hiérarchique directe de Mel, blêmirait sous son fond de teint, si Mel commettait le crime d'arriver à la réunion avec un collant filé.

Mel disait souvent pour rire qu'elle voulait devenir comme

Hilary, quand elle serait grande : organisée, et pas seulement en apparence. Hilary ne sortait pas sans une trousse d'urgence composée de comprimés contre les maux de tête, de collants et de parfum, et rangée avec soin dans son attaché-case de marque. Celle que Mel avait dans le sien contenait une demi-tablette de chocolat, un cachet de paracétamol ramolli, plusieurs stylos sans capuchon et une miniboîte de raisins secs pour les enfants, si desséchés qu'on les aurait crus sortis de la tombe de Toutankhamon. D'après les manuels savants que Mel avait lus sur l'alimentation des tout-petits, les fruits secs constituaient un en-cas parfait. Malheureusement, Mel avait découvert que les pastilles de chocolat étaient plus efficaces contre les hurlements de sa progéniture, quand elle faisait les courses au supermarché.

« Un mauvais point de plus dans mon dossier de mère indigne », disait-elle en plaisantant à Vanessa, sa collègue. Elles s'en amusaient, mais n'auraient pas toléré que quiconque leur adresse une remarque sur le sujet. « Une mère qui travaille, poursuivait Mel, doit apprendre à se moquer de ce qui lui fait peur. » Elle consacrait son énergie à protéger Sarah et Carrie, respectivement quatre ans et deux ans et demi, des désagréments dus à son activité professionnelle. Elle faisait son possible pour que nul ne l'accuse de négligence.

Elle aimait son travail chez Lorimar et s'y donnait à fond ; à une époque, elle s'était juré de devenir un des directeurs de publicité de la société avant quarante ans. L'arrivée de ses filles avait changé les choses, à moins que ce ne soit elles qui l'aient transformée. Comme dans l'histoire de l'œuf et de la poule, Mel n'était pas certaine de savoir comment cela avait commencé.

Quoi qu'il en soit, le résultat était là : Mel avait quarante ans et non seulement le but qu'elle visait s'était éloigné au lieu de se rapprocher, mais elle se débattait pour tout assumer à la fois. La maternité avait relégué ses ambitions au second plan.

A onze ans, Mel avait écrit dans une rédaction pour l'école : « Quand je serai grande, je veux être une femme d'affaires, avec un bureau et un attaché-case. » Cela lui avait valu le premier prix. « Ah ! Voilà une petite fille intelligente ! » s'était exclamé son père. Lors de la réunion familiale suivante, il avait exhibé le cahier de Mel, rempli de son écriture nette et penchée. « Regardez ça ! Mel tient de moi. Elle a de l'intelligence à revendre. »

Le père de Mel serait allé à l'université, si sa famille avait eu les moyens de l'y envoyer. Il s'était réjoui de voir Mel témoigner du même potentiel que lui. Lors de cette assemblée, la grand-mère de Mel lui avait posé une question étonnante :

« Tu n'as donc pas envie de te marier ? Tu aurais une jolie maison et des bébés, et tu serais très heureuse.

— Pourquoi », avait répondu Mel, qui aimait les périodes de l'histoire où les filles se battaient au lieu de rester chez elles pour s'occuper de leur maison.

Son père continuait à trouver la réplique hilarante et se plaisait à raconter comment Mel, écolière, avait décidé de faire carrière. Elle lui était reconnaissante de se montrer si fier d'elle, mais, avec l'âge, avait fini par détester l'anecdote. Dans son enfance, elle avait cru qu'elle réussirait si elle était assez maligne pour cela ; au fil des années, elle avait changé d'avis. Désormais, elle devait faire face à son rôle de parent et à son poste chez Lorimar. Même si tout le monde pensait qu'elle se débrouillait bien, elle avait l'impression d'échouer sur les deux fronts. Elle était d'une exigence terrible vis-à-vis d'elle-même.

Quant à son couple, elle n'avait guère le temps de s'en occuper. Sa relation avec son mari fonctionnait en roue libre, sur son élan.

Mel avait récemment reçu un courriel d'un ancien camarade d'études : « Comment une femme qui travaille sait-elle que son partenaire a eu un orgasme ? Il téléphone à la maison pour le lui dire. » Mel n'avait rien entendu ou lu de plus drôle depuis longtemps, mais drôle d'une façon désespérée, comme une histoire de canot de sauvetage avec un trou dans la coque. Mel ne pouvait raconter la blague à personne, et surtout pas à Adrian, son mari, au cas où il lui répondrait que c'était juste.

Les relations sexuelles tenaient autant de place dans leur existence que le temps qu'ils passaient ensemble (nul !) ou les longs bains à base d'huiles essentielles pour réduire le stress (inconnus !). Mel espérait avec ferveur que, si elle taisait les problèmes et souriait gaiement aux siens, ni Adrian, ni Sarah, ni Carrie ne remarqueraient ce à quoi elle n'avait pas le temps de consacrer amour et attention.

De nombreux articles traitaient du stress des mères qui travaillent. « Apprenez à déléguer ! proclamaient-ils. Respirez et ne laissez pas votre famille exiger de vous que vous vous transformiez en superwoman ! » Mel entretenait des contacts depuis assez longtemps avec la presse pour savoir que ces papiers émanaient de deux types de journalistes : de séduisantes jeunes femmes salariées pour qui la notion de maternité était lointaine ou des mères qui écrivaient chez elles, sur la table de la cuisine, avant d'aller chercher leur progéniture à l'école. Ces dernières avaient compris qu'on ne peut pas tout faire à la fois, mais gagnaient correctement leur vie en racontant aux lecteurs que c'était possible.

Respirer ? En quoi cela consistait-il ? Et comment déléguait-on le ménage et les courses de la semaine à deux enfants de moins de cinq ans et un homme incapable de vérifier la quantité de sel sur les étiquettes des boîtes de conserve ?

Mel ôta son collant filé et le tassa au fond de son sac avant d'enfiler le nouveau. Elle le tira à l'endroit où il avait tourné et lui faisait mal à la cuisse, lissa sa jupe violet foncé – un modèle Zara de l'avant-dernière collection qui voulait ressembler à du Gucci – et sortit en hâte du box pour se planter devant le miroir. Elle se recoiffa du bout des doigts. Ses racines avaient poussé au-delà des limites du bon goût, à la frontière du style branché et du je-m'en-foutisme. Encore une chose à ajouter à la liste des urgences !

Au moins, elle ne paraissait pas quarante ans, ce qui était pratique, car elle n'avait pas les moyens de recourir au Botox. A dix-huit ans, elle avait trouvé insupportable de faire plus jeune que son âge. On lui donnait quatre ans de moins et elle devait présenter sa carte d'étudiante pour qu'on la laisse entrer au cinéma. A présent, après ses deux filles et d'innombrables nuits blanches, c'était une bénédiction.

La nature avait doté Mel d'un petit visage au menton pointu, d'une peau très claire et de sourcils arrondis au-dessus d'yeux en amande de la couleur du ciel après l'orage, avec des nuances violettes autour des pupilles. En revanche, Mel devait à de bons produits de maquillage ses épais cils noirs et ses lèvres d'un éclatant rouge cerise. De nombreuses rides d'expression, dues au rire, marquaient le contour de sa bouche, mais elle n'envisageait pas de recourir à la chirurgie pour les effacer. Après son second accouchement, elle n'avait pas pu s'asseoir pendant une semaine. Cela l'avait dégoûtée de toute perspective d'intervention.

Elle vérifia l'heure à sa montre : dix heures cinq. Zut, zut et zut ! Elle était en retard et n'avait plus le temps d'attendre l'ascenseur. Elle grimpa l'escalier quatre à quatre, fouillant dans son sac pour trouver son brillant à lèvres.

Edmund Moriarty, le directeur général de Lorimar, venait de s'installer dans son fauteuil, à la place d'honneur de la grande salle de conférences, mais le murmure des conversations n'était pas encore éteint. Mel en profita pour se glisser jusqu'à une chaise libre sur le côté gauche.

Lorimar, une des plus importantes compagnies d'assurances du pays, avait occupé la tête du secteur pendant vingt ans, mais des sociétés internationales s'étaient installées et lui faisaient une rude concurrence. La séance du jour concernait la stratégie à mettre en place pour que Lorimar arrive à faire face à cette nouvelle menace.

En principe, ces réunions étaient réservées aux dirigeants de Lorimar ; les membres du personnel du niveau de Mel n'étaient pas invités. Mais il s'agissait d'« encourager les troupes » et de « leur rappeler qu'elles étaient toujours les meilleures », comme disait Hilary. Les employés de moindre importance pouvaient donc, pour une fois, côtoyer leurs supérieurs. En son for intérieur, Mel estimait que les seules annonces susceptibles de doper l'enthousiasme de l'équipe seraient celles d'une augmentation des salaires et de l'embauche comme garçon de bureau du mannequin des sous-vêtements Calvin Klein. Heureusement, aujourd'hui, ce n'était pas un stage de *paint ball* à la campagne, comme l'année précédente, quand les directeurs avaient considéré que c'était un excellent moyen de souder le groupe ! Les billes de peinture faisaient des bleus terribles.

Edmund Moriarty tapota le micro pour obtenir l'attention générale et les têtes se tournèrent instantanément vers lui.

— Comment aller de l'avant ? Telle est la question, lança-t-il avec gravité. Lorimar est leader sur son marché, mais la concurrence se durcit. Ça signifie que nous devons continuer à faire des efforts.

Les soixante-dix personnes présentes écoutaient. Mel prit un bloc-notes dans son attaché-case et ôta le capuchon du stylo en or et onyx offert par ses parents pour ses quarante ans. Elle inscrivit la date sur la première page de son bloc et posa les yeux sur son patron, prête à recueillir les perles de sagesse qu'il formulerait ; elle donnerait ainsi l'impression de suivre son discours avec application. Mais, sur la page suivante, elle dressait la liste de ce qui lui restait à faire avant la fin de la journée, laquelle, par malchance, raccourcissait à toute vitesse pendant qu'Edmund Moriarty pontifiait au sujet de ce que chacun savait déjà. Mel parcourut l'énumération du regard :

Rédiger le discours pour le déjeuner du forum de la publicité
Vérifier de près les photos de la brochure
Appeler le journaliste du *Sentinel* au sujet du dossier psychiatrie
Acheter des couches, des lingettes, des légumes, du poulet, des haricots et des yaourts pour les enfants
Parler à Adrian au sujet de samedi. Sa mère ? Impossible d'inviter la mienne
Acheter des collants
Trouver un déguisement de fée...

La polyvalence ? Un mode de vie, comme le savait Mel, qui permettait aux mères de garder leur emploi tout en assurant la bonne marche de leur maison.

Elle jeta un regard à ses collègues ; ils paraissaient intéressés par les propos d'Edmund Moriarty ou, du moins, faisaient semblant de l'être. Hilary affichait son expression sereine proclamant qu'elle écoutait avec intensité, mais Vanessa avait le regard vide et essayait de taper un SMS sur son téléphone portable. Elle avait un fils de treize ans, Conal, et il semblait plus difficile de faire obéir un garçon de cet âge que deux fillettes de moins de cinq ans.

Vanessa était divorcée. C'était la meilleure amie de Mel chez Lorimar. Elles avaient presque le même âge, partageaient un solide sens de l'humour, et estimaient que réussir à équilibrer le travail et la vie de famille était dix fois plus ardu que leur travail lui-même. Une fois par mois, pour décompresser, elles s'offraient un déjeuner dans un restaurant thaïlandais où il y avait des serveurs jeunes et beaux. Elles y étaient allées la semaine précédente.

« Si la direction savait, avait dit Mel, à quel point nous sommes douées pour gérer quatre choses à la fois, faire réparer la machine à laver, organiser les activités extrascolaires des enfants, ne pas oublier d'aller chercher la commande d'épicerie et veiller à la sécurité anti-incendie au bureau, elle nous donnerait la promotion du siècle !

— Oui, avait répondu Vanessa, mais si nous avions une promotion nous devrions rester plus tard et nous nous sentirions plus coupables d'abandon de famille. Dans ce cas, pourquoi essayer de dépasser la barrière du sexisme ? Excuse-moi : je voulais dire de la culpabilisation ! »

Pour les mères qui travaillent, avaient-elles conclu, la barrière reposait sur le sentiment de culpabilité maternelle.

« A moins qu'elle ne soit dorée, avait ajouté Mel d'un ton pensif. Elle paraît magnifique, mais, quand on la regarde de près, elle est en toc. Comme des faux seins ! J'aimerais avoir l'argent et le courage pour faire refaire les miens, avait-elle ajouté en baissant les yeux sur son décolleté.

— Arrête de te plaindre de ta poitrine ! Elle est très bien, avait répliqué Vanessa en levant les yeux au ciel.

— Si "bien" signifie qu'elle me tombe sur les genoux ! avait renchéri Mel en grimaçant. Alors, oui, elle est très bien ! Je crois qu'on ne devrait plus utiliser ce mot. Sais-tu de quoi il est l'abréviation ? Bousillée, insécurisée, émotive, névrosée !

— J'ai l'impression qu'on parle de moi ! La prochaine fois qu'on me demandera comment je vais, je répondrai que je suis "bien". »

Quand Vanessa lui racontait ses difficultés avec son fils, Mel se sentait gênée d'avoir une vie simple, par comparaison. Elle avait attendu avant d'avoir des enfants et avait trente-cinq ans au moment de sa première grossesse. Elle était, alors, prête à assumer sa maternité. Vanessa s'était trouvée enceinte à vingt-quatre ans.

Mel avait aussi Adrian, avec qui elle partageait tout. Vanessa n'avait qu'un ex-mari qui s'était remarié, avait fondé une nouvelle famille et s'efforçait de ne pas payer la pension alimentaire de Conal. Bien sûr, la machine à laver dotée de la fonction sèche-linge restait un mystère pour Adrian et il donnait l'impression de croire que des fées remplissaient le réfrigérateur. Néanmoins, il partageait les responsabilités parentales en adulte avec Mel. Il suffisait de le voir faire des puzzles avec Carrie ou fabriquer des dinosaures en pâte à modeler avec Sarah pour comprendre qu'il était un père efficace et patient. Quand Mel façonnait des dinosaures, ils ressemblaient à des limaces géantes.

Elle s'estimait aussi chanceuse avec la crèche des Little Tigers, où allaient ses filles. Elle se situait à côté d'Abraham Park dans une rue bordée d'arbres, une des plus jolies artères de Carrickwell. Mel avait entendu des histoires peu rassurantes sur les garderies : on donnait du lait à certains bébés allergiques aux produits laitiers ; des tout-petits étaient mordus au sang par leurs congénères... Il n'y avait jamais eu le moindre problème aux Little Tigers. Mais que se passerait-il quand Sarah entrerait à l'école ? Mel songea avec sagesse qu'elle s'en inquiéterait le moment venu.

Elle n'était pas à plaindre. Il lui suffisait de penser au nombre de gens qui auraient tout donné pour avoir ce qu'elle avait : un travail passionnant, un mari exceptionnel et de merveilleuses fillettes. Elle n'avait guère de temps pour elle, mais en trouvait toujours un peu. Surtout, elle travaillait, ainsi qu'elle s'était promis de continuer à le faire après la naissance de Sarah et de Carrie. N'avait-elle pas la vie dont rêve une femme moderne ?

Une heure plus tard, Edmund Moriarty ne semblait pas vouloir s'arrêter.

— « Nous prenons soin de vous », répétait-il. Tel est le message que nous devons faire passer à nos clients : « Lorimar prend soin de vous. »

Mel acquiesça de la tête en même temps que les autres : « Nous prenons soin de nos clients. Message bien reçu, grand chef ! »

Quand le regard scrutateur de Moriarty balaya la zone de la salle où Mel se trouvait, tel le projecteur d'un mirador dans un camp de prisonniers, elle se remit à écrire avec application en contractant le périnée en rythme, comme on le lui avait appris lors de la seule séance de gymnastique postnatale à laquelle elle avait assisté. Autant que la réunion serve à quelque chose !

Contracter et compter jusqu'à dix... La méthode Pilates était une bonne façon de se prendre en main et figurait même sur le site de Lorimar à la rubrique « santé », où on la présentait comme un moyen de retrouver la forme. Mel était impliquée dans la réalisation du site et regrettait de n'avoir pu suivre le cours après ses accouchements. Comme elle avait repris le travail trois mois après la naissance de Sarah et deux mois après celle de Carrie, elle n'avait pas eu une minute à consacrer à sa forme physique. Son périnée était donc dans le même état que sa poitrine. Tant pis !

Edmund Moriarty se tut enfin et Mel s'échappa en direction de son bureau. Elle avait dix-sept appels sur sa messagerie vocale, tous professionnels, sauf le dernier : « Bonjour, Mel ! C'est Dawna, des Little Tigers. Je vous rappelle que demain Sarah va au zoo et qu'elle aura besoin de vêtements chauds. Carrie peut l'accompagner, si vous le désirez, mais s'il pleut nous n'emmènerons pas les petits. Ce n'est pas la période idéale de l'année pour visiter le zoo, mais les tigres de Sibérie repartent dans une semaine et nous avons promis aux enfants d'aller les voir. La sortie coûte cinquante euros pour Sarah et Carrie. Cela comprend le car, l'entrée et le déjeuner. S'il n'y a que Sarah, ça fait vingt-cinq euros. A ce soir, Mel. »

Mel ajouta une nouvelle ligne à sa liste : « Sortie au zoo pour les filles. Laisser de l'argent à Adrian. »

Le mercredi, c'était le tour de celui-ci de conduire Sarah et Carrie aux Little Tigers. Mel s'en chargeait les autres jours, avant de prendre le train pour Dublin à la gare de Carrick-well. Le mercredi, elle ne pouvait se permettre d'arriver en retard chez Lorimar, à cause du petit déjeuner qui réunissait les services du marketing et de la publicité. Elle se souvenait de l'époque où le fait de devoir se lever plus tôt ce matin-là lui paraissait intolérable. Cela l'obligeait à régler le réveil sur sept heures au lieu de sept heures et demie. C'était avant la nais-sance de Sarah et l'installation à Carrickwell. L'horaire dont Mel se plaignait, alors, prenait des allures de grasse matinée, à présent que Carrie se réveillait quotidiennement en pleine forme à six heures.

« Bonzour, maman », disait-elle quand Mel, douchée mais ensommeillée, entrait en se dépêchant dans la chambre aux murs tapissés d'un papier à l'effigie de Winnie l'ourson. Comment aurait-elle été de mauvaise humeur en voyant la frimousse souriante tournée vers elle ? Les yeux brillant d'exci-tation à l'idée de la journée qui commençait, Carrie tendait ses menottes potelées pour que Mel la sorte de son lit. A deux ans et demi, elle sollicitait l'aide de sa mère, alors que Sarah avait fait preuve d'autonomie dès deux ans. Mel se doutait que Carrie se débrouillerait bientôt seule.

Ces premiers moments de la journée étaient les préférés de Mel. Elle y trouvait ce qui lui permettait de continuer à vivre sur le même rythme : la joie sans mélange d'être avec ses enfants, qui l'embrassaient et débordaient d'énergie. Aucun parfum n'égalait celui de la peau de ses bébés, un mélange magique de biscuit, de shampoing doux et d'innocence. Carrie réclamait au moins cinq minutes de caresses et de baisers avant de consentir à se laisser habiller. Mel se sentait déchirée entre une grande envie de câlins et l'idée du temps qui passait.

Sarah était du matin et posait mille questions pendant le petit déjeuner. Depuis peu, celle qui revenait était : « Pour-quoi Barney est-il violet ? » Mel inventait des réponses pour expliquer la couleur de Barney, le dinosaure, tout en s'activant dans la cuisine.

« Il est tombé dans de la crème violette et l'a tant aimée qu'il ne s'est pas lavé. Maintenant, il saute dedans chaque jour !

« — Maman, ce n'est pas possible ! » s'était exclamée Sarah le matin même en gloussant de rire.

Carrie avait imité sa sœur, qu'elle adorait.

Mel occupait au troisième étage de l'immeuble Lorimar un minuscule bureau avec une vue superbe sur les quais de Dublin. Elle effleura le cadre à photo en écaille où Adrian, Sarah et Carrie, les personnes qu'elle aimait le plus au monde et pour lesquelles elle vivait, lui souriaient.

Elle passa trois heures à travailler sur le site Internet, avec le soutien de deux cafés et d'une barre chocolatée. La pause du déjeuner, c'était pour les gens qui avaient le temps de se préparer des sandwiches avant de partir de chez eux ou les moyens d'en acheter à prix d'or au vendeur qui faisait le tour du bâtiment en fin de matinée.

Buvant son second café, Mel regarda sa liste et entoura distraitement le mot « zoo ». Adrian et elle y avaient emmené Sarah pour la première fois quand elle avait deux ans. Montrer des tigres et des éléphants à un enfant qui ne les connaissait que d'après des livres d'images était une étape marquante dans l'éducation. Combien de parents faisaient encore ce genre de choses ? se demanda Mel. Combien de mères allaient au zoo au lieu de lire le compte rendu de la visite dans le journal de bord de la crèche ? « Carrie a vu des lions et des phoques, et des porcelets à la petite ferme. Elle a eu peur des singes à cause du bruit. Elle a mangé une glace et a été très sage. »

Mel vérifia les pages les plus récentes du site de Lorimar, scrutant chaque ligne et chaque photo. Le mois précédent, une énorme erreur s'était produite. Des informations sur les nouvelles techniques d'implantation des prothèses de la hanche s'étaient glissées dans un article sur les dysfonctions érectiles. On avait beaucoup ri, chez Lorimar, à la lecture du paragraphe : « Les techniques de pointe de la chirurgie éviteront peut-être le recours à l'implantation d'une prothèse, douloureuse, et permettront aux patients de redevenir actifs en vingt-quatre heures. »

Otto, de la comptabilité, avait taquiné Mel le jour où il distribuait les chèques de remboursement de frais. « A mon avis, beaucoup d'hommes se sont promis d'éviter les médecins en lisant ça. Ceux qui ont des problèmes de ce côté-là n'ont pas vraiment envie d'entendre parler du remplacement de leur organe défaillant... »

Hilary avait trouvé la chose beaucoup moins drôle. Elle n'avait même pas voulu écouter Mel lui expliquer que le problème avait surgi mystérieusement tandis que le designer travaillait sur la page en question. Mel était responsable. « C'est une faute atterrante ! » avait lâché Hilary de ce ton de déception glacial que Mel trouvait plus inquiétant que des cris. Hilary était experte dans l'art de donner aux autres l'impression qu'ils avaient failli. « Il est possible qu'un des employés à la maintenance du site se soit livré à une plaisanterie puérile, mais vous auriez dû vous en apercevoir. Je parie ma prime de fin d'année que ce sera dans les journaux du week-end à la page du bêtisier. »

Hilary n'avait pas eu besoin de préciser qu'Edmund Moriarty, qui remarquait tout, le reprocherait à Mel et que cela laisserait une trace dans son dossier. Mel le savait, comme elle savait que les erreurs d'une mère qui travaille sont affectées d'un coefficient dix. Chez Lorimar, une femme qui avait une progéniture aurait aussi bien pu être marquée au fer rouge. Quelles que soient l'ambition et les qualités professionnelles qu'elle avait manifestées « avant », elle n'en avait plus pour longtemps. Au premier enfant, elle se montrait indélicate ; au deuxième, elle cherchait les ennuis. Le fait qu'Hilary en ait trois elle-même ne changeait rien. Mel travaillait sous ses ordres depuis plusieurs années, mais ne l'avait jamais vue partir plus tôt à cause d'une urgence familiale ni prendre une journée parce qu'un de ses enfants était malade.

Au cours du mois de septembre précédent, Vanessa s'était débattue comme un beau diable pour régler la question des livres d'école et de l'uniforme de son fils. A force de ruse, elle avait réussi à prendre une demi-journée par-ci, par-là. Pendant ce temps, Hilary restait vissée à son bureau, épiant sans pitié les employées qui tentaient de s'esquiver.

« Comment fait-elle ? » demandait sans cesse Vanessa à Mel.

« Elle a mis au monde des robots ! avait finalement décrété Mel. Je ne vois pas d'autre possibilité.

— A moins qu'elle n'ait un mari qui travaille à la maison et une bonne mieux payée que le P.-D.G. de Microsoft, avait renchéri Vanessa.

— Tu as peut-être mis le doigt sur quelque chose... »

Cette conversation était loin ! Mel réussit à répondre à ses messages téléphoniques et à terminer une montagne de courrier avant cinq heures. Il lui restait à rédiger le rapport mensuel d'activité du service publicité pour Hilary, mais elle devait être partie au plus tard à cinq heures et quart. Sinon, elle raterait son train et serait en retard pour reprendre les filles à la crèche. La seule solution était qu'elle emporte les documents dont elle avait besoin et qu'elle les étudie dans le train.

Vingt minutes plus tard, elle troqua ses chaussures à talons contre des plates, remplit sa bouteille thermos de café et se hâta vers la sortie. Il faisait froid, dehors. Avec un peu de chance, Mel serait chez elle à sept heures.

Quand elle gara sa voiture dans l'allée de sa maison, il était sept heures moins dix. Elle aida Sarah et Carrie à descendre et prit leurs sacs. Elle se sentait soulagée d'arriver enfin chez elle.

Quand Mel et Adrian avaient quitté leur appartement en ville pour se fixer à Carrickwell, leurs amis les avaient félicités de choisir un endroit si beau et où régnait une telle douceur de vivre. A l'époque, Mel était enceinte de Sarah. « C'est idéal pour élever des enfants. Et les écoles sont réputées », avait dit l'entourage de Mel et Adrian. Ils avaient acquiescé et échangé un de ces regards qui témoignent de la communication presque télépathique des couples qui se connaissent parfaitement. Ils n'avaient rien révélé de ce qui avait motivé leur choix.

Tous deux étaient nés à Dublin et y avaient grandi. Citadins dans l'âme, ils étaient moins enchantés de vivre à la campagne que leurs proches le croyaient, si idyllique que cela parût. Ils avaient pris en compte certains facteurs.

Les parents de Mel avaient quitté Dublin dix ans auparavant et s'étaient installés à mi-chemin entre Dublin et Carrickwell. Mel aurait donc sa mère à proximité pour l'aider à s'occuper de son bébé.

Si Adrian et elle étaient restés à Dublin, ils n'auraient jamais pu acquérir une maison semi-mitoyenne de quatre chambres dans une jolie rue. En outre, ils estimaient qu'il était préférable pour les enfants de vivre dans un environnement sain, idéal pour les pique-niques en famille. Du moins était-ce vrai en théorie. Dans la réalité, Mel ne voyait de la campagne que le paysage traversé par le train de banlieue.

L'argument décisif avait été celui des écoles. A présent que la question se posait pour les filles, on faisait pourtant sentir à Mel et Adrian qu'ils avaient raté le coche. Ils avaient déposé des dossiers d'admission pour Sarah et Carrie dans les meilleurs établissements de Carrickwell, mais auraient dû s'y prendre au moment de leur conception pour obtenir une place dans celui qui dépassait tous les autres, Carnegie Junior. Cela sans même parler du fait qu'apprendre à se servir d'un magnétophone ne s'inscrivait pas dans les activités aux Little Tigers. Les mères qui prenaient leur rôle au sérieux avaient montré à leurs enfants de quatre ans comment glisser une cassette de Bach dans l'appareil pour impressionner le comité d'admission de Carnegie. Bien sûr, Sarah savait assez bien utiliser la commande à distance du téléviseur. Mel se doutait toutefois que l'effet ne serait pas le même !

Quant à la maison sise au numéro 2 de Goldsmith Lawn, c'était son grand jardin arrière qui avait séduit Mel et Adrian. Ils étaient en train de feuilleter le catalogue de l'agence quand ils avaient vu la photo de la longue pelouse étroite, flanquée, au bout, d'un abri de jardin vieillot.

« On pourrait y planter des pommiers, avait lancé Adrian.

— Et accrocher une balançoire dans le cerisier », avait soupiré Mel d'un air rêveur.

Ils avaient échangé un sourire et Mel avait posé la main sur son ventre. Ils avaient, en cet instant, oublié qu'ils étaient incapables, l'un et l'autre, d'enfoncer un clou sans se taper sur les doigts.

Cinq ans après avoir acheté la maison, ils n'avaient pas planté de pommiers et les mauvaises herbes avaient pris possession de la partie du jardin qui jouxtait l'abri. En revanche, il y avait une balançoire dans le cerisier, que Sarah appréciait. Mais ce soir-là il n'était pas question de cela.

Sarah courut gaiement devant sa mère jusqu'à la porte d'entrée, tenant son sac à dos à pois rose et blanc contre elle. Mel la suivit, se débattant avec son attaché-case, Carrie et les affaires de Carrie.

La porte, d'un beau vert brillant, était encadrée par deux conifères nains plantés dans des bacs en bois du même coloris et posés sur la marche du perron. Quand ils avaient emménagé, Mel et Adrian avaient passé l'équivalent de deux mois en week-ends à créer un jardin de devant qui ne nécessiterait aucun entretien et ne déparerait pas à côté de celui, magnifique, de leurs voisins. La minuscule pelouse avait été remplacée par du gravier clair et, à chaque extrémité, un massif accueillait diverses plantes et graminées ornementales. Cela donnait l'impression d'un jardin parfaitement entretenu, mais ce n'était qu'une illusion, obtenue par l'astuce.

Quand Mel ouvrit la porte de la maison, la réalité la rattrapa. L'entrée paraissait défraîchie, la peinture s'écaillait et le plancher aurait nécessité un mois de travail forcené pour retrouver son allure. Chaque pièce demandait qu'on s'occupe d'elle. Mais n'était-ce pas le cas de tout le monde ? se demanda Mel avec lassitude. Adrian et elle n'avaient le temps de rien faire. Adrian travaillait comme informaticien dans une zone industrielle à trente minutes de voiture de chez eux et, depuis qu'il avait entrepris de passer un mastère en cours du soir, il n'avait plus une minute pour des occupations aussi basiques que le bricolage, même raté.

— Bonsoir ! cria Mel.

Elle laissa tomber ses divers sacs par terre et, après avoir embrassé Carrie sur le front, se baissa pour la remettre doucement sur ses pieds.

Son appel n'avait pas reçu de réponse, mais la porte de la cuisine était fermée. Sarah et Carrie coururent avec des cris de joie dans leur salle de jeu. Mel pensait qu'elles devaient disposer d'un endroit où entasser leurs affaires. Sinon, elles envahissaient l'espace. La salle à manger avait donc été transformée en salle de jeu. La table était poussée contre le mur et les jouets débordaient des caisses de rangement en plastique. Suivant l'inflexible tradition des couleurs qui convenaient aux

29

enfants, ce qui était fabriqué à l'intention des petites filles était d'un rose ou d'un violet criard. Mel aurait aimé que des teintes plus subtiles l'emportent.

— Le lave-vaisselle est cassé, annonça Adrian.

Mel venait d'entrer dans la cuisine, portant les sacs de gymnastique de Sarah et de Carrie, remplis des vêtements qu'elles avaient salis à la crèche.

Adrian, assis derrière la table, ses livres de cours étalés devant lui, releva la tête et sourit à Mel d'un air fatigué. Il aurait pu passer pour un Scandinave, avec ses cheveux blonds coupés court, ses yeux bleus très clairs et sa peau qui réagissait au moindre rayon de soleil. Il était toujours hâlé, au contraire de Mel, qui ressemblait à une Celte. Sarah et Carrie avaient hérité leur teint et leur chevelure de leur père, mais elles avaient l'ossature fine et les yeux de leur mère. Quand Mel avait rencontré Adrian, il avait la silhouette affûtée d'un coureur de marathon. Il se nourrissait pourtant de cuisine chinoise à emporter et de pizzas. Au fil des ans, par manque d'exercice et à cause d'un goût affirmé pour les plats interdits, il s'était empâté.

« Tu es devenu plus confortable, plaisantait Mel.

— Je devrais m'inscrire à la salle de sport, lui répondait-il avec bonne humeur. Encore faudrait-il pouvoir payer l'abonnement ! »

Mel lui caressa le bras quand elle passa à côté de lui pour aller dans la buanderie remplir la machine à laver.

— Es-tu certain que le lave-vaisselle est cassé ?

Quand il y avait une panne, cela impliquait de s'arranger pour que le service de dépannage vienne à un moment où il y avait quelqu'un à la maison. Pour Mel, il ne serait pas plus difficile de créer une chorégraphie pour patin à glace du *Lac des cygnes* !

— La vaisselle est plus sale après avoir été lavée, expliqua Adrian.

Il désigna de la main le plan de travail et un mug blanc où s'étaient collés divers débris alimentaires.

— Es-tu sûr qu'une cuiller ne s'est pas coincée dans un bras d'aspersion ? insista Mel, pleine d'espoir.

— Je ne crois pas...

Mel mit la machine à laver en marche, vida la boîte à sand-wiches et le gobelet à jus de fruits de Carrie puis, sans cesser de réfléchir à ce qu'elle devait encore faire avant de se coucher, s'attaqua au sac de Sarah. Ensuite, elle mit le poulet aux champignons pour le dîner des filles dans le four à micro-ondes, fit chauffer des pâtes et sortit un torchon propre avant d'expédier le sale dans le panier à linge d'un geste digne d'une joueuse professionnelle de basket-ball.

— Peux-tu surveiller les filles pendant que je me change ?

Mel était déjà à moitié sortie de la cuisine.

— Oui, répondit Adrian d'un ton absent.

Dans sa chambre, à l'étage, Mel troqua sa tenue de travail contre son pantalon de jogging gris et une veste polaire rouge. Elle ôta ses boucles d'oreilles : Carrie adorait tirer dessus et Mel en avait déjà perdu une très jolie, en argent, cette semaine. En moins de trois minutes, elle était de retour dans la cuisine pour finir de préparer le repas de Sarah et Carrie.

Elle les trouva installées sur les genoux de leur père. Il avait repoussé ses livres hors de leur portée et les écoutait lui raconter leur journée.

— J'ai fait un dessin pour toi, papa, dit Sarah d'un air grave.

Elle était en adoration devant son père et supportait tout quand il la tenait dans ses bras.

— Tu es douée, ma chérie, répondit-il en l'embrassant avec tendresse. Montre-moi. C'est très beau... C'est moi que tu as dessiné ?

Sarah hocha la tête avec fierté.

— Là, c'est Carrie. Là, c'est mamie Karen et moi.

Mel jeta un coup d'œil sans cesser de surveiller la cuisson des pâtes. Comme dans tous ses dessins, Sarah avait utilisé du rose, de l'orange et du violet. Adrian, Karen, la mère de Mel, et Sarah étaient grands et souriaient. Carrie, à laquelle Sarah n'avait pas vraiment pardonné d'être née, atteignait à peine un quart de la taille des autres personnages ; elle était représentée par de simples traits. Mel ne figurait pas dans le dessin.

— Où est maman ? demanda Adrian.

Mel avait beaucoup lu au sujet des angoisses de séparation et n'aurait pas posé la question, mais elle retint son souffle pour écouter la réponse de Sarah.

— Sur une autre page. Elle travaille, expliqua Sarah sur le ton de l'évidence.

Elle brandit une seconde feuille, où elle avait dessiné une maison plus vaste, devant laquelle se tenait sa mère, portant un attaché-case presque aussi grand qu'elle. Mel dut s'avouer que Sarah avait bien rendu ses cheveux : un mélange de mèches brunes et blondes frisottées.

— Oh ! lâcha Adrian.

Mel sentit sur elle le regard compréhensif de son mari et elle lui jeta un coup d'œil pour lui signifier que tout allait bien. Et, en effet, elle se sentait bien, selon la nouvelle définition du mot : bousillée, insécurisée, émotive, névrosée !

— Mais maman ne travaille pas toujours, dit Adrian. Le reste du temps, elle est ici et s'occupe de nous. C'est une super-maman. Elle devrait être la vedette du dessin, non ?

Sarah acquiesça de la tête et se pelotonna contre son père, suivant d'un doigt léger le tracé des cheveux jaune citron de sa grand-mère. Karen faisait partie de la composition, mais pas Mel. Celle-ci ressentit une nouvelle bouffée d'amertume, cette fois dirigée contre sa mère.

Karen Hogan, femme de soixante et un ans débordante d'énergie, était à la fois l'arme secrète de Mel et la source d'un profond ressentiment. Elle était toujours prête à se charger de ses petites-filles si elles étaient malades, pour que Mel n'ait pas à s'absenter de son travail. Elle était aussi prête à faire des remarques peu subtiles sur le fait que Sarah ou Carrie avait pleuré pour avoir sa maman ou, au contraire, ne l'avait pas réclamée.

Karen soutenait pourtant Mel dans sa décision de maintenir son activité professionnelle. Le problème était ailleurs : sans elle, rien n'aurait été possible et, quelque part dans l'esprit de Mel, persistait l'idée que ce n'était pas ainsi que les choses auraient dû se passer. En principe, la responsabilité de Sarah et Carrie incombait à Mel, pas à Karen. Lorsque Carrie avait eu une angine, quelques semaines plus tôt, Mel l'avait emmenée chez le médecin pendant le week-end. Le lundi, comme Carrie n'allait pas mieux, Karen avait pris la relève. Mel assistait à un forum sur la santé. Dans la matinée, elle s'était isolée quelques instants pour téléphoner à sa mère. « D'après le docteur, avait expliqué Karen, tu devrais envisager de lui faire enlever les amygdales. Il voudrait te voir, si tu as le temps. » Mel s'était cabrée. Si elle avait le temps ! Qui était restée à côté de Carrie, la nuit de vendredi, au lieu de dormir ? Qui l'avait conduite chez le médecin samedi matin et avait patienté pendant deux heures en lui chantant ses comptines préférées ?

« Comment le docteur ose-t-il parler ainsi ? avait dit Mel d'une voix rageuse. Il ne pense pas que, s'il peut travailler, c'est parce que sa femme fait tout pour lui ?

— Mel, ma chérie, il ne l'a pas dit dans cette intention ! avait répliqué Karen, sur la défensive. Tu es une excellente mère, nous le savons tous. »

« Vraiment ? avait pensé Mel. Et qui est-ce, "nous" ? »

Karen avait repris : « Il voulait juste dire que vous devriez parler de l'éventualité d'opérer Carrie pendant qu'elle est petite. Elle a un peu plus de deux ans et c'est le bon âge pour le faire. Plus on attend, plus les enfants ont du mal à se remettre. » Sa mère savait toujours tout ! avait songé Mel. D'où lui venait cette sagesse ? Elle-même pourrait-elle l'acquérir un jour ?

Elle revint au présent.

— Tu as fait un beau dessin, Sarah, fit-elle d'un ton uni. Veux-tu qu'on le mette sur la porte du réfrigérateur ?

Sarah fit joyeusement oui avec la tête et Adrian sourit à Mel. Encore un moment difficile que Mel avait réussi à dépasser. Que penserait son entourage, si elle avouait qu'elle avait souvent l'impression de frôler la catastrophe ?

Ce soir-là, le rituel de la toilette se prolongea. Carrie adorait prendre son bain et jouait avec son canard en plastique comme si elle le voyait pour la première fois. Elle lui versait de l'eau dans le bec, qui s'écoulait par le derrière et qui, au passage, faisait battre les ailes du jouet.

— Maman ! Maman ! cria Carrie avec extase.

Mel se mit à rire, sentant la tension de la journée s'estomper. Les tout-petits étaient merveilleux : toujours enthousiastes et prêts à se réjouir. Par comparaison, Sarah paraissait triste, assise dans la mousse parfumée à la lavande, avec l'air d'une enfant abandonnée, les yeux pleins de chagrin.

— Tu viens au zoo avec nous, demain, maman ? demanda-t-elle tandis que Carrie éclaboussait tout.

Mel sentit son cœur se serrer. Pauvre Sarah !

— Tu sais que je ne peux pas, répondit-elle avec entrain. Je dois travailler, même si je préférerais t'accompagner.

— Je veux que tu viennes !

Sarah prit un des poissons de Carrie et le jeta sur le canard, mais elle manqua son coup. Le poisson atterrit sur son propre pied. Elle poussa un cri de surprise et de douleur, et sa bouche fut prise d'un tremblement annonciateur de larmes. En désespoir de cause, Mel s'empressa de lui faire une proposition :

— Veux-tu aller à la petite ferme avec papa et maman pendant le week-end ?

La ferme possédait des chèvres, des moutons et deux poneys shetland que les enfants pouvaient caresser et nourrir. Elle se trouvait à quelques kilomètres de distance, sur une pente du Mount Carraig. Les filles aimaient l'endroit. Mel n'avait pas prévu de s'y rendre, mais elle se débrouillerait, si elle faisait les courses vendredi soir au lieu d'attendre samedi.

Sarah secoua ses cheveux mouillés d'un mouvement obstiné.

— Ze ne veux pas aller à la petite ferme. Ze veux maman et le zoo.

Quand elle était fatiguée et fâchée, elle se remettait à parler comme un bébé. Mel savait qu'elle aurait dû lui donner une meilleure explication des raisons qui l'empêchaient de l'accompagner, mais elle n'en pouvait plus. Il ne lui restait pas d'énergie.

— Sarah, je ne peux pas venir avec toi. Dawna sera là. Tu l'aimes bien.

Pendant un instant, le regard de Mel et celui de Sarah se croisèrent, du même bleu, avec, autour de l'iris, des reflets

34

violets qui leur donnaient une profondeur étonnante. Mel eut soudain l'impression que sa fille était grande et qu'elle comprenait, comme si elle voyait l'épuisement et la culpabilité dans les yeux de sa mère, comme si elle savait que, pour lui faire plaisir, celle-ci aurait tout donné pour se trouver dans deux endroits à la fois. Cela ne dura qu'un instant. Sarah reprit son expression enfantine, chargée d'incompréhension, face au fait que Mel choisissait de travailler plutôt que de rester avec elle. Mel se demanda pourquoi Adrian disait à ses filles qu'elle était une super-maman. Elle était une mère lamentable.

— Tu as mis longtemps, dit Adrian quand Mel le rejoignit enfin dans la cuisine.

Il était huit heures dix. Mel avait les bras chargés de vêtements sales et de serviettes de toilette humides. Elle avait aussi ramassé les restes d'un biscuit incrustés dans la moquette du palier.

— Sarah ne voulait pas se coucher.

Mel jeta le linge dans le panier, qui était de nouveau prêt à déborder. Quelle horreur! Elle ouvrit le réfrigérateur pour s'accorder un verre de vin blanc frais. Il n'y en avait pas. N'était-ce pas ce qu'ils avaient décidé? Ils n'ouvriraient pas de bouteille durant la semaine, parce que Mel serait tentée d'en boire chaque soir et que cela ne pouvait pas lui faire de bien. Pas de bien? Où était le tire-bouchon?

Les bouteilles se trouvaient dans un placard de la salle à manger, fermé à clé. Mel choisit le chablis qu'appréciait Adrian. Elle lui en versa un verre, qu'il prit sans lever les yeux. Une assiette était posée à côté de ses livres, avec un toast aux haricots dont il n'avait mangé que la moitié. Les examens avaient lieu au mois de mai et il travaillait d'arrache-pied pour les réussir.

— Le vin est bon, marmonna-t-il.

Avec un soupir approbateur, Mel en but une longue gorgée. C'était vraiment meilleur que celui contenu dans les bouteilles à capsule dont ils se contentaient avant d'avoir trouvé de bons emplois. Il fallait quelques compensations au fait de tant travailler ! Mais une idée se glissa insidieusement dans l'esprit de Mel : était-ce l'unique but de son travail, gagner de l'argent ? Payait-elle une personne pour élever ses enfants à seule fin de boire du bon vin avec Adrian ?

Mel parcourait le journal d'un œil distrait en attendant que la machine à laver s'arrête. Elle n'aurait plus ensuite qu'à la vider et la remplir pour une nouvelle tournée.

— Oh ! lâcha soudain Adrian. J'ai oublié de te le dire : Caroline a appelé pendant que tu donnais leur bain aux filles. Elle voulait te rappeler votre rendez-vous au Pedro's Wine Bar à huit heures et demie, jeudi soir. Elle demande si tu y vas en voiture et si tu peux la prendre en passant.

— Zut ! maugréa Mel. C'est bien la dernière chose dont j'ai envie, cette semaine. En plus, Caroline devrait savoir que je me rends à Dublin en train.

Caroline et Mel étaient amies de longue date. Caroline habitait dans la banlieue de Dublin. Elles avaient prévu de se réunir avec d'autres amies pour Noël, mais la soirée avait été si souvent remise à plus tard qu'elles avaient décidé d'attendre le mois de janvier. Autrefois, Caroline et Mel avaient partagé un appartement et travaillé dans la même société. Elles avaient aussi pris part à de folles sorties, passé du temps à comparer leurs notes sur des hommes infréquentables et discuté de la façon dont elles dirigeraient le monde quand leur heure sonnerait ! A présent, Caroline avait trois garçons. Elle jouait à fond son rôle de mère au foyer.

Mel reconnaissait qu'elle réussissait parfaitement dans cette tâche. La maternité était sa vocation, et pas de traîner dans des boîtes de nuit obscures en buvant des triples vodkas, selon la plaisanterie habituelle de Mel.

Les fils de Caroline n'avaient jamais mangé un petit pot pour bébé. Avec une personne moins pourvue de tact que son amie, Mel en aurait conçu un terrible sentiment de culpabilité. Son projet de préparer des purées de carottes bio était tombé à l'eau. Cela impliquait, en effet, une réelle organisation, alors qu'il était facile d'acheter d'appétissants petits pots avec de jolies images dessus. De toute façon, Sarah et Carrie les préféraient à ce que Mel avait pris la peine de leur cuisiner.

C'était une question de choix, expliquait Caroline d'un ton serein. Elle aimait rester chez elle avec sa progéniture pour faire des gâteaux et inviter une bande d'enfants déchaînés pour le goûter. Mais, ajoutait-elle, cela ne convenait pas à tout le monde.

« Toi, disait-elle à Mel, tu es au cœur de l'action. Il faut que l'une de nous deux, au moins, fasse partie des décideurs. Comme ça ne peut pas être moi, j'aimerais que tu prennes la place ! Je te demande juste de ne pas oublier tes vieilles copines quand on te donnera un prix Nobel pour services rendus au monde des affaires.

— Arrête ! suppliait Mel. Tu vas me faire pleurer. »

Il y avait une chose qu'elle ne comprenait pas. Pourquoi Caroline n'avait-elle pas repris le travail, puisque ses fils étaient scolarisés ? Mais Mel ne se serait jamais permis de le lui demander, pensa-t-elle en composant son numéro de téléphone.

— Bonsoir, Caroline ! Désolée de t'avoir ratée, je baignais les filles.

— Mel, je sais que j'avais mal choisi mon heure pour t'appeler, mais je ne veux pas te déranger au bureau. Comment vas-tu ?

Caroline paraissait détendue et heureuse et, pour quelque raison, cela vexa Mel plus qu'elle n'aurait pu le dire. Caroline avait renoncé à un poste important pour rester chez elle, à regarder les dessins animés à la télévision. Cela aurait dû la faire mourir d'ennui et la rendre irritable.

— Nous allons tous très bien, dit Mel sans hésiter à mentir.

Elle attendit, espérant que Caroline lui annonce l'annulation de leur soirée à la dernière minute. Elle-même n'osait pas demander un report, même si elle en mourait d'envie. Comment avait-elle pu accepter de sortir au milieu de la semaine, de surcroît, une des plus chargées ? Elle devrait aller au restaurant en quittant son bureau, ensuite prendre un des derniers trains pour rentrer et, surtout, elle ne verrait pas Sarah et Carrie.

— Pour jeudi soir...

— Val peut venir, enchaîna Caroline, et Lorna voudrait

déjà y être ! A l'entendre, on croirait qu'elle ne sort pas de chez elle, alors que son mari et elle étaient partis pour le nouvel an. On va bien s'amuser ! Je crois que je vais porter mon nouveau chemiser rose. Tu sais, celui dont je t'ai parlé. Il est très beau, mais le tissu est si fin et je dois mettre un caraco en dessous parce que, sans ça, on voit mon soutien-gorge. Je l'ai essayé deux fois, aujourd'hui, et j'hésite encore. J'ai aussi passé le beige imprimé dont je t'ai parlé, qui conviendrait. Il n'est pas si habillé, mais... En fait, j'adore le rose !

Mel imagina brièvement une vie où on avait le temps de réfléchir à la tenue qu'on porterait pour une sortie. Au lieu de cela, comme d'habitude, elle remonterait dans sa chambre en paniquant juste avant de partir travailler, arracherait de son cintre n'importe quel vêtement en tissu brillant et l'emporterait au bureau. Cela lui permettrait de se changer avant d'aller au restaurant.

— A ton avis, insistait Caroline, est-ce que mon chemiser rose sera dans le ton ou aurai-je l'air de vouloir m'habiller comme une gamine ?

Arrivait-il à certaines personnes d'avoir envie d'étrangler leurs amis à mains nues, ou bien n'était-ce le cas que pour Mel ? S'était-elle transformée en une harpie à présent qu'elle avait tout ce qu'elle avait toujours affirmé désirer, comme des enfants et un bon travail ?

— Qu'en penses-tu ? Le rose est peut-être la couleur la plus classique en Inde, mais sur une femme de trente-neuf ans n'est-ce pas un peu abusif ?

— Je crois que ce serait parfait sur toi, répondit Mel en se contrôlant.

— Merci ! J'ai vraiment hâte d'y être, tu peux me croire ! Parfois, on a vraiment besoin de sortir de chez soi pour se rappeler qu'il existe un monde extérieur, tu ne trouves pas ?

— Si, Caroline.

— Reste-t-il du vin ? demanda Adrian quand Mel eut raccroché.

— Oui, mais nous devrions être raisonnables, en milieu de semaine, répondit Mel. Nous finirons la bouteille demain.

Soudain, elle s'aperçut avec horreur qu'elle venait de parler à son mari sur le ton apaisant qu'elle utilisait avec les enfants. Le pire était qu'Adrian ne semblait pas l'avoir remarqué.

Le Pedro's Wine Bar, un établissement italien, appartenait au style d'endroits que fréquentaient les employés de Lorimar à l'heure du déjeuner quand ils disposaient de plus d'une demi-heure pour avaler un sandwich. La pénombre intérieure et les tables éclairées à la bougie créaient une ambiance propice à la conclusion d'affaires. Parfois, un client écrasé par son travail, sa vie personnelle ou son découvert bancaire buvait trop, quand ce n'était pas pour ces diverses raisons à la fois.

Caroline, Lorna et Val aimaient le lieu parce qu'il leur rappelait l'époque où elles n'avaient pas encore d'enfants. Elles y avaient eu de longs déjeuners de travail où elles élaboraient de grandes stratégies avec leurs collègues, tandis que les serveurs, flairant le pourboire généreux, veillaient à ce qu'elles ne manquent pas de Frascati. C'était pour cela que Mel détestait le Pedro's Wine Bar.

Le jeudi soir, cela commença à peine avaient-elles franchi le seuil du restaurant.

— Des cocktails ! s'extasia Lorna.

Elle prit la carte et la lut avec extase. A la moitié de sa lecture, elle éclata de rire.

— Qui veut un Slippery Nipple ?

Un Téton glissant ? Caroline et Val s'esclaffèrent à leur tour.

— Seulement du vin, pour moi, dit Val d'un ton navré. Sinon, je serai incapable de me lever, demain matin.

— Pareil pour moi, renchérit Caroline, soucieuse de ne pas conduire ses enfants en retard à l'école.

— Arrêtez, les filles ! Détendez-vous ! s'exclama Lorna, plongée dans la carte. Vous devriez prendre... Un Vodkatini ou un Manhattan. Non ! Un Pink Lady ! Pour assortir à ton chemisier, Caroline. Et toi, Mel ? Je suis sûre qu'avec le poste que tu as tu sors chaque soir. Raconte-nous, à nous les pauvres mères au foyer, ce qu'on boit chez les gens chic ?

Mel s'aperçut qu'elle avait les mains crispées sur son sac à main et que ses tendons saillaient, telles les cordes d'un violon. Elle était encore sous l'effet du stress de la journée, sans le voyage en train pour se calmer avant de passer à autre chose. Elle posa son sac à côté d'elle sur la banquette et fit un effort pour se mettre au diapason. Elle ne se laisserait pas embêter par Lorna.

— Les réceptions professionnelles deviennent rares, ces temps-ci, fit-elle d'un ton égal. De toute façon, je ne bois jamais dans ces cas-là. Ce n'est donc pas moi qui peux te dire ce qu'il faut choisir pour être dans le coup. Je prendrai aussi du vin, mais juste un verre. J'ai une réunion très tôt, demain matin, et...

Lorna interrompit Mel.

— Vous êtes tous pareils, vous les cadres ! Incapables de relâcher la pression ! On commande chacune un cocktail et, après, on sera raisonnables, d'accord ?

Quand elles furent servies, elles abandonnèrent le sujet des boissons pour passer à celui des écoles. Lorna s'impliquait dans l'association de parents d'élèves de l'institution fréquentée par ses enfants et, quand arriva la deuxième tournée, Mel apprit avec étonnement que Caroline faisait partie d'un groupe de pression national qui réclamait plus de participation parentale dans les établissements primaires.

— Je t'admire, dit Val.

Elle remuait d'un air coupable son White Cranberry Ice, un mélange corsé qui se buvait comme du petit-lait.

— Je devrais t'imiter, mais...

Elle tourna les yeux vers Mel, comme si c'était leur problème commun.

— Mais c'est très difficile de trouver le temps de tout faire, n'est-ce pas ? reprit Val. Je suis déjà débordée. Je continue à assister aux réunions des Weight Watchers et je n'ai plus que trois kilos à perdre.

Ses amies levèrent leur verre à sa santé en affirmant qu'elle était très belle.

— Merci ! répondit Val avec un grand sourire. Je dois marcher trois fois par semaine, et avec les diverses activités extrascolaires des enfants... Vous ai-je dit que Maureen s'est

40

inscrite à la gymnastique ? Elle a deux cours par semaine. Je ne vois pas comment arriver à faire davantage.

Val lança un nouveau regard de complicité à Mel, qui ne le lui rendit pas. C'était impossible. Il n'y avait aucune comparaison entre la vie de Val et la sienne. Val était une mère à plein temps et, si elle n'arrivait pas à s'impliquer dans l'association des parents d'élèves parce qu'elle passait son temps à préparer des cookies à la poudre de caroube bio ou à s'occuper de sa santé, on pouvait difficilement lui en tenir rigueur. De plus, Mel n'existait plus en tant que mère de neuf heures du matin à cinq heures du soir ou, plus précisément, de sept heures et demie du matin à sept heures du soir. Si, un jour, Sarah ou Carrie souhaitait faire de la gymnastique, comment se débrouillerait-elle pour la conduire ?

Lorna se tourna soudain vers Mel.

— Comment vont Sarah et Carrie ? Sarah devrait bientôt entrer à l'école, non ? C'est un tournant, tu ne trouves pas ? Les enfants sont encore des bébés et, soudain, ils entrent à l'école...

Mel attendit que Lorna fasse sa remarque habituelle : elle était ravie d'avoir quitté son travail à la naissance d'Alyssa, parce que la petite enfance passait vite et qu'une mère devait être présente, si elle ne voulait pas tout rater. Lorna le répétait à chaque sortie. Parfois, non contente de blesser Mel, elle l'insultait en soulignant qu'elle avait dû trouver dur de rater les moments les plus importants dans la vie de ses filles.

— Ce n'est pas pour t'ennuyer, Mel, que je le dis, mais cela doit être difficile pour les mères qui travaillent. Elles ratent tant de choses.

Lorna était douée pour appuyer là où cela faisait mal !

— L'autre jour, poursuivit-elle, j'ai lu un article sur l'employée d'une crèche, qui avouait que ça lui arrivait de mentir aux parents.

— A quel sujet ? demanda Mel, prête à se lancer dans la bataille.

— Par exemple, sur le moment où un enfant fait ses premiers pas, répondit Lorna d'un ton guilleret. Apparemment, il est d'usage de dire qu'il a presque marché pour que, le jour où il se lance à la maison, ses parents croient que c'est la première fois.

Val se tourna vers Mel en feignant de sourire.

— Les femmes doivent assumer tant de choses, n'est-ce pas ? Mais ça en vaut la peine.

— Oui, confirma Caroline.

— Je suis d'accord, renchérit Val.

Mel réfléchit à ce qu'elle aurait aimé répliquer à Lorna, mais conclut qu'il valait mieux qu'elle se taise.

De là, elles en vinrent à parler d'une de leurs amies qui devait bientôt se remarier. Elle aurait enfin le mariage dont elle rêvait depuis toujours, sur une des plages de rêve de la Gold Coast australienne. Tandis que Caroline, Lorna et Val se répandaient en regrets de ne pouvoir y aller, Mel se sentit glisser dans une tristesse dont même un double cocktail à la vodka n'aurait pu la tirer. Les piques de Lorna l'énervaient pour un simple motif : Mel avait peur qu'elle n'ait raison. Si seulement Lorna montrait un peu plus de sensibilité... Toutes les femmes ne pouvaient pas se permettre de rester chez elles pour s'occuper de leur famille.

Adrian ne dormait que d'un œil quand Mel se glissa sous la couette à côté de lui. Il était minuit passé et elle avait des nausées à l'idée de devoir se lever cinq heures plus tard.

— Tu t'es bien amusée ? murmura Adrian.

Il se tourna pour passer un bras autour de la taille de Mel et elle se pelotonna contre lui. Le chauffage était éteint et elle avait froid. Adrian avait toujours chaud. C'était un sujet de plaisanteries. Même en hiver, Adrian n'avait besoin que d'un drap et d'une couette aussi légère que possible. Mel aurait voulu quatre couvertures épaisses, une électrique, et une chemise de nuit en flanelle !

— C'était sympa, dit-elle en cherchant la position la plus confortable, sans quitter les bras d'Adrian.

Elle mentait. Quand elle s'était levée pour partir en expliquant qu'elle n'en pouvait plus de fatigue, Lorna tentait de les entraîner en boîte. « Tu as toujours été la première à vouloir t'amuser », avait-elle reproché à Mel avec agressivité, sous l'effet de l'alcool. Mel était en train d'enfiler son manteau, avant de vérifier qu'il lui restait assez d'argent pour prendre un taxi jusqu'à la gare. « Que t'est-il arrivé ? avait poursuivi Lorna. On est des amies si casse-pieds, pour que tu ne sois plus jamais avec nous ? C'est ça ? »

Mel avait passé la soirée à se reprocher de ne plus trouver l'occasion de se joindre au groupe qu'une ou deux fois par an. La réflexion de Lorna avait eu raison de sa patience : « Je travaille, Lorna, et je dois me montrer efficace toute la journée. Dès que je suis rentrée chez moi, j'ai à faire ce que tu fais chez toi, à la différence que je dispose pour ça à peine du quart de ton temps ! Alors, excuse-moi, je ne peux pas me permettre de m'amuser toute la nuit ni, si j'ai trop bu, de me recoucher après le départ des enfants. Les courses ou la lessive peuvent attendre, pas mon travail ! Je ne suis pas mon propre patron, tu sais ! »

Ce n'était pas juste de la part de Mel, mais elle s'en moquait. Lorna n'avait pas été chic avec elle. Si elle se conduisait de cette façon avec autrui, elle devait accepter qu'on en fasse autant avec elle.

« Et puisque tu trouves ma compagnie si ennuyeuse, avait conclu Mel, ne t'embête pas à me téléphoner la prochaine fois que tu as envie d'une folle soirée pour oublier que tu en as assez des réunions de parents d'élèves ! Je n'ai pas de temps à perdre. Je rate déjà assez de moments essentiels dans l'évolution de mes filles ! »

Mel était sortie, laissant Caroline, Lorna et Val bouche bée. Dans le taxi qui l'emmenait à la gare, elle s'était reproché d'avoir perdu son sang-froid. Pourquoi n'avait-elle pas tenu sa langue ? Ce n'était même pas le fait d'avoir contré Lorna qui la contrariait. Lorna était ivre et ne se souviendrait de rien. De toute façon, il était temps qu'elle connaisse la façon de penser de Mel. En revanche, Caroline avait été blessée et c'était une autre histoire. Caroline était une véritable amie. A présent, elle verrait Mel comme une de ces carriéristes à langue de vipère qui méprisent les mères au foyer. Pourtant, ce n'était pas le cas. Quel gâchis !

— Comment va Caroline ? demanda Adrian d'une voix ensommeillée.

— Bien, répondit Mel.

Inutile de l'ennuyer avec des histoires !

— Tu nous as manqué, dit encore Adrian.

— Vous aussi, vous m'avez manqué.

Il n'y avait rien de plus vrai.

— Dors, mon chéri, reprit Mel. Désolée de t'avoir réveillé.

— Je ne pouvais pas dormir tant que tu n'étais pas rentrée.

Mel sourit dans l'obscurité et se serra contre Adrian. Elle avait de la chance d'avoir épousé quelqu'un comme lui. Il savait lui dire qu'il l'aimait et que son absence lui pesait. Les hommes n'étaient pas tous capables d'une telle sincérité. Mel et Adrian formaient une bonne équipe, et ils savaient traverser les moments difficiles, du moins Adrian l'affirmait-il. Mel trouvait seulement que, depuis quelque temps, ces derniers prédominaient.

Le lendemain, Mel attendit l'heure du déjeuner pour appeler Caroline. Celle-ci serait chez elle, une fois terminée la course du matin pour conduire les enfants à l'école et faire le ravitaillement. Pour la première fois depuis qu'elles se connaissaient, Caroline fut glaciale.

— Tu n'avais pas besoin d'être aussi agressive avec Lorna, dit-elle d'un ton sec.

Mel, qui était assise à son bureau, frotta ses yeux fatigués. Le manque de sommeil lui faisait oublier ce qu'elle voulait dire.

— Lorna a fait un choix difficile en renonçant à sa carrière pour rester chez elle et s'occuper de ses enfants, poursuivit Caroline. Ça ne signifie pas qu'elle n'existe plus. On en a assez ! Quand on nous demande ce que nous faisons et que nous répondons que nous sommes des mères au foyer, tout le monde se désintéresse de nous. C'est déjà assez pénible que les hommes réagissent ainsi sans que les femmes s'y mettent aussi ! Je croyais que tu avais compris pourquoi j'avais quitté mon travail, Mel. Je ne supportais pas l'idée de laisser une personne étrangère élever mes fils. Si j'avais su que tu me mépriserais pour ça, j'aurais cessé de te voir. J'ai de nouvelles amies qui vivent comme moi. Je n'ai pas besoin de m'accrocher à toi en souvenir du bon vieux temps, sous prétexte que nous travaillions dans le même bureau et que nous disions des horreurs sur notre patron.

— S'il te plaît, Caroline, ne prends pas les choses ainsi ! Je ne te méprise pas, tu le sais. En fait...

Mel eut un petit rire sans joie.

— En fait, je pense que c'est l'inverse.

Pourquoi Caroline ne comprenait-elle pas que les mères qui travaillaient, comme Mel, avaient l'impression d'être méprisées par celles qui demeuraient à la maison, comme Lorna ?

— Moi aussi, j'aimerais pouvoir m'occuper de Sarah et Carrie, reprit-elle.

Elle s'interrompit, incrédule. Voilà, elle l'avait dit ! Elle avait révélé son plus grand secret, celui qu'elle osait à peine s'avouer à elle-même. Elle aurait aimé rester chez elle. Elle était fatiguée de cette vie, fatiguée de faire tourner la machine comme un hamster fou sans jamais arriver nulle part.

Caroline répondit d'un ton sarcastique.

— Je sais ce que tu veux dire. Tu rêves de paresser toute la journée chez toi. Tu es persuadée que c'est ça, la vie d'une mère au foyer. Mais tu te trompes. Il n'est pas question de traîner dans les boutiques ou de prendre le café avec des amies et, le reste du temps, de faire un peu de lessive ou de repassage en regardant la télévision ! C'est beaucoup de travail, et un travail très ennuyeux.

— Je m'en rends compte, balbutia Mel. Tu as mal compris...

— Crois-tu que j'ai oublié le plaisir que procure un travail intéressant, avec des gens qui te respectent pour ce que tu fais ? L'agrément qu'il y a à gagner de l'argent et à utiliser ses capacités à fond ?

La voix de Caroline tremblait.

— Je ne suis plus qu'une mère au foyer, une bonne petite ménagère, une femme dépendante ! Graham prétend que je suis le P.-D.G. de la maison, mais c'est le seul poste de direction où ton travail ne vaut rien ! Je croyais que tu l'avais compris, et aussi que ça me faisait du bien de reprendre contact avec le monde d'avant en te voyant, pour me souvenir de ce que c'était. Je me suis trompée. Tu me méprises.

— Mais non, Caroline ! Pas du tout ! C'est juste que Lorna s'en prend toujours à moi...

Caroline coupa Mel d'une voix tendue.

— Mel, je n'ai pas le temps de te parler. J'ai à faire. Mon feuilleton préféré passe à la télé dans quelques minutes et je n'ai pas envie de le rater ! Au revoir.

— Caroline, non...

Caroline avait raccroché.

Comment un malentendu pareil avait-il pu se produire ? Juste au moment où Mel comprenait enfin que Caroline avait choisi de renoncer à sa carrière pour s'occuper de ses trois fils. Car, après avoir passé trois ans à essayer de tout gérer à la fois, c'était ce que Mel aurait aimé faire.

Elle avait à peine reposé le combiné que son téléphone sonna. C'était Sue, l'assistante du service.

— Mel ? Excuse-moi, mais j'ai un journaliste en ligne. Il appelle au sujet d'une statistique sur les maladies cardio-vasculaires qu'il a vue sur notre site Internet. Il dit que les chiffres sont faux pour l'Irlande.

— Passe-le-moi, répondit Mel de sa voix la plus aimable.

Comme si elle ne venait pas d'avoir la pire des conversations avec sa plus vieille amie ! Elle avait besoin d'y réfléchir, mais, comme le déjeuner, cela attendrait. Le travail primait, n'est-ce pas ? La vie, la famille, les amis... tout était subordonné au travail.

2

Aussi loin que puisse remonter leur mémoire, les habitants de Carrickwell avaient toujours connu le Willow. D'autres établissements plus élégants avaient ouvert puis fermé, apportant différentes visions de la restauration à la région, de la nouvelle cuisine au style moderne raffiné en passant par la simplicité du zen, mais seuls trois hôtels avaient survécu à tout : le Carrick Park, un motel sur la route principale ; le Townhouse, à côté de la cathédrale, une adresse pour hommes d'affaires, qui faisait fortune avec les gens des bureaux qui y déjeunaient ; le Willow, un manoir du dix-huitième siècle, assez délabré et plein d'antiquités. L'énorme bâtisse était presque impossible à chauffer et, depuis que les parents de Cleo Málainn s'y étaient installés, trente ans plus tôt, ils avaient à peine réussi à rester solvables.

Harry et Sheila Málainn venaient de se marier quand ils avaient découvert le Willow. Ils avaient pensé que ce serait l'endroit idéal pour élever leur famille. Il y avait un immense jardin envahi par la végétation et les enfants pourraient courir partout dans la maison. Harry et Sheila s'étaient lancés dans l'aventure avec enthousiasme, bien qu'ils n'aient aucune expérience de l'hôtellerie. Bon an mal an, ils s'en étaient sortis. Trente ans et trois enfants plus tard, le Willow existait toujours, lieu remarquable, qui disposait de deux hectares et demi de terrain dans les faubourgs de Carrickwell.

Il figurait dans les guides à la rubrique des châteaux-hôtels, et les clients pouvaient se croire en visite chez des amis habitant une demeure démodée et usée. Il y avait deux suites et seize chambres, toutes différentes, et une salle de réception qui servait pour les mariages en petit comité.

Le Willow était resté tel qu'à l'origine ; c'était Carrickwell qui avait changé au fil du temps. La cité s'était transformée en une commune active qui faisait partie de la ceinture de Dublin. Les prix de l'immobilier montaient en flèche et les nouvelles enseignes cherchaient à s'installer.

Le concurrent le plus récent du Willow s'était installé dans le presbytère victorien de Glenside Road. Les chambres étaient décorées dans le style d'une maison close parisienne, avec des miroirs et d'innombrables coussins recouverts de tissu pourpre ou d'un imprimé léopard. Le père de Cleo avait discrètement visité les lieux. Il était revenu en expliquant que les petits déjeuners n'étaient pas dignes de ce nom. Au lieu du solide repas traditionnel que demandait la clientèle, sans se soucier de son cholestérol, on y servait un petit déjeuner continental. Quant au propriétaire, il paraissait plus soucieux de voir son établissement photographié dans les magazines de décoration que de surveiller le travail quotidien.

Le « château Léopard » suscitait de nombreuses plaisanteries chez les Málainn, dans les appartements desquels la moquette était usée jusqu'à la corde et où les papiers peints n'avaient pas été remplacés depuis des lustres.

Le « château Léopard » avait fermé au bout d'un an et cela avait conforté Harry Málainn dans ses certitudes : les clients aimaient la cuisine familiale et appréciaient plus une atmosphère intime qu'un coûteux mobilier neuf et un décor marqué par la folie des grandeurs.

Comme rien n'avait été modernisé au Willow depuis son enfance, Cleo pensait qu'il valait mieux que ce soit le cas, mais elle n'aurait jamais osé le dire.

Pour Sheila, cela prouvait que le Willow faisait partie intégrante de Carrickwell. Le dimanche, les gens n'y venaient-ils pas déjeuner dans la grande salle à manger ? Ils réservaient plusieurs mois à l'avance pour le 25 décembre ou s'inscrivaient sur la longue liste d'attente, au cas où il y aurait des annulations. Barney et Jason, les frères aînés de Cleo, estimaient que le Willow pouvait devenir une mine d'or : un accord avait été signé avec l'agence de voyages qui avait créé un circuit touristique autour du monastère cistercien et de la tour ronde des environs de Carrickwell. Puisque tout allait si bien, à quoi bon dépenser des fortunes pour moderniser le chauffage sous prétexte que, d'après le plombier, les tuyaux étaient hors d'âge ? C'était ça, les plombiers ! Même sous la torture, ils n'avoueraient pas qu'une tuyauterie était en bon état.

Pour Sondra, la femme de Barney, ils pourraient toujours vendre une partie du terrain de derrière à un promoteur. Ils construiraient deux immeubles d'habitation et les Málainn vivraient ensuite comme des coqs en pâte !

Seule Cleo apportait une note discordante. Fraîche émoulue d'une école d'hôtellerie dont elle était sortie parmi les mieux classés, elle affirmait qu'il fallait rénover le Willow, car les temps étaient difficiles. D'après elle, un établissement comme celui-ci se retrouverait dans une situation catastrophique si ses propriétaires ne manifestaient pas de la prévoyance. Les hôtels modernes appartenaient en général à des groupes capables d'investir en pensant à l'avenir, disait-elle. Les enseignes indépendantes devaient proposer à leur clientèle un petit quelque chose de plus, des boutiques, par exemple. Mais cela exigeait de grosses dépenses.

La promotion de Cleo avait eu droit à une conférence sur l'avenir de l'industrie hôtelière par Mme O'Flaherty, qui avait travaillé au Victoria Jungfrau, en Suisse. Mme O'Flaherty avait insisté sur la nécessité pour les petites structures de tout faire pour rester concurrentielles. « Si la qualité baisse et que les investissements ne suivent pas, le taux d'occupation risque de s'en ressentir. » Mme O'Flaherty ne plaisantait pas. « C'est la tragédie des affaires familiales. L'argent nécessaire aux rénovations manque souvent, mais l'immobilisme est gage de catastrophe. »

Les élèves avaient écouté avec attention et pris des notes. Ceux dont les parents étaient hôteliers se demandaient comment ils parviendraient à faire passer l'idée chez eux.

Cleo avait un ami et admirateur, Nat Sheridan. Sa famille possédait depuis plusieurs générations le Railway Lodge, à Galway, un établissement de vingt chambres à l'ambiance vieillotte. Nat avait avoué à Cleo qu'il n'arrivait pas à faire comprendre à sa mère, restée seule après son veuvage, la nécessité d'investir. « Elle estime qu'il y a une limite aux sommes qu'on peut dépenser et que, si nous modernisons trop le Railway Lodge, nos prix s'en ressentiront, et nous perdrons notre clientèle d'habitués, avait expliqué Nat d'un air sombre. Je n'arrête pas de répéter à maman qu'il faut en passer par là, si nous ne voulons pas déposer le bilan, mais elle refuse de m'écouter. Que puis-je faire ? »

Cleo avait haussé les épaules, comme pour dire : « Ne m'en parle pas ! Tu sais que, chez moi, on ne m'écoute pas plus. » Cleo avait beau avoir vingt-trois ans, on la traitait toujours comme un bébé, car elle était la petite dernière.

Barney et Jason ne s'intéressaient au Willow que pour la partie financière. Quand ils avaient eu vingt-cinq ans, ils avaient reçu dix pour cent du capital. Cleo était certaine que son père avait attendu qu'ils aient cet âge en raison de leur attitude désinvolte à l'égard de l'argent. D'après sa mère, c'était plutôt parce que, avant de les impliquer dans la gestion de l'affaire, Harry voulait s'assurer qu'ils avaient assez de bon sens pour penser à l'avenir.

Cleo avait entendu parler de cet arrangement pour la première fois le jour de ses vingt et un ans et compris qu'elle était trop jeune pour en bénéficier.

« C'est ridicule ! avait-elle protesté. Vingt-cinq ans ? C'est digne de l'Ancien Régime !

— C'est l'âge de la maturité, avait répondu son père.

— A l'époque de Jane Austen, peut-être ! » avait répliqué Cleo.

Elle ne supportait pas l'idée que son père ne voyait pas la réalité : elle était déjà plus mûre que ses frères ne le seraient jamais. Parfois, ils se conduisaient comme des gamins. Mais Cleo était décidée à changer tout cela. Son père devrait l'écouter. C'était fou de ne pas lui donner sa part tout de suite pour qu'elle ait son mot à dire. Elle avait la formation nécessaire, elle savait ce qui marcherait, et elle avait hâte d'agir...

Derrière le comptoir, le marchand de journaux commençait à s'énerver.

— Vous achetez ces magazines ou vous vous entraînez pour figurer au musée de cire ? demanda-t-il.

Cleo sortit en sursaut de sa rêverie, où sa famille l'écoutait exposer ses conceptions comme si c'était parole d'évangile. Elle constata qu'elle était restée plantée devant le rayon des revues un bon moment, le regard dans le vide, tenant deux luxueux mensuels de décoration serrés contre elle.

— Excusez-moi, dit-elle.

Elle s'approcha du comptoir en souriant. Tout le monde parlait de son sourire, qui faisait apparaître ses fossettes. Même ses yeux souriaient. Si Cleo avait été une fille à s'attirer des ennuis – ce qui n'était pas le cas, ainsi qu'elle se plaisait à le rappeler à son amie Trish –, elle s'en serait toujours sortie grâce à cet irrésistible sourire.

Le commerçant se détendit lorsqu'il prit les magazines pour scanner le prix. Cette cliente avait de la classe et elle était polie, pas comme ces garçons manqués qui feuilletaient toute la presse, lisaient les allusions sexuelles à haute voix et repartaient sans même acheter un paquet de chips !

— Merci, fit Cleo.

Elle ramassa la monnaie, prit les magazines et détourna le regard des confiseries au chocolat entassées à côté de la caisse. Elle se les interdisait, en particulier les nouvelles barres au chocolat blanc, qui fondaient sur la langue et s'installaient directement sur les hanches sans même passer par l'estomac. Cleo ne s'était pourtant jamais beaucoup inquiétée de son poids. Elle était grande, avec la silhouette sportive et de longues jambes. Peu importe ce qu'elle mangeait, son ventre restait plat. Son problème, c'était sa poitrine. De quelque façon qu'on l'envisage, un 90 D restait non négligeable. Si Cleo prenait du poids, au moins la moitié irait augmenter son tour de poitrine.

Trish l'attendait au feu rouge d'une rue du centre de Dublin, où la circulation était très dense. Elle portait son manteau en faux mouton remonté jusqu'aux oreilles à cause du froid et un bonnet en tricot rouge enfoncé sur la tête. Elle pointa le doigt vers les journaux de Cleo.

— Qu'est-ce que tu as pris ?

— Des magazines de décoration.

Tout en surveillant le feu, Cleo espérait qu'il ne pleuvrait pas avant qu'elle soit dans le bus du retour, car elle était sortie sans chapeau ni parapluie. Elle avait déjà assez de difficultés pour se coiffer, avec ses cheveux indomptables ! S'ils étaient mouillés, elle se transformerait en femme des cavernes.

— Pourquoi n'as-tu pas pris des journaux à scandale pour nous remonter le moral ? gémit Trish. J'adore les photos de stars sans maquillage, avec des boutons, de la cellulite et une cigarette à la main !

Trish avait arrêté de fumer depuis peu et elle n'aimait rien tant que de voir des personnes qui semblaient en mauvaise santé à cause du tabac. Cela prouvait, disait-elle en mâchant un chewing-gum à la nicotine, qu'elle avait fait le bon choix.

— Je n'en ai pas pris, répondit Cleo, parce qu'ils sont pleins d'articles sur divers régimes et sur les meilleures recettes pour ressembler à Jennifer Lopez. Toutes choses qui impliquent de dépenser des fortunes alors que nous sommes fauchées, et de faire une taille 36, ce qui n'est pas notre cas.

Le bonhomme vert s'alluma, donnant le passage aux piétons. Cleo et Trish traversèrent en direction du Shepherd, le pub où elles passaient de longs moments, quand elles fréquentaient les instituts d'enseignement supérieur de la capitale. Il n'y avait que cinq minutes de bus entre leurs deux établissements et les professeurs de gestion hôtelière de Cleo avaient dû se demander si Trish était inscrite chez eux ou à l'école de commerce sur l'autre rive de la Liffey.

— On pourrait entrer dans du 36, si on voulait, nota Trish.

— Tu as raison. Il suffit qu'on ne mange plus et qu'on se fasse enlever quelques-uns de nos principaux organes !

Cleo poussa la porte battante du Shepherd et fut saisie par une accueillante bouffée de chaleur. Le chauffage central était au maximum.

Elles trouvèrent une table dans un coin tranquille et commandèrent deux cafés.

— Pourquoi es-tu si ronchon ? demanda Trish.

— J'ai refusé le travail dans le Donegal.

— Tu n'as pas fait ça ?

— Si.

Cleo avait elle-même du mal à le croire. Ce n'était pas la place dont elle avait rêvé, seulement le poste d'assistante de direction au Kilbeggan Castle Hotel, dans le Donegal, région à la beauté austère. Mais c'était son premier vrai travail, et elle avait refusé. Elle devait avoir perdu la tête !

Le propriétaire du Kilbeggan l'avait aussi pensé :

« Vous étiez si désireuse d'avoir ce poste, avait-il dit d'un ton fâché quand Cleo lui avait téléphoné après avoir reçu sa lettre d'embauche.

— Je suis vraiment désolée, avait-elle répondu. Je ne voulais pas vous faire perdre votre temps.

— C'est pourtant le cas !

— C'est involontaire. Il s'est produit un événement inattendu. Vous savez que je viens d'une famille d'hôteliers... Aujourd'hui, j'ai une bonne raison de rester chez moi pour travailler.

— Je sais que le tourisme va mal, avait répliqué l'interlocuteur de Cleo. Depuis quelque temps, les gens ont peur de prendre l'avion et nous en subissons tous plus ou moins les conséquences. Je suppose que, chez vous, c'est la même chose. Mais inutile d'épiloguer. Je parie que je lirai, un jour, votre nom dans un article sur les grands entrepreneurs ! Vous m'avez impressionné, mademoiselle Málainn.

— Je vous remercie », avait répondu Cleo, non sans regret.

Son instinct lui soufflait qu'il aurait été très agréable de travailler au Kilbeggan. Elle était folle d'avoir refusé, mais ne pouvait renoncer à son héritage. Elle devait tout faire pour que le Willow entre dans le vingt et unième siècle, que ses parents le veuillent ou non. C'était cela, ou la fin du Willow.

— Tu es cinglée ! s'exclama Trish. Désolée, je ne veux pas être grossière, mais c'est vrai.

Elle fusillait Cleo du regard, comme elle l'avait fait lors de leur premier jour à l'école primaire de Carrickwell. Elles avaient toutes les deux choisi de s'asseoir sur l'unique chaise peinte en bleu et cela avait déclenché une terrible bagarre, où elles s'étaient tiré les cheveux en hurlant. Dix-huit ans plus tard, il leur arrivait de s'emporter l'une contre l'autre. La dernière fois que Cleo s'était fâchée contre Trish, celle-ci venait de lui avouer d'un air penaud qu'elle n'avait pas rompu avec son petit ami. On l'avait pourtant vu enlacer une autre fille à la soirée du nouvel an.

« Il s'est excusé, avait protesté Trish.

— Jusqu'à la prochaine fois, avait répondu Cleo, très en colère. Si un homme me faisait ça, il se retrouverait aux urgences, en train de supplier qu'on lui donne de la morphine pour calmer sa douleur. »

Elle ne plaisantait pas. Elle n'avait peut-être pas beaucoup d'expérience en la matière, mais elle avait appris aux garçons à ne pas la traiter n'importe comment. L'un d'eux, par exemple, lui avait juré un amour éternel après une soirée et lui avait promis de lui téléphoner. Il n'oublierait jamais la façon dont elle lui avait renversé sa bière sur la tête le lendemain. D'une voix forte, au grand amusement des autres clients du pub, Cleo lui avait intimé de ne pas faire de promesses s'il ne voulait pas les tenir. « Rien ne vaut la franchise, avait-elle lancé en le regardant, alors que, sidéré et le visage ruisselant, il restait vissé à son siège. Si tu ne souhaitais pas me revoir, tu n'avais qu'à me le dire. Je ne suis pas du genre à attendre à côté du téléphone. »

Mais ce jour-là, au Shepherd, c'était Trish qui essayait de faire entendre raison à Cleo :

— Pourquoi as-tu refusé ? Mais pourquoi ? C'était un poste idéal. Je ne vois pas l'intérêt de tourner le dos à un bon boulot dans le Donegal quand ta famille t'ignore. Ton père ne te laissera jamais diriger l'hôtel et lui montrer comment s'y prendre, n'est-ce pas ? C'est pareil avec Barney et Jason. Tu dis toi-même que Barney espère en secret que vous serez obligés de fermer et que le terrain sera vendu. Avec sa part, ils vivraient dans le luxe, Sondra et lui. Cleo, tu ne peux pas sauver le Willow si le reste de ta famille n'en a pas envie.

C'était un raisonnement sensé et Trish le répétait depuis un mois à Cleo, c'est-à-dire depuis que celle-ci avait pris conscience du mauvais état des affaires familiales.

A cause du terrorisme, le tourisme se portait mal dans le monde entier, mais cela ne suffisait pas à expliquer les problèmes du Willow. Cleo avait eu le premier indice de la catastrophe à venir quand elle était rentrée chez elle à Noël. Elle avait terminé ses études sept mois plus tôt et, depuis, avait travaillé comme réceptionniste de nuit dans un grand hôtel de Bristol. L'expérience avait été intéressante. D'abord, elle avait eu une aventure brève mais amusante avec un beau Français du nom de Laurent. Mais, surtout, elle avait beaucoup appris. A présent, elle voulait montrer aux siens ce qu'elle savait. Elle ne prévoyait toutefois pas de partager avec eux la technique du baiser importée par Laurent de son pays d'origine...

Pour la première fois de son histoire, le Willow n'avait été qu'à moitié rempli pour Noël. Même une coûteuse publicité dans un journal de diffusion nationale n'avait pas réussi à attirer la clientèle. Pour le déjeuner du 25 décembre, il avait fallu fermer la partie inoccupée de la salle à manger, qui, sans cela, aurait été déserte.

Les parents et les frères de Cleo se conduisaient comme si ce n'était qu'un incident sans signification particulière, un simple effet du hasard. Cleo savait qu'il n'en était rien et que, au contraire, cela marquait le début de la fin. Les gens attendaient d'un hôtel-restaurant autre chose que la grandeur fanée qu'ils trouvaient au Willow. Ils voulaient des services à thé en argent, un mobilier élégant, toute cette atmosphère que possède un bel hôtel ancien. Mais ils exigeaient aussi de l'eau chaude à n'importe quelle heure du jour et de la nuit, une piscine et un salon d'esthétique. Que pouvait leur offrir le Willow ?

La voix de Trish ramena Cleo dans le présent.

— En fait, les températures sont trop basses dans le Donegal. A ta place, je sauterais dans le premier avion à destination d'un pays chaud et je chercherais un palace. Je viendrais te voir et tu me donnerais une chambre à l'œil ! Les Caraïbes me plairaient assez... Je me vois bien sur une plage de sable blanc, dans une chaise longue ; je fais signe à un magnifique garçon bâti comme un dieu pour qu'il m'aide à déplacer mon parasol…

Trish poussa un soupir. Elle imaginait la scène.

— Tu as fini de fantasmer ? demanda Cleo en ouvrant un des magazines. Regarde ! C'est ça, mon plan : si nous rénovons l'hôtel nous-mêmes, ça coûtera moins cher.

Elle trouva l'article qui l'avait captivée, chez le marchand de journaux. On y montrait une maison assez semblable au Willow, mais aux murs mis en valeur par de fabuleux effets de peinture et un extraordinaire trompe-l'œil représentant une porte en arc qui donnait sur un jardin tropical. Avec une salle à manger rénovée dans cet esprit, le Willow deviendrait un endroit magique.

Trish soupira.

— Cleo, des peintres expérimentés, tous diplômés des Beaux-Arts, ont redonné leur lustre à ces maisons. Et ils travaillent vingt-quatre sur vingt-quatre pour transformer un hall délabré en paradis terrestre avec dix-sept pots de peinture, pas plus ! Si les gens comme nous essayaient de le faire, cela ressemblerait aux tableaux peints par les chimpanzés.

— Ça ne doit pourtant pas être si difficile à réaliser, marmonna Cleo.

Trish plissa les yeux.

— D'accord, tu as raison, Cleo de Vinci ! Allons, redescends sur terre ! Ta famille te prend pour une gamine qui ne sait rien. C'est ce qui arrive quand on est la petite dernière. Tu ferais mieux de regarder la réalité en face et de t'occuper de ta vie. Comme moi ! conclut Trish d'un ton de défi.

Trish s'était installée à Dublin à l'âge de dix-huit ans, quand elle était entrée à l'école de commerce. Elle soutenait que, pour bien s'entendre avec sa famille, il n'y avait pas de secret : il ne fallait pas habiter avec elle. Depuis, elle avait toujours vécu de son côté. A l'époque, Cleo enviait l'indépendance de Trish, mais, à présent, elle n'en était plus certaine. Elle avait tout fait pour aller à Bristol et, une fois là-bas, avait souffert de l'absence de ses proches.

— C'était différent pour toi, Trish, fit-elle remarquer. Tu avais besoin de partir.

La famille de Trish était réputée pour ses disputes homériques et sa capacité à claquer les portes.

— Je n'ai pas envie de partir, reprit tristement Cleo. Je sais que, si je réussissais à faire comprendre à mes parents que nous avons des problèmes, ils réagiraient dans le bon sens. Tu ne crois pas ?

— D'accord ! admit Trish. Réunis ta famille et explique-lui qu'elle se trompe. On verra bien ce qui se passe. Mais ne viens pas pleurer, ensuite, que je ne t'ai pas avertie.

En se dirigeant vers l'arrêt du bus, Cleo ruminait cette conversation. Elle savait qu'elle avait peu de chances de réussir en restant à Carrickwell pour ranimer l'affaire familiale. Son père ne l'écouterait pas et ses frères souhaitaient la fermeture de l'hôtel. Ni Barney ni Jason n'avaient manifesté la moindre inclination pour l'hôtellerie. Jason travaillait dans une agence de voyages et Barney comme directeur des ventes chez le concessionnaire local d'un fabricant de voitures. La vente du Willow et du terrain leur rapporterait beaucoup d'argent. Trish avait raison sur tous les points.

Cleo aimait ses frères, mais, en raison de la différence d'âge entre elle et eux, elle avait été exclue de leurs jeux dans son enfance et, même à présent, ils avaient du mal à ne pas se chamailler.

Le bus arriva. Dès que les portes furent fermées, Cleo enleva son écharpe et se cala sur son siège pour profiter de la promenade.

— Ma parole, c'est Cleo Málainn ! Comment vas-tu ?

Irene Hanley, une amie de la mère de Cleo, posa deux gros sacs à provisions sur le siège voisin de celui de Cleo.

— Ça ne te dérange pas, si je m'assieds à côté de toi ? Je déteste le voyage de retour. C'est à mourir d'ennui, tu ne trouves pas ?

Sans attendre une éventuelle réponse, Mme Hanley avait déjà enlevé son manteau, transféré ses cabas sur le plancher de telle façon qu'ils tombèrent sur les pieds de Cleo et elle s'était affalée sur le siège. Elle était bâtie comme une catcheuse et occupait une partie de la place de Cleo. Celle-ci se trouva repoussée contre la fenêtre, mais il ne lui restait plus la moindre chance de profiter de la vue en rêvant. Irene Hanley avait envie de bavarder. Elle commença par sortir une boîte de chocolats d'un de ses sacs.

— Tiens ! Sers-toi.

Cleo refusa de la tête.

— Allons ! Ça ne peut pas te faire de mal.

Se maudissant pour sa faiblesse, Cleo prit un chocolat fourré au caramel, avec une noisette cachée au milieu. Elle sentit son corps frémir de plaisir. Le chocolat était de retour !

— Je me laisserai peut-être tenter par un autre, dit-elle.

Irene Hanley n'avait eu que des filles, toutes d'un gabarit impressionnant. A l'entendre, elles étaient mariées, ou sur le point de l'être, à des hommes désirables.

— Loretta, par exemple. Son ami, si tu savais comme il est formidable ! Il m'appelle sa seconde maman et, tu te rends compte, il emmène Loretta aux Canaries pour la Saint-Valentin ! Loretta, j'ai dit, ma petite Loretta, ne laisse pas passer ce garçon !

— Loretta a eu vingt-deux ans l'année dernière, je crois ? demanda soudain Cleo.

Parmi les membres du vaste clan Hanley, elle se souvenait de Loretta. Pendant une courte période, un été, celle-ci avait travaillé au Willow comme femme de chambre. A présent, elle dirigeait le bureau de Carrickwell d'une agence de voyages spécialisée dans les circuits en car.

— Mon bébé ! soupira Irene Hanley, dont les yeux se brouillèrent d'émotion.

Il fallut une bouchée noire au nougat pour qu'elle reprenne ses esprits.

Cleo soupira et choisit un praliné au café. Depuis sa courte aventure avec Laurent, il n'y avait plus eu d'homme dans sa vie, sauf Nat, mais il ne comptait pas. Personne n'avait eu la bonne idée ou l'autorisation de découvert nécessaire pour emmener Cleo aux Canaries ! Comment faisait Loretta ?

Cleo devait peut-être devenir moins exigeante. Elle menait la vie dure aux hommes, mais aucune femme ne pouvait y renoncer, n'est-ce pas ? Il fallait montrer son autorité, qu'il s'agisse de mettre à la porte un client ivre à l'heure de la fermeture ou de faire comprendre à un garçon qu'une soirée passée avec lui ne l'autorisait pas à garder les yeux fixés sur votre décolleté !

— Oh ! s'exclama Irene Hanley. Nous sommes presque arrivées. C'est fou comme le temps passe vite, quand on a de la compagnie !

Le bus venait d'entrer au dépôt en cahotant.

— Comme je l'ai dit à Loretta, j'espère qu'elle rentrera des Canaries avec une bague de fiançailles au doigt. Si ça arrive – garde-le pour toi –, on aura une fête somptueuse. Rien ne sera trop beau. Je peux te dire qu'ils devront faire des économies pour se marier comme ils veulent. Loretta aime beaucoup le Metropole de Dublin. Très classe ! Ou à Kildare le Merlin Castle & Spa. Dommage qu'on n'ait rien de ce genre, chez nous. Les ouvriers travaillent jour et nuit sur le chantier du centre de remise en forme de l'ancienne maison Delaney. Je crois que c'est presque fini, mais il n'y aura pas d'hôtel. Loretta ne peut pas faire autrement que d'aller à l'extérieur, si elle veut un mariage élégant.

S'apercevant de ce qu'elle venait de dire, Irene Hanley porta une main chargée de bagues à ses lèvres.

— Je suis désolée, Cleo. Je parle à tort et à travers ! Je ne me suis pas rendu compte. S'il te plaît, ne dis rien à ta mère ! Tu sais que je tiens à elle, mais les jeunes, aujourd'hui, comme Loretta, veulent un tas d'événements différents pour leur mariage et que ça dure un week-end entier. Disons que le mariage a lieu le vendredi. Le samedi, les invités vont suivre des soins au centre de remise en forme de l'hôtel et, le soir, ils dansent. Il faut donc prévoir une grande salle de réception et au moins cinquante chambres pour les personnes qui viennent de l'étranger. Un petit hôtel ne suffit pas...

Irene Hanley posa de nouveau la main sur sa bouche d'un air navré.

— Cleo, mon petit, je suis en train de m'enfoncer ! Je ne cherchais pas à être déplaisante envers ta famille ou toi.

— Loin de moi cette idée, madame Hanley, répondit Cleo.

Elle pouvait difficilement reprocher à son interlocutrice

d'énoncer une évidence alors qu'elle-même connaissait la vérité.

— Quoi qu'il en soit, reprit-elle, vous apprendrez bientôt des nouvelles intéressantes au sujet du Willow. Nous avons de grands projets d'avenir, vous savez ! Je peux même vous avouer que les travaux ne tarderont pas à commencer.

« Parlez toujours de votre établissement de façon positive ! lui avaient répété ses professeurs. N'ayez pas peur de vanter ses qualités et d'évoquer des améliorations à venir. Il faut juste que ce soit vrai. »

« Et cela le sera bientôt, pensa Cleo. A condition, toutefois, que la famille m'écoute. »

— J'en suis très heureuse, répondit Mme Hanley. Je m'inquiétais, parce que l'hôtel est devenu vieillot et que ta pauvre mère n'en peut plus. J'en parle sans arrêt avec mes amies du club de lecture.

— Vraiment ?

Soulagée que Cleo n'ait pas mal pris ses remarques, Irene Hanley retrouva sa loquacité.

— Je la trouve très fatiguée, tu sais. Vraiment épuisée ! Ce n'est pas facile, mais elle réussit à faire bonne figure. Ça ne nous empêche pas de nous inquiéter, Cleo. J'aime beaucoup ta mère et ton père. En toute franchise, j'ai pensé qu'ils allaient peut-être prendre leur retraite et partir au soleil. La chaleur est recommandée quand on a de l'arthrite et ta mère souffre le martyre à cause de ses articulations. Jamais de tomates, Sheila, je lui dis toujours. C'est une catastrophe quand on a de l'arthrite. Mais je me demande si elle m'entend !

Irene Hanley posa un dernier chocolat dans la main de Cleo avant de la quitter.

— Tu es maigre comme un clou, lui glissa-t-elle encore d'un ton désapprobateur.

Cleo sourit et prit le chocolat. Comparée aux filles Hanley, elle était maigre, en effet !

Elle sortit de la gare routière en dégustant le chocolat aussi lentement que possible pour le faire durer. Elle repensait aux vérités assenées par Mme Hanley. Tout le monde, sauf sa famille, voyait que le Willow était dans une mauvaise situation.

En traversant Carrickwell, Cleo passa devant The Holy Land. La boutique paraissait nue, à présent que les fêtes de Noël étaient finies. Ensuite, Cleo longea la façade peinte de couleurs vives des Little Tigers, avec la porte d'entrée décorée d'un motif de tigres. Il était six heures et demie et les parents continuaient d'arriver en courant pour reprendre leurs enfants. Les petits, engoncés dans des vêtements chauds, jaillissaient de la crèche et filaient en gambadant vers la voiture familiale. Ils parlaient à qui mieux mieux, pressés de raconter ce qu'ils avaient peint et à quels jeux ils avaient joué. Cleo n'y avait jamais beaucoup pensé, mais l'idée lui vint soudain qu'il devait être dur de laisser sa progéniture toute la journée à la crèche et de ne la retrouver que le soir, quand elle aussi était fatiguée.

Cleo et ses frères n'avaient pas fréquenté une quelconque crèche. Leur garderie, c'était l'hôtel. Il y avait toujours eu quelqu'un pour les surveiller. Depuis sa petite enfance, Cleo avait aimé aider à faire les chambres. La seule condition était qu'elle ait un plumeau jaune et un pulvérisateur de désinfectant. Elle se demanda si elle aurait des enfants et s'ils joueraient au Willow pendant qu'elle travaillait, apprenant à faire un lit dans les règles de l'art ou observant le chef en train de préparer vingt-quatre petits déjeuners complets, avec œufs sur le plat et lard frit, aussi facilement que s'il s'était agi d'une tasse de thé.

Cela avait été une façon de grandir amusante. Oui, songea Cleo, ce serait celle de ses enfants. Ils profiteraient des privilèges liés à leur naissance autant qu'elle en avait profité. Mais ce ne serait pas avant de nombreuses années et, surtout pas avant qu'elle ait trouvé l'homme de sa vie, ce qui prendrait du temps. Pas question qu'elle s'installe avec n'importe qui ! L'élu devait être grand, d'abord, pour qu'elle n'ait pas à se pencher pour lui parler. Pour une raison qui lui échappait, elle attirait les garçons de petite taille, mais elle ne supportait pas l'idée de sortir avec eux.

Laurent était immense, avec la peau mate et les plus beaux yeux gris du monde. Cleo fondait quand il disait, avec son accent provençal qui faisait chanter les syllabes : « Clee-oo, tu es si sexy. »

Quand Cleo arriva au Willow, ses cheveux frisaient à cause de l'humidité. Elle devait acheter un nouveau bonnet pour remplacer celui qu'elle avait perdu un soir où elle était sortie avec Trish. Une jeune femme d'affaires ne pouvait pas se permettre d'être mal coiffée. Et Cleo en était une, dynamique, et capable de séduire autant d'hommes grands, beaux et parlant avec un accent délicieux qu'elle le voulait. Elle saurait comment les arracher à la contemplation de son décolleté pour qu'ils la regardent vraiment, dans les yeux.

Ragaillardie par ces pensées, elle entra par la grande porte et fit ce que Mme O'Flaherty conseillait à ses élèves : imaginer qu'ils étaient des clients arrivant à l'hôtel et se demander quelle impression cela leur faisait. Cleo s'arrêta dans l'entrée en essayant de voir le Willow d'un regard neutre.

Sur la grande table trônaient les fleurs qui, la veille, n'avaient déjà plus qu'un jour à vivre. Personne ne s'était soucié de changer l'eau du vase, trouble et verte, telle celle d'une mare mal entretenue, et une odeur d'œuf pourri flottait dans l'air. Les coussins des deux fauteuils devant la cheminée portaient encore l'empreinte du derrière des gens qui s'y étaient assis. Dans l'un d'eux, il y avait un journal roulé et coincé entre l'assise et le bras. Pire : la porte du couloir qui menait à la véranda battait, laissant entrer l'air froid du jardin et le parfum raffiné des choux en train de cuire dans la cuisine.

Il ne fallait guère d'imagination pour se douter de la réaction de tout client qui se respectait. Cleo le voyait arriver au Willow dans le froid du crépuscule et, au lieu du confort et de l'accueil espérés, se trouver face à... cela ! Il ne manquait plus que Bela Lugosi, avec des incisives acérées, pour compléter le tableau. Avant d'avoir fréquenté l'école d'hôtellerie et d'avoir travaillé plusieurs étés à différents endroits, Cleo pensait que le Willow était le plus bel établissement de la région. Les tuyauteries qui glougloutaient, les bouillottes pour réchauffer les lits en hiver et les magnifiques tapis usés jusqu'à la corde lui conféraient son charme. Cela venait aussi de l'amour et de la chaleur avec lesquels les Málainn y avaient travaillé, quelque chose qui apportait plus à une maison que des meubles neufs ou une moquette de luxe. Le succès du Willow tenait autant au caractère chaleureux d'Harry Málainn qu'à l'ambiance surannée du lieu, devenue rare, car nombre d'hôtels se ressemblaient. Mais l'équilibre entre l'état du bâtiment et la générosité d'Harry s'était rompu.

Soudain, Cleo voyait le Willow tel qu'il était, fatigué, négligé. Il avait besoin d'une grande remise en état.

— Bonsoir ! cria Cleo dans le hall désert.

Tamara, la réceptionniste à temps partiel, entrebâilla à peine la porte de son bureau, qui, en principe, ne devait pas être fermée, et passa la tête. Elle était petite et très blonde, comme sa sœur aînée, Sondra, et avait l'air de quelqu'un qui a toujours mieux à faire que de parler aux autres.

Elle n'appréciait pas beaucoup Cleo, essentiellement parce que celle-ci faisait partie des gens qui ne restent pas assis à rien faire. Or, Tamara était de ceux-là. Les faux ongles s'étant révélés trop chers, à long terme, elle s'en était débarrassée et passait un temps fou à s'occuper de ses ongles. Elle les massait avec soin chaque heure avec un soin fortifiant.

— Oui, bonsoir ! marmonna-t-elle sans même se lever de sa chaise.

Elle se replongea aussitôt dans la lecture des magazines dont elle tournait les pages en évitant d'y laisser la marque de ses doigts, pleins d'huile.

Cleo compta jusqu'à dix, puis jusqu'à vingt pour ne pas exploser. En général, s'emporter contre le personnel n'était pas une méthode de gestion recommandée. Tamara ne correspondait pourtant pas à l'idée que Cleo se faisait d'une réceptionniste digne de ce nom, même si elle « appartenait presque à la famille », selon les mots de Barney.

Suivant la tradition familiale, Sondra travaillait comme réceptionniste à temps partiel, mais elle était enceinte du premier des petits-enfants Málainn et, bien que ce soit très récent, avait arrêté de travailler. Sa sœur la remplaçait.

Cleo avait soutenu que le Willow devait engager quelqu'un de l'extérieur, mais la famille passait en premier. « Cleo, voyons ! avait dit Barney. Charité bien ordonnée commence par soi-même. Tamara n'a pas le moral depuis qu'elle a perdu son emploi au salon de coiffure. Et on n'a pas besoin de beaucoup d'expérience pour être à la réception. »

Voilà ce qui n'allait pas, chez Barney et Jason. Ils ne comprenaient rien aux subtilités de la gestion d'un hôtel. Pour Barney, n'importe quelle idiote capable de faire une addition et de dire « Bonjour, que puis-je pour vous ? » arriverait à s'occuper d'un hôtel prospère. Cela avait exaspéré Cleo.

« Barney ! avait-elle rétorqué. On ne s'improvise pas réceptionniste. Il faut de l'expérience !

— Ne t'inquiète pas, Cleo ! Elle sera parfaite », avait répondu Barney de son ton le plus affectueux.

Comme Cleo, Barney avait un sourire séduisant, mais avec un air coquin qui le rendait irrésistible.

— Où sont les autres, Tamara ? demanda Cleo d'une voix assez forte pour que Tamara l'entende à travers l'entrebâillement de la porte.

— Ta mère est dans la cuisine et ton père est sorti.

Et il n'y aurait personne à la réception, si un client se présentait, ajouta Cleo en son for intérieur. L'hôtel n'avait pas de réceptionniste à plein temps. Les finances ne le permettaient pas. Tamara ne travaillait qu'aux moments de la journée où Sheila ou Harry étaient occupés ailleurs.

Cleo s'apprêtait à aller à la cuisine quand la sonnerie stridente du téléphone retentit. Au bout de cinq interminables sonneries, Tamara décrocha enfin et répondit de la voix qu'elle réservait aux clients :

— Allô ? Willow Hotel, que puis-je pour vous ?

Tamara devait partir, se dit Cleo. Famille ou pas ! Si elle restait, Cleo finirait en prison pour l'avoir assommée avec son sac Burberry bourré de produits de maquillage. Ce qui, par ailleurs, n'était pas une méthode acceptable de gestion du personnel…

Sheila était assise dans la minuscule alcôve de la cuisine. Un vieux banc d'église en chêne y avait été inséré et couvert de coussins. Le personnel s'y installait pour prendre une tasse de thé sans gêner personne. Le bois montrait une forte usure et les coussins suggéraient une brocante : deux, en velours rose mité, en côtoyaient un vaguement beige, plusieurs en tapisserie râpée et un autre en toile de Jouy si passée qu'on ne distinguait plus le motif. Tous avaient servi, autrefois, dans une partie ou l'autre de l'hôtel et terminaient leur carrière à la cuisine, trop vieux et trop minables pour les yeux de la clientèle. Une table à jouer couverte d'une toile cirée à fleurs était posée devant le banc. C'était là que Cleo avait fait ses devoirs pendant des années, tirant la langue sur l'arithmétique et les verbes irréguliers tandis que ses parents tourbillonnaient, occupés à cuisiner ou nettoyer.

« Un hôtelier digne de ce nom doit pouvoir remplacer le chef en cas de besoin », affirmait Harry Málainn, qui était un fin cuisinier. C'était avec lui que Cleo avait, dès son plus jeune âge, pris le goût de l'entreprise. De lui aussi qu'elle tenait son savoir-faire avec les gens. Harry avait un don pour mettre autrui à l'aise. Que demander de mieux, dans son activité ?

On commençait à s'agiter en cuisine. L'heure du dîner approchait. Le chef, une femme, Jacqui, surveillait son royaume d'un œil plein de fierté avant de s'éclipser pour prendre un moment de repos avant le coup de feu. Elle travaillait au Willow depuis un an. Du même âge que Cleo et aussi ambitieuse qu'elle, elle se disputait sans cesse avec Harry pour arriver à proposer de nouveaux menus plus inventifs. Harry aimait la cuisine française bourgeoise avec une touche irlandaise ; Jacqui appréciait celle des pays du Pacifique, révérait la citronnelle et n'aspirait qu'à créer des recettes exotiques à base de lait de noix de coco.

Cleo la salua de la main, prit la cafetière sur le comptoir, se servit un grand mug de café puis embrassa sa mère.

— Où est papa ?

— Il est allé voir la pompe d'alimentation en eau chaude avec Bill.

Bill était employé à temps partiel comme homme à tout faire. Il avait le génie de la mécanique et savait tout réparer, ce qui était une bénédiction, si on considérait l'âge et l'état décrépit de la plupart des équipements du Willow.

— C'est de nouveau cassé, poursuivit Sheila, mais Bill a une pièce neuve pour la réparer.

— A part une unité de réanimation, je ne vois pas ce qui pourrait sauver cette pompe, dit Cleo en riant. Peut-être une neuvaine à sainte Rita !

Il faudrait au moins l'intervention de la patronne des causes désespérées pour obtenir un miracle... Sheila hocha la tête d'un air absent sans lever les yeux de sa tâche.

— C'est sûr.

Cleo étala ses magazines sur la table à jouer.

— Maman, regarde !

Sheila poussa son mug de thé pour faire de la place.

— Ces revues coûtent cher, ma chérie, murmura-t-elle en lorgnant sur les étiquettes par-dessus ses lunettes.

Cleo pensa tristement que, depuis que sa mère portait des doubles foyers à mince monture dorée, elle paraissait plus âgée. Pendant longtemps, elle avait semblé jeune et pleine de vie, avec ses cheveux bruns aux boucles aussi indisciplinées que celles de Cleo attachés en épais chignon. Elle avait toujours des frisettes qui s'échappaient et moussaient sur sa nuque. Soudain, elle était devenue presque entièrement grise et ses rides s'étaient creusées autour de ses yeux bleus. Ses mains étaient déformées par l'arthrite, avec les jointures des doigts gonflées. Quant à ses ongles, ils n'avaient pas été couverts de vernis nacré, comme autrefois, depuis des années. Même ses vêtements donnaient une impression de vieillesse. Il n'y avait pas d'argent pour s'habiller, chez les Málainn. Le moindre centime était réinvesti dans l'hôtel. A sa grande honte, Cleo avait porté un uniforme scolaire si souvent rapiécé qu'il ressemblait à un patchwork.

Elle comprit qu'Irene Hanley avait raison : sa mère n'en pouvait plus. Elle se reprocha de ne pas s'en être aperçue plus tôt.

— Je trouve que c'est du gaspillage, Cleo, dit Sheila. Si tu veux pouvoir te payer une voiture pour travailler dans le Donegal, tu devrais arrêter d'acheter des magazines.

Cleo se mordit la lèvre. Elle n'avait pas encore annoncé à sa famille qu'elle avait refusé le poste qu'on lui avait offert. Ses parents et ses frères avaient été si contents, quand elle leur avait annoncé son embauche. Elle avait trouvé leur réaction presque blessante. On aurait cru qu'ils étaient satisfaits d'être débarrassés d'elle.

— Maman, j'ai eu une idée. Ça fait longtemps que j'y pense. Nous devons donner un coup de neuf à l'hôtel. Je me suis dit que nous pourrions refaire quelques peintures. Qu'en penses-tu ? Ça ne coûterait pas très cher, ajouta-t-elle précipitamment.

Elle ouvrit le magazine pour montrer les photos à sa mère.

— La salle à manger a besoin d'un rafraîchissement, reprit-elle. Imagine ce que ça donnerait, si nous utilisions ce genre d'effet sur le mur du fond...

Elle n'alla pas plus loin.

La porte de derrière venait de s'ouvrir. Barney et Sondra entrèrent, accompagnés d'un courant d'air froid et d'une forte bouffée d'un parfum de chez Body Shop. A une époque, Cleo l'aimait, mais comme Sondra s'en inondait quotidiennement elle l'avait pris en horreur.

— Bonjour ! dit Sondra. On s'est dit qu'on allait vous saluer.

Parfaitement maquillée, elle rayonnait dans une élégante petite robe noire.

— Il n'y a rien pour le dîner, à la maison, dit Barney. Nous venons jouer les pique-assiettes.

Barney avait toujours été franc !

— Asseyez-vous, Sondra, mon chou, fit Sheila. Notre chef a des bars et je peux lui demander de préparer quelques pommes de terre pour vous.

Jacqui revenait de sa pause et, du coin de l'œil, Cleo la vit sourire. Elle adorait qu'on l'appelle chef.

— Parfait ! dit Sondra.

Avec un soupir, elle s'assit sur le banc en choisissant le coin le plus confortable et entreprit de feuilleter les magazines de Cleo. Barney partit fouiner du côté des fourneaux, en quête d'un en-cas.

Jacqui lui donna une tape sur la main au moment où il allait ouvrir le compartiment froid où elle avait rangé le saumon fumé déjà préparé.

— On ne touche pas !

A la place, Barney eut droit à une poignée de gâteaux aux amandes, qui accompagneraient la glace à la vanille faite par Sheila. Muni de ces provisions, il se glissa à côté de sa femme. Sondra était arrivée à la page des trompe-l'œil. La maison présentée avait un air de ressemblance avec le Willow : grandes fenêtres, hauts plafonds et moulures.

— C'est joli, commenta Barney, la bouche pleine.

— N'est-ce pas ? dit Sheila. Cleo se demande si nous ne pourrions pas faire quelque chose de ce style, ici.

Sondra leva les yeux vers Cleo.

— Mais c'est impossible à reproduire. Ça coûterait une fortune.

— Tu crois ? répondit Cleo.

Elle se demandait pourquoi Sondra avait détesté les examens quand elle était au lycée, elle qui était si sûre d'elle à propos de tout.

— Voyons, Cleo, on ne t'a rien appris à l'école ? renchérit Sondra. Les trompe-l'œil coûtent très cher. Tu ne penses quand même pas le faire toi-même ?

Cleo sentit la colère l'envahir.

— Mais si ! L'hôtel a besoin de travaux et c'est la seule possibilité pour qu'ils soient exécutés. Nous n'avons pas fait le plein à Noël ; il est temps de regarder la situation en face et de réagir. A moins que nous ne voulions perdre l'établissement...

Elle sentit, sans avoir besoin de la voir, que sa mère se raidissait. Mais ce fut son père qui répondit.

— Cleo, le Willow sera encore là quand nous serons tous morts et enterrés.

Il se tenait sur le seuil de la cuisine, en train de dénouer son écharpe.

— La pompe à eau chaude est réparée. Bill a fait des miracles. Comment va ma belle-fille préférée ? ajouta-t-il en se tournant vers Sondra.

La colère de Cleo n'en fut pas améliorée. Comme les autres, son père faisait l'autruche et préférait éviter de parler des problèmes. Cleo s'arma de courage.

— J'aimerais être d'accord avec toi, papa, mais je ne peux pas. J'aime le Willow et il est sur la mauvaise pente.

— Je crois que ton père sait ce qu'il fait, intervint Sondra. Il dirige cet endroit depuis trente ans.

La volonté de Cleo de se montrer diplomate vacilla.

— Donc, si je comprends bien, Sondra, passer un diplôme de gestion hôtelière est une perte de temps et d'argent ? D'après toi, je ne connais rien à l'hôtellerie ?

— C'est toi qui le dis, pas moi, répondit Sondra avec un sourire narquois.

— S'il vous plaît, glissa Sheila, ne vous disputez pas !

— Je dis juste que le Willow est sur la mauvaise pente et que chacun ici refuse d'en parler ! s'énerva Cleo. On s'en est tirés, dans le passé, parce que les gens aimaient ce lieu, mais il a vieilli. Il faut tout refaire. Si vous pouviez voir l'argent qui est investi dans certains hôtels où j'ai travaillé ! C'est nécessaire, pour garder la clientèle.

— Le Willow est moins bien que les établissements où tu es allée ? demanda Harry d'un ton uni.

— Non, papa, ce n'est pas ce que je veux dire. Ils étaient d'un autre style. Le Willow est une maison, où les clients se sentent accueillis. C'est ce qui leur plaît. C'est toi qui as su créer cette ambiance, papa.

Les yeux de Cleo suppliaient Harry de ne pas se sentir offensé.

— Mais le bâtiment a quand même besoin d'une remise en état ! Carrickwell est en évolution permanente et nous devons suivre le mouvement, nous préparer pour le futur, sinon...

— Sinon quoi ?

Cleo ne pouvait se résoudre à prononcer les mots. Elle se sentait incapable de dire que, s'ils ne changeaient pas, ils finiraient par fermer.

— Cleo, dit sa mère, nous avons vingt couverts, ce soir ! Ce n'est pas mal, en semaine.

A l'exception de Cleo, tous sourirent à cette preuve évidente du succès du Willow.

— Tu peux aller jusqu'à vingt-deux couverts, ou même vingt-trois, renchérit Sondra en se tapotant le ventre d'un air satisfait.

— Est-ce qu'il te reste un bifteck, Jacqui ? cria Barney. Je meurs de faim.

— Jacqui n'a pas le temps de te préparer un repas sur mesure, Barney ! lâcha Cleo d'un ton sec. Sondra et toi êtes déjà venus dîner ici quatre fois, la semaine dernière. Aucun de vous deux ne sait cuisiner ?

— Je suis enceinte, rappela Sondra en jetant un regard meurtrier à sa belle-sœur. Faire la cuisine me donne des nausées. Je ne comprends pas pourquoi on prétend qu'elles se limitent au matin alors qu'elles durent toute la journée !

— Beaucoup de femmes travaillent, malgré leur grossesse. Elles ne peuvent pas se permettre de démissionner pour un rien, parce qu'elles ont la chance que l'affaire familiale leur procure de quoi vivre !

Cleo ne pouvait plus se contrôler. Elle savait que ses parents complétaient le salaire de Barney sans compter. Barney estimait que cet argent lui était dû.

— C'est un prêt ! dit Sondra d'une voix rageuse.

— Quatre prêts en deux ans ?

— Ça ne te regarde pas !

— Quand les bénéfices du Willow passent dans tes poches, si.

— Cleo !

Il y avait de la menace dans la voix d'Harry Málainn, mais ni Cleo ni Sondra n'y prirent garde.

— Tu pourrais contribuer aux dépenses, si tu travaillais à la réception, Sondra, poursuivit Cleo. Chacun de nous sait que Tamara n'est bonne à rien. Elle passe son temps à se faire les ongles !

— Comment oses-tu parler de ma sœur sur ce ton ? hurla Sondra.

— Cleo, je t'en prie, supplia Sheila.

Barney intervint à son tour, se souvenant de ses devoirs de mari.

— Pour qui te prends-tu, Cleo ? Excuse-toi !

Cleo allait refuser de présenter ses excuses, car tout ce qu'elle avait dit était vrai, quand son père l'interrompit.

— Excuse-toi, Cleo !

Choquée, elle pivota pour faire face à Harry.

— Parce que j'ai dit la vérité ?

— On ne se dispute pas, chez nous, Cleo ! Ça ne mène nulle part. Je te prie de présenter tes excuses à Sondra.

Cleo se sentait trahie. Harry intervenait rarement dans les différends familiaux et il savait que sa fille ne s'entendait pas avec Sondra. Elles étaient adultes et avaient le droit de ne pas s'apprécier. Cleo aimait et respectait son père, mais il n'avait pas toujours raison. Elle avait dit la vérité et en était punie. Néanmoins, elle n'ignorait pas que son père avait horreur des cris et essayait d'éviter les conflits, quel que soit le prix à payer. Sa mère avait été dotée de ce qu'il appelait par euphémisme un « caractère fougueux ». Harry Málainn avait grandi en voyant ses parents s'affronter et s'insulter plusieurs fois par semaine. On pouvait avoir eu sa dose d'assiettes cassées, disait-il volontiers. Cleo avait hérité son tempérament exalté de sa grand-mère paternelle, Evelyn Málainn, mais n'avait pas sa langue acérée. Pour rien au monde, elle n'aurait voulu blesser quelqu'un par un mot irréfléchi. Elle était trop sensible pour cela, même dans une situation où sa passion l'emportait.

— Tu as raison, papa, dit-elle enfin d'un ton plus calme. Je m'y suis mal prise. Désolée d'avoir parlé de Tamara comme je l'ai fait, poursuivit-elle en se tournant vers Sondra. Ce n'était pas chic. Je vais faire un tour.

« Mais, pensa-t-elle en se levant, je ne regrette pas le reste de mes paroles ! »

Harry marmonna quelque chose au sujet d'une vérification à faire dans son bureau et sortit par une autre porte que sa fille.

Cleo alla là où elle se réfugiait quand elle était furieuse, mais qu'elle ne voulait pas le montrer : au fond du jardin, derrière le mur du verger, sur le vieux banc de pierre posé sous un pommier. L'écorce de l'arbre était argentée et nulle branche ne portait les boutons vert vif du renouveau. Le fruitier se mourait, faute de soins. Au Willow, personne ne s'y connaissait en matière d'arbres et les jardiniers n'avaient que trop de travail pour nettoyer l'ensemble.

Certains couples qui s'étaient mariés à l'hôtel avaient découvert cet abri secret et s'y étaient fait photographier, juste le marié et la mariée, souriant sous le pommier. Pour cette seule raison, il aurait fallu le soigner, mais, quand Cleo en avait parlé, personne n'avait voulu l'écouter. C'était là le propre des membres de sa famille. Et, comprit-elle avec un choc, sans doute cela ne changerait-il pas. Bien qu'elle ait mûri et qu'elle ne soit plus un garçon manqué, ses parents et ses frères persistaient à la considérer comme un bébé.

Sans y penser, elle arracha un lambeau d'écorce. Plusieurs insectes en dégringolèrent, affolés. Cleo eut l'impression d'avoir commis un massacre et essaya, en vain, de remettre le fragment en place.

— Désolée, les copains, dit-elle.

Les bestioles galopaient sur les dalles de pierre en direction d'un autre refuge. Elles avaient perdu leur maison, pensa Cleo, et il en irait de même pour les Málainn.

Cleo extirpa de la poche de son jean la page de journal qu'elle y avait glissée et la déplia pour la énième fois. Nat avait repéré l'article dans une revue professionnelle et le lui avait envoyé. Il avait tout de suite compris ce que cela signifiait. « Roth a des projets d'expansion », annonçait le gros titre. Le journaliste expliquait comment la chaîne internationale Roth Hotels avait décidé de s'implanter sur les marchés irlandais et britannique. Son but n'était pas de créer de nouveaux établissements en ville, mais des complexes de loisirs à la campagne, comme elle en avait déjà réalisé, avec succès. Elle proposait des terrains de golf, des clubs de remise en forme et des centres équestres à la clientèle. L'est de l'Irlande faisait partie des zones d'implantation envisagées. Cleo avait mal à l'estomac, quand elle y pensait.

Si un hôtel Roth ouvrait à Carrickwell, cela signifierait la fin du Willow.

3

Daisy Farrell avait cru que la meilleure façon de passer ce pluvieux dimanche après-midi était de ranger sa penderie. Alex était à Londres tout le week-end pour son travail. Malheureusement, comme la journée s'étirait, l'enthousiasme de Daisy avait faibli. L'heure du thé arriva en même temps que le crépuscule, dans une ambiance glauque. Dans l'appartement impeccable, les vêtements noirs étaient entassés en piles instables sur le plancher de la chambre. Les magazines proclamaient que le rouge, le rose ou le blanc étaient à la mode, mais, comme toute *fashionista* qui se respecte, Daisy savait que le noir serait toujours de mise.

Il permettait d'effacer les creux et les bourrelets disgracieux et, si on était mince, on paraissait maigre. Quel besoin de devenir anorexique quand on pouvait porter du noir ?

« J'ai vraiment beaucoup de choses », pensa Daisy en regrettant de s'être lancée dans l'entreprise. Comment une femme dont c'était le métier d'acheter des vêtements pour les autres avait-elle pu accumuler tant de preuves de son mauvais goût dans sa garde-robe ? Daisy était en effet acheteuse pour Giorgia's Tiara, la boutique la plus élégante de Carrickwell. On y trouvait les meilleurs créateurs.

— Je ne peux pas garder ça.

Daisy tenait une jupe en tweed qui ne lui était jamais allée bien à bout de bras.

— Ça non plus.

Elle aimait les jupes drapées en mousseline, mais ce n'était pas son style. Elles s'étaient pourtant vendues comme des petits pains au magasin. Si Daisy faisait parfois des erreurs pour s'habiller, dans son travail elle manifestait un flair sans faille. Les gens, fascinés par son talent pour savoir, six mois à l'avance, que les clientes achèteraient les tenues qu'elle choisissait dans les salons du prêt-à-porter, lui posaient toujours la même question quand elle expliquait en quoi consistait son activité :

« Vous repérez des modèles en janvier et comptez sur le fait qu'ils auront du succès l'été suivant. Comment faites-vous ?

— Je l'ignore, répondait Daisy avec un petit sourire. Je fais ce métier depuis des années et c'est un mélange d'expérience, de savoir-faire et... C'est une question de flair.

— Ah ! »

La réponse satisfaisait la plupart des personnes, car le flair était comme la chance : on en avait ou pas. On ne pouvait reprocher à quiconque d'en manquer et, par conséquent, de ne pas avoir la chance évidente de Daisy : un bel appartement dans la vieille manufacture restaurée du centre de Carrickwell ; une voiture de sport rouge ; deux voyages par an ; des déplacements en classe affaires, avec champagne offert, pour aller aux salons du prêt-à-porter en Allemagne ou à Londres ; enfin, un homme aussi intéressant qu'Alex Kenny. Dans la vie, certaines femmes étaient vraiment gâtées !

« Tu ne devrais pas dire que c'est une simple question de flair, disait Alex. Ça paraît trop simple. Explique que c'est difficile, que tu n'es jamais certaine de vendre une seule des pièces que tu sélectionnes ! »

Alex travaillait dans une banque d'investissement de Dublin, un milieu où il était obligatoire de chanter ses propres louanges. Après quatorze années de vie commune avec Daisy, il ne comprenait pas la réticence naturelle de sa compagne. Elle réussissait dans son métier. Quel mal y avait-il à le dire ? Sûre d'être aimée par l'unique être au monde qui lui donnait confiance en elle, Daisy écoutait Alex en riant. Elle lui répondait qu'il était impossible d'expliquer aux non-initiés en quoi consistait la fonction d'acheteuse de mode. Comme s'habiller en Prada et avoir l'air chic sans effort. Cela semble si naturel que nul ne se représente les heures de labeur qui ont abouti à la création des tenues.

En dehors de ces considérations, comme toute personne qui doute de sa valeur, Daisy avait peur d'ennuyer les autres. Elle pensait que tout le monde mourrait d'ennui si elle évoquait les années qu'elle avait passées à suivre la mode dans les coulisses ou la façon dont elle confectionnait des vêtements avec des bouts de chiffon, avant même d'être assez grande pour apprendre à coudre. Daisy avait peut-être reçu un don pour la mode, mais c'était son long apprentissage qui lui avait permis de le développer.

« C'est typiquement féminin, estimait-elle. Les femmes n'aiment pas frimer.

— Non, répondait Alex. Ça t'est propre. Au bureau, nombre de femmes ne se gênent pas pour se vanter d'elles-mêmes en public.

— Elles désirent t'impressionner », concluait Daisy en riant.

A trente-six ans, Alex avait un physique d'étudiant sportif. Il était grand et mince, et avait belle allure dans ses costumes stricts. Avec son abondante chevelure et son visage intelligent aux traits bien dessinés, il attirait les regards féminins. Une des nombreuses raisons pour lesquelles Daisy l'aimait, c'était qu'il n'y prêtait pas attention.

Il ne lui venait pas à l'esprit qu'Alex s'inquiète des hommes se retournant sur elle. Daisy ne se faisait aucune illusion sur sa beauté. On ne grandissait pas en entendant sa mère vous appeler un vilain petit canard sans en tirer des conclusions. En revanche, Daisy avait du style, des chaussures fabuleuses, et Alex, l'homme qu'elle adulait depuis leur première rencontre dans un pub miteux, quand ils étaient étudiants.

Il existait un lien direct entre son amour pour lui et les trois questions qu'elle détestait qu'on lui pose. La première – « Allez-vous vous décider à vous marier, un jour ? » – appelait une réponse très brève : « Peut-être... » Daisy la laissait tomber avec un sourire suggérant des projets pour un événement élégant sur une plage de rêve au bout du monde, où les invités, pieds nus sur le sable fin, pourraient cueillir des fleurs exotiques à glisser derrière l'oreille. Daisy porterait une robe de Vera Wang, Alex et elle auraient des alliances dessinées pour eux et la réception, intime, rassemblerait leurs amis proches. Au retour de leur voyage de noces, ils se retrouveraient tous au restaurant pour partager un repas décontracté.

La vraie réponse de Daisy aurait été : « J'aimerais beaucoup me marier, mais Alex n'en a pas envie. Nous en avons parlé, mais ce n'est pas son truc. "Pourquoi vouloir coller quelque chose qui n'est pas cassé ?" me dit-il. »

Daisy s'était confiée une fois à Mary Dillon, son associée dans Giorgia's Tiara. « C'est typique des hommes », avait jugé Mary. Elle venait de divorcer et n'avait pas encore dépassé la chose. Elle avait créé Giorgia's Tiara dix ans plus tôt et Daisy l'avait rejointe peu après. Elles formaient une équipe efficace et soudée.

« Se marier, avait poursuivi Mary, c'est franchir un cap. Pour Alex, ça équivaudrait à proclamer qu'il désire passer le reste de sa vie avec toi. Vivre avec quelqu'un sans s'engager n'est pas si fort. Tu sais, si je m'étais contentée de vivre avec Bart au lieu d'être assez bête pour l'épouser, nous n'aurions pas dépensé une fortune en honoraires d'avocats ! Chaque fois que je croise le mien dans sa Porsche neuve, j'ai envie de lui dire que je possède un huitième de sa voiture et que j'apprécierais de pouvoir la lui emprunter de temps en temps !

— Oui... » avait répliqué Daisy, regrettant d'avoir lancé la conversation.

Mary n'était pas du style à mâcher ses mots. Daisy se reprochait d'avoir manqué à sa règle de conduite, qui exigeait une loyauté totale envers son compagnon. Elle s'interdisait de parler en mal de lui. Sinon, l'ambiance aurait trop ressemblé à celle qu'elle avait connue dans son enfance. « Je crois que je peux comprendre le point de vue d'Alex », avait-elle dit, sous l'effet d'un soudain sentiment de culpabilité. Ce n'était pas vrai, mais le désaccord entre Alex et elle était d'ordre privé et ne concernait qu'eux. Pourquoi en avait-elle parlé à Mary ? Elle avait conclu d'un ton assuré : « En fait, nous sommes très heureux comme ça. Je dois être sur les nerfs, c'est tout. Ne fais pas attention à ce que je raconte ! »

Le seul avantage de ne pas se marier était que cela évitait à

Daisy de se demander lequel de ses parents inviter. Cela faisait des années que Nan Farrell, sa mère, ne supportait plus son mari. Elle avait exigé qu'il quitte Carrickwell pour qu'elle s'imagine faire encore partie des gens qui comptaient dans la ville, même si elle était la seule à le croire. Daisy avait croisé son père par intermittence au cours de ces années. A présent, il vivait à San Francisco et semblait se satisfaire d'envoyer et recevoir une carte de Noël chaque année.

Quand *Vogue* publiait un article sur les plus belles mariées, Daisy se consolait en pensant qu'elle vivait un engagement réciproque avec Alex sans devoir imaginer un plan de table compliqué, destiné à éviter les problèmes familiaux. Sa famille n'avait jamais été soudée. Et puis, se disait Daisy, il était plus moderne de vivre avec la personne qu'on aime que d'aller à l'église, juste parce que cela se fait !

La deuxième question qu'elle détestait était plus personnelle : « Comment avez-vous fait pour perdre tous ces kilos ? » lui demandaient ceux qui ne l'avaient pas vue depuis plusieurs années. Ils se souvenaient de la boulotte qu'elle avait été.

Elle préférait ne pas relever. Le poids d'une personne fait partie de son intimité. Les gens indiscrets pouvaient s'enquérir de ce qu'on avait mangé au petit déjeuner, au cas où cela les aurait aidés à perdre eux-mêmes quelques kilos ! Daisy se contentait de répondre qu'elle n'avait rien fait pour cela, avec sincérité.

Alex, qui tenait à sa vie privée, ne supportait pas l'idée de révéler qu'il avait été malade. Cela interdisait à Daisy d'avouer qu'elle avait perdu quinze kilos à cause des deux années d'angoisse qu'elle avait vécues lors de la mystérieuse maladie d'Alex.

« Ni les Weight Watchers ni le régime Atkins ? » insistaient les curieux d'un air suspicieux. Ils étaient certains que Daisy mentait, qu'elle ne se nourrissait que de soupe de légumes. « Rien », répétait Daisy, se demandant s'il pouvait exister un marché pour un livre sur le régime du virus d'Epstein-Barr.

Alex avait de nouveau l'air en pleine forme. Il avait été pris en charge au cours de l'année précédente par un médecin extraordinaire. A présent, il resplendissait de santé et semblait avoir retrouvé son énergie. Il avalait assez de compléments alimentaires pour ouvrir une boutique, mais ils semblaient lui réussir. Daisy espérait en particulier que ceux qu'elle l'avait supplié de demander à son médecin étaient efficaces.

Ce qui menait à la troisième question.

Les gens semblaient conscients de l'indélicatesse qu'il y avait à la poser à notre époque : « Et les enfants ? Vous n'en voulez pas ? » Malheureusement, ils semblaient légion, ceux qui s'estimaient en droit de demander à une femme de trente-cinq ans, en bonne santé et qui vivait avec le même partenaire depuis longtemps, si elle n'avait pas envie de fonder une famille. Daisy aurait aimé leur répondre en hurlant que non, certainement pas ! « Nous y pensions, quand nous avons appris qu'un enfant coûte 30 000 euros pendant les cinq premières années. Nous préférons aller aux Bahamas. » Seule une réponse aussi agressive aurait pu cacher la souffrance que Daisy ressentait.

Parce qu'elle voulait des enfants. Elle aurait tout donné pour en avoir. Elle en pleurait dans son sommeil. A trente ans, elle avait arrêté de prendre la pilule. « On va bien s'amuser à faire des bébés », avait dit Alex à cette époque. Cela avait été le cas, en effet. Ils avaient trouvé très excitant de faire l'amour en espérant que Daisy serait enceinte. « La mère de mes enfants », murmurait Alex quand il s'allongeait contre elle, leurs deux corps parfaitement accordés.

Daisy n'aimait pas le sien. Elle était trop différente de ce qu'elle aurait voulu être. Elle était trop ronde de partout et trop serrée dans ses vêtements en taille 42. Elle avait dû se résigner à passer au 44. Mais quand Alex la tenait sous lui, ses cheveux blonds éparpillés sur l'oreiller, elle se sentait enfin presque belle. Et ils essayaient d'avoir un bébé !

Mais cela n'avait pas marché aussi bien qu'ils l'avaient espéré. Leur désir d'enfant avait semblé rendre la grossesse de Daisy impossible.

Les magazines regorgeaient de sinistres articles sur le déclin de la fertilité et sur le fait que les femmes attendaient trop longtemps pour devenir mères. Daisy avait pris ces papiers en horreur le jour où elle avait appris que les femmes naissent avec un nombre défini d'ovules et qu'elles ne cessent d'en perdre.

« Tu veux dire qu'on n'en fabrique pas de nouveaux en permanence ? avait-elle demandé à Paula, qui travaillait à la boutique et était une spécialiste des sites Internet consacrés à la santé. Je croyais que les cellules du corps humain se renouvelaient selon un cycle de sept ans. Je l'ai lu, j'en suis certaine, avait insisté Daisy avec angoisse.

— Je crains que tu n'aies déjà reçu les ovules auxquels tu avais droit, avait répondu Paula. Tu as trente ans et c'est la même chose pour eux. »

Daisy avait blêmi à cette idée ; en outre, elle avait infligé des chocs à son organisme. L'abus d'alcool affectait-il la capacité à procréer ? Daisy repensait aux folles nuits de ses vingt ans, quand elle buvait beaucoup. Ou à la drogue ! Elle se souvenait de Werner, un étudiant autrichien, ami d'Alex. Il l'avait poussée, malgré ses réticences, à fumer un joint avec le reste de la bande pendant les vacances. Jusqu'alors, elle n'avait rien pris et désapprouvait la consommation de substances illicites, mais elle avait été stupide et avait cédé tout en sachant qu'elle le regretterait un jour. Comment avait-elle pu se montrer si imprudente ?

Paula, qui était plus jeune qu'elle, ne semblait pas perturbée par l'état de ses organes et le fait de n'avoir pas encore procréé. « Ne t'en fais pas ! *Que sera, sera* », avait-elle dit avec optimisme. Daisy avait entendu une petite voix rageuse répondre intérieurement : « La vie n'est pas une chanson de Doris Day. » Mais elle avait rétorqué : « Tu as raison, Paula. Il faut être folle pour tomber dans l'obsession. Nous sommes encore jeunes, après tout, et les médecins disposent d'un arsenal de techniques pour aider les femmes à avoir des enfants. »

Pensant aux performances de la science, Daisy ne perdait pas espoir.

Elle avait supprimé le café, mais cela n'avait pas suffi à stimuler son système reproductif, pas plus que les prétendus super-aliments. Le panier de légumes semblait presque vivant, avec toute la verdure dont elle le remplissait ! Daisy faisait aussi des efforts pour limiter sa consommation de vin pendant le week-end. Mais rien n'y faisait... Chaque mois, avec une régularité qui lui paraissait plus grande qu'à l'époque où elle ne voulait pas être enceinte, la preuve qu'elle ne l'était pas s'imposait à elle.

Elle essayait de se rassurer en se répétant qu'elle avait encore du temps devant elle. Alex et elle étaient jeunes, en bonne santé, et ils réussissaient ce qu'ils entreprenaient.

Giorgia's Tiara prospérait. Un jour, Mary avait décidé de s'associer avec Daisy et de lui donner des parts dans l'affaire.

« Je suis capable de vendre de la glace à des Esquimaux, mais je n'arriverais à rien, sans toi pour me trouver celle qui leur convient, avait-elle dit à Daisy. Tu as investi tant de temps et d'énergie dans cette entreprise que tu mérites de devenir mon associée.

— Mary, je n'y crois pas ! s'était exclamée Daisy, portant les deux mains à sa bouche, dans un geste d'enfant. Ce que tu fais pour moi est formidable.

— Ne dis pas de bêtises ! C'est ce que tu fais pour moi et pour le magasin qui l'est. Le commerce est comme une seconde nature pour moi, mais je pourrais passer des semaines à essayer d'apprendre ton métier sans y arriver. »

Le moral au beau fixe grâce à cette nouvelle – même sa mère devrait reconnaître sa réussite ! –, Daisy avait décidé que, si elle n'était pas enceinte, c'était juste parce que le moment n'était pas venu. C'était comme dans le dicton bouddhiste : le maître arrive quand l'élève est prêt. Daisy n'était pas prête. Les femmes qui travaillent ont tant de problèmes pour trouver un équilibre entre leur progéniture et leur emploi qu'il était sans doute plus facile qu'à cet instant de sa carrière Daisy n'ait pas d'enfants. Alex et elle avaient passé une année à essayer d'en faire un quand Alex était tombé malade. Il semblait incroyable qu'il ait fallu si longtemps pour que le diagnostic soit posé. Ils avaient traversé l'enfer avant qu'on trouve enfin ce qu'Alex avait. Daisy tremblait encore à l'idée de ce que cela aurait pu être. Ils avaient redouté une leucémie. Depuis, elle glissait de l'argent dans les tirelires des organisations de lutte contre le cancer, comme si cela pouvait tenir le mal à l'écart.

Mais Alex n'avait pas de cancer. Il était victime du virus d'Epstein-Barr, responsable de maladies auto-immunes, qui privaient les gens pleins de vie de leur énergie. La maladie, difficile à détecter et encore plus à soigner, avait affecté l'existence de Daisy et Alex. Faire un bébé était devenu le cadet de leurs soucis, même si l'idée restait à l'arrière-plan dans l'esprit de Daisy. Elle ne pouvait oublier le temps qui passait. Elle s'inquiétait aussi, sans le formuler, à la pensée que le mal d'Alex contribue au problème.

Enfin, ils avaient surmonté l'épreuve. Au cours des deux années précédentes, Alex était resté en bonne santé. Il affirmait qu'il se sentait en pleine forme. Daisy se sentait très bien et elle allait tomber enceinte. Le moment de découvrir pourquoi elle n'y parvenait pas, de savoir si la maladie d'Alex avait affecté la qualité de son sperme et d'agir, si c'était le cas, était venu. L'élève était prête à recevoir le maître...

Un dimanche après-midi où le temps était très sombre, debout devant le miroir de sa chambre, Daisy déclara : « Je suis prête à être enceinte. Maintenant. » Mais rien ne s'était passé. Pas d'éclairs accompagnés de tonnerre pour lui signaler que Dieu l'écoutait ni de rideaux agités pour lui prouver que son ange gardien veillait sur elle et ferait de son mieux pour exaucer son souhait. Elle n'avait pas reçu le moindre signe, pas plus qu'avant. « Alex, avait-elle poursuivi devant le miroir, je veux que nous passions des tests pour cerner ce qui ne va pas. Nous ne pouvons pas nous permettre d'attendre plus longtemps. Je vieillis et... » Elle n'avait pas continué. Elle voulait parler à Alex, et sur-le-champ !

Daisy avait passé le week-end à y penser. Quand Alex était absent, elle réfléchissait au calme. Il participait, avec un groupe d'investisseurs, à ce qu'il appelait une « foire de banquiers ». Il y aurait abondance de bonne chère et de vins coûteux pour aider les participants à sortir leurs chéquiers.

Daisy détestait rester seule, mais l'absence d'Alex lui donnait la possibilité de se mettre à jour dans les corvées domestiques, comme nettoyer le four, qui risquait de prendre feu. Désormais frotté et gratté, il brillait de propreté.

En revanche, avec le rangement de la penderie, Daisy s'était attelée à une tâche trop lourde.

Elle avait gardé quelques vêtements de l'époque où elle était « grosse » pour une future grossesse. Le pull soyeux qu'elle avait rapporté d'Italie et son ample chemise Pucci, entre autres, seraient magnifiques par-dessus un ventre arrondi. Daisy avait pensé à la meilleure façon de rester élégante quand elle attendrait un bébé et, face à ces affaires qu'elle risquait de ne jamais utiliser, ressentait de la tristesse.

A cinq heures, en allumant les lampes de la chambre, elle s'aperçut qu'elle n'avait pas d'autre envie que de dîner très tôt en regardant la télévision. Mais il lui restait encore un tas de tenues à trier. Tenant un pull noir, qu'elle avait payé cher, à bout de bras, elle l'examina. Comment aurait-elle pu s'en séparer, même s'il ne lui allait pas bien ? Le téléphone sonna, l'arrachant à sa contemplation.

— Alex ? Bonsoir !

Daisy se laissa tomber sur le lit, du côté d'Alex, et coinça le combiné contre son épaule.

— Comment vas-tu ? demanda-t-elle avec tendresse. Tu me manques, tu sais !

— Toi aussi, Daisy. Je serai à la maison demain soir, dit-il de son ton professionnel.

Daisy comprit aussitôt qu'il n'était pas seul.

— Tu ne peux pas parler, c'est ça ? Ce n'est pas grave. Comment ça se passe ?

Elle avait réussi à cacher son irritation. Pourquoi Alex ne s'était-il pas écarté quelques instants, le temps d'avoir une conversation privée ? D'après la sonorité de sa voix, il appelait sur son portable. Daisy détestait ces échanges impersonnels et trop courts – « Tout va bien, et toi ? ».

— Tout se passe bien, ici, dit Alex, comme s'il avait lu dans les pensées de Daisy. Et de ton côté ?

Daisy préféra en rire et s'efforça de rester calme. Elle pouvait difficilement aborder leurs problèmes pour avoir un enfant au téléphone !

— Ça va, mais je me sens seule, et tu n'es pas là pour me

réchauffer dans le lit. Il faisait froid, ici, la nuit dernière. J'ai dû ressortir mon pyjama en polaire et mes socquettes.

Daisy ne pouvait résister à l'envie de taquiner Alex, qui avait horreur de ses socquettes.

— Vraiment ? rétorqua-t-il d'un ton neutre.

Daisy, qui le connaissait si bien, devina l'envie de rire dans sa voix malgré la friture sur la ligne et les centaines de kilomètres qui les séparaient.

— Oui ! Alors, dépêche-toi de rentrer ! Tu me manques.

— Toi aussi, mais je ferais mieux d'y aller, maintenant. On a encore une réunion avant le dîner et on terminera sans doute tard. Je ne pourrai pas te rappeler. On se voit demain.

— Oui, j'ai hâte de te retrouver. Alex, ajouta Daisy hâtivement, je sais que tu ne peux pas parler. Tu n'as pas besoin de me répondre. Je t'aime.

Le silence lui répondit. Alex avait déjà raccroché.

Daisy s'obligea à reposer le combiné en douceur. Comment se fait-il que les femmes se demandent ce qui ne va pas, même quand tout va bien, tandis que les hommes ne devinent rien, alors qu'une bombe émotionnelle est sur le point d'éclater ? Daisy aurait aimé savoir si Alex apprécierait qu'elle lui raccroche au nez quand elle était en déplacement professionnel. Elle examina d'un air maussade les piles de vêtements sur la moquette beige. L'appartement était décoré dans un subtil camaïeu de beige et de caramel, avec des accents d'un marron soutenu. Alex appréciait le minimalisme contemporain.

Daisy s'était souvent demandé comment leur intérieur résisterait à la présence d'un tout-petit. Elle s'était amusée à l'imaginer avec de nouveaux revêtements de sol et des peintures lavables. Elle avait aussi rêvé à la meilleure façon d'organiser la chambre du bébé. Quelle tristesse !

Ayant perdu son énergie, elle décida de tout entasser dans un coin de la chambre. Elle rangerait au cours de la semaine. Il y avait une pizza aux poivrons et des frites à faire cuire au four dans le congélateur. Une bouteille de vin rafraîchissait au réfrigérateur et la chaîne cinéma devait passer un film sentimental sirupeux. Daisy pouvait se faire les ongles et en profiter pour appliquer un soin sur ses cheveux. Cela leur rendrait leur brillance. Le fer à défriser et la coloration les desséchaient, ainsi qu'en témoignaient leurs pointes fourchues.

Daisy serait très belle pour le retour d'Alex et il en mourrait de honte autant que de désir. Alors, elle pourrait lui parler !

Giorgia's Tiara avait deux vitrines donnant sur Delaney Row, une rue bordée de belles maisons à trois étages dans les quartiers nord de Carrickwell. Sur les devantures, le mot « soldes » était écrit en lettres géantes de style Art déco. La décoration du magasin était à base de jaune citron, la couleur préférée de Mary Dillon, sa propriétaire. C'était un paradis pour les femmes qui aimaient les beaux vêtements. Elles y trouvaient aussi un rayon d'accessoires, avec des chaussures, des sacs et des bijoux fantaisie. Il y avait enfin trois salons d'essayage et, le plus important, des miroirs complaisants.

Le lundi matin, quand Daisy arriva, Mary était déjà maquillée et buvait sa deuxième tasse d'eau chaude additionnée de citron. C'était très mauvais, mais elle avait lu que cela faisait merveille sur les intestins.

— Désolée, dit Daisy. On n'avance pas, ce matin.

C'était toujours ce qu'elle disait, à quelques menues variantes près. La rêverie du matin était si agréable ! Elle se sentait en affinité avec ce mandarin chinois qui demandait à être réveillé à quatre heures du matin pour le seul plaisir de savoir qu'il n'était pas obligé de se lever si tôt.

— Et les travaux sur le pont ! ajouta Daisy. Une horreur !

— Paula avait besoin de prendre l'air. Elle est allée chercher les cafés chez Mo's, dit Mary.

Elle ne prenait même plus la peine de répondre à l'histoire des problèmes de circulation. Le jour où Daisy arriverait à l'heure, Mary comprendrait qu'il se passait quelque chose de grave.

— Détends-toi et reprends ton souffle, poursuivit-elle en donnant à Daisy une partie de son journal du matin.

Paula poussa la porte. Elle apportait les cafés et trois des célèbres muffins aux myrtilles de chez Mo's. Daisy et Paula consacrèrent quelques instants à prendre de leurs nouvelles respectives. Paula était enceinte de cinq mois et demi de son premier enfant et Daisy lui demanda comment elle se sentait, si le bébé lui avait donné des coups de pied et combien de flacons de comprimés contre les brûlures d'œsophage elle avait avalés.

— Deux, avoua Paula d'un air penaud.

Elle était déchirée entre le bonheur dû à son état et la souffrance occasionnée par d'insupportables remontées d'acide gastrique.

— Seulement deux ? s'exclama gaiement Daisy. Tu devrais avoir des actions dans la société qui les fabrique !

Elle avait eu beaucoup de mal, jusqu'alors, à plaisanter avec Paula. Elle s'était efforcée de prendre sur elle, parce qu'elle avait de l'amitié pour Paula et n'aurait voulu la blesser pour rien au monde. Mais ce jour-là c'était différent. Daisy avait décidé de passer à l'action et sa souffrance en était allégée.

Quand elles furent toutes les trois installées avec un café – deux avec du lait et un décaféiné pour la future mère –, un délicieux moment de paix s'installa. Elles feuilletaient les journaux, cherchant à savoir qui avait porté quoi lors des différents événements du week-end.

Une des meilleures clientes de Giorgia's Tiara, une femme snob qui avait beaucoup d'argent et aucun goût pour s'habiller, avait été photographiée à la première d'un film. Elle portait une robe bleu nuit brodée à fines bretelles, un boléro en cachemire bleu roi et un rang de tourmalines, une tenue composée par Daisy. Le seul reproche qu'on pouvait lui faire était le collant couleur chair qu'on apercevait entre l'ourlet de la robe et les boots moulants en daim bleu marine.

— Tu lui avais pourtant dit de mettre un collant noir ! gémit Paula.

— Ça pourrait être pire, répondit Daisy. Si elle l'avait fait exprès, tout le monde trouverait l'idée géniale.

— Exact ! marmonna Mary.

Dans le monde de la mode, la frontière entre la trouvaille de génie et le choix d'une teinte inadaptée pour un accessoire était étroite. De la même façon, il y a les femmes qui peuvent se permettre une ombre à paupières bleue et celles sur lesquelles cela devient une monstrueuse erreur.

La matinée fut très occupée par des appels au sujet d'un colis d'écharpes italiennes en soie imprimée dont personne ne semblait savoir où il se trouvait. Entre deux tentatives pour retrouver sa trace, Daisy apporta son aide à trois clientes en quête d'une tenue de demoiselle d'honneur pour la sœur d'une future mariée et d'une autre pour sa mère. Le tout devait aller avec une robe de mariée en brocart ivoire.

— Il faut un modèle qu'elle puisse porter par la suite, mais surtout pas de grosses fleurs, qui la feraient ressembler à une housse de couette ambulante ! insista la fiancée.

Derrière elle, sa sœur approuvait de la tête avec vigueur. Une fois, on l'avait déguisée et cela lui avait suffi. Elle ne porterait plus jamais rien avec des fleurs et des volants partout.

Daisy aimait le défi représenté par le choix des tenues pour un mariage. Mary, en revanche, détestait cela. Marquée par sa récente expérience du divorce, elle estimait qu'on devrait prévenir les gens de ce qui les attendait.

— Il manque quelque chose à la cérémonie, dit-elle d'un air lugubre.

Elles étaient assez éloignées de l'heureux trio pour qu'il ne les entende pas.

— On devrait avertir les futurs époux que dire oui prend un instant, mais qu'il faut dix ans pour se décider à divorcer. Sans parler des regrets... On ne les évoque jamais à un mariage, n'est-ce pas ? C'est pourtant ce qui résiste le mieux au temps. On peut avoir oublié depuis longtemps où est rangé l'album de photos, le service en cristal peut être éparpillé dans la maison, mais les regrets ! On ne risque pas de les oublier !

Daisy ne savait pas quoi répondre. Elles étaient chacune à une extrémité de la réserve, cherchant une robe droite rose pâle et perlée, avec des papillons le long de l'ourlet, et une autre, en laine et soie mélangées, avec le manteau assorti. Elle serait parfaite pour un mariage en hiver sur quelqu'un qui faisait du 42. Daisy ne comprenait pas que Mary se montre si hostile au mariage à un moment et, le moment suivant, y soit favorable. Elle s'était mise en colère contre Alex en apprenant qu'il ne voulait pas se marier. Depuis quelque temps, Daisy censurait ce qu'elle confiait à Mary, de peur de trop s'étendre sur ses occupations du week-end avec Alex alors que Mary était restée seule chez elle, à s'inquiéter de l'équilibre financier du magasin ou de son absence de vie sexuelle.

— J'en veux à Richard Gere, dit Mary. Je croyais que la vie serait comme dans *Officier et gentleman*, et tu vois où ça m'a menée ? Nulle part, tu peux le dire ! Je me suis fait avoir par le prestige de l'uniforme.

Comme Bart n'en portait pas, Daisy ne voyait pas où Mary voulait en venir, mais elle préféra ne pas l'interrompre dans sa diatribe.

— Le triomphe de l'espoir sur l'aveuglement le plus stupide ! poursuivit Mary. Pourquoi avons-nous toutes cette rage de nous marier ? Qu'est-ce qui ne va pas dans notre tête pour que nous nous sentions coupées du monde sans un homme dans notre vie ? Mais, les hommes, à quoi ça sert ?

Depuis son divorce, Mary lisait des romans dans lesquels les femmes aimaient des salauds. Elle en avait prêté quelques-uns à Daisy, qui les avait pris, trop gênée par son bonheur personnel pour refuser. Mais les livres étaient restés dans le coffre de sa voiture, bien rangés dans un sac plastique, et Daisy se sentait encore plus gênée. Pourvu que Mary ne les voie pas ! Elle en conclurait que tout le monde n'était pas malheureux alors qu'elle souffrait tant...

Daisy estima urgent d'intervenir.

— Allons, Mary. Bart, c'est le passé.

— Vraiment ? Pas pour moi ! Je me sens triste, déprimée, et je ne suis pas sûre d'en sortir un jour. Voilà ce que ça fait, le mariage, Daisy. Ne l'oublie pas !

Soudain, Daisy n'éprouva plus aucun plaisir à composer les tenues de la mariée et de sa famille, et elle se sentit migraineuse. A peine ses clientes parties, elle sortit pour aller chercher un antalgique et, prise d'une inspiration, acheta du vin pour remonter le moral de Mary.

Elles fermèrent à six heures et Daisy ouvrit la bouteille.

— Juste un verre, dit Mary. Les enfants ont invité un de

leurs camarades pour le dîner et je ne veux pas me faire une réputation d'alcoolique. Les commérages iraient bon train, à la sortie de l'école. Je n'ai pas envie de passer pour une femme seule et qui boit. Ce serait presque aussi affreux que d'être seule et en manque de câlins !

Paula leva la main en signe de refus quand Daisy voulut la servir.

— Pas pour moi. Si je regardais un verre, le bébé risquerait de sortir pour appeler les services de protection de l'enfance et ma mère de hurler au scandale. Elle n'a jamais oublié la coupe que ma belle-sœur a bue à mon mariage alors qu'elle était enceinte et parle de son irresponsabilité.

Daisy calcula rapidement la quantité de vin par personne. Elle-même ne dépassait jamais un verre quand elle conduisait. Mary se déchaussa et, avec un grand soupir, posa les pieds sur la corbeille en osier rangée sous le comptoir et agita les orteils avec volupté.

— Je ne sais pas pourquoi je porte ces satanées chaussures ! dit-elle. Elles m'abîment les pieds. Je ne vais pas tarder à avoir des durillons.

— La future mariée a prévu de s'offrir le grand jeu chez l'esthéticienne, la veille de son mariage, signala Paula. Manucure, pédicure, et tout ce qui s'ensuit !

Elles soupirèrent en chœur.

— Je ne me suis jamais fait faire de pédicure, nota Daisy. Je suis déjà assez gênée d'aller chez la manucure ; j'ai des ongles affreux. Quant à mes pieds... Une horreur ! Je n'oserais pas les montrer. Je préfère m'en occuper, même si je ne le fais pas très bien.

— Voyons ! lâcha Mary. L'état de tes pieds ne risque pas d'impressionner une esthéticienne, elle en a vu d'autres ! J'avais l'habitude de faire faire un soin total : les mains, les pieds, les enveloppements amincissants. Ça, c'est terrible ! On sent la boue toute la journée. Je ne peux plus rien m'offrir, maintenant, grâce à Bart ! De toute façon, je n'en aurais pas le temps.

— Voilà ce qu'on devrait faire, enchaîna Daisy d'une voix rêveuse. Une journée entre filles dans un salon de beauté de luxe, où nous nous relaxerions pendant qu'on s'occupe de nous... Je demanderais un soin des pieds et vous resteriez avec moi. Comme ça, je n'aurais pas honte de mes cuticules et de la couche de corne sous mes talons !

— Le spa qu'on vient de construire à côté de l'ancienne résidence Delaney ouvre la semaine prochaine, signala Paula. J'ignore à qui il appartient, mais les ouvriers ont travaillé d'arrache-pied, d'après ma mère. Elle passe par là toutes les semaines avec son groupe de randonnée pour une marche en montagne. Tout sera dans une optique holistique, avec des salles de yoga, des séances de thérapie avec des pierres chaudes et de l'aromathérapie.

— Je testerais volontiers les pierres chaudes, gémit Mary. Si seulement j'avais le temps...

— Pourquoi pas ? demanda Paula. Ce sera peut-être bientôt possible. Il y aura des offres spéciales pour l'ouverture, et je suis certaine que des massages et des soins seront prévus pour les femmes enceintes.

L'idée enthousiasma Daisy.

— D'accord ! Je me renseigne.

Ce lundi avait été une journée pleine de projets. Daisy avait téléphoné à plusieurs cliniques spécialisées dans les problèmes de fertilité et avait de grandes nouvelles à annoncer à Alex. Elle avait pris un rendez-vous pour eux deux dans un des établissements. Malheureusement, il y avait plusieurs semaines de délai. Elle serait folle d'impatience ! Une journée au spa avec Mary et Paula l'aiderait à supporter l'attente.

Daisy arriva chez elle à sept heures, balançant à bout de bras le sac qui contenait les livres de développement personnel prêtés par Mary. Elle devait au moins les feuilleter. La première chose qu'elle vit en entrant fut l'attaché-case d'Alex posé sur le plancher. Elle avait eu l'œil attiré par l'éclat d'un papier turquoise qui dépassait d'un des soufflets en cuir noir. Un cadeau de chez Tiffany ! Daisy hésita à regarder en vitesse ce qu'Alex lui avait acheté puis renonça. Ce n'était pas une bonne idée.

Par exemple, s'il avait choisi un énorme diamant pour la

demander en mariage, elle passerait le reste de sa vie à se reprocher d'avoir regardé avant qu'il le lui offre. Si leurs enfants la questionnaient à ce sujet, elle devrait leur mentir ou avouer qu'elle avait triché... Cela n'aurait rien de l'histoire romantique dont elle avait envie. Quoi qu'il en soit, ce ne pouvait pas être une bague de fiançailles. Ils en avaient déjà discuté : ils n'avaient pas besoin de se marier pour cimenter leur union.

Daisy lança un joyeux bonsoir et Alex sortit précipitamment de la salle de bains, assez pâle.

— Problèmes de digestion, dit-il en guise d'accueil, avant de planter un baiser rapide sur la joue de Daisy.

— C'est comme ça que tu m'accueilles ? répondit Daisy avec un grand sourire.

Elle le suivit dans la chambre, où il entreprit de se déshabiller. Il jeta sa veste et sa cravate sur le lit couvert de soie caramel.

— Oh, oh ! fit Daisy. C'est mieux...

Alex, qui était déjà en train d'enlever sa chemise, fit une grimace.

— Chérie, si tu avais une idée du week-end que j'ai passé... Ces types n'en avaient jamais assez. Je n'en peux plus. Sans compter que l'hôtel n'était pas aussi confortable que la dernière fois.

— Mon pauvre chéri !

Elle lui tendit les bras et il prit quelques instants pour se détendre, la tête sur l'épaule de Daisy.

Ensuite, il se dégagea, finit de se déshabiller et enfila un jean avec un sweat-shirt.

Daisy s'était assise en tailleur au pied du lit.

— J'ai quelque chose à te dire, commença-t-elle.

Elle se mit à rire en voyant Alex ouvrir de grands yeux.

— Mais non ! s'exclama-t-elle. Tout va bien. Je n'ai pas perdu mon travail ni cassé la voiture. C'est au sujet de notre bébé. Mon chéri, nous avons assez attendu. Il faut agir.

Elle sourit à Alex. Elle avait gardé le meilleur pour la fin.

— J'ai mené ma petite enquête, aujourd'hui, et j'ai appelé quelques établissements spécialisés dans les traitements de la stérilité. Normalement, il y avait au moins un mois d'attente, mais la clinique Avalon venait d'avoir une annulation. J'ai lu un article où on la présentait comme une des meilleures, même si c'est une des plus chères. Le médecin peut nous recevoir dans trois semaines, le vendredi, à midi et quart.

Les yeux de Daisy brillaient de joie.

— N'est-ce pas merveilleux ? Je t'en prie, dis-moi que tu es libre ce jour-là ?

Alex, figé sur place, une chaussette à la main, dévisageait Daisy sans un mot.

— On attend depuis des années, Alex. Un an avant ta maladie, précisément, et deux après.

Alex tressaillit. Il détestait qu'on lui rappelle sa maladie.

— Il faut faire quelque chose avant que ce soit trop tard pour moi, reprit Daisy. J'ai besoin de savoir pourquoi je ne tombe pas enceinte. Je veux un bébé.

Le seul fait de le dire la bouleversait.

— Toi aussi, tu veux des enfants. Ça fait si longtemps que nous y pensons ! C'est le moment.

Daisy tendit la main à Alex, qui la prit, le visage indéchiffrable, avant de s'asseoir sur le lit à côté de Daisy.

— Je ne sais pas quoi dire...

— Tu n'as pas besoin de dire quoi que ce soit, jeta Daisy.

Elle avait soudain peur. Alex allait-il lui annoncer que, en définitive, il ne voulait pas d'enfants ?

— Alex, je crois que c'est notre problème : nous avons l'habitude de réfléchir et de tout planifier, mais, dans la vie, il y a deux ou trois choses pour lesquelles c'est impossible. Elles se produisent d'elles-mêmes. Nous avons attendu pour avoir un enfant, et il est grand temps !

« Par pitié, dis-moi que tu es d'accord ! » pensa-t-elle.

— Je ne sais pas, répéta Alex.

— S'il te plaît, Alex ! C'est si important pour moi ! Je crois que nous ne devrions plus attendre.

— Je n'arrive pas à croire que tu as pris ce rendez-vous sans m'en parler d'abord, Daisy.

Daisy respira. Au moins, Alex n'avait pas dit non. C'était un début. Daisy s'était préparée au choc. Les hommes n'aiment pas qu'on les aide à trouver leur route quand ils conduisent : il fallait multiplier ce refus par mille pour imaginer ce qu'ils pouvaient éprouver à donner du sperme dans un gobelet, enfermés dans une pièce anonyme, pour que leur partenaire ait une chance d'être enceinte.

Daisy fit une nouvelle tentative.

— Excuse-moi. Je sais que je te demande beaucoup. Ça peut être difficile à vivre. J'ai lu tous les articles possibles sur les traitements de la stérilité.

Le parcours du combattant qu'ils représentaient avait détruit plus d'un couple. Mais cela ne leur arriverait pas, se promit Daisy. Tout ce qu'elle avait à faire, c'était de convaincre Alex.

— Nous pouvons y arriver, Alex. S'il te plaît...

Le visage d'Alex exprimait le doute le plus profond. Mais il n'avait pas dit non !

— Allons au moins à ce rendez-vous, pour écouter ce que le spécialiste nous dira, suggéra Daisy. Et si ça te paraît insupportable, parlons-en...

Alex ne pouvait pas refuser la branche d'olivier que Daisy lui tendait.

— D'accord, dit-elle. Tu as besoin d'y réfléchir.

Oui, c'était la solution : ne plus chercher à convaincre Alex, lui laisser le temps d'y penser ! Elle changea donc de sujet, préférant le taquiner au sujet du sac de chez Tiffany.

— Et si tu me parlais de ce que tu as fait à Londres, à part promener des gens affreusement riches et radins ? Tu as fait des courses ? Tu n'aurais rien de spécial à me dire ?

— Daisy... commença Alex.

Il s'interrompit.

— Désolée, j'ai gâché ta surprise ! dit-elle, la mine contrite. Mais ce n'est pas mon anniversaire avant des mois. J'ai cru que ce n'était qu'une petite attention, même si cette expression ne s'applique à aucune création de chez Tiffany.

Alex avait l'air interdit.

— Le sac de chez Tiffany ?

Il comprenait enfin.

— Etait-ce pour une autre occasion ? demanda Daisy.

Ce ne pouvait pas être une bague de fiançailles. Non, bien sûr que non !

— Ce n'est pas encore notre anniversaire, ajouta Daisy en hâte.

— Non, dit Alex en soulignant le mot de la tête.

Il sortit de la chambre et revint quelques instants plus tard avec le sac en question, qu'il posa devant Daisy sans faire de cérémonie. De toute façon, pourquoi voulait-elle une bague de fiançailles ? pensa-t-elle en s'emparant du présent.

— Cet achat est un signe de bon augure, dit-elle gaiement en dénouant le ruban blanc. Ça signifie que le temps est venu de changer de vie !

Dans la boîte, Daisy trouva un collier en argent, assez semblable à celui qu'Alex lui avait offert, la première fois qu'il lui avait fait un cadeau. Mais cette fois le bijou venait de chez Tiffany et était d'un raffinement exquis.

C'était en effet un signe, pensa Daisy, celui que leur amour pouvait tout endurer. Alex avait besoin de temps pour réfléchir aux différents traitements contre la stérilité. Il finirait par voir la situation comme elle. Fonder une famille était la chose la plus naturelle au monde. La question ne se posait même pas, selon une des expressions favorites d'Alex.

Daisy rangeait dans sa boîte à trésors le premier cadeau que lui avait fait Alex, un collier en métal argenté avec un cœur. Elle le gardait avec le pantalon en satin noir qu'elle portait le jour où ils s'étaient rencontrés.

Avec le temps, le collier avait noirci. C'était un bijou bon marché, mais Daisy y tenait et regrettait de ne plus pouvoir le porter, car il laissait une marque verte sur son cou quand elle le mettait. La boîte abritait aussi les sous-vêtements que Daisy avait la première fois qu'Alex et elle avaient fait l'amour. Alex ignorait qu'elle les avait conservés. Il aurait trouvé ridicule qu'elle garde ce genre de souvenirs.

Quand Daisy regardait le pantalon-cigarette en satin, elle était horrifiée. En théorie, un pantalon en satin devait être serré, avec une ligne nette, destinée à une silhouette aux hanches étroites. Quatorze ans plus tôt – Daisy avait du mal à le croire –, elle n'avait pas les hanches étroites.

Les autres élèves de son cours de modélisme portaient des vêtements noirs effilochés, à la pointe de l'avant-garde, qu'elles avaient personnalisés. Sur le campus, on les repérait tout de suite. Seule Daisy ne s'habillait pas avec ses créations, en partie parce qu'elle voyait, non sans tristesse, qu'elle n'était pas douée. *Vogue* était toute sa vie, elle comprenait la coupe en biais comme si elle l'avait apprise avec Schiaparelli et dessinait à merveille, mais elle était nulle en modélisme.

Un autre élément entrait en ligne de compte. Elle aimait le style de tenues qui convenaient aux grandes brunes très minces, aux yeux immenses et aux joues creuses. Les filles rondes, avec de grosses jambes et une poitrine à la Betty Boop, étaient plus à leur avantage en noir, même s'il s'agissait d'un pantalon en satin avec un long cardigan en soie.

A l'époque, Daisy ne se trouvait pas mal, ainsi. Elle pensait que le noir estomperait ses formes et allongerait sa silhouette, ce qui lui donnerait belle allure, même si elle ne pouvait être considérée comme un futur mannequin. D'ailleurs, contrairement à certains garçons de la faculté, Alex l'avait trouvée séduisante.

Il était incroyable de constater à quel point une fille enveloppée devenait invisible ! Pourtant, les gens forts prennent de la place et on ne devrait pas pouvoir les éviter. Mais c'était l'inverse. Certains étudiants détournaient le regard tels des paysans du Moyen Age croisant un lépreux et criant « Impur ! ».

Alex Kenny n'avait pas détourné le regard. Il était longiligne, avec les yeux noirs et des biceps d'acier gagnés au club d'aviron, dont il était le champion incontesté.

« Tu ne portes pas des trucs impossibles comme celles qui sont dingues de la mode. Tu as l'air normale », avait-il dit à Daisy avec amusement lors de leur première rencontre. Il avait tendu la main pour jouer distraitement avec un des pompons de son écharpe vintage en soie rose. Daisy avait rougi.

Ils étaient au Shaman's Armchair, le pub que fréquentaient les membres des équipes d'aviron. Julie et Fay, deux élèves de la classe de Daisy, étaient intéressées par certains rameurs des Lazer. Un samedi, après la compétition, une sortie au pub avait été improvisée. En réalité, Daisy avait été témoin du soin avec lequel Julie et Fay s'étaient préparées. Le style « j'ai mis ce que j'avais sous la main » demandait beaucoup de temps pour être réussi.

Daisy ne s'était pas donné tant de mal, sauf pour le maquillage. En revanche, elle avait fait des efforts pour paraître mince – son but dans la vie, même si elle avait conscience de ne jamais y arriver complètement.

Tandis que Julie et Fay flirtaient, Daisy s'était assise dans un coin avec un demi, décidée à le faire durer aussi longtemps que possible. Elle était de nouveau fauchée. Il ne restait presque rien de sa bourse et la pizzeria à côté de l'appartement qu'elle partageait avec Julie et Fay n'avait pas besoin d'elle pour les soirées. Daisy observait donc le jeu de séduction auquel se livraient ses amies. Elle aurait aimé se sentir, comme elles, sûre d'elle et à l'aise avec les hommes. Or elle ne l'était que quand il s'agissait de leur proposer un supplément de mozzarella avec un plat. Pour le reste, mieux valait ne pas y penser ! C'était alors qu'Alex était arrivé, avait jeté un regard circulaire et était venu s'asseoir à côté de Daisy. Alex Kenny ! Un si beau garçon que même Julie et Fay n'avaient pas envisagé de jeter leur dévolu sur lui.

« C'est toi qui l'as fait ? » avait demandé Alex en désignant le poncho de Daisy.

Il était noir, comme le reste de sa tenue, mais l'ourlet était brodé de minuscules perles de jais. La question d'Alex avait fait rire Daisy.

« Je suis aussi douée pour le tricot que pour l'aviron ! avait-elle répondu. Mais c'est moi qui ai cousu les perles.

— Vraiment ? »

Alex, surpris, avait voulu regarder de plus près un coin du poncho. Daisy avait senti son cœur s'emballer.

« Mais il y en a des millions ! s'était exclamé Alex. Tu as dû y passer des heures.

— Savoir coudre fait partie de l'art de créer des vêtements ! avait rétorqué Daisy de son ton le plus sérieux.

— Seriez-vous en train de vous moquer de moi, madame la créatrice de mode ? avait renchéri Alex, les yeux pétillants. Me prenez-vous pour un de ces grands dadais de l'équipe d'aviron doté d'une bourse d'études due à ses talents sportifs et d'un Q.I. à deux chiffres ?

— Deux chiffres ? Tout ça ? avait demandé Daisy en feignant l'étonnement. Désolée, je plaisantais... »

Elle s'était excusée, au cas où elle aurait vexé Alex.

Mais le sourire d'Alex s'était agrandi et il avait insisté pour savoir combien d'heures de couture avait nécessitées la bordure en perles.

« Je l'ai confectionnée en regardant la télévision, avait expliqué Daisy.

— Comment arrives-tu à faire les deux choses en même temps ? Ma question est stupide ! Il faut de l'entraînement.

— Comme pour l'aviron, avait ajouté Daisy en regardant les bras musclés d'Alex, que même son gros pull marron ne pouvait dissimuler.

— J'ai perdu la forme. Je dois recommencer à m'entraîner avant le début de la saison.

— Est-ce que tu t'entraînes beaucoup ? Je ne connais rien à l'aviron.

— Tant mieux ! J'ai horreur des groupies, qui discutent avec toi comme des pros, alors qu'elles n'ont pas mis le pied sur un bateau de leur vie. »

Alex s'était lancé dans une longue explication au sujet des heures passées aux avirons ou en salle de gymnastique. Ensuite, il avait ramené la conversation sur Daisy et les conditions d'admission dans une école de design et modélisme.

Daisy avait oublié sa timidité. Naturellement, Alex ne s'intéressait pas à elle d'un point de vue sentimental – personne ne s'intéressait à elle de cette façon –, mais il semblait apprécier sa compagnie. Cela avait donné un courage inhabituel à Daisy.

Ce n'était pas comme si Alex avait juste voulu lui parler par gentillesse, à cause de sa réserve et de ses joues rondes, alors qu'il s'intéressait en réalité à cette farfelue de Fay ou à l'élégante Julie, avec son allure à la Grace Kelly. C'était autre chose : Alex devait faire partie de ces dieux qui aiment parler à tout le monde. Daisy s'était imaginé que certains étudiants classaient les autres selon une échelle de valeurs et ne s'abaissaient pas à s'adresser à ceux qui ne passaient pas la barre. Daisy se montrait peu douée pour le modélisme et, quoique assez jolie, elle était trop grosse. Aussi, les filles branchées l'ignoraient et les garçons ne la voyaient pas. En revanche, les dieux comme Alex étaient au-dessus des codes sociaux et pouvaient se pencher sur de simples mortelles. Daisy était convaincue que, à l'instant où Fay et Julie se tourneraient vers Alex, il n'aurait plus d'yeux que pour elles. Mais, pour le moment, il était penché sur elle, avec son nez aquilin, sa bouche bien dessinée, son léger hâle, évocateur de vacances de Noël sous les tropiques, et ce sourire paresseux d'homme qui sait qu'il n'a pas à fournir trop d'efforts pour obtenir ce qu'il veut.

L'après-midi s'était transformé en soirée et la bande avait commencé à avoir faim. Le pub proposait de fabuleux *boxty*, les traditionnelles galettes de pommes de terre irlandaises. Bientôt, d'énormes assiettes de *boxty* et de nouveaux verres arrivèrent sur la table. Le groupe d'origine, Daisy et ses amies ainsi que les quatre rameurs, s'était transformé en bruyante réunion d'étudiants. Ils occupaient une partie du Shaman's Armchair, riaient, plaisantaient et se vantaient à qui mieux mieux de ne pas être prêts pour le nouveau trimestre. Alex était resté à côté de Daisy.

Sous l'effet des deux whiskeys chauds qu'Alex lui avait offerts après son demi, Daisy lui avait avoué qu'elle était folle de mode, mais était arrivée à la conclusion douloureuse qu'elle n'était pas douée pour la création. Elle ne l'avait jusqu'alors reconnu que devant Julie et Fay.

« C'est sans espoir, avait-elle dit. Quand je pense combien il est difficile d'être accepté dans cette formation ! Mais je me rends compte que j'ai fait une erreur. » Elle imaginait l'expression de sa mère si elle entendait cela. Elle l'avait poussée à suivre des cours de secrétariat à Carrickwell pour qu'elle soit certaine de toujours gagner sa vie correctement. Daisy avait livré sur ce point une des rares batailles qu'elle avait osé mener contre sa mère : elle avait refusé. Elle était la meilleure de sa classe de dessin au lycée et rêvait de devenir modéliste depuis qu'elle avait découvert l'existence d'écoles spécialisées. Parmi ses rêves – être belle, mince et aimée par sa mère –, très peu étaient réalisables. Elle se devait d'essayer de concrétiser celui-là.

Sa mère avait pris le ton de celle qu'on vient de trahir de la pire façon : « Denise, avait-elle dit, tu me déçois profondément. » Elle l'appelait plus souvent Denise que Daisy. C'était son père qui lui disait « ma petite Daisy » et ce surnom lui était resté. « Après tout ce que nous avons subi, tu devrais comprendre la nécessité d'avoir un travail stable et pas aléatoire, comme c'était le cas de ton père. J'espérais t'avoir au moins appris ça. Mais fais ce que tu veux ! Ne te soucie pas de ce que je pense. »

Nan Farrell, qui était aussi mince que les longues cigarettes qu'elle fumait l'une après l'autre, avait pris son étui en argent gravé à ses initiales et l'avait ouvert d'un geste sec. Il était le seul bel objet qui lui restait de son ancienne vie, quand elle faisait encore partie de l'élite de Carrickwell. Tout avait basculé quand elle était tombée enceinte de Daisy, comme elle ne cessait de le lui rappeler. Elle avait atterri dans le monde réel comme au milieu d'un cataclysme, mariée à un homme qui aimait s'amuser et ne se souciait pas de s'enraciner ou de travailler dur.

« De toute façon, avait-elle encore dit à Daisy, tu n'as jamais tenu compte de mon opinion. »

« Si seulement c'était vrai ! » avait pensé Daisy. Le jugement de sa mère occupait une place énorme dans sa vie. Quoi que fasse Daisy, même loin de Nan, elle sentait le poids de son opinion sur ses épaules.

Le souvenir de leur dispute et du froid glacial qui persistait dans leurs relations avait détruit le plaisir que lui avait procuré la conversation avec Alex. Oubliant qu'il était un très beau garçon et qu'elle aurait dû être écarlate de gêne rien qu'en lui parlant, Daisy avait posé la tête dans ses mains.

« Comment peut-on avoir déjà gâché sa vie professionnelle à vingt ans ? avait-elle marmonné.

— C'est ce que font les gens doués », avait répondu Alex en lui tapotant le bras.

Il avait laissé sa main glisser jusqu'à la nuque de Daisy. Il l'avait caressée en jouant avec les boucles châtains échappées de son catogan. Daisy s'était sentie transportée au septième ciel, mais elle s'était redressée sur son siège, obligeant Alex à ôter sa main. Elle aurait aimé que cela dure toujours, mais, contrairement aux filles comme Julie et Fay à qui cela arrivait régulièrement, ignorait comment réagir aux attentions d'un homme.

Alex n'avait pas remarqué sa nervosité. « Au moins, avait-il dit, tu savais ce que tu voulais faire. Pas moi. Je ne l'ai jamais su. L'école de commerce semblait la solution la plus simple, mais ça ne m'enthousiasme pas. Ce n'est pas à ça que pensent les petits garçons quand ils dressent la liste de leurs dix métiers préférés, n'est-ce pas ? "Que veux-tu faire quand tu seras grand, fiston ? – Oh ! Papa, je veux être assis à un bureau et passer ma vie à m'échiner sur des tableaux de chiffres !" »

Alex avait raconté à Daisy qu'il avait souvent envie de laisser tomber ses études. Seule l'idée d'avoir un bon salaire dès l'obtention de son diplôme l'en empêchait. C'était automatique. Pour Alex, l'argent comptait. Daisy avait eu l'impression, dont elle s'était gardée de lui faire part, que la famille Kenny n'avait jamais été très riche. C'était pourtant un point qu'elle était bien placée pour comprendre. L'argent n'avait pas coulé à flots chez elle non plus. Sa mère et elle vivaient dans une maison, au milieu d'une rangée de bâtisses mitoyennes toutes semblables du centre de Carrickwell. Ce n'était pas très loin de la grande demeure où avait grandi Nan Farrell, mais, socialement, un monde les séparait. Daisy avait reçu une éducation où on ne parlait pas d'argent.

Personne ne devait savoir qu'elles faisaient attention à leur consommation de gaz ou que, avec un peu d'imagination, elles réussissaient à faire durer la viande du dimanche jusqu'au mercredi. « Nous avons notre fierté », répétait Nan Farrell.

Cela n'empêchait pas Daisy de rester convaincue que l'argent ne fait pas le bonheur. Sa mère venait d'un milieu aisé, mais rien ne semblait démontrer qu'elle ait eu une vie familiale heureuse. Elle était pourtant sans doute plus malheureuse sans argent qu'elle ne l'avait été avec.

Daisy pensait que seul l'amour comptait, dans la vie. Pas l'argent !

Quand Alex était allé lui chercher un autre verre au comptoir du Shaman's Armchair, Daisy l'avait suivi des yeux. Elle devait ressembler à un épagneul assistant d'un air consterné au départ de son maître. Une de ses plus grandes failles était son inquiétude constante au sujet de la façon dont les autres la voyaient. Elle ne pouvait pas entrer dans une pièce sans se demander si on ne la prenait pas pour une baleine, quelle que soit sa tenue. Pendant les cours, si elle prenait la parole, elle pesait ses mots avec autant de soin qu'elle mesurait la soie avant de couper. Or, ce soir-là, elle ne pesait pas le moindre de ses mots, pas plus qu'elle ne tenait ses jambes sur le côté pour paraître plus mince. Alex avait cet effet-là sur elle.

Ils avaient commencé à sortir ensemble, formant un couple que personne n'aurait imaginé : le bel Alex, si populaire sur le campus, et qui aurait pu avoir n'importe quelle fille, et Daisy, gentille et plutôt jolie, mais qui avait vraiment un terrible problème de poids.

Personne ne comprenait ce que la douce et aimante Daisy apportait à Alex : la sécurité. Calme, chaleureuse, comme un thé servi devant le feu, Daisy donnait au dynamique Alex Kenny la sensation d'être chez lui, à l'abri.

Daisy mit le collier de chez Tiffany. L'argent lui allait bien. Sur les rousses, l'or pouvait ressembler à du laiton. Sa mère, qui possédait des cheveux blond clair, l'avait souvent répété à Daisy.

— C'est ravissant, souffla Daisy.

Elle se tourna vers Alex pour l'embrasser, mais il se laissa tomber sur le lit. Il paraissait très las.

— Je suis content que ça te plaise, dit-il d'une voix sans timbre.

— Mon amour, ne le prends pas comme ça ! Je sais que ça t'angoisse. Moi aussi ! Mais c'est important pour nous deux.

— Daisy... commença Alex.

— Nous y arriverons, dit-elle sans le laisser poursuivre.

Cela faisait si longtemps qu'elle lui cachait son désir d'avoir un enfant ! A présent, elle était décidée à le convaincre.

— Alex, je désire être mère. Je ne t'en parle pas, mais ça m'obsède.

Daisy s'assit sur le lit à côté d'Alex et prit sa main entre les siennes.

— Quand je vais travailler et que je vois Paula si heureuse d'être enceinte, je souffre. Non que je lui reproche un seul instant de son bonheur, mais je veux la même chose pour moi, pour nous. On voit des bébés partout ! Tu ne l'as pas remarqué ?

Elle pressa la main d'Alex, cherchant son soutien.

— Au magasin, dans la rue, chez Mo's ! Ils sont là, dans leur chaise haute, qui regardent autour d'eux avec étonnement. Je n'aurais jamais cru souffrir d'un tel désir. Je n'étais pas très intéressée par les bébés, quand j'étais adolescente.

Daisy ne pouvait plus s'arrêter.

— Si j'avais eu des frères et sœurs, j'aurais peut-être eu l'expérience des tout-petits, mais ce n'est pas le cas. Je ne me trouvais donc pas très maternelle, jusqu'à ce que, d'un seul coup, ça me tombe dessus.

Elle eut un petit rire nerveux.

— Alex, j'y pense en permanence. Chaque mois, quand j'ai la preuve que je ne suis pas enceinte, j'éprouve un terrible sentiment d'échec. Ça fait cinq ans que nous essayons d'avoir un bébé et je me sens...

Elle s'interrompit un instant, en quête du mot juste.

— Je me sens vide. J'ai l'impression de ne pas être une vraie femme. Quand je vois celles qui sont enceintes ou avec des enfants, je me dis que je viens d'une autre planète. Elles font partie de ce merveilleux cycle terrestre de l'amour et de la maternité, mais pas moi. Je suis différente, exclue. Elles n'imaginent pas un instant que je voudrais un bébé. Elles doivent croire que je déteste les enfants. Ça me fait mal de ne pas en avoir. Si tu savais comme ça me fait mal !

Daisy se tut, soudain consciente qu'Alex n'avait pas dit un mot. C'était sans doute l'étonnement de l'entendre parler ainsi. Daisy ne dévoilait pas ce qu'elle ressentait à qui que ce soit, même pas à Alex. Elle supposait que c'était dû au fait qu'elle était enfant unique : elle n'avait pas l'habitude de partager ses secrets. Elle enviait les gens qui livraient leurs sentiments les plus intimes. Cette fois, elle l'avait fait et trouvait cela très libérateur, même si cela l'effrayait d'avoir tant révélé d'elle-même.

— J'ignorais ce que tu ressentais, marmonna Alex. Pourquoi ne m'as-tu rien dit ?

Il ne l'avait même pas regardée.

— J'ai cru que tu avais compris à quel point j'avais envie d'un bébé, répondit-elle d'un ton aussi léger que possible.

Pendant tout ce temps, Daisy avait croisé les doigts et prié chaque mois, même au cours des années où Alex avait été malade et où leurs relations sexuelles s'étaient raréfiées. Comment avait-il pu ne rien voir ?

— Non, dit-il, je n'avais pas compris.

— Ce n'est qu'un rendez-vous, reprit Daisy. Ça ne peut pas nous faire de mal d'y aller et d'écouter ce que les médecins ont à nous dire. S'il te plaît, Alex. Pour moi ! Nous avons traversé tant d'épreuves au cours des dernières années, entre les spécialistes et les laboratoires. Je sais que tu as tout ça en horreur.

Elle aussi, elle avait détesté ces innombrables examens. Chaque fois qu'on faisait une prise de sang à Alex, elle aurait voulu tendre son propre bras. Et elle était restée à son côté à chaque instant. Pourquoi ne serait-ce pas son tour, à présent ?

Alex paraissait tendu, comme s'il subissait une énorme pression, mais il se contenta de hocher la tête d'un air crispé.

— On ira, dit-il enfin. Si c'est ce que tu veux...

4

Le gala caritatif de Lorimar avait lieu à la fin du mois de février et Mel aurait aimé avoir plus de temps pour se préparer. La tenue de soirée était exigée et tous les cadres devaient y assister, sous peine des pires sanctions. Le mois précédent, il n'avait presque été question que de cela dans les bureaux de la société.

Samantha, une jeune femme qui travaillait au marketing – et qui paraissait sortie de *Sex and the City* –, trois assistantes de direction et la directrice du service des ventes par téléphone projetaient de copier le style glamour de *Sex and the City*, avec des talons vertigineux, un maquillage appuyé et une robe adaptée.

Pour la directrice des ventes par téléphone, le secret de la réussite tenait en peu de mots : « Des tonnes de rouge à lèvres rouge vif ! » Elle avait passé des heures à préparer l'événement, une tâche herculéenne. Cela impliquait de s'assurer que des centaines de ballons rouges au sigle de Lorimar descendraient du plafond au moment précis où Edmund Moriarty annoncerait un don spécial de cent mille euros au profit de l'organisation soutenue par Lorimar, une fondation dédiée à la recherche en chirurgie cardiaque. Le grand patron serait furieux si son apparition était ratée. La plupart des employés du service marketing et une grande partie de celui de la publicité et des relations publiques ne travaillaient plus qu'à la réussite de la soirée.

D'autres membres du personnel féminin prévoyaient de faire des séances de bronzage pour avoir un joli hâle et d'aller chez le coiffeur. Mais elles ressortiraient leur vieille robe noire, parfaite, car elles n'avaient pas envie de se ruiner pour une simple sortie professionnelle. Vanessa avait emprunté à sa sœur une spectaculaire robe du soir en satin rouge. Elle se disait certaine qu'Hilary aurait une crise cardiaque en la voyant.

« Ce n'est pas grave, ajoutait-elle. Il y aura des cardiologues pour s'occuper d'elle. »

Mel avait prévu de se ménager quelques plages de temps pour s'occuper d'elle et paraître au mieux de sa forme pour l'occasion. Elle s'offrirait peut-être une nouvelle tenue ou une coupe de cheveux moderne, quelque chose qui prouverait au monde entier, et aux patrons de Lorimar, que Mel Redmond était dans le coup.

Malgré ces bonnes résolutions, quand arriva le fameux samedi soir, un quart d'heure avant de devoir partir de chez elle, elle tentait désespérément, à grand renfort de laque, de redonner du tonus à sa chevelure. Pour tout maquillage, il lui restait un vague souvenir de l'eye-liner qu'elle avait appliqué à neuf heures du matin et son teint, façon week-end humide au Groenland, ne risquait pas de concurrencer le bronzage Malibu obtenu par la plupart de ses collègues. De son côté, Adrian se remettait à peine d'une grippe. Mel se rendait compte, à sa grande consternation, qu'il avait pourtant l'air plus en forme qu'elle. Epuisée par une journée folle et un mois de travail encore pire, elle n'avait qu'une envie : se coucher et dormir !

En février, elle avait enchaîné rendez-vous sur rendez-vous, sans compter l'anniversaire d'Eddie, le frère cadet d'Adrian, qui avait eu lieu le deuxième vendredi du mois. Eddie avait quarante ans et donnait une grande fête, avec un dîner pour toute la famille dans son restaurant préféré.

« Mon petit frère... quarante ans... avait répété Adrian avec étonnement. Ça paraît si vieux ! Je me souviens encore de l'époque où nous nous demandions ce que serait notre vie.

— On avait l'impression que c'était très loin, dans des millions d'années, avait renchéri Eddie. C'est drôle, j'avais envie d'avoir quarante ans avant toi, parce que je ne supportais plus de te voir tout faire le premier sous prétexte que j'avais deux ans de moins.

— Pour que tu sois le premier, il aurait fallu qu'Adrian meure... avait fait remarquer Lynda, leur mère.

— Dans ce cas, je préfère que ce ne soit pas arrivé, même si j'ai souvent eu envie de te massacrer, frangin ! » avait rétorqué Eddie avec sérieux.

Le week-end suivant, la tante et l'oncle de Mel avaient célébré leurs cinquante ans de mariage. Leurs enfants avaient organisé une réception dans un hôtel de Dublin. Il y avait un orchestre qui jouait des chansons de Jim Reeves et, accrochés aux murs, des agrandissements de photos prises à différents moments de la vie du couple. Les tables étaient décorées de roses de couleur pâle. Pour recréer l'ambiance du mariage, qui avait été plutôt modeste par manque de fonds, il y avait une bénédiction par le prêtre de la paroisse, un apéritif au champagne, des discours et le déjeuner.

« C'est très émouvant, vous ne trouvez pas ? » avait dit un des invités à Mel d'une voix rêveuse, après que l'oncle Dermot eut fait pleurer l'assistance en expliquant qu'il refusait de passer un seul jour sans son Angela. « Euh... oui », avait répondu Mel. Sa coiffure était en train de s'écrouler sous l'effet de la transpiration, car Mel n'arrêtait pas de courir derrière Carrie. L'enfant avait vite compris que l'hôtel offrait mille possibilités pour échapper à la surveillance de sa mère. Elle avait commencé par se cacher dans un des habitacles des toilettes pour dames, puis sous la longue nappe de la table où trônait le gâteau d'anniversaire et enfin derrière la porte battante de la cuisine.

A un moment où Mel était passée en courant devant sa mère, celle-ci l'avait retenue. « Assieds-toi ! Je vais m'occuper de Carrie. » Mel s'était arrêtée. Ses sandales habillées à hauts talons lui faisaient mal. En plus, avait-elle pensé, les organisateurs de ces réceptions invitaient les enfants, mais ne prévoyaient rien pour eux. « Les enfants sont les bienvenus » ne signifiait rien, s'il n'y avait pas une pièce réservée pour eux, où les parents pouvaient se relayer tandis que la cassette des *101 Dalmatiens* ou de *Peter Pan* passait en boucle. Sinon, qu'il y ait au moins des tranquillisants pour les parents ! Pour un petit de l'âge de Carrie, les verres de vin rouge posés au bord des tables agissaient tels des aimants.

« Tu es fatiguée, Mel. Assieds-toi un moment avec Adrian. Va te chercher une part de gâteau pendant que je surveille Carrie, avait insisté Karen en se levant pour se diriger vers le tourbillon rose qui était sa petite-fille.

— Non, maman. Je me débrouille. Tu en fais déjà assez. »

Si elle avait mal aux pieds, elle n'avait qu'à enlever ses chaussures. Qui le remarquerait ?

« Carrie finira par te prendre pour sa mère ! avait-elle ajouté avec un rire bref qui n'avait trompé personne.

— Ne dis pas de bêtises ! Il n'y a aucun risque que ça arrive, avait répondu Karen en serrant la main de Mel.

— Je sais. Je plaisantais. »

Mel avait affiché en toute hâte son plus beau sourire « spécial relations publiques », mais Karen et elle savaient qu'elle mentait.

« Alors on se voit plus tard, ma chérie », avait repris sa mère. Et, même si elle n'avait jamais travaillé dans les relations publiques, elle avait réussi une imitation crédible du sourire de sa fille.

Mel n'avait pas eu plus de répit chez Lorimar. Elle avait été submergée de travail, car le magazine de la société, que recevaient les clients, devenait trimestriel au lieu de semestriel. Le service de la publicité et des relations publiques avait dû faire des heures supplémentaires. Pour rendre l'ambiance encore plus tendue circulaient des rumeurs persistantes d'importantes réductions budgétaires. Plus de travail et moins d'argent ? Mel ne pensait pas que ce soit la bonne solution.

Vanessa subissait les mêmes pressions. Mel et elle n'avaient eu que de brefs moments pour se parler, le matin, dans les toilettes des dames. Elles avaient comparé leurs informations. D'inquiétants bruits de couloir couraient sur la façon dont Lorimar ferait des économies.

Un jour, en se lavant les mains, après avoir décidé qu'elle n'avait pas l'énergie de se pomponner plus que cela, Vanessa avait parlé à Mel d'un article qu'elle avait lu dans le journal.

« La plupart des femmes qui travaillent font tant de choses, le matin, avant de partir de chez elles que, au moment où elles arrivent à leur travail, soixante-quinze pour cent d'entre elles sont déjà exténuées. »

Mel, occupée à mettre du mascara noir pour essayer de redonner une forme à ses yeux fatigués, avait presque ri. « Seulement soixante-quinze pour cent ? Je me demande avec quoi se dopent les vingt-cinq pour cent restants ! »

L'épuisement de Mel avait été aggravé par le fait que Sarah ne dormait pas bien. Depuis plusieurs semaines, sauf lors des week-ends, elle ne s'endormait qu'au moment où elle tombait de fatigue. Ensuite, elle faisait des cauchemars et se réveillait plusieurs fois en pleurant. Mel en avait parlé avec Dawna.

Enfin, le vendredi précédant la soirée donnée par Lorimar, alors que Mel était à bout de forces, Dawna lui avait donné la clé du problème : « Je crois que j'ai compris. Sarah ne supporte pas d'être séparée de vous, Mel. Quand notre maman travaille toute la journée à l'extérieur, elle nous manque, n'est-ce pas ? »

Sarah avait hoché la tête avec gravité.

« Ce n'est rien d'autre, avait repris Dawna. Sarah ne veut pas dormir parce que ça l'empêche d'être avec vous le soir. » Dawna n'avait pas compris qu'elle culpabilisait Mel un peu plus. Elle avait conclu : « Je parie que, pendant le week-end, quand vous êtes là toute la journée, elle dort comme un ange. »

Mel avait acquiescé. C'était exact : le vendredi et le samedi soir, Sarah s'endormait sans difficulté. Mel avait tenté de se convaincre qu'elle était fatiguée par les nombreuses activités auxquelles elle se livrait pendant le week-end. Mais elle aurait dû savoir qu'il y avait une autre explication.

Pour la soirée de Lorimar, au lieu de solliciter sa mère, Mel avait mis sa belle-mère à contribution. Lynda viendrait garder les filles. Elle était toujours ravie que Mel fasse appel à elle, mais cela n'arrivait pas très souvent. D'une part, Mel ne voulait pas donner l'impression d'abuser de sa bonne volonté, d'autre part, elle pensait que, au fond d'elle-même, Lynda la désapprouvait. Celle-ci appartenait à une génération de femmes qui restaient chez elles pour élever leurs enfants. Toutefois, comme elle n'avait pas un tempérament à provoquer les conflits, elle s'était gardée de formuler la moindre remarque au sujet du travail de Mel. Son désaccord n'en était pas moins perceptible.

Lynda offrait l'image de la belle-mère idéale : une soixantaine d'années, l'allure très jeune, une silhouette mince qu'elle devait à la pratique du badminton, et la même blondeur que son fils. Elle vivait assez loin pour ne pas devenir envahissante et, bien que veuve depuis plusieurs années, elle avait une vie à elle et ne s'accrochait pas à Adrian. A de rares commentaires qui lui avaient échappé, Mel avait senti que Lynda déplorait que ses petites-filles soient élevées par une étrangère. De plus, elle craignait la rivalité avec l'autre grand-mère.

Un jour, elle avait dit à Mel : « Melanie, je suis émerveillée de voir les filles si à l'aise avec les gens qu'elles ne connaissent pas, Carrie en particulier. A leur âge, mes fils n'avaient pas l'habitude de la société. Quand ils rencontraient des inconnus, ils se cachaient dans mes jupes. » Lynda s'attendrissait en évoquant ces souvenirs. « Mais les filles, on dirait de petites adultes ! Ça doit venir du fait qu'elles passent les journées à la crèche. »

Mel avait grincé des dents, mais Adrian avait protesté de l'innocence de sa mère.

« Elle n'avait aucune intention blessante. Elle te racontait juste...

— Je sais », avait répondu Mel d'un ton crispé.

Le souvenir de la dernière remarque de sa belle-mère était encore frais dans sa mémoire : « Vous, les femmes cadres ! Je ne sais pas où vous trouvez l'énergie de tout faire. J'aurais été incapable de m'occuper de ma famille et, en plus, de gagner ma vie. » Si Lynda n'avait pas cherché à la blesser, pourquoi Mel se sentait-elle atteinte ?

Peu avant l'heure du départ pour la soirée de Lorimar, elle estima qu'elle ne pouvait rien faire de plus pour améliorer sa coiffure. Il était déjà six heures et demie et elle n'avait plus le temps de se maquiller. Elle le ferait dans la voiture, pendant le trajet. La journée avait passé à la vitesse de l'éclair, entre les courses, la piscine avec les filles et l'organisation de la soirée pour Lynda.

Sarah était malheureuse de voir ses parents sortir et avait été insupportable. Elle avait un visage d'ange, mais cela cachait une volonté farouche d'imposer sa loi. A quatre ans et trois mois, elle était en bonne voie pour régner sur la maison Redmond. Mel avait lu de nombreux livres sur la meilleure façon de se comporter avec les jeunes enfants autoritaires. Elle avait fini par conclure qu'aucun expert en la matière n'avait eu affaire à une fillette comme Sarah.

Au moins, la piscine l'avait fatiguée, pensa Mel en enfilant sa robe noire, celle qui aurait presque pu aller seule à la réception tant elle avait connu de soirées ! Mais Mel, qui avait dû soutenir Carrie dans l'eau, était aussi épuisée. Au rez-de-chaussée, la cassette de *La Belle et la Bête* était dans le magnétoscope, prête à démarrer. Dans la cuisine, deux blancs de poulet avec une sauce à l'ail et aux champignons sauvages attendaient sur le plan de travail dans un plat à four, avec un autre plat de petites pommes de terre. C'était le dîner de Lynda, qu'elle n'aurait qu'à faire réchauffer. Un gigot d'agneau marinait au réfrigérateur avec du romarin et de l'huile d'olive pour le lendemain. Quand Lynda gardait les enfants, elle ne repartait que le dimanche soir. Or, elle attachait de l'importance à la tradition du déjeuner du dimanche. Dans la chambre d'amis, Mel avait refait le lit avec des draps lilas et avait même trouvé le temps de repasser la housse de couette, alors qu'elle ne le faisait pas pour son propre lit. Elle avait également changé les draps de Sarah et de Carrie, avant de ranger leurs peluches dans l'ordre habituel. Elle avait posé le thermomètre et le paracétamol sur le dessus de l'armoire à pharmacie, trop haut pour les filles, mais à portée de main pour Lynda, en cas d'urgence. Enfin, en gros chiffres, car Lynda n'y voyait presque rien sans ses lunettes, elle avait laissé le numéro du médecin de garde et celui de l'hôtel où se déroulait la réception à côté du téléphone.

Lynda n'aurait ainsi aucune excuse pour juger que la famille de Mel pâtissait de son travail.

— On va passer une bonne soirée, disait Lynda à ses petites-filles.

Elles étaient installées sur le canapé, pelotonnées contre leur grand-mère, confortablement vêtues de leur pyjama, prêtes à s'amuser.

Lynda avait apporté des bonbons, exactement la sorte de sucreries que Mel refusait de donner à ses filles, parce que le sucre les excitait. Mais elle ne pouvait rien dire.

Adrian, un peu moins pâle, entra dans le salon en finissant un biscuit. La soirée comprenait un dîner assis, mais, comme on commencerait par boire, ils risquaient de passer à table très tard. Adrian portait un élégant costume noir avec une chemise gris clair qui mettait ses yeux en valeur. Mel le trouva très beau.

Il se baissa et souleva Sarah d'un geste vif pour lui mettre la tête en bas, un jeu qu'elle adorait depuis qu'elle était bébé.

— Est-ce que ton papa va te manquer ? demanda-t-il.

— Oui, répondit-elle en s'étranglant de rire.

Ses longs cheveux blonds lui tombaient dans la figure et elle essayait de les écarter.

— Non, vraiment ? dit Adrian en la balançant.

— Oui ! cria-t-elle gaiement.

Elle adorait que son père la balance dans le vide. Elle n'avait peur de rien.

— Moi aussi, moi aussi ! cria Carrie.

Ses joues rondes de bébé étaient roses d'excitation. On aurait dit un modèle réduit de sa sœur, le menton têtu en moins.

« Elle est plus du côté de notre famille », disait parfois Lynda. Mel prenait cela comme un reproche : l'entêtement de Sarah venait d'elle et cela le rendait condamnable.

— Nous devons partir, dit-elle machinalement.

Il y eut un instant pendant lequel la gaieté qui régnait jusqu'alors parut vouloir se maintenir. Sarah, toujours la tête en bas, regarda sa mère avec une expression qui semblait signifier : « Pourquoi gâches-tu ce moment ? » Mel aurait voulu crier que les journées étaient trop courtes et qu'il fallait bien que quelqu'un garde l'œil sur l'horloge. Qu'arriverait-il, si elle n'imposait pas un horaire à sa progéniture ?

Adrian reposa Sarah, fit sauter Carrie deux ou trois fois en l'air pour éviter une dispute et la réinstalla à côté de Lynda.

— Soyez sages avec mamie.

Elles lui répondirent avec un sourire d'adoration, comme pour dire qu'elles ignoraient jusqu'à l'existence de l'expression « pas sage ».

— Au revoir, Carrie, dit Mel en se penchant pour embrasser la petite.

Elle reçut en retour un baiser un peu baveux tandis que deux menottes s'agrippaient à son cou. Carrie grandissait à toute vitesse, pensa-t-elle, le cœur serré. On aurait dit qu'hier encore c'était ce minuscule bébé qu'elle tenait niché au creux de ses bras, et qui la tétait avec avidité de sa minuscule bouche rose.

— Au revoir, maman, dit Carrie, hors d'haleine.

Mel l'embrassa encore une fois.

— Je t'aime, mon bébé, chuchota-t-elle à son oreille.

De l'autre côté de Lynda, Sarah s'était installée avec une réserve de sucreries interdites posée sur les genoux.

— Tu ne m'embrasses pas pour me dire au revoir ? demanda Mel d'une voix incertaine.

Très occupée à trier son trésor, Sarah ignora sa requête.

— Au revoir, dit-elle d'un ton traînant.

Lynda lui ébouriffa les cheveux d'un geste plein de tendresse.

— Petite chipie ! On embrasse sa maman, quand on lui dit au revoir.

Pour rien au monde, Mel n'aurait laissé voir qu'elle se sentait trahie et avait envie de pleurer.

— Tous les enfants font ça de temps en temps, dit-elle d'un ton dégagé. La dernière personne arrivée est toujours plus amusante que leur mère !

— Donne un baiser à ta maman ! insista Lynda.

Dans une bienheureuse ignorance de la peine qu'elle faisait à Mel, Sarah resta tête baissée, indifférente à ce qui se passait autour d'elle.

— Eh bien ! reprit Lynda, au bord du rire. Quelle coquine ! Elle est vraiment fâchée que vous sortiez, Mel.

D'un seul coup, Sarah leva les yeux, fit son sourire

irrésistible et envoya un baiser à Mel en agitant la main d'un geste paresseux.

— Voilà une gentille petite fille, dit Lynda. Maintenant, donne-moi la télécommande ; on va regarder la cassette.

— Passez une bonne soirée, dit Adrian, qui se dirigeait déjà vers la porte.

— Et soyez bien sages, mes chéries, ajouta Mel.

Elle suivit Adrian d'un pas mécanique, souffrant de sa déception comme d'un coup de poing en pleine figure. Sarah avait refusé de l'embrasser. Lui envoyer un baiser du bout des lèvres, ce n'était pas la même chose. Cela ne comptait pas. Normalement, elle l'embrassait pour lui dire au revoir...

— Mel, ton sac ! lui rappela Adrian en lui tendant sa pochette. Comment peux-tu l'oublier ?

— Quelle gourde ! marmonna Mel en sortant dans la nuit.

— Tu n'en peux plus, n'est-ce pas ? s'enquit Adrian en lui ouvrant la portière de la voiture.

Mel s'écroula à la place du passager. Alors qu'Adrian accélérait sur la route, elle constata que sa trousse de maquillage était restée sur la table de l'entrée. Elle n'avait sur elle qu'un brillant à lèvres très clair et du mascara. Avec ses cheveux mous et son visage presque nu, c'était elle qui paraissait grippée. Mais elle se sentait si épuisée que, pour la première fois dans sa vie de femme toujours soignée, elle s'en moquait.

La réception avait lieu dans le salon d'un élégant hôtel cinq étoiles de Dublin, le McArthur's, mais on servait d'abord des boissons dans le hall. Quand Mel et Adrian arrivèrent, la soirée battait son plein. Tout en ayant conscience d'avoir une mine de déterrée, Mel afficha un sourire et fendit la foule en tenant la main d'Adrian. Elle tomba sur un de ses amis de travail, Tony Steilman, accompagné de sa femme, Bonnie. Ils se fréquentaient aussi en dehors de Lorimar. Mel avait une confiance totale en Tony.

— Content de te voir, dit Tony en l'embrassant. Tu as mauvaise mine.

Bonnie, qui embrassait Adrian, jeta un regard exaspéré à son mari.

— J'ai dû tellement me dépêcher que j'ai oublié ma trousse de maquillage à la maison, répondit Mel en haussant les épaules.

— Je n'ai pas grand-chose, là-dedans, dit Bonnie en montrant sa pochette, mais tu peux t'en servir.

Elles laissèrent leurs maris, qui étaient déjà plongés dans une grande conversation, et se dirigèrent vers les toilettes, mais, au moment où elles tournaient dans le couloir, elles se heurtèrent à Hilary et à Edmund Moriarty. C'étaient bien les dernières personnes que Mel avait envie de croiser dans l'état où elle était.

— Quelle horreur, Mel ! s'exclama Hilary. Etes-vous malade ? Auriez-vous attrapé un virus ?

Hilary avait reculé d'un pas, au cas où cela aurait été contagieux.

Ce fut Bonnie qui répondit avec un rire amusé. Ses deux coupes de champagne lui déliaient la langue.

— Non ! C'est ce qui arrive aux mères qui travaillent et qui courent sans cesse. Sincèrement, Hilary, je ne sais pas comment Mel y arrive ! C'est une véritable héroïne des temps modernes. Je répète à Tony à quel point il a de la chance de m'avoir à la maison toute la journée. Ça lui évite de devoir s'occuper de la lessive en rentrant, au contraire de Mel. C'est formidable que Lorimar ait une attitude si positive envers ses salariées.

Le visage aux lignes douces de Bonnie rayonnait de fierté tandis qu'elle chantait les louanges de son amie. Elle pensait avoir dit ce qu'il fallait, car Mel était, en effet, extraordinaire. Bonnie ne voyait pas comment elle se débrouillerait si elle devait travailler aussi dur que Tony et Mel tout en assumant ses devoirs maternels.

Un silence suivit sa déclaration enthousiaste.

Le sourire de Mel s'était figé. Bonnie aurait mieux fait de se taire. Edmund Moriarty ne voulait pas qu'on lui rappelle que Mel avait d'autres responsabilités que celles qui étaient attachées à son poste chez Lorimar. La société passait en premier.

Le directeur se moquait de savoir à quels tours d'acrobatie Mel se livrait pour assumer sa fonction. Il n'avait pas d'enfants. De son point de vue, la seule personne capricieuse, exigeante et vite ennuyée dont ses employés devaient se soucier, c'était lui, Edmund Moriarty.

Cherchant une explication susceptible de satisfaire tout le monde sans ternir son image de superwoman, Mel eut soudain un trait de génie.

— J'étais au gymnase et je suis rentrée chez moi en vitesse. On ne voit pas passer le temps, quand on s'entraîne.

Bonnie plissa les yeux.

— Le minimarathon, vous savez... poursuivit Mel. Un groupe de chez Lorimar y participe et je veux en faire partie.

L'idée d'un groupe d'employées vêtues d'une tenue publicitaire Lorimar et en train de courir devant les photographes embusqués sur le parcours plut à Edmund Moriarty. La santé, une bonne cause et une excellente image, la combinaison idéale !

— J'ignorais que nous sponsorisions une équipe, mais c'est une excellente idée. Notre objectif, c'est la santé. J'aime ça !

Hilary n'avait pas cru un mot de l'explication de Mel et lui jeta un regard glacial.

— Parfait ! fit-elle. Nous en parlerons lundi.

Sur ce, elle entraîna Edmund Moriarty pour continuer leur conversation.

Mel réussit à faire bonne figure le reste de la soirée. Elle ne laissa tomber sa garde qu'une fois en sécurité dans la voiture, alors qu'Adrian et elle sortaient du parking souterrain de l'hôtel.

— C'était l'horreur ! gémit-elle. Et, pour limiter les dégâts, j'ai dit que je m'entraînais pour le minimarathon, ce qui signifie que je serai obligée de le faire.

Adrian n'en crut pas ses oreilles.

— Tu plaisantes ?

Quelle importance si sa femme avait l'air fatiguée ? Elle n'avait pas été engagée pour ressembler en permanence à un mannequin de classe internationale.

— Non ! répondit Mel d'un ton hargneux.

Elle était en colère contre le monde entier et, comme le monde entier n'était pas là pour lui répondre, elle se contenterait d'Adrian.

— Tu ne peux pas être obligée de courir un minimarathon sous prétexte que tu avais l'air fatiguée pendant une réception, insista-t-il.

— Si ! Je suis coincée parce que je l'ai dit devant ma patronne et devant le patron de ma patronne, et que c'est entièrement ma faute si j'ai l'air minable ! Je comprends les femmes qui se font tatouer un trait d'eye-liner. Au moins, on croit qu'elle ont fait un effort.

Adrian éclata de rire.

— Ma chérie, ce n'est pas si important, je t'assure. Tu réussis à ton poste. Le reste, ce sont des bêtises. Qui se soucie de ton apparence ?

— Ça ne devrait pas avoir d'importance, répliqua Mel avec fureur, mais ça en a ! Mon apparence compte parce que je suis une femme, que j'ai des enfants et que je suis donc en sursis à mon travail ! Tu ne peux pas comprendre ça. Tu es un homme et personne ne te surveille avec des yeux de vautour pour savoir si ta famille empiète sur ta vie professionnelle. Tout compte ! Ce n'est pas toi qu'on soupçonne de prendre un jour de congé quand Carrie a quarante de fièvre. Si tu t'occupais du spectacle de Noël à l'école, tu serais sur les rangs pour recevoir le prix du père de l'année ; si c'est moi, il est évident que je resquille au boulot, et si je ne le fais pas je néglige mes devoirs de mère. Alors, oui ! Mon apparence compte beaucoup.

— Il m'est arrivé de rester à la maison parce que les filles étaient malades, remarqua Adrian.

— Mais quand un homme le fait c'est considéré comme une fois en passant, pas comme une habitude ! répondit Mel, exaspérée. Pour les femmes, ça n'arrête jamais. C'est un marathon permanent, pas un minimarathon, crois-moi.

— Mel, je ne peux pas imaginer qu'il y ait du sexisme chez Lorimar. Hilary est une femme, remarqua Adrian d'un air dubitatif.

— Pas autant que tu pourrais le croire, soupira Mel. Elle est mariée à son travail et tu n'imaginerais pas qu'elle a une famille. En d'autres termes, c'est le cadre supérieur idéal. Faites-vous stériliser ou payez quelqu'un pour élever votre progéniture ! Comme ça, vous ne la verrez pas et nous vous offrirons une place au sommet.

— Mais tu aimes ton travail, protesta Adrian. Tu as d'incroyables capacités, Mel. Tout le monde t'admire de faire tout ce que tu fais. Moi le premier ! La façon dont tu gères tes responsabilités chez Lorimar et à la maison, en jonglant en permanence...

— Je déteste qu'on parle de « jongler », releva Mel avec calme. Ce n'est pas si difficile d'apprendre à jongler, mais ça... Ça, c'est comme...

Elle n'arrivait pas à trouver les mots justes.

— C'est comme si je devais jongler avec des grenades.

— C'est si dur que ça ?

Mel ferma les yeux.

— Oui. C'est un cauchemar, un vrai film d'épouvante. J'ai l'impression d'être un hamster condamné à faire tourner une roue sans fin ; je suis prise au piège et je ne peux pas m'échapper.

5

Cleo faisait le ménage de sa chambre préférée au Willow, la suite de la reine des pirates, ainsi nommée en référence à l'énigmatique Grace O'Malley, belle et dangereuse, qui avait écumé les côtes irlandaises au dix-septième siècle. La pièce était agrémentée d'une cheminée qui avait tendance à fumer. Un lit à baldaquin en acajou drapé de velours bleu de Prusse, à l'opulence passée, trônait au milieu. Dans la salle de bains attenante, une baignoire à pattes de lion reposait sur le plancher.

Les jeunes mariées raffolaient de l'endroit. Peut-être s'imaginaient-elles, comme Cleo, succomber aux avances de leur époux sous le lourd baldaquin, telles des héroïnes du passé se livrant avec un bel aventurier à des étreintes bruyantes sur des draps de lin blanc. Cleo s'était souvent dit que, si elle se mariait, elle passerait sa nuit de noces dans la chambre de Grace O'Malley. Le projet comportait toutefois un grand « si » ; en effet, et Cleo ne pouvait se raconter d'histoires à ce sujet, aucun homme ne lui plaisait et elle préférait rester seule plutôt que d'être, selon le dicton, « mal accompagnée ».

La suite de la reine des pirates n'avait qu'un inconvénient : elle était difficile à entretenir. Dépoussiérer à fond les quatre piliers du lit, sculptés de motifs compliqués, relevait du tour de force. Cleo aurait pu faire le ménage des autres chambres les yeux fermés, mais celle-ci réclamait du temps et de l'attention si on voulait obtenir un résultat satisfaisant. Elle devait être parfaite ! Et Cleo aimait la perfection.

A peine avait-elle su marcher qu'elle avait trottiné à côté de sa mère pour l'aider, si bien qu'elles formaient une équipe de choc, capable de nettoyer, faire briller, passer l'aspirateur et changer des draps en un temps record.

Cela restait néanmoins un travail fatigant et Sheila n'était plus censée s'en charger depuis l'arrivée de Trevor, un homme de ménage qui avait été embauché pendant que Cleo faisait ses études. Il y avait un problème : Trevor et son équipe, composée de ses deux sœurs et d'un de ses cousins germains, avaient été terrassés par une grippe mystérieuse qui les obligeait à garder le lit. Cleo avait remarqué que cela coïncidait avec une épreuve importante à Fairyhouse, le champ de courses voisin. De plus, c'était la deuxième fois que cela se produisait depuis le début du mois. Trevor devait être rappelé à l'ordre, mais personne ne semblait prêt à s'en charger. Le vendredi matin où il avait appelé pour dire qu'il allait mieux, mais ne se sentait pas très solide, Sheila s'était contentée de dire qu'il travaillait bien.

Cleo, Sheila et Doug, le chef de la brigade du petit déjeuner, prenaient une tasse de thé au moment de l'appel.

« Pas solide ? Je demande à voir ! avait grondé Cleo. Trevor a-t-il fourni un seul arrêt maladie pour les multiples fois où il s'est absenté ? Ce n'est pas mieux pour le reste de la bande, d'ailleurs !

— Non, avait répondu Sheila, mais nous n'appliquons pas vraiment le système des arrêts de travail, ici, ma chérie. C'est ce qu'on t'a appris, je le sais bien, mais on ne dirige pas le Willow comme un grand hôtel. Tu dois ménager les sentiments des autres, Cleo. Si nous accusions Trevor de ne pas être vraiment malade, ton père ou moi, il risquerait de nous quitter.

— Et en prenant deux semaines de congé en un mois pour une affection imaginaire, a-t-il ménagé tes sentiments, maman ? »

Cleo était furieuse contre Trevor. Il était certes très sympathique, mais il aimait tant les courses hippiques qu'il aurait mérité de voir donner son nom à un grand prix.

« Ce ne serait pas une grosse perte s'il partait. Nous faisons déjà son travail, avait poursuivi Cleo.

118

— Il n'est pas cher, avait rétorqué Sheila en se levant.

— Il nous coûte cher à partir du moment où nous nous chargeons du ménage nous-mêmes et où nous le payons pendant qu'il est en arrêt sans avoir présenté le moindre certificat médical. S'il est bien au lit avec la grippe et pas en route pour l'hippodrome, alors je suis Naomi Campbell ! »

Doug avait attendu que Sheila ait quitté la table pour donner son avis.

« Tu t'es endurcie, ma petite, avait-il dit à Cleo d'un ton approbateur. On dirait qu'on t'a appris quelque chose, pendant tes études, tout compte fait !

— Tu es bien le seul à t'en être aperçu, dans cette maison, avait soupiré Cleo. »

Le journal local traînait sur la table. Cleo l'avait fait glisser jusqu'à elle pour penser à autre chose qu'au problème de Trevor pendant qu'elle terminait son thé. Il y avait les nouvelles locales habituelles : un promoteur avait déposé une demande de permis de construire pour un énorme lotissement et les élèves du couvent de la Pitié avaient rassemblé deux mille euros pour l'hospice de Carrickwell en donnant, pour la Saint-Valentin, une représentation de *Comme il vous plaira* dans la salle des fêtes de l'école. Mais ce qui avait retenu l'attention de Cleo était une publicité pour le spa du Cloud's Hill.

Cleo savait qu'une Américaine avait passé l'année précédente à rénover la vieille demeure Delaney pour en faire un centre de soins et de remise en forme à la pointe du progrès. Malgré les efforts déployés par Cleo, le réseau d'espionnage de Carrickwell avait été incapable de découvrir quoi que ce soit au sujet de cette femme mystérieuse. Et voilà que le spa avait ouvert !

« Cloud's Hill Spa : pour faire peau neuve ! »

Le slogan était un peu plat, mais la photo très réussie. Une impression de luxe et d'élégance s'en dégageait, ce qui rendait la concurrence encore plus difficile pour le Willow. Cleo avait prévu d'aller y faire un tour et, puisque c'était enfin ouvert, avait décidé que ce serait le jour même.

Le petit déjeuner terminé, sa mère et elle s'étaient

dépêchées de faire les chambres. Cleo se sentait toujours fâchée contre Trevor. Si elle avait dirigé l'établissement, elle aurait eu vite fait de mettre un terme à ces histoires inadmissibles. Elle aurait parié son dernier sou que la propriétaire du Cloud's Hill ne récurait pas le sauna, pas plus qu'elle ne glissait les peignoirs de bain dans la machine à laver.

Cleo ne laissait plus sa mère nettoyer les baignoires. Se pencher n'était guère recommandé pour une personne arthritique. Quand elles travaillaient ensemble, Cleo insistait pour se charger des salles de bains. Tandis qu'elle s'activait dans la suite de la reine des pirates, elle sentit son front se mouiller de transpiration. Sous l'effet de la colère, elle allait en effet plus vite que d'habitude. Frotte, frotte, frotte ! Elle se pencha au-dessus de l'énorme baignoire ancienne et se mit à la récurer comme pour en déloger de force la moindre bactérie.

Dix minutes plus tard, en revenant dans la chambre, elle trouva sa mère assise au pied du lit à baldaquin, à bout de forces. Cleo se laissa tomber à genoux devant elle.

— Maman ? Que se passe-t-il ? Tu n'es pas bien ?

Sheila eut un petit geste de la main, comme pour balayer les inquiétudes de Cleo.

— Si, ça va. J'avais besoin de reprendre mon souffle. La nuit dernière, ton père était en pleine crise de ronflements. J'ai eu beau lui donner des coups de coude, il n'a pas arrêté et je n'ai pas pu fermer l'œil.

— Descends et va t'allonger ! lui ordonna Cleo.

Elle était soulagée qu'il n'y ait rien de plus grave. Son père ronflait à réveiller les morts.

— Je n'ai pas besoin de m'allonger, protesta Sheila. Qui va t'aider à faire les autres chambres ?

— Je peux me débrouiller seule, répondit Cleo d'un ton autoritaire. Allez ! Va vite te reposer !

— Je n'aurais pas pu avoir une meilleure fille que toi, Cleo, répondit Sheila avec tendresse.

Cleo se sentit à la fois touchée et gênée.

— Maman, ne dis pas de bêtises ! Tu as toujours été trop gentille.

Sheila prit une expression malicieuse.

— Quand Trevor a téléphoné pour dire qu'il était malade, j'ai cru que tu allais te transformer en mère Fouettard.

— Pour les gens de l'extérieur, j'en suis une, répondit Cleo en souriant. Mais vous savez tous que je me laisse marcher sur les pieds. On m'a appris à me montrer autoritaire à l'école d'hôtellerie, parce que ça permet d'obtenir de bons résultats avec les employés. D'ailleurs, si vous m'autorisiez à dire deux mots à Trevor, papa et toi, je pense que... Disons que son travail s'améliorerait peut-être, précisa Cleo avec sérieux. Tu sais, maman, il faut donner la priorité au Willow et à toi-même. A quoi sert un employé si on fait tout soi-même ? Trevor doit se remettre au travail s'il ne veut pas être renvoyé. N'es-tu pas d'accord ?

Sheila eut un sourire forcé.

— Je suis d'accord, ma chérie. Tu as raison, je n'en peux plus. Je vais m'étendre un moment.

Une fois sa mère partie, Cleo se remit à nettoyer avec une vigueur accrue. Le fait de réfléchir à ce qu'elle dirait à ce paresseux de Trevor la mettait en forme !

Dans l'après-midi, elle appela Trish.

— C'est fou ! Je m'apprêtais à t'envoyer un SMS. On doit être télépathes, dit gaiement Trish.

— Si on est « pathes » quelque chose, répondit Cleo, c'est plutôt « névro », à mon avis !

— Peut-être, rétorqua Trish, mais je suis vraiment télépathe. Je déborde de bonnes vibrations et d'énergie psychique, aujourd'hui. Je m'apprêtais à te proposer de me rejoindre à Dublin, demain. On fait une fête dans la maison, avec un DJ et tout ce qu'il faut !

Pour Trish, rien ne pouvait être plus cool. Le fait que le DJ soit un ami de l'ami d'un ami représentait un simple détail sans intérêt. L'important était ailleurs : il aurait certainement plus de CD de danse que ses colocataires. Personne n'accepterait que Trish passe ses disques de Beyoncé ou de Christina Aguilera. Elle-même refusait d'écouter du rap. Le seul point d'entente était la collection de CD larmoyants de Barry. Mais, avait fait remarquer Trish, même si on aimait le groupe REM, on ne pouvait pas danser sur ses compositions.

— Désolée, dit Cleo. Je ne peux pas venir.

Elle aurait adoré faire la fête un samedi soir. Le Willow attendait un car entier de touristes finlandais qui dîneraient sur place le vendredi et le samedi. On avait donc besoin de tout le monde.

— L'hôtel est complet pour le week-end et maman est très fatiguée.

— Au moins, ça veut dire que vous avez des clients.

— Hum… Oui… convint Cleo d'un ton peu convaincu.

— Ne fais pas encore ta grognon ! s'exclama Trish, exaspérée. Tu n'as pas arrêté de gémir que l'hôtel n'est jamais occupé qu'à moitié et maintenant que c'est complet tu continues à te plaindre.

— Merci pour cette remarque qui m'aide beaucoup, ô toi qui débordes de bonnes vibrations et d'énergie psychique ! répliqua Cleo, moqueuse.

— Excuse-moi.

— Pas de problème ! Je voulais dire que le fait de ne plus avoir une chambre libre pour le week-end n'est pas aussi réjouissant que ça en a l'air.

— Pourquoi ?

— La réservation date de l'année dernière et ce sera la première fois que l'hôtel est plein depuis… huit mois, conclut Cleo après s'être livrée à un rapide calcul mental.

— Je comprends. Mais une fête te remonterait le moral, affirma Trish avec son entrain habituel. Tu pourrais rencontrer un prince charmant provisoire, le temps de trouver l'homme idéal.

— Non ! Il n'existe pas. Merci quand même. Je voulais te proposer de visiter demain le spa qui vient d'ouvrir dans l'ancienne propriété Delaney. Il y a un article dans le journal. Je meurs d'envie d'y aller. Je pourrais peut-être y dénicher des idées pour créer un centre de remise en forme au Willow. Je ne veux pas demander à quelqu'un de la famille de m'accompagner ; on m'accuserait encore de bâtir des châteaux en Espagne.

— Je suis désolée, mais, avec les préparatifs de la soirée, je ne peux pas venir à Carrickwell. Pourquoi ne demandes-tu pas à Eileen ?

Eileen était le troisième membre de la bande quand elles étaient à l'école primaire. Elle travaillait à présent comme infirmière à l'hôpital de Carrickwell.

— Je crois qu'elle est de service pour le week-end, répondit Cleo. J'irai seule au Cloud's Hill Spa.

— Tu vas essayer les soins ?

— Un massage de tout le corps par le spécialiste des massages holistiques, originaire d'Australie, un garçon sublime ! Il fait de la plongée et du surf, et il a des muscles partout...

Trish n'y tint plus.

— Chameau, n'y va pas ce week-end, s'il te plaît, s'il te plaît ! Attends que je puisse t'accompagner !

— Je t'ai eue !

— Espèce de garce !

— Tu es bête ! Comment saurais-je à quoi ressemble le personnel ?

— Je te demande juste une chose, Cleo. S'il y a un bel Australien, appelle-moi et j'arrive ! Avec ma chance, s'il y a un garçon libre à la soirée, il sera du genre « spécial cas désespérés ».

— Je croyais que c'était la seule catégorie de garçons que tu invitais à tes soirées, dit Cleo d'un ton innocent.

— Un jour, je te surprendrai. Attends un peu que je me déniche un surfeur australien plein de muscles... Ce jour-là, tu pourras pleurer.

— Non ! Je lui demanderai le téléphone de son frère, rétorqua Cleo. Tu connais ma devise : il y a toujours de l'espoir.

Compte tenu de ses fonds limités, Cleo avait pensé prendre rendez-vous au Cloud's Hill Spa pour un des soins les moins chers, une manucure, par exemple. Mais il lui était venu une meilleure idée : elle irait y faire un tour dans l'après-midi, pour regarder et prendre une brochure.

Elle emprunta la vieille Austin bringuebalante de sa mère, une voiture qui était dans la famille depuis quinze ans et avait vaguement gardé l'odeur des chiens de berger du propriétaire précédent. Après avoir cahoté sur les petites routes de campagne, l'Austin s'arrêta dans un grand bruit de ferraille devant le Cloud's Hill. La consternation envahit Cleo. La photo qui accompagnait l'article ne rendait pas justice au nouveau spa.

Pour faire concurrence à ce qui avait été réalisé là, le Willow aurait eu besoin d'une fortune. L'élégante demeure avait été restaurée à la perfection et respirait le luxe discret. Le jardin, planté de bulbes de printemps, était ravissant. Même les grandes urnes qui encadraient l'imposante porte d'entrée et débordaient de stéphanotis étaient bien choisies. La pierre était assez patinée pour paraître ancienne, mais sans donner l'impression de risquer de se fendre à la première gelée.

Au Willow, les vasques étaient fissurées et se désagrégeaient peu à peu. Cleo redoutait ce qui se passerait avec les assurances en cas d'accident.

Elle entra dans le vaste hall du spa et poussa un soupir de plaisir et d'envie. On avait l'impression d'entrer dans une maison privée, très belle et très confortable. Le sol était en dalles de pierre blanc cassé et il y avait de nombreux canapés bas. Un des murs était couvert de livres et, sur l'autre, autour d'une cheminée, étaient accrochées des aquarelles botaniques. Cela donnait une impression d'opulence décontractée, sans rien de prétentieux. L'argent avait été bien utilisé et, avec son œil de professionnelle, Cleo se rendait compte que l'ensemble avait été pensé intelligemment.

La vue de la réceptionniste acheva de la démoraliser. Elle était d'origine orientale, avec un teint de porcelaine. Elle portait une tenue vert olive, aux couleurs du Cloud's Hill. Et surtout elle souriait ! Cleo eut une pensée pour Tamara et la mine renfrognée avec laquelle elle accueillait les clients. Seule l'arrivée de son acteur préféré lui aurait peut-être arraché un sourire.

— Que puis-je pour vous ? demanda l'hôtesse de son ton le plus accueillant.

— Je voudrais une brochure, dit Cleo d'un air décidé.

Puisqu'elle était là, autant qu'elle en profite pour faire ce qu'elle avait prévu ! Le Willow ne concurrencerait jamais un endroit si luxueux, mais il y avait toujours quelque chose à apprendre.

La fille eut un sourire de surprise ravie.

— Désolée, je n'en ai plus, répondit-elle. L'article dans le journal local nous a valu beaucoup de visiteurs et j'ai tout distribué. Je vais demander au bureau qu'on vous en apporte une.

— L'endroit est superbe, reprit Cleo, vaincue par tant de gentillesse. Je ne m'attendais pas à ce luxe. Même votre tenue est réussie ! Quoique, ajouta-t-elle dans un élan de sincérité, vêtue d'un sac, vous seriez encore élégante.

— Vous croyez ? Je pense que cette couleur ne me convient pas, répondit l'hôtesse dans son anglais appliqué. Vous trouvez que ça me va ?

— A la perfection ! s'exclama Cleo. Comment en serait-il autrement, belle comme vous l'êtes ? Regardez-vous ! Je suis certaine que la moitié des clientes viendront dans l'espoir de vous ressembler en sortant d'ici.

— Non, répliqua la jeune fille en rougissant. Ma sœur est belle, pas moi. Vous-même, vous avez une magnifique chevelure. J'aime les boucles comme les vôtres.

— La malédiction de ma vie, pourtant ! soupira Cleo. Je tuerais pour avoir les cheveux raides et soyeux comme vous.

Elle éclata de rire. Elle n'aurait pas imaginé qu'une fille aussi belle que cette réceptionniste possède le moindre doute sur elle-même. Pourtant, c'était le cas.

— Les femmes ! s'exclama Cleo. On ne nous refera pas ! Nous nous trouvons toutes d'une laideur repoussante.

Une femme chargée d'une pile de brochures franchit à cet instant une porte à côté de la réception.

— J'espère qu'aucune de vous deux ne pense ça, dit-elle d'une voix profonde.

— Merci, madame Meyer, répondit l'hôtesse.

La nouvelle venue tendit une brochure à Cleo, qui se sentit soudain dans la peau de l'imposteur démasqué.

— Bonjour, je suis Leah Meyer.

Cleo lui tendit la main.

— Cleo Málainn. Je suis venue jeter un coup d'œil.

Elle aurait eu du mal à mentir, sous le regard amical de Leah Meyer. Cette dernière avait l'allure d'une reine et, cependant, donnait l'impression qu'on pouvait tout lui dire.

— Alors, que pensez-vous de mon spa ?

— Jusqu'à présent, je trouve que c'est une réussite.

— Je peux vous faire visiter, si ça vous fait plaisir, proposa Leah. Qu'est-ce qui vous intéresse ? Nous avons différentes gammes de traitements, mais, pour le premier mois d'ouverture, nous proposons un forfait d'une journée de soins relaxants et revitalisants.

L'histoire que Cleo avait préparée lui paraissait de moins en moins crédible. Elle préféra improviser.

— Ma famille possède un hôtel en ville. Je voulais savoir si je pouvais envoyer des clients ici.

— Un partenariat ? Quelle bonne idée ! répondit Leah. Je devrais vous offrir un soin, pour que vous sachiez ce que nous faisons.

— Non, je vous en prie, dit Cleo, gênée. Sincèrement, ce n'est pas possible.

— Bien sûr que si ! Yazmin, voulez-vous me montrer le cahier de rendez-vous...

Leah le feuilleta rapidement.

— Un massage indien de la tête ? proposa-t-elle. Ça dure une heure et demie. Ensuite, vous pourriez me rejoindre dans le jacuzzi, qu'en dites-vous ? Dix minutes de jacuzzi me donnent l'impression de redevenir humaine, aussi pénible qu'ait été la journée, et j'aime la compagnie.

Il aurait été impoli de refuser.

Cleo passa les dix premières minutes de la séance de massage à se reprocher de ne pas avoir été franche avec Leah puis elle cessa de lutter et s'abandonna au bien-être absolu de ne plus penser à rien. Oubliés, l'hôtel et les problèmes financiers de sa famille, ainsi que l'absence d'un homme dans sa vie ! Elle n'avait soudain plus aucun souci.

Trois quarts d'heure plus tard, vêtue d'un peignoir ivoire et d'un maillot de bain qu'on lui avait prêté, elle suivit Leah le long d'un corridor à l'éclairage tamisé. Elle se sentait détendue à en avoir la tête qui tournait un peu.

— Je ne comprends pas pourquoi je me suis privée de massage jusqu'à aujourd'hui. En réalité, si, je le comprends : je n'ai jamais essayé le dixième des soins que vous proposez.

— Il va falloir remédier à ça, répondit Leah.

Cleo entra à sa suite dans une pièce au sol parqueté, qui offrait une magnifique vue dominante sur le lac et la vallée de Carrickwell. Un immense bain chaud à remous occupait presque tout l'espace. Les grands panneaux vitrés coulissants pouvaient être ouverts, si on avait envie de prendre un bain comme en pleine nature.

— Superbe ! s'exclama Cleo.

— Oui, c'est assez spectaculaire. Un peu extravagant, aussi, mais nous ne pouvions pas nous en passer. Le bain chaud est indispensable au processus de décompression. Il faut prendre soin de soi, Cleo. La vie est précieuse. On ne se rend pas compte à quel point on est stressé, tant qu'on ne s'arrête pas de courir dans tous les sens.

Leah posa son peignoir et se glissa dans l'eau. Devant sa minceur et sa peau mate, Cleo se sentit plus encombrée de son corps que jamais et se hâta de se plonger dans le bassin à son tour. S'abandonnant au bien-être, elle murmura :

— Comme je me sens bien !

Puis elle se laissa couler jusqu'à ce que seule sa tête dépasse.

Leah et elle se contentèrent d'abord d'apprécier l'instant sans rien dire. Cleo savourait le luxe de pouvoir partager le silence. Trish n'aurait pas arrêté de s'extasier sur la beauté de la pierre ocre qui avait été employée ou sur la vue. Elle aurait voulu savoir de quelle partie des Etats-Unis venait Leah pour avoir cet accent doux et mélodieux. Cleo comprenait d'instinct que son hôtesse n'avait pas besoin de ce genre de bavardage ; elle se détendait, allongée dans l'eau, les yeux clos, le visage éclairé d'un léger sourire.

— Parlez-moi de votre hôtel, demanda-t-elle enfin.

Et Cleo lui dit toute la vérité. Elle lui expliqua qu'elle aimait sa maison, mais s'inquiétait pour l'avenir du Willow s'il ne se produisait pas un changement radical. Leah se montra très intéressée et posa de nombreuses questions. Surtout, elle ne fit aucune remarque quand Cleo, après avoir pris sa respiration, lui avoua qu'elle n'était pas venue pour savoir si elle pouvait envoyer des clients au spa.

— Je déteste mentir, ajouta-t-elle. Je ne voulais pas vous tromper.

— Mais vous ne m'avez pas menti. Vous vouliez vous faire une idée de la concurrence, ce qui relève du bon sens commercial le plus élémentaire.

— Vous ne m'en voulez pas ?

— Je pense plutôt que je devrais vous engager. Votre intelligence trouverait à s'employer, ici.

Cleo se sentit heureuse à un point qui lui parut ridicule.

— Merci, répondit-elle, mais je suis liée au Willow.

— Bien sûr ! La famille passe en premier.

— Oui, mais tout le monde ne le comprend pas.

— Que ferez-vous, si le Willow ferme ?

La question prit Cleo par surprise.

— Je l'ignore, répondit-elle d'un ton pensif. Ce serait horrible, presque autant que de perdre sa maison, de voir d'autres gens l'habiter sans plus jamais y retourner soi-même. Oui, ce serait affreux.

Malgré la chaleur de l'eau, elle ne put s'empêcher de frissonner.

— Vous vous débrouilleriez quand même ?

Cleo pensa à sa famille et aux années de vaches maigres qu'ils avaient traversées ensemble. Beaucoup de gens n'avaient pas tant de chance avec leur famille. Celle de Trish, par exemple, aurait mérité une émission de télé-réalité. Au moins, les uns et les autres seraient payés pour piquer des crises ! Par comparaison, les Málainn, avec leurs disputes, n'auraient pu inspirer qu'un feuilleton à l'eau de rose.

— Oui, dit Cleo. Nous nous sommes toujours débrouillés.

Elle rentra chez elle une heure plus tard, le corps épuisé mais l'esprit reposé, et dormit, cette nuit-là, sans rêver que la concurrence détruisait le Willow Hotel. Leah avait raison : les soins avaient détendu Cleo. Si le Willow ne pouvait pas investir, il lui resterait la possibilité de passer un accord avec le Cloud's Hill Spa. Ce serait une solution intelligente.

Le lendemain, Cleo ne put résister à l'envie de parler de Leah Meyer à sa famille. Comme Barney s'était arrêté à l'hôtel avant d'aller assister à un match de football, Cleo et ses parents avaient profité d'une de ces rares occasions où ils pouvaient se retrouver dans la cuisine.

— Leah Meyer est belle et sereine, dit Cleo. On croirait qu'elle sort d'un film. Et si tu voyais cet endroit, maman ! Un véritable palais du bien-être ! C'est remarquable...

En parler déprimait Cleo.

— Cleo, arrête de te torturer ! lança Barney. Je suis le seul à avoir le droit de le faire !

Sa plaisanterie les fit rire tous les quatre.

En l'absence de Sondra, pensa Cleo avec attendrissement, Barney redevenait le frère avec lequel elle avait grandi. Elle décida de faire un effort pour protéger les liens qui les attachaient l'un à l'autre et de ne pas les laisser détruire par l'animosité qui l'opposait à Sondra.

— Ce spa est raffiné dans les moindres détails, ajouta-t-elle. Je ne vois pas comment nous arriverions à rivaliser.

— De quoi parles-tu ? demanda son père. Nous suggères-tu de vendre et d'émigrer, sous prétexte que nous n'arrivons pas à la cheville du Cloud's Hill ?

— Papa ! gémit Cleo. Comme si j'avais jamais suggéré une chose pareille ! Le Cloud's Hill propose un service différent du nôtre, c'est tout. Les deux établissements visent une clientèle spécifique.

Cleo aurait presque cru à ses arguments. Cela paraissait sensé.

Le lundi matin, Cleo se rendit à la banque à la place de son père pour déposer les chèques et les espèces du week-end. A onze heures, elle était de retour. Sa mère était dans le bureau voisin de la cuisine, où elle préparait en tas nets le courrier à expédier. Dans son jean noir et son pull en angora, elle parut toute menue à Cleo.

— Cleo, ma chérie, voudrais-tu mettre de l'eau à chauffer ? Ton père reçoit quelqu'un et je n'ai pas voulu envoyer Doug leur apporter du thé. Je n'ai pas envie qu'il entende ce qui se passe.

Cleo renonça à se servir un café et prépara les tasses et le nécessaire à thé sur un plateau en argent. Qui était le mystérieux visiteur ?

— Non, dit Sheila, pas cette théière, elle commence à fuir. Et n'oublie pas de prendre les bonnes cuillers. Oh ! Il faut quatre tasses, pas deux.

— Quatre ?

— Il y a aussi Barney et Jason.

Obéissante, Cleo prit deux autres tasses.

— Tu veux dire que les garçons assistent au rendez-vous ? Qui est là ?

Les frères de Cleo ne se mêlaient que rarement des affaires de l'hôtel.

— M. Stavi, le comptable.

Cleo sentit monter sa colère habituelle, mais fit de son mieux pour la contrôler.

— Pourquoi papa ne m'a-t-il pas demandé d'y être ? s'enquit-elle d'une voix tremblante. Je lui avais dit que je voulais rencontrer M. Stavi.

— Ton père peut se débrouiller seul, répondit Sheila de son ton paisible.

Cleo posa bruyamment les cuillers sur le plateau.

Quand elle entra dans le bureau, son père lui sourit et elle lui rendit son sourire. En vrai gentleman qu'il était, il se leva pour lui prendre le plateau des mains. Il était grand et mince, et portait ses cheveux argentés brossés vers l'arrière. Sur son front dégagé apparaissait une expression de lassitude qui emplit Cleo d'inquiétude.

— Merci, ma chérie, dit-il, mais M. Stavi n'a pas le temps de prendre un thé avec nous, ce matin. Il doit nous quitter.

Le comptable était déjà debout et rassemblait ses papiers.

— Je crains de n'avoir un autre rendez-vous, précisa-t-il en évitant le regard inquisiteur de Cleo.

Barney et Jason se jetèrent avec gourmandise sur les sablés

maison. « On croirait qu'ils meurent de faim ! » pensa Cleo avec agacement.

De son côté, Harry Málainn avait échangé une poignée de main avec M. Stavi et celui-ci se dirigeait vers la porte. Cleo la lui ouvrit et en profita pour le regarder droit dans les yeux.

— Tout va bien, monsieur Stavi ? demanda-t-elle d'un ton dégagé.

M. Stavi la considéra d'un air triste. Malgré trente ans d'expérience professionnelle, il n'était toujours guère doué pour cacher les mauvaises nouvelles. C'était écrit sur son visage, mais sa réponse fut aussi évasive que possible.

— Les temps sont difficiles. Je dois filer ! Au revoir.

Et la porte se referma sur lui.

— Tu parles d'un pessimiste ! s'exclama Barney, la bouche pleine. Ces comptables, c'est tous les mêmes, toujours à se lamenter et à se plaindre ! A l'entendre, on croirait qu'on ferme demain.

Barney engouffra un autre gâteau, avala une dernière gorgée de thé, sourit à la ronde et s'éclipsa.

C'était typique de lui, pensa Cleo. Si quelqu'un avait servi de modèle à Speedy Gonzales, c'était Barney. Il vendait des voitures et répétait volontiers que, à présent, les gens aimaient que tout aille vite. Cleo n'était pas d'accord avec lui. Il fallait du temps pour se détendre et souffler, et c'était cela que les clients demandaient à un hôtel : l'illusion d'un monde calme et serein, même si, dans les coulisses, les uns et les autres travaillaient comme des fous.

Cleo sentit la main de son père sur son épaule.

— Tout ira bien, ma chérie. On s'en sortira, comme d'habitude !

Il lui sourit de nouveau, de ce grand sourire irrésistible dont elle avait hérité. Elle décida de se jeter à l'eau.

— Ça ne suffit pas, papa. On ne s'en tirera pas en se contentant d'espérer et de prier pour qu'un miracle se produise. Il faut améliorer l'hôtel, faire un emprunt, trouver un investisseur, je ne sais pas ! Mais il faut faire quelque chose ou nous devrons fermer. Tu ne t'en rends pas compte ?

Jason intervint sans laisser le temps à Harry de répondre.

— Cleo, arrête ça ! On en a tous jusque-là de t'entendre te plaindre et nous expliquer ce qui ne va pas. Tu aurais mieux fait d'aller dans le Donegal et de nous ficher la paix. A ton avis, pourquoi Barney et moi étions-nous invités à la réunion et pas toi ? Parce que tu nous rends dingues avec tes questions permanentes. Tout va bien ! Tu rends maman malade d'angoisse à raconter le contraire. Ne t'en mêle pas !

— Ça me regarde aussi ! répliqua Cleo.

Harry l'interrompit d'un ton sec.

— Cleo, ton frère a raison. Ne t'en mêle pas ! Ce n'est ni le moment ni le lieu. J'ai des solutions.

— Ah ! non, s'exclama Cleo, rouge de frustration. Je ne fais pas partie de la famille ? Je n'ai pas le droit de savoir ce qui se passe ? Je peux t'aider, si tu me laisses la possibilité de le faire. J'ai été la première de ma promotion, ça veut dire quelque chose, non ?

— Deux années de fac ne t'ont pas transformée en Bill Gates, jeta Jason. Tu ne sais pas tout, Cleo.

— Je ne veux plus entendre un mot à ce sujet !

Harry Málainn avait employé le ton sans appel qu'il prenait pour envoyer Cleo dans sa chambre quand elle s'était disputée avec ses frères.

— Je sais que tu crois être la seule ici à connaître quelque chose à l'hôtellerie, mais tu te trompes. Je suis encore capable de gérer mes affaires.

Trish appela Cleo dès le lundi pour lui raconter la soirée, les hommes présents et le temps qu'il avait fallu pour tout nettoyer le lendemain. Encore fatiguée de la fête qui ne s'était pas finie avant quatre heures du matin, elle bâillait en expliquant qu'elle n'avait pas vu de garçons intéressants. En revanche, elle avait rencontré une autre passionnée de danse, Carol. Elles avaient dansé comme des folles pendant toute la nuit dans la salle à manger dont le mobilier avait été repoussé. Carol aimait les mêmes chansons que Trish. Comme elle plaisait au DJ, il avait sélectionné la musique qu'elles appréciaient.

— Elle te plairait, elle est géniale ! dit Trish. Elle danse super-bien et elle aime les mêmes trucs que moi. Elle va sans doute partir travailler un an en Australie, elle est kiné. Elle m'a demandé si j'aimerais y aller aussi.

Cleo se sentit soudain abandonnée. Trish et elle avaient tout fait ensemble depuis la maternelle. Elle n'avait aucun projet de voyage, du moins pas tant qu'elle n'aurait pas résolu ses problèmes. Mais elle espérait que, le jour où il en serait de nouveau question, Trish aurait envie de partir avec elle.

— Elle sait tout sur les histoires de permis de travail et ces trucs-là, poursuivit gaiement Trish. Cleo, je te jure, elle est géniale. Au début, quand on ne la connaît pas, on croit que c'est une fille du genre calme, mais – oh ! là, là ! – elle est démente.

— Comment s'est-elle trouvée là ?

Cleo avait l'impression d'être une vieille tante célibataire s'inquiétant des références du chevalier servant de sa nièce.

— Tu connais Pat, l'ami de Sammy ? Carol est la meilleure amie de sa sœur et elles devaient aller ensemble à un concert, mais la sœur de Pat est tombée malade et Pat a dit qu'il emmènerait Carol à notre fête. Je crois qu'elle lui plaît, ajouta Trish.

— Vraiment ?

Pat faisait vaguement partie du cercle d'amis de Trish à Dublin. Pendant longtemps, Cleo et Trish l'avaient trouvé séduisant, mais il ne s'était jamais intéressé ni à l'une ni à l'autre. Il était connu pour sortir avec des mannequins, ce qui signifiait que Carol devait en avoir l'allure.

Le téléphone de Trish émit le bip signalant un autre appel.

— C'est Carol. On va voir un spectacle comique, ce soir. Je suppose que tu ne peux pas nous rejoindre ?

— Non, désolée, répondit Cleo d'un ton un peu sec.

— Je dois te laisser. Je t'appelle demain, salut !

Une heure plus tard, ce fut au tour de Nat d'appeler Cleo. En partie parce qu'elle se sentait dans la peau d'une future vieille fille et en partie à cause de la dispute avec son père, qui l'avait bouleversée, elle accepta son invitation à Galway, le week-end suivant. La mère de Nat fêtait ses soixante ans et une réception aurait lieu au Railway Lodge, dont Nat reprenait peu à peu la direction. D'habitude, Nat envoyait des SMS à Cleo. S'il téléphonait, ce devait être important. Cleo trouvait les SMS parfaits pour les gens timides ou les phobiques de l'engagement. Ils permettaient de garder le contact sans qu'on ait à parler.

— J'ai pensé, bafouilla Nat, que ce serait bien si tu venais... En tant qu'amie, bien sûr, rien de plus. Et seulement si tu en as envie. Ça me ferait plaisir. Je te préviens à la dernière minute, mais je ne voulais pas te déranger. Je me suis dit que tu serais déjà prise...

Avec Nat, c'était toujours ainsi. Il n'allait pas droit au but. Cleo et lui étaient amis depuis le lycée. Leur amitié avait survécu même au refus de Cleo de sortir avec lui. Elle lui avait répondu qu'il valait mieux qu'ils « restent amis ». Toutefois, Nat n'avait pas perdu l'espoir de parvenir à ses fins et Cleo faisait tout pour ne pas l'encourager. Nat ne manquait pourtant pas de séduction. Il avait un visage intelligent, très expressif, et un regard plein de gentillesse qui pouvait devenir triste. Comme il pratiquait la course à pied, il avait un corps de sportif. Mais il n'était pas le genre de Cleo. Elle le trouvait...

« Nat est trop gentil, avait-elle dit un jour à Trish. Un homme peut-il être trop gentil ?

— Ce n'est pas le cas de ceux que je rencontre », avait grogné Trish.

Elle était pourtant d'accord avec Cleo. Nat possédait une profonde bonté et, pour des filles qui attendaient d'être emportées dans un tourbillon par les garçons, cette qualité rare n'avait rien d'attirant.

— J'aimerais vraiment te faire visiter l'hôtel, continuait Nat. Sans compter qu'on va bien s'amuser.

— Je serai ravie de venir, répondit Cleo.

Cela la changerait d'une vie sociale inexistante tout en lui permettant de quitter le Willow pour un week-end. Depuis la dispute avec son père, l'atmosphère restait glaciale. Cleo et Harry ne s'étaient jamais fâchés et cela rendait la situation bizarre et douloureuse.

Cleo partit le samedi matin avec la voiture de sa mère. Les affaires marchaient bien au Railway Lodge. Il se trouvait en effet à quelques kilomètres de Galway, dans le pittoresque bourg d'Oranmore, très prisé par les touristes. Pour l'anniversaire de la mère de Nat, il était réservé à la famille et aux amis. Tous les lits étaient utilisés. Deux cousins de Nat avaient même dû se partager une chambre sous les combles, qui n'avait pas vu un aspirateur depuis des années.

Quand Cleo découvrit la sienne, avec un lit surdimensionné couvert de coussins et une grosse boîte de chocolats sur le guéridon à côté de la fenêtre, elle comprit qu'elle était tombée dans le piège. En dépit des protestations de Nat, il n'était pas question que d'amitié. On lui avait donné une des meilleures chambres. Pour quelqu'un qui aurait tout ignoré de l'organisation d'un hôtel, cela n'aurait eu aucun sens particulier. Mais Cleo ne pouvait s'y tromper. Comme certains lisent le langage des fleurs, elle décryptait le message très tendre que Nat lui adressait en lui attribuant cette chambre.

A sa grande contrariété, il l'emmena déjeuner à Galway en tête à tête, sous prétexte de savoir ce qu'elle pensait du Railway Lodge. En réalité, il était heureux d'être assis avec elle dans un endroit agréable et se contentait de lui sourire béatement. Pour finir, Cleo en eut assez des longs silences et mit la conversation sur un sujet qui l'intéressait.

— Tu n'as rien entendu de nouveau sur les projets éventuels de Roth Hotels ? demanda-t-elle.

Si Roth Hotels créait un établissement à Carrickwell, c'en serait fini du Willow. Le « R » doré qui symbolisait la chaîne hantait les cauchemars de Cleo.

— Le journal a peut-être fait une erreur, répondit Nat d'un ton distrait. Roth Hotels n'est peut-être pas intéressé par le marché irlandais. Il est déjà implanté dans le monde entier. Qu'est-ce qui pourrait l'attirer ici ?

— Le fait que l'Europe est en train de s'ouvrir et que l'Irlande est mûre pour se développer, rétorqua Cleo avec agacement.

Nat ne possédait pas le sens des affaires !

— On ne construit pas un empire financier sans sortir de chez soi, Nat !

— Tu as raison, répondit Nat d'un air confus. Tu

comprends si bien les choses ! Tu devrais donner des cours. Non, reprit-il avec un sourire, tu devrais diriger ton hôtel.

Cleo se renfrogna. Elle avait souvent parlé avec Nat de la réaction de sa famille à l'idée de laisser une fille de vingt-trois ans qui débordait d'énergie et de projets prendre la tête du Willow. Elle n'avait pas envie qu'on lui rappelle que la situation était inchangée.

— Je voulais dire que tu pourrais t'occuper de celui-ci... Le Railway Lodge.

Les yeux de Nat brillaient d'adoration et d'excitation. Cleo savait ce qu'il lui offrait : lui-même et le Railway Lodge. Elle pouvait posséder son empire, sur lequel elle régnerait sans personne pour lui dire qu'elle n'en était pas capable. Et Nat l'aurait, elle. Pauvre Nat ! Elle se sentait triste pour lui.

— Ne parlons pas de ça maintenant, dit-elle.

S'ils abordaient le sujet, Nat en ferait une dépression et la réception de Mme Sheridan ne se déroulerait pas dans l'ambiance souhaitée. Cleo trouvait préférable que Nat et elle discutent après la fête.

— On bouge, Nat ! Tu m'as dit que tu n'as pas acheté de cadeau pour ta mère. Il nous reste juste le temps d'en trouver un avant de rentrer.

Quand ils regagnèrent le Railway Lodge, Nat ayant choisi un ravissant cadre à photo en argent, les derniers invités arrivaient. Nat remplaça sa mère à la réception pour qu'elle prenne une tasse de thé dans son bureau.

— Venez me tenir compagnie, Cleo, suggéra Mme Sheridan. Vous m'empêcherez de m'approcher des gâteaux, pour que je puisse entrer dans ma robe, ce soir.

La mère de Nat était une femme directe et pleine d'humour, à laquelle il était facile de se confier. Le Railway Lodge avait besoin d'un investissement triple de ce qu'il aurait fallu pour le Willow, mais Mme Sheridan le savait, ce qui représentait déjà un point positif. En servant le thé, elle aborda le sujet sans hésitation.

— J'aimerais que quelqu'un rachète le Railway Lodge pour que nous puissions nous en dégager.

— Vraiment ? Mes parents ne supporteraient pas une telle solution.

— Ils ont tout créé eux-mêmes, répondit Mme Sheridan. Pour moi, c'est différent. J'ai épousé l'hôtel. Comme l'a dit une vieille parente de ma mère, je suis allée à l'autel avec un bouquet et j'en suis revenue avec un hôtel !

Elle balaya le bureau, encombré de meubles de classement gris, du regard. Les murs disparaissaient sous les photographies en noir et blanc du Railway Lodge du temps de sa splendeur.

— C'est sans doute, reprit-elle, la raison pour laquelle je ne suis pas si attachée qu'eux à mon affaire. J'ai essayé de continuer à la faire tourner pour Nat, mais, sans lui, j'aurais arrêté depuis longtemps. Cleo, posséder un hôtel implique un certain mode de vie et on a intérêt à l'aimer, parce que ce n'est pas avec ça qu'on gagne de l'argent.

— J'apprécie ce style de vie, rétorqua Cleo.

Mme Sheridan lui jeta un regard complice.

— Vous l'appréciez vraiment, n'est-ce pas ? Nat aussi. Vous savez, Cleo, il tient à vous. Je ne pense pas... Non.

L'expression de Cleo disait clairement que la réponse était « non ».

— Il était très heureux à l'idée que vous veniez.

La même torture deux fois dans la même journée, c'était trop pour Cleo ! Il était temps qu'elle parle en toute franchise.

— Je tiens énormément à Nat, mais pas de cette façon-là et je ne jouerai jamais à le lui laisser croire.

— Je ne l'ai pas pensé un instant. Je sais bien que vous n'êtes pas une fille de ce genre. Mais c'est dommage, car vous seriez parfaite pour Nat.

Cleo eut un geste de dénégation.

— Détrompez-vous. Nat mérite une femme qui l'aime tel qu'il est. Moi, j'essaierais de le changer.

— Plus d'un couple échoue sur cet écueil, soupira Mme Sheridan. Je vous demande juste de ne pas laisser Nat espérer en vain.

Le gâteau ne portait que vingt et une bougies. Mme Sheridan avait prétendu craindre qu'on alerte les pompiers au moment où elle les soufflerait, si on en mettait plus. On l'avait enfin coupé et la fête battait son plein quand Cleo trouva la possibilité de parler à Nat.

— M'accordes-tu cette danse ? demanda-t-il, la main offerte, dans un geste de courtoisie désuète.

L'orchestre jouait du Glenn Miller, une musique que Cleo aimait beaucoup, mais sur laquelle elle était incapable d'évoluer. Elle n'était pas douée pour la valse.

« Arrête de vouloir conduire, lui répétait son père quand ils avaient l'occasion de danser ensemble. C'est l'homme qui mène. »

Bien, voyons ! pensait Cleo chaque fois.

— A tes risques et périls, répondit-elle en prenant la main de Nat. Je te préviens que je ne suis pas douée pour ce genre de danses.

Les invités étaient bien lancés et nombre d'entre eux tournaient maladroitement sur l'air d'*In the Mood*. Tout le monde était heureux, et Nat plus que les autres.

— Tu es ravissante, ce soir, dit-il en entraînant Cleo dans le tourbillon.

Elle avait relevé ses cheveux en chignon souple, une coiffure qui lui allait bien, avec ses boucles châtains qui encadraient son visage. Elle avait fait un effort et portait la tenue achetée l'année précédente pour le réveillon au Willow, une robe en mousseline d'un violet profond, avec des manches étroites et une jupe à godets qui tournoyait sur les chevilles quand on bougeait. C'était un vêtement raffiné et Cleo se sentait raffinée elle-même quand elle le portait.

— Nat, pas de compliments entre nous ! lâcha-t-elle d'un ton aussi badin que possible.

— Je suis sincère, répondit-il.

L'orchestre passa sans prévenir à la romantique *Moonlight Serenade*, une chanson parfaite pour les amoureux. Nat était trop timide pour serrer Cleo contre lui de but en blanc, mais il se rapprocha d'elle en posant à peine sa main sur sa taille. Cleo sentit le cœur lui manquer.

C'était un air merveilleux et elle aurait adoré s'abandonner dans les bras d'un homme aussi merveilleux pour bouger avec lui au rythme de la musique. Elle ferma les yeux et s'autorisa à faire ce beau rêve l'espace d'un instant.

Quand elle les rouvrit, Nat s'était rapproché d'elle à lui toucher le visage. Elle s'écarta et vit les yeux de Nat se remplir de déception.

— Nat, il faut qu'on se parle.

Elle l'entraîna à travers la foule des danseurs, jusque dans le couloir déserté. Nat s'appuya au mur, l'air triste. Cleo prit une profonde inspiration.

— Je t'aime, dit-elle, mais pas de cette façon.

Elle avait rarement eu à faire une chose aussi difficile. Nat la regardait avec angoisse, mais elle devait lui dire la vérité. Il aurait été malhonnête qu'elle lui laisse le moindre doute.

— Tu es mon ami, Nat, mais je ne te demande pas plus. Je ne veux pas que tu penses qu'il puisse exister autre chose entre nous. Je suis désolée.

Elle lui prit les mains et ils restèrent un moment silencieux dans ce couloir où leur parvenaient les sons étouffés des rires et de la musique.

Cleo se rendit compte que, si Nat avait été son type d'homme, il ne l'aurait pas laissée le réconforter quand elle venait de le rejeter. Il se serait arraché à son geste amical et aurait disparu dans la nuit, son manteau volant au vent de sa course ! Mais Nat n'était pas ce genre de garçon et c'était pour cette raison qu'elle ne tomberait pas amoureuse de lui.

— Je n'aurais pas dû venir, reprit-elle enfin. Je n'ai jamais voulu t'induire en erreur.

— J'espérais que tes sentiments changeraient si tu me voyais chez moi. Ici, je ne suis pas aussi timide qu'à la fac. Je peux être comme tu le désires, Cleo, dynamique, et me lancer dans les affaires ; nous travaillerions ensemble et...

Il jeta un regard anxieux autour de lui.

— Nous formons une bonne équipe, Cleo. Je t'aime. Pas besoin d'autre chose...

— Nat ! s'exclama-t-elle avec exaspération. Tu te trompes ! Pour construire une relation, il ne suffit pas qu'une des deux personnes soit amoureuse. Je ne veux pas que tu changes et je ne peux pas modifier mes sentiments. Tu es mon ami, et c'est tout. Ce serait peut-être formidable, mais nos rapports n'iront pas plus loin que l'amitié.

— Je suis heureux de ton honnêteté, répliqua Nat avec calme.

— Nat ! gémit Cleo. Fâche-toi contre moi, fais quelque chose, mais ne sois pas si passif !

— D'accord !

Il avait soudain les yeux brillants et fit un geste des mains comme pour chasser Cleo.

— Va-t'en, Cleo ! Je ne supporte pas de te voir ici. Va-t'en !

Les larmes vinrent aux yeux de Cleo, mais la colère de Nat la soulageait presque.

— Je suis désolée. Je ne voulais pas te faire de mal.

Nat ne répondit pas, mais ses yeux parlaient pour lui. Il tourna le dos à Cleo et s'éloigna, la laissant seule. Elle se sentait triste et cruelle.

La vie n'était pas juste ! Cleo voulait diriger un hôtel, mais c'était impossible, alors que Nat, qui ne voulait qu'elle, lui offrait la possibilité de réaliser son rêve. Cleo aspirait à la passion, à une relation volcanique avec un homme capable de tuer quiconque la regarderait de travers. Elle ne voulait pas de Nat, avec ses yeux suppliants de chiot et sa dévotion aveugle, hôtel ou pas !

Elle posa un mot de remerciement sur le bureau de Mme Sheridan, expliquant qu'elle regrettait de devoir partir. Elle ne faisait pas allusion à ce qui s'était passé entre Nat et elle. Mme Sheridan devinerait la vérité et Nat en parlerait lui-même, s'il le désirait. Cleo tenait à préserver la dignité de son ami.

Ensuite, elle prépara son sac, défit le lit pour que la femme de chambre ait moins de travail et s'éclipsa en direction du parking. Il lui faudrait au moins trois heures pour rentrer, mais elle avait besoin de se sentir chez elle.

Le bulletin d'informations de minuit se terminait quand Cleo gara sa voiture à l'arrière du Willow, à son grand soulagement. Elle ne s'était pourtant jamais sentie aussi minable de toute sa vie ! L'idée qu'on ne pouvait pas se forcer à aimer quelqu'un l'avait hantée pendant le trajet.

Une fois dans sa chambre, elle se prépara pour la nuit et recourut au meilleur remède qu'elle connût : les aventures des Rodriguez Sisters, cinq romans assez lestes qu'elle avait achetés dans une kermesse paroissiale, de nombreuses années auparavant. L'auteur y racontait les aventures d'Odelita, Graciela et Beilarosa, trois sœurs intrépides, qui vivaient en Espagne au dix-huitième siècle. Leurs exploits audacieux avaient passionné dès la première ligne l'adolescente que Cleo était alors. Se plonger dans cette lecture était aussi délicieux et réconfortant que de manger des biscuits dans son lit. Encore mieux : il n'y avait pas de miettes !

« Comment peux-tu lire ces idioties ? avait demandé Trish, qui dévorait les thrillers les plus sanglants.

— C'est amusant et j'aime les romans historiques », avait répondu Cleo d'un ton pincé.

Trish en avait ouvert un au hasard et avait lu quelques paragraphes. Elle en était d'abord restée bouche bée puis avait éclaté d'un rire ravi.

« Des romans historiques, tu parles ! C'est pornographique !

— Non, avait rétorqué Cleo.

— "Il laissa son épée tomber au sol et posa respectueusement une de ses rudes mains d'homme sur la chemise de la jeune femme, faisant se dresser ses mamelons soyeux..." avait lu Trish.

— D'accord, avait concédé Cleo. C'est un peu sensuel, mais c'était une époque romantique. Ce n'est pas pour autant porno. Il n'y a rien de sale dans tout ça, non ?

— Si je comprends bien, quand un type caresse les seins d'une femme, c'est porno à partir du moment où ça se passe dans un ascenseur bondé de Manhattan, mais pas s'il porte un costume d'époque ?

— Tu ne veux rien comprendre », avait répliqué Cleo d'un ton sans appel.

Elle s'était sentie blessée à l'idée que sa saga historique préférée contienne une seule ligne condamnable. Bien sûr, il y avait quelques scènes un peu dénudées, mais cela restait de bon goût. Les personnages ne se précipitaient pas au lit juste pour passer un moment ; ils s'aimaient. Tout se passait dans un climat de moralité, de décence et d'honneur. Cleo n'avait qu'un regret : que le monde moderne ne marche plus de la même façon.

Ce soir-là, après la scène avec Nat, elle choisit le premier volume de la série, *Les Conquêtes de Graciela*, et se nicha confortablement au milieu de ses oreillers. Lire une histoire d'une période où les hommes étaient des hommes et où les femmes aimaient cela apportait une forme d'apaisement et d'évasion à Cleo. Elle se sentait pourtant déprimée à l'idée que de tels hommes n'existent plus.

Elle ouvrit le livre à la première page et se plongea dans l'univers de Graciela. La cérémonie de son mariage arrangé avec un duc au regard glacial allait commencer, bien que Graciela eût juré qu'elle mourrait plutôt que de se soumettre.

S'imaginant à la place de Graciela, sa robe de mariée étalée sur le lit, le cœur ne battant que pour un homme qui n'était pas son fiancé, Cleo parvint enfin à ne plus penser au pauvre Nat.

6

Mary accrocha la pancarte « fermé pour inventaire » sur la porte du magasin, ferma à double tour et rejoignit Daisy, qui attendait dans la voiture, le moteur tournant. Mary prit place côté passager.

— Combien paries-tu, demanda-t-elle, qu'une douzaine de clientes seront au bord de la crise de nerfs, ce matin, parce qu'elles ont un besoin urgent d'une robe neuve et qu'on a fermé ?

— Il n'y aura personne, répondit Daisy en riant. C'est toujours mort, le mardi matin. Et nous, nous avons besoin d'un moment de détente entre filles.

Elle se faufila dans la circulation.

— Tu as raison.

Mary scruta son visage dans le miroir du pare-soleil.

— Dans mon cas, il faudrait un ravalement complet !

— Ça m'étonnerait qu'on te le propose dans un spa comme celui-ci, dit Daisy, toujours riant.

Elle se sentait d'excellente humeur. Depuis quelque temps, elle mangeait sainement, suivant les conseils de sa nouvelle bible, *Le Guide de la fertilité*. Elle rayonnait par avance à l'idée de la nouvelle vie qui l'attendait, organisée autour d'un bébé. Alex était un peu énervé, c'était vrai, mais il subissait un audit dans sa société. Le matin, il buvait ce que Daisy lui préparait sans protester, alors qu'elle ajoutait aux myrtilles et au yaourt des plantes destinées à améliorer la fertilité masculine.

— Tu as raison, reconnut Mary en feuilletant la brochure du Cloud's Hill Spa.

Le document, élégamment imprimé en teintes vanille et vert olive, proposait la liste des soins et des massages, des photos du spa et, au grand amusement de Mary, un « message » de la propriétaire, Leah Meyer. Elle espérait que son établissement procurerait à ses clientes « le calme, le bien-être et la beauté venue de l'intérieur ».

— A ton avis, cela signifie-t-il qu'on n'y n'attache pas beaucoup d'importance à celle de l'extérieur ? plaisanta Mary. « La beauté venue de l'intérieur » ! On dirait un concept élaboré par un mannequin qui a une alimentation idéale, reste une heure chaque matin en équilibre sur la tête et ressemble à une déesse. Ces filles-là passent leur temps à parler de beauté intérieure. De simples mortelles comme moi ont besoin d'un peu d'aide pour améliorer leur apparence !

— Tu es très belle, glissa Daisy. Tu es une femme remarquable au sommet de sa séduction, en quête d'un nouvel amant, de préférence un homme jeune et moderne qui sait comment gâter une femme un peu plus mûre !

— J'aimerais bien, répondit Mary avec un soupir. Mais je n'ai pas l'énergie d'être au sommet de ma séduction et les seuls hommes plus jeunes que je rencontre sont les employés de la pompe à essence. Or, ils m'ignorent, pour regarder passer d'un air lubrique des gamines qui ont vingt ans de moins que moi.

— Arrête ! dit Daisy d'un ton insistant. Ce n'est pas en étant pusillanime qu'on fait la conquête d'un beau garçon blond de vingt ans !

Mary agita la main, comme pour écarter cette idée.

— Tu sais, de toute façon, je ne veux pas d'homme. Vive le célibat ! Je peux me mettre au lit avec mon masque anti-rides sur la figure et regarder n'importe quelle émission idiote durant la nuit en mangeant du chocolat. Je peux même en mettre sur les draps sans que personne s'en plaigne ! Impossible de faire ça avec un jeune amant, n'est-ce pas ? Au contraire, tu te retrouves en train de traquer le poil sur ton corps, matin, midi et soir ; tu ne te nourris plus que de pamplemousse et tu t'enduis de crème anti-cellulite jusqu'aux oreilles. Merci bien ! C'est trop d'embêtements.

Chez Paula, elles durent entrer et admirer la chambre d'enfants. Repeint en différentes nuances de jaune par Enrico, avec des reproductions de Beatrix Potter aux murs, l'ancien cagibi était devenu un paradis pour bébé. Il y avait un berceau, un moïse, un zoo entier d'animaux en peluche, et une commode bourrée de vêtements pliés avec raffinement, à croire que des spécialistes en pliage étaient passés par là.

A trois dans cette pièce minuscule, elles étaient un peu à l'étroit, mais Daisy et Mary, qui respiraient avec délices le parfum des produits pour bébé, poussèrent ensemble un soupir de plaisir. Daisy serra Paula contre elle.

— C'est ravissant.

Elle appréciait de pouvoir se sentir heureuse pour Paula, sans arrière-pensée. Avant, quand elle n'avait pas encore pris rendez-vous avec la clinique, elle aurait trouvé dur de devoir tout admirer alors que cela lui brisait le cœur.

De retour à la voiture, Paula mit la conversation sur l'idée de beauté intérieure. Cela l'intéressait et elle appréciait que cela figure sur le dépliant du spa.

— Ce que nous sommes est plus important que notre image, dit-elle avec conviction.

Mary, qui s'était assise à l'arrière pour laisser la place à Paula, éclata de rire.

— Facile à dire pour quelqu'un qui se fait teindre les cils !

— Tu parles de la femme que j'étais, répondit Paula avec hauteur. A présent, je m'améliore et je m'inquiéterai moins de bêtises comme ma coupe de cheveux ou mes vergetures.

— Tu as peur que ton bébé hérite des oreilles d'Enrico ? demanda Mary.

Elles avaient toutes entendu l'histoire du pauvre Enrico, surnommé Dumbo, à l'école. Daisy se retint de rire. On pouvait faire confiance à Mary pour aller droit au but !

— Tu as raison, répondit Paula. J'espère que mon bébé aura les yeux d'Enrico, sa couleur de peau, ses cheveux, tout...

— Mais pas ses oreilles !

— Non, pas ses oreilles, reconnut Paula d'un air contrit. Ça me paraît minable de parler ainsi.

145

Elle tapota son ventre arrondi comme pour demander pardon au bébé.

— On peut aimer quelqu'un malgré un détail physique, fit remarquer Mary. Je ne vois rien de minable dans le fait de désirer ce qu'il y a de mieux pour sa progéniture. C'est le monde qui est minable en ridiculisant les oreilles décollées et en incitant, ainsi, des enfants à se moquer de leurs congénères. C'est à ça que tu réagis, à rien d'autre. On est revenues à la discussion sur le « relooking extrême ». Personne ne voudrait perdre vingt kilos, se faire refaire les dents et subir une liposuccion, si l'apparence ne comptait pas.

Elles étaient à présent sorties de Carrickwell, avaient dépassé le Willow puis le parc Abraham et avaient entamé l'ascension de la Hill Road. La route, étroite et bordée d'arbres, menait à un petit hameau et au Cloud's Hill Spa. Le printemps explosait partout en bourgeons vert vif sur les arbres et les haies. Des gouttes de pluie brillaient sur l'herbe et l'air embaumait les jeunes plantes. La vallée bourdonnait de vie.

Daisy sentit son moral remonter. Elle connaissait le coin depuis son adolescence et avait souvent regardé entre les barreaux de la grille de la vieille maison Delaney.

— Ma mère vit près d'ici, dit-elle distraitement.

— Veux-tu qu'on s'arrête chez elle ? demanda Paula.

Elle ne savait pas grand-chose des origines de Daisy.

— Non ! répondit Daisy d'un ton alarmé. Je veux dire... J'ignore si elle est là...

Mary vint à son secours.

— C'est pareil avec mes parents. Ils aiment aussi qu'on les prévienne avant qu'on amène quelqu'un, au cas où ils seraient encore en train de traîner en pyjama.

— C'est ça, reprit Daisy.

Elle se sentait reconnaissante envers Mary de son intervention. Pourtant, imaginer que sa mère ne soit pas habillée dès le matin ! C'était impensable. Savoir se tenir était l'expression favorite de Nan Farrell et les gens qui se tenaient bien étaient habillés dès sept heures du matin. Daisy comprit que Mary avait montré du tact sans doute parce qu'elle avait rencontré sa mère lors des très rares occasions où elle passait le seuil de la boutique.

A sa première visite, Nan Farrell avait à peine effleuré la marchandise du bout des doigts, comme s'il s'était agi de tenues sans nom et pas des magnifiques vêtements choisis par sa fille avec un goût parfait. Mary n'avait pas besoin d'un psy pour comprendre les raisons du terrible complexe d'infériorité de Daisy.

— De toute façon, ça nous mettrait en retard, ajouta-t-elle avec entrain. Nous devons être à Mount Carraig à dix heures et il est moins cinq. Accélère, Daisy !

— C'est si beau, ici ! soupira Paula.

A leur gauche, les eaux du Lough Enla miroitaient dans la lumière matinale tandis qu'à leur droite s'étendait une prairie où broutait un troupeau de moutons.

— Oui, dit Mary, c'est superbe. Je me rappelle que Bart et moi, il y a des années de ça, nous nous sommes demandé si nous n'achèterions pas une maison par ici. C'était trop loin de la ville pour nous et ça aurait posé des problèmes pour emmener les enfants à l'école. C'était une belle bâtisse, plus grande que celle où nous habitions et avec dix mille mètres carrés de terrain. On aurait pu avoir un poney pour Emer. Vous vous rendez compte ? Heureusement qu'on ne l'a pas achetée ! On aurait dû se partager le poney. Une moitié pour moi, l'autre pour Bart ! Je parie qu'il m'aurait laissé la croupe.

Mary et Paula se lancèrent dans une discussion sur les écoles tandis que Daisy conduisait, plongée dans ses pensées. Elle avait seize ans quand sa mère l'avait fait déménager du centre de Carrickwell pour s'installer dans un cottage en retrait de Hill Road. Il était digne de figurer sur une carte postale, avec un toit de tuiles rouges, une bordure de plantes herbacées et, à l'entrée, un muret de pierre moussu. Pourtant, Daisy aurait tout donné pour en partir vite. Sa mère avait paru aussi contente qu'elle quand elle s'était inscrite à l'université de Dublin. Avec le recul de l'âge, Daisy s'était rendu compte que sa mère ne l'avait pas désirée.

Elle trouvait étrange que la tragédie de sa vie soit l'absence d'enfant alors que, pour sa mère, lui donner naissance à l'âge de dix-sept ans avait été un drame. Quelle tristesse ! Si elles avaient été plus proches, elle aurait pu parler avec elle de son profond désir de maternité et de sa joie à l'idée de faire enfin quelque chose pour y arriver. Au lieu de cela, elles se parlaient rarement, de préférence par téléphone. De plus, elles avaient des conversations embarrassées et n'abordaient aucun sujet qui en vaille la peine.

Mary expliquait à Paula à quel point Emer, sa fille de treize ans, aimait aller au collège. Daisy s'autorisa à rêver au moment où elle choisirait une école pour son enfant. Alex et elle les visiteraient toutes, bien sûr, de façon à choisir en connaissance de cause.

Dans sa jeunesse, Alex avait été un grand sportif et il aimerait sans doute avoir un fils qui fasse de l'aviron, comme lui. L'école St Cillian avait l'air très bien de ce point de vue. Mais Daisy aurait préféré une fille, pour dépasser ce qu'elle avait elle-même subi dans son enfance, bien qu'il soit injuste de se libérer ainsi de son passé. Par exemple, jamais elle ne lui dirait de ne pas s'approcher du réfrigérateur parce qu'elle ressemblait à un goret plongé dans sa mangeoire...

Le panneau annonçant qu'elles arrivaient au Cloud's Hill Spa arracha Daisy à sa rêverie. Elle franchit les hautes grilles de fer forgé et la vieille demeure leur apparut.

— Vous voyez ce que je vois ? demanda Mary. Je dois être morte et j'entre au paradis.

L'endroit envahi d'herbes que Daisy avait connu avait laissé place à un des plus beaux parcs paysagers qu'elle ait vus. D'où elles étaient, à mi-hauteur de la montagne, elles découvraient Carrickwell à leurs pieds, les flèches de la cathédrale St Canice dressées vers le ciel et, au loin, les vestiges druidiques.

La maison elle-même n'avait plus rien d'une ruine. C'était de nouveau un magnifique bâtiment restauré avec art. A l'arrière se déployaient les anciennes écuries, transformées en élégantes habitations.

— Je vais vendre le magasin et m'installer ici pour le reste de mes jours, ajouta Mary, béate d'admiration.

— La vente ne te rapporterait pas assez d'argent pour ça, lui fit remarquer Paula.

— Dans ce cas, je vendrai aussi les enfants ! Je me vois bien vivre ici toutes les années qui me restent.

— Comme si tu étais dans une maison de retraite de luxe ? la taquina Daisy.

— Oui !

Tandis que Daisy garait la voiture dans la cour gravillonnée, Mary déclara qu'elles auraient dû venir dans un carrosse tiré par quatre chevaux pour être en accord avec la grandeur des lieux.

— Je crains de ne pas être assez bien habillée, murmura Daisy tandis qu'elles se dirigeaient vers l'entrée.

Elle avait opté pour une tenue sport mais chic, un survêtement de ce gris bleuté qu'elle affectionnait. Paula lui répondit à voix basse en désignant son immense tee-shirt bleu et sa jupe de femme enceinte.

— Et moi ce sont les derniers vêtements dans lesquels j'entre encore. Si c'est trop décontracté, tant pis ! La propriétaire des lieux devra s'en accommoder.

Une fois le seuil franchi, elles se trouvèrent dans une oasis de paix. La réceptionniste vérifia leurs rendez-vous et les dirigea vers un vaste vestiaire au sol de marbre où elles purent se changer. Ensuite, on les emmena dans une salle de relaxation, en réalité une bibliothèque dont les fenêtres donnaient sur le jardin. Il y avait des livres, des magazines, des journaux, un réfrigérateur rempli de boissons, une coupe de fruits frais, ainsi que des canapés moelleux, des fauteuils relax et une douce musique de fond qui donna envie à Daisy de se coucher et de dormir. Elles se laissèrent tomber sur les canapés avec les derniers numéros de leurs magazines favoris.

— Je m'installerais vraiment sans hésitation, répéta Mary. Tu imagines qu'une famille a vécu ici ?

Elle finissait à peine sa phrase que la porte s'ouvrit, livrant passage à une femme de haute taille et aux cheveux noirs coiffés en chignon.

— Je suis Leah Meyer. Je vous souhaite la bienvenue au spa du Cloud's Hill.

Le bourdonnement d'un téléphone portable l'interrompit. Elle plongea la main dans sa poche.

— Fin de la tranquillité ! dit-elle avec un sourire amusé. Un problème de personnel, apparemment. Désolée, je dois m'en occuper.

Elle les quitta un moment et, à son retour, leur présenta ses excuses.

— Normalement, je n'emporte pas mon portable partout. Je trouve que ça casse l'ambiance.

— Pas du tout, c'est très bien, dit Mary. Sans ça, tout était si parfait que nous nous serions senties obligées de parler à voix basse. Dans une ambiance trop détendue, et avec le chant des baleines, je m'angoisse !

— Si vous voulez, nous avons un disque de dauphins, répondit Leah en riant. Nous le gardons, en principe, pour des occasions particulières. Nous ne passons pas toujours la même musique. Huit heures de chants de dauphins rendraient fou n'importe qui. Nous changeons donc chaque heure : jazz, classique, variétés, Tom Jones...

— Pas de chant des baleines ? Je veux qu'on me rembourse ! s'exclama Daisy.

Elle trouvait Leah très sympathique.

— J'en ai un disque, répondit Leah, mais chaque fois que je le mettais les clients l'enlevaient dans mon dos et le remplaçaient par Tom Jones. Comme ils le cachaient derrière les classeurs, j'ai supposé qu'ils voulaient me dire quelque chose. Les baleines sont donc officiellement perdues, conclut Leah.

Elle offrit des boissons à la petite bande et, peu de temps après, la conversation allait bon train, portant sur le magasin, la grossesse de Paula ou les bienfaits du jacuzzi.

— Vous en prenez un tous les jours ? demanda Daisy avec envie.

— Oui, ça soulage mes douleurs, avoua Leah. On n'arrive pas à mon âge sans quelques bobos.

— Votre âge ! s'exclama Mary avec un gloussement de rire. Quand vous aurez le mien, oui, vous pourrez vous plaindre de vos articulations !

— Je suis certaine d'être plus âgée que vous, Mary, dit Leah avec un grand sourire.

— Ça m'étonnerait.

— D'accord ! Combien me donnez-vous ?

Elles étudièrent Leah avec attention.

« Une bonne quarantaine, pensa Daisy. Peut-être quarante-six ou quarante-sept. » Mais elle s'abstint de dire quoi que ce soit. Elle avait trop peur de faire une erreur, au cas où Leah aurait été plus près de quarante ans que de cinquante.

— J'ai quarante-huit ans, dit Mary en scrutant le visage de Leah. Vous, vous avez l'air plus jeune. Quarante-trois ? Non, je dirais quarante ans.

— Presque ! dit Leah. Pour reprendre une expression de ma grand-mère, j'ai vingt et un ans plus quarante ans d'expérience.

Mary et Paula fixèrent Leah, perdues, mais Daisy comprit.

— Soixante et un ? dit-elle d'une voix étranglée. Ce n'est pas possible !

— Soixante-deux dans quelques mois, corrigea Leah.

Les trois autres en restèrent muettes. Leah était extraordinaire, pensait Daisy. Certaines femmes restent belles, mais avec le visage terne, sans expression. Pas Leah. Ses yeux bruns brillaient, pleins de vie, et ses pommettes bien dessinées donnaient l'impression d'être sculptées par son sourire. Quant à ses rares rides, on aurait juré de simples rides d'expression, rien d'autre.

— Vous devez nous révéler votre secret, dit enfin Mary. Ou nous partons !

— Vous êtes superbe de naissance et vous avez des gènes de jeunesse dans votre famille, tenta Daisy.

Elle ne voyait pas d'autre possibilité. Sinon, comment expliquer qu'on paraisse si bien ?

— Je vous dirai tout si vous me rejoignez dans le jacuzzi un peu plus tard, promit Leah. Mais vous, ajouta-t-elle à l'intention de Paula, vous devrez vous asseoir au bord et vous contenter de tremper vos mains dans l'eau.

Une employée en tenue blanche vint les saluer et s'enquérir des soins qu'elles désiraient.

— La même chose que Leah, dit Mary. Mais tout en double !

Elles se retrouvèrent pour le déjeuner puis ne se croisèrent plus avant la fin de l'après-midi. Daisy et Mary étaient seules dans le jacuzzi, admirant Carrickwell, qui s'étendait à leurs pieds.

— Nous avons eu une excellente idée ! dit Mary avec un soupir de bien-être.

— Oui, répondit Daisy, les yeux clos. Je me sens totalement détendue.

— Tant mieux ! Je m'inquiétais pour toi...

Daisy se redressa.

— Pour moi ?

— Tu avais l'air nerveuse depuis un moment...

— Alex a dû s'absenter souvent, tu sais.

— Je craignais, dit Mary, que vous n'ayez des problèmes, à cause de son refus de se marier.

Elle se montrait d'une délicatesse inaccoutumée. Daisy comprit qu'elle en avait trop dit, le jour où elle s'était plainte d'Alex.

— C'est dépassé, répondit-elle précipitamment. Tout à l'heure, j'avais mal au ventre.

— Je comprends...

— Les hormones... Quel cauchemar ! s'exclama Daisy en soulignant son propos d'un vigoureux hochement de tête.

Elle préférait garder pour elle son secret au sujet des hormones. Dans deux semaines, treize jours pour être précise, elle serait avec Alex à la clinique de procréation assistée. Si ce n'était pas cela, l'engagement par excellence, que fallait-il ? Elle aurait aimé en parler à Mary, mais s'était mise d'accord avec Alex : c'était leur secret.

— Leah est sympathique, n'est-ce pas ? dit Mary, passant du coq à l'âne. J'ai l'impression de l'avoir déjà vue, ailleurs.

— C'est drôle, je sais ce que tu veux dire.

— Peut-être a-t-elle fait la couverture d'un magazine pour un article sur les femmes milliardaires ? Elle doit avoir de l'argent pour avoir rénové cette maison.

Daisy eut un sourire entendu.

— Je n'en possède pas dans mon entourage immédiat... A part ça, tu ne trouves pas qu'elle est superbe ?

— Oui, elle a de belles proportions. Je me demande si elle est du genre à venir à la boutique ?

— Certainement, dit Daisy d'un ton pensif, mais je ne crois pas qu'elle se passionne pour la mode. Elle ne donne pas l'impression d'investir dans des tenues ruineuses. Avec son allure, elle peut mettre des haillons sans que ça se remarque : on ne voit qu'elle, pas ce qu'elle porte.

— La classe ! renchérit Mary. Elle a pu consacrer son énergie à son installation plutôt qu'à ses vêtements. Cet endroit est décoré avec beaucoup de goût. Un peu d'élégance ne peut faire que du bien à Carrickwell ! J'aime le Willow, mais ce n'est pas le confort d'un quatre étoiles.

— Ne dis pas ça, protesta Daisy. Le Willow est plein de charme.

Elle avait de bonnes raisons de défendre le vieil hôtel : pendant les années où elle avait passé Noël avec sa mère, seul le déjeuner au Willow lui avait rendu la journée presque supportable, grâce à l'accueil et à la gentillesse des Málainn.

— M. Málainn est adorable et je crois que ma mère a un faible pour lui, même si elle ne l'a jamais dit.

— Harry ? C'est un amour, renchérit Mary. Sa femme est aussi très agréable. Pourtant, la pauvre chérie n'a jamais eu un sou à dépenser pour elle. Je trouve leur fille également très attachante. Elle est grande et séduisante, avec des jambes qui n'en finissent pas. On sent qu'elle aimerait avoir de quoi s'habiller.

— Vous parlez encore de moi, déclara Paula, qui arrivait sans hâte.

Leah la suivait, chargée d'un plateau avec un pichet de jus d'orange et quatre verres. Tandis que Paula s'installait sur une chaise longue à côté du bassin, les trois autres se plongèrent dans l'eau chaude. Leah écouta ses clientes comparer leurs soins.

Paula avait trouvé divin son massage spécial pour femme enceinte, car le spa disposait d'une table adaptée à son état.

— Tant qu'on n'attend pas d'enfant, dit-elle avec un soupir, s'allonger sur le ventre paraît évident.

Elle s'était fait faire une manucure, une pédicure et un soin du visage très doux. Elle affirma que son mari ne la reconnaîtrait pas.

Mary avait choisi le célèbre massage aux pierres chaudes et y avait tant pris goût qu'elle envisageait de commander une installation pour sa maison.

— Qui aurait cru que de simples morceaux de basalte chauffé procureraient un pareil sentiment de bien-être ? dit-elle d'un ton ravi.

— Et qui aurait cru que rester assise dans ce qui n'est, en définitive, qu'une grande baignoire serait si agréable ? ajouta Daisy.

Elle se trouvait dans un état de détente bienheureuse après un gommage et un enveloppement du corps aux huiles essentielles, accompagné d'un soin des mains à la paraffine qui lui faisait la peau douce comme la soie.

— J'aimerais en avoir un chaque jour, poursuivit-elle. Leah ? Sommes-nous censées méditer ou juste nous détendre dans l'eau ?

— Méditez, si vous le désirez. Je me contente de me relaxer en pensant aux bons ou aux mauvais moments de la journée et en disant merci pour tout.

— C'est donc ça, votre secret ? demanda Mary d'un air malicieux. Pas de traitement spécial, mais de simples remerciements ?

Leah répondit d'un petit sourire énigmatique.

— Non, gémit Paula. C'est sérieux ! Comment faites-vous pour rester si belle ?

— J'ai grandi à Los Angeles, un endroit où l'apparence est primordiale. J'ai toujours pris soin de ma peau et de ma silhouette. De plus, ça doit aussi dépendre de mes gènes, car ma mère a bien vieilli. Mais ça ne m'a pas empêchée de me faire avoir par l'âge. A Los Angeles, vous n'existez plus à partir du moment où vous atteignez trente ans. Vous devenez invisible.

— Il n'y a pas qu'à Los Angeles ! grommela Mary.

— Je pense que, dans le reste du monde, le phénomène de rejet ne se produit pas si tôt. La cinquantaine me paraît l'âge fatidique dans beaucoup d'endroits, mais là-bas c'est trente ans. Vous nourrissez, bien sûr, l'espoir que ce sera différent pour vous, parce que vous vous sentez jeune et que quelques rides minuscules n'ont pas d'importance, mais en vain. Un beau jour, vous faites vos courses et plus personne ne fait attention à vous. Personne ! Vous êtes devenue la femme invisible.

— Je n'arrive pas à le croire, protesta Daisy. Vous êtes superbe ! Je suis certaine qu'on vous remarquerait n'importe où.

— Merci, répondit Leah en souriant. C'est très gentil de me le dire. Vous savez, je me suis toujours sentie sûre de moi parce que je ressemble à ma mère et qu'elle faisait tourner les têtes. Mais dans une ville où s'entassent les gens les plus beaux du monde la beauté devient un lieu commun. Le pompiste de votre garage pourrait être mannequin et la fille qui vous sert votre café défiler pour la haute couture. Tout le monde est superbe ! Vous finissez par paniquer.

— Et alors ? demanda Mary, suspendue aux lèvres de Leah.

Leah eut un rire de gorge très sensuel.

— Alors, vous allez chez le meilleur chirurgien esthétique pour faire un peu rafraîchir tout ça.

— J'en étais sûre ! s'exclama Mary.

— Juste un peu, protesta Leah. Lissage de la ride du lion, légère liposuccion du bas du visage et remodelage du menton. Le reste m'appartient. Je ne voulais pas de lifting. Si on commence trop tôt, on doit le faire trop souvent et, à la fin, on a l'air de débarquer d'une planète où les oreilles vous poussent sur le dessus de la tête.

— Vous n'avez vraiment pas besoin d'un lifting, dit Daisy avec conviction.

— Tant mieux, parce que je ne veux plus subir d'opération. Je garderai mon visage jusqu'au bout. A Los Angeles, je choque mon entourage en disant ça, en particulier mon chirurgien, qui gagne des fortunes avec les interventions à répétition. Sincèrement, si c'était à refaire, je m'abstiendrais.

Ses interlocutrices prirent le temps d'assimiler l'information.

— Pourquoi ? demanda finalement Mary.

— J'ai passé tant de temps à m'inquiéter de mon apparence que j'ai oublié l'intérieur, alors qu'il y avait plus de travail à faire de ce côté-là.

— Je vous comprends, glissa Mary.

Dans des circonstances normales, Daisy aurait acquiescé d'un signe de tête, sans rien dire, comme si elle était d'accord, elle aussi. Elle s'appliquait à rire à des reparties qu'elle n'avait pas entendues ou à des plaisanteries qu'elle n'avait pas comprises, mais, cette fois, elle voulait comprendre. Comment réussissait-on à se sentir à l'aise avec son apparence ? Si on était beau, on avait le temps et l'énergie nécessaires pour s'occuper de son esprit...

— Que voulez-vous dire ?

— Je croyais n'être rien d'autre qu'une belle enveloppe, répondit Leah. Si je gardais un visage séduisant et que les hommes continuaient à se retourner sur mon passage, tout était pour le mieux dans le meilleur des mondes. Quelle blague, comme aurait dit mon fils ! L'image que nous renvoie notre miroir n'est pas celle de notre être réel.

— Vous avez raison ! s'exclama Paula. Si, ajouta-t-elle à l'intention de Mary, qui la regardait d'un air moqueur.

— Bien sûr, rétorqua Mary. Je veux juste dire que ce n'est pas facile à vivre au quotidien.

— Il faut une rupture majeure dans notre vie pour qu'on se réveille et qu'on change, reconnut Leah. Mais je suis heureuse d'être comme je suis, aujourd'hui. J'aime avoir l'âge que j'ai. Je n'apprécie pas forcément les douleurs articulaires, mais je goûte la maturité que j'ai acquise.

— Vraiment ? reprit Daisy d'un ton dubitatif.

Pour elle, la raison du bonheur de Leah était claire : elle était mère. La maturité épanouie ne permettait pas de compenser l'absence de maternité.

— Vraiment, répondit Leah. Je n'ai aucune envie de redevenir la personne que j'étais à vingt ans, même si ça me permettait de retrouver la beauté et la santé que j'avais.

— Ça doit être formidable de se sentir si bien dans sa peau, dit Daisy avec envie.

Les trois autres se tournèrent vers elle.

— Ça ne se fait pas tout seul, dit Leah. Il faut réfléchir à ce qui nous rendrait heureux et, ensuite, arrêter de se répéter que c'est impossible. Au contraire, il faut y croire et tout faire pour y arriver. Nos espoirs et nos rêves ne sont pas aussi inaccessibles qu'on l'imagine. Que désirez-vous, Daisy ? N'oubliez pas que nous sommes dans le bain de vérité, bien chaud ! On n'a pas le droit de mentir, ici ! Sinon, on fait une poussée de boutons.

La boutade fit rire le groupe.

— C'est vrai ! J'ai trouvé un produit chez la dame qui vend des tarots et des cristaux. Si on en saupoudre l'eau, vous dites la vérité malgré vous !

— Vous voulez parler de la propriétaire de Mystical Fires, expliqua Daisy. J'ignore si elle a de l'eau de vérité, mais on trouve chez elle de jolies cartes avec des anges. On achète un paquet et, chaque jour, on en lit une pour connaître le message des anges pour la journée. Je crois que je devrais m'en procurer.

Daisy espérait que les cartes lui diraient qu'elle aurait de beaux bébés, à supposer qu'elles abordent ce genre de question.

— Qu'aimeriez-vous y lire ? demanda Leah. Qu'est-ce qui vous rendrait heureuse ?

Daisy se mordit les lèvres. Difficile d'être sincère ! Elle évitait d'aborder les questions très personnelles. Avouer qu'elle voulait un bébé et une famille paraîtrait stupide ; Leah lui demandait sans doute si elle souhaiterait avoir la bouche plus grande ou le ventre plat, par exemple.

— Etre heureuse, dit Daisy, et manger autant de chocolat que j'en ai envie !

— Tu n'as qu'à être enceinte, jeta Paula d'un ton amusé, et tu auras les deux.

Le sourire de Daisy ne faiblit pas.

— Je retiens l'idée !

— Et vous ? demanda Leah en se tournant vers Paula.

— Que mon bébé soit en bonne santé.

Elle adressa un sourire complice à Mary et Daisy.

— Fille ou garçon, reprit-elle, avec de grandes oreilles ou

pas, peu importe ! Que notre bébé aille bien, Enrico et moi ne demandons rien d'autre.

Enfin, ce fut le tour de Mary.

— Et vous ?

Daisy s'attendait presque à entendre Mary éclater de rire et répondre à la légère, comme elle le faisait d'habitude si la conversation venait sur un terrain trop privé.

— Je ne veux pas rester seule, avoua Mary d'un ton pensif. Je ne demande ni une grande passion ni un homme qui me couvre de roses en permanence et m'emmène dîner dans des restaurants de rêve. J'aspire à une présence, quelqu'un qui m'aime, qui me prenne dans ses bras le matin, avec qui je puisse sourire quand un des enfants dit quelque chose de drôle, quelqu'un qui me réchauffe dans mon lit quand il fait froid.

Daisy en resta muette.

— Un compagnon, conclut Leah.

Mary s'enfonça dans l'eau.

— Oui, admit-elle. J'en ai assez d'entendre parler sans arrêt de femmes plus âgées avec de jeunes hommes séduisants qui n'arrêtent pas de faire ça, matin, midi et soir !

— Très surfait ! approuva Leah.

— Exactement ! A quoi bon être avec un homme jeune qui peut y passer la nuit ? Ce n'est pas pour ça qu'il saurait vous caresser dans le cou comme vous l'aimez et vous rappeler le jour où il l'a fait pour la première fois, des années plus tôt.

— Vous avez raison.

Leah et Mary se turent, le regard perdu dans le lointain. Daisy éprouva un brutal regret. De toute évidence, Leah était seule, à présent, comme Mary. Elles partageaient le même fardeau, alors que Paula et elle étaient les deux chanceuses du groupe. Paula était heureuse avec ce qu'elle avait, mais elle-même devait apprendre à mieux apprécier les bons côtés de l'existence. Peut-être demandait-elle trop à la vie ? N'était-elle pas déjà gâtée avec son bel Alex et un métier qu'elle aimait ? Etait-il possible de se montrer trop avide de bonheur ?

7

Leah aimait sentir le calme de Carraig Hill autour d'elle à la fin de la journée, avant d'aller surveiller le dîner de ses clients. Elle appréciait d'être seule, en paix avec elle-même, avec un peu de temps pour repenser aux événements de la journée. Elle n'avait pas besoin de vérifier que les lumières et les appareils étaient éteints, la responsable du jour s'en chargeait. Elle savourait simplement de traverser la demeure en réfléchissant. Parfois, elle se remémorait le passé, mais pas trop souvent, car c'était douloureux. Le temps apaisait son chagrin d'avoir perdu Jesse, mais il y aurait toujours une profonde cicatrice. Il était plus facile de songer au quotidien. Leah avait au moins appris cela.

Elle se concentra donc sur les nombreuses personnes qui avaient franchi les portes du Cloud's Hill depuis le matin. Certaines, qui avaient l'air perdues, donnaient envie à Leah de se précipiter pour les serrer dans ses bras. Pearl et Billy, par exemple, un couple charmant venu passer trois jours au spa après que son séjour à Chypre avec des amis avait été annulé sans un mot d'explication. Blessés et ahuris, Pearl et Billy avaient raconté à Leah qu'ils partaient toujours avec Agnes et Ian. Pearl s'était confiée à Leah tandis qu'elles prenaient un café dans la salle de relaxation et choisissaient les soins qui conviendraient le mieux à Pearl.

« Agnes a été ma demoiselle d'honneur quand je me suis mariée et j'ai été la sienne à son mariage. Ça fait vingt ans que nous prenons nos vacances ensemble, à Malte, à Chypre ou à Rhodes, ma destination préférée.

— Agnes et Ian nous ont dit que, cette année, ils n'en avaient pas envie, avait ajouté Billy. Mais sans aucune raison précise. A la place, ils allaient dans le sud de l'Angleterre chez Marie, la sœur de Ian.

— Notre fille, Fiona, avait repris Pearl, nous a offert le séjour ici pour nous consoler. Elle a un bon travail et elle est très gentille avec nous. »

Pearl avait choisi un soin en réflexologie.

« Agnes et moi avons essayé des choses de ce genre. Comme nous sommes tous à la retraite, j'avais cru que nous passerions plus de temps ensemble. Décidément, je ne comprends pas Agnes et Ian.

— Vos amis vivent aussi de leur retraite ? » avait discrètement demandé Leah.

Pearl et Billy avaient répondu par l'affirmative et Leah avait pensé à leur fille. Peut-être leur avait-elle payé ce coûteux séjour au Cloud's Hill pour les remercier de ce qu'ils avaient fait pour elle pendant des années. Elle leur demanda si Fiona était toujours généreuse.

« Oui, avait répondu Billy. Elle dit que nous lui avons permis de faire des études et que c'est à notre tour, maintenant, d'être gâtés.

— Agnes et Ian ont-ils les moyens de faire des voyages, avec leur retraite ? s'était enquise Leah. Ont-ils un enfant qui soit assez conscient de leurs efforts pour les en remercier ? »

Pearl et Billy s'étaient reproché de ne pas y avoir pensé eux-mêmes. L'argent ! Voilà le problème ! Pourquoi ne l'avaient-ils pas compris ? Mais aussi pourquoi Agnes et Ian n'en avaient-ils pas parlé ? Le soir même, Pearl et Billy avaient téléphoné à leurs amis et, le lendemain, avaient annoncé à Leah d'un air heureux qu'ils se rendraient ensemble à Torquay, chez la sœur de Ian.

« Agnes est ravie que nous venions, avait ajouté Pearl en baissant la voix. Entre vous et moi, elle ne s'entend pas avec sa belle-sœur. Mais c'est le genre de choses qu'on ne peut pas dire, n'est-ce pas ? Nous habiterons tous chez Marie, ce sera plus facile. Nous pourrons nous promener ensemble et Marie ne se sentira pas obligée de s'occuper de nous en permanence. »

Ils étaient partis le mardi, jour de l'arrivée de Stephanie, qui avait presque trente ans. C'était une des plus belles femmes que Leah ait jamais rencontrées, mais elle avait l'air épuisée. Son ravissant visage, encadré par un halo de cheveux bruns, était livide. Ce n'était qu'au bout de deux jours qu'elle avait réussi à sourire sans ce battement de paupières révélateur des larmes qu'on retient. Le matin, elle s'était livrée à Leah tandis qu'elles faisaient des longueurs dans la piscine.

« Vous m'avez aidée à comprendre que je ne dois pas me reprocher d'avoir été stupide. Vous avez raison, avait-elle poursuivi. Croire un menteur ne signifie pas qu'on est idiot. »

Son amant avait prétendu être malheureux avec sa femme.

« La vérité dépend du point de vue où on se place, avait répliqué Leah. Votre ami voulait sans doute se convaincre qu'il avait fait un mauvais mariage, de façon à pouvoir être avec vous... Pourquoi n'en aurait-il pas eu envie ? Vous êtes sympathique et très séduisante.

— De la façon dont vous le dites, ça devient crédible, avait soupiré Stephanie. Je préfère penser qu'il n'a pas voulu me faire du mal, mais que c'était inévitable.

— D'après ce que vous me dites, je n'ai pas l'impression qu'il cherchait à vous blesser. C'est aussi difficile pour lui. Et, au moins, vous pouvez parler de votre chagrin à vos amis. Lui, il doit cacher ce qu'il ressent, et encore plus si sa femme vient d'avoir un bébé. Vous vous en sortez donc mieux que lui. Il vous est plus aisé de passer à autre chose.

— Vous avez raison », avait répondu Stephanie d'un ton étonné.

Leah avait compris depuis longtemps que, souvent, on ne voit pas l'évidence. Stephanie n'avait pas compris que son amant marié aurait tout donné pour être avec elle. Plus les années passaient, plus Leah se disait qu'on se conduisait souvent en aveugle. Pour elle, le secret de la survie consistait à ouvrir les yeux pour voir le monde tel qu'il est, et soi-même tel qu'on est.

Aujourd'hui, Mary Dillon lui avait donné l'impression

d'avoir fait la même démarche qu'elle. Elle aussi avait dû survivre au pire, c'était certain. Même si elle riait volontiers en parlant de son ex-mari, elle reconnaissait l'avoir aimé et trouver dur d'élever ses enfants seule. Elle y arriverait, Leah n'avait aucun doute à ce sujet.

Celle qui avait besoin d'aide, c'était Daisy, la douce et confiante Daisy.

Leah avait de l'intuition ; elle aurait parié que quelqu'un, un jour, avait recommandé à Daisy de cacher ses sentiments. Quand on lui avait demandé quel était son vœu le plus cher, elle avait répondu par une pirouette et une demi-vérité : « Etre heureuse et manger autant de chocolat que j'en ai envie. » Et, quand Paula lui avait conseillé d'être enceinte pour obtenir l'ensemble, seule Leah avait remarqué la tristesse soudaine de Daisy. Son vœu le plus cher était-il d'avoir un enfant ? Possible... Leah espérait pouvoir aider Daisy. Elle la trouvait si humaine ! Daisy semblait tout avoir – un compagnon, une belle carrière, une maison –, désirait autre chose et Leah était certaine que la maternité n'en était qu'un élément. Elle finirait par cerner la vérité.

Il était presque temps de se préparer pour le dîner. Leah n'avait plus qu'une salle à voir, celle du bain bouillonnant. Elle s'y arrêta pour regarder les lumières de Carrickwell, brillant comme des strass sur du velours sombre. Elle aimait cette vue sur la ville et ses environs. Du haut de sa montagne, elle avait l'impression de veiller sur Carrickwell, prête à aider qui en avait besoin. Evidemment, il était toujours plus simple de résoudre les problèmes des autres que les siens !

Il y avait bientôt dix ans que Leah avait changé de vie et s'était arrachée à l'enfer. A ce propos, quelle était l'expression ? La religion était destinée aux gens effrayés par l'enfer et la spiritualité à ceux qui y sont déjà allés ? Leah y était allée et en était sortie. Ce faisant, elle avait beaucoup appris.

8

Adossée aux oreillers dans la chambre d'amis, Mel serrait Carrie contre elle en la berçant. Sa dernière quinte de toux avait été pire que les autres. Mel aurait donné un an de sa vie sans hésiter pour que sa fille n'ait plus l'air terrifiée. Carrie s'était réveillée à deux heures du matin et, pendant trois longs quarts d'heure, avait été secouée par les sanglots et la toux. Mel ne savait plus que faire. Puis, au moment où elle se disait qu'elle devait appeler le médecin ou un quelconque secours, parce que ni les médicaments ni les compresses n'avaient soulagé Carrie, celle-ci s'était endormie dans ses bras.

Il y avait dix minutes de cela, mais Mel continuait de bercer Carrie, soulagée de ne plus la sentir brûlante. De peur de la réveiller, elle n'osait pas la reposer avant qu'elle dorme profondément. Mel était fatiguée et avait une crampe à l'épaule, mais ce n'était rien par rapport à la maladie.

Comme elle commençait à se rassurer, elle se détendit. Demain, elle emmènerait Carrie chez le médecin. Elles y seraient à neuf heures tapantes. Non, encore plus tôt ! Tout le reste, y compris la réunion du mercredi matin, pouvait aller au diable. Carrie seule comptait ! Qui avait dit qu'avoir des enfants, c'est comme voir sa propre vie courir sur deux petites jambes ? Mel ne connaissait pas d'image plus juste.

Ses filles étaient son âme, pourtant, elle se dépêchait en permanence pour trouver un peu de temps à passer avec elles. A quoi bon travailler toute la journée pour donner le meilleur avenir possible à sa progéniture quand, au présent, on ne l'élève pas ? Depuis sa dispute avec Caroline, Mel était obsédée par l'idée de ne plus travailler. Elle en avait même parlé à Adrian, mais l'avait regretté. Il avait paru choqué. Sa première réaction avait été de dire à Mel qu'elle n'avait pas réfléchi. Ensuite, faisant de son mieux pour se reprendre, il avait ajouté :

« Eh bien... Je suppose qu'on ferait des économies sur le budget de la crèche.

— Oublie tout ça », avait répliqué Mel, furieuse contre elle-même d'avoir soulevé la question. Si elle arrêtait de travailler, ils auraient financièrement du mal. Sa prime de Noël leur avait évité plus d'une fois d'être dans le rouge. Si Adrian réussissait son mastère, il serait augmenté, mais pas beaucoup. Son salaire ne suffirait pas pour faire vivre une famille de quatre personnes et payer l'emprunt de la maison.

« C'est une idée stupide, avait ajouté Mel. Désolée d'en avoir parlé. Tu sais que je ne supporterais pas de rester à la maison.

— Non, avait répondu Adrian. C'est moi qui ai mal réagi. Ça m'a fait un choc, c'est tout. Mel, si tu veux cesser de travailler, on se débrouillera.

— Je réfléchissais à voix haute, rien d'autre, avait répondu Mel en passant la main dans les cheveux d'Adrian et en les ébouriffant. Tu m'imagines renonçant à ce que j'ai réussi à bâtir chez Lorimar ? Certainement pas ! »

Au matin, Sarah découvrit avec fascination sa mère et sa petite sœur endormies dans la chambre d'amis.

— Pourquoi tu dors dans le lit de mamie ? demanda-t-elle

Elle était irrésistible, avec son pyjama Winnie l'Ourson et une unique chaussette Petit Tigre. Ses cheveux fins étaient emmêlés.

Mel la regarda, mal réveillée. La dernière fois qu'elle avait consulté son réveil, il marquait quatre heures largement passées. A présent, il était sept heures et demie. La maisonnée avait eu une panne d'oreiller. Carrie dormait.

— Carrie a été malade, cette nuit, expliqua Mel à Sarah. Je ne voulais pas qu'elle te réveille en pleurant, ma chérie.

— Moi aussi, j'avais envie de venir dans le lit avec toi, protesta Sarah.

Elle n'appréciait guère d'avoir été tenue à l'écart de cette réjouissance exceptionnelle et, pour compenser, grimpa à côté de sa mère. Elle se pelotonna contre elle à grand renfort de tortillements et se mit à sucer son pouce. Tenant Sarah d'un bras, Mel caressa les cheveux de Carrie de sa main libre pour l'aider à se réveiller en douceur. Par bonheur, elle était de nouveau fraîche et rose, sans la moindre trace de fièvre. Avec un bâillement délicat, elle ouvrit les yeux et sourit à Mel, ses longs cils en auréole autour de ses paupières.

Malgré sa fatigue et l'horreur de la journée qui l'attendait, où elle devrait se battre comme un diable pour trouver du temps libre, Mel se sentait heureuse. C'était là sa vraie place, avec ses filles, et pas au bureau, en train de s'inquiéter pour elles. C'était chez elle qu'elle devait être, à les aimer et à en prendre soin. En un mot, à les materner. N'était-ce pas l'instinct le plus élémentaire ? Personne ne pouvait s'occuper de Carrie et de Sarah comme elle. Elle était irremplaçable pour elles.

A neuf heures moins dix, la salle d'attente du médecin était pleine à craquer. Mel, qui avait déposé Sarah aux Little Tigers, avait tâché de faire examiner Carrie le plus tôt possible. Hélas, elle voyait s'évanouir toute chance de rejoindre son bureau avant midi.

Sa mère viendrait à onze heures pour garder Carrie, mais Mel se demandait si elles auraient déjà vu le docteur à cette heure-là, sans parler d'être rentrées à la maison ! Elle regarda les autres patients, pour la plupart des femmes avec de jeunes enfants. Si elle se levait en expliquant qu'elle était cadre dans son entreprise et débordée de travail, la laisseraient-elles passer devant elles ? Hum ! Elle risquait plutôt de se faire assommer avec des magazines !

Elle installa Carrie en équilibre sur ses genoux et, pour le plus grand intérêt de l'assemblée, entreprit de réorganiser ses rendez-vous. Le premier appel fut pour Sue. De façon inexplicable, elle avait laissé sa ligne sur messagerie vocale. « Sue, si tu filtres les appels, sois gentille, décroche ! C'est urgent. J'ai dû rater la réunion de huit heures et demie pour emmener Carrie chez le médecin. J'ai déjà essayé de joindre Vanessa pour lui demander de m'excuser, mais je n'ai eu que le répondeur de son portable et elle ne m'a pas rappelée. Peux-tu t'assurer qu'elle a eu mon message et me le confirmer ? Ensuite, tu devras annuler mon rendez-vous de onze heures. Je l'aurais bien fait, mais j'ai laissé le numéro sur mon bureau et je n'ai pas mon agenda avec moi. »

Stupide ! Mel l'avait oublié sur son chargeur quand elle était partie la veille, en courant, comme toujours.

— Maman, chuchota Carrie, je veux rentrer à la maison. Je n'aime pas ici…

Quelques câlins et un jus de fruits plus tard, Mel reprit son téléphone. « Pourrais-tu charger Anthony de faire la réunion avec les stagiaires ? Je devrais arriver vers… » La voix de Mel fléchit. Midi ? Midi et demi ? Ne valait-il pas mieux jouer le tout pour le tout et envisager d'être chez Lorimar après le déjeuner ? « A une heure », dit enfin Mel.

Sans rien d'autre pour se distraire que les revues qu'ils avaient déjà lues et relues, les patients suivaient d'une oreille attentive les démêlés téléphoniques de Mel. Aucune des mères présentes ne semblait ressentir pour elle la moindre trace de sympathie, comme on aurait pu l'attendre, entre femmes. Mel se dit que, à leur place, elle aurait souri, en signe de complicité. Mais peut-être que ces femmes ne voyaient en elle, si élégante avec son tailleur prune en crêpe et son collier couleur améthyste, qu'une créature sans âme, avide de pouvoir, qui n'avait pas sa place dans leur univers d'enfants malades et d'attentes interminables.

Pourtant, pensa Mel, si elles la jugeaient ainsi, elles avaient tort ! Elle appartenait à leur monde, celui où on ne dort pas à cause d'un bébé qui pleure. Seulement, elles étaient incapables de deviner la vérité derrière les apparences.

Mel franchit le seuil de l'immeuble Lorimar alors qu'il était presque midi et demi, juste au moment où Hilary en sortait avec un des directeurs financiers. Hilary portait sa grande tenue de conquérante, ensemble écarlate et rouge à lèvres assorti. Pour Mel, tous les directeurs financiers se ressemblaient, avec leur air de porter l'avenir de la planète sur les épaules et leur costume choisi dans un effort sans espoir de ressembler à Michael Douglas dans *Wall Street*.

Sachant son retard impardonnable, Mel leur adressa un demi-sourire et reçut en échange un regard plutôt froid de sa directrice.

— Je pensais vous voir plus tôt, Mel, dit Hilary d'un air qui exigeait des explications.

Mel prit une grande respiration.

— Ma petite dernière a été malade, cette nuit, et j'ai dû l'emmener chez le médecin, répondit-elle d'un ton uni.

— Ah !

Personne ne pouvait donner un sens aussi lourd qu'Hilary à un simple ah ! Son intonation signifiait que Mel ignorait la somme d'ennuis qui l'attendait. La vague angoisse provoquée par son retard et qui lui avait noué l'estomac se transforma en début d'ulcère.

— Elle était très mal, cette nuit, et j'ai eu peur pour elle, ajouta Mel.

Le directeur financier ne parut pas touché par la nouvelle. Pourtant, il devait avoir des enfants. Mel était certaine de les avoir vus au barbecue annuel de Lorimar avec leur mère, une femme patiente, qui n'avait pas d'heures de bureau à respecter, savait repasser une chemise aussi bien qu'une professionnelle ou coucher les enfants seule quand son important mari sortait prendre un verre avec les pontes de Lorimar, dans l'unique but de renforcer l'esprit d'équipe... Mais cet homme se moquait des histoires d'enfants malades et Hilary n'en semblait pas plus émue que lui.

Mel fit une nouvelle tentative, espérant une réaction de compréhension de la part de la mère qu'était aussi Hilary.

— C'est terrible, un tout-petit vraiment malade. Il pose sur vous de grands yeux à vous briser le cœur, l'air de dire que seule sa maman pourra le guérir.

Hilary se contenta de hocher la tête.

— Je vous verrai après le déjeuner, jeta-t-elle d'une voix cassante.

Et cela suffit. Quelque chose se brisa dans l'esprit de Mel.

— Hilary, ma fille passe ses journées au jardin d'enfants et, quand elle est malade, c'est en général ma mère qui vient s'en occuper. Mais cette nuit Carrie était si mal, elle toussait si fort, que je voulais l'emmener chez le médecin moi-même.

Mel avait un débit plus rapide que d'habitude. Dans son travail, elle s'appliquait à garder une voix calme. Le directeur financier, quant à lui, trouvait soudain passionnant le spectacle de sa montre.

— En fait, il y a longtemps que je ne suis pas allée chez le médecin avec elle parce que je dois venir travailler ici, dans une société d'assurance maladie. Lorimar prend soin de vous !

Mel avait lancé le slogan de Lorimar d'un ton triomphant, comme il se devait.

— Oui, reprit-elle, Lorimar prend soin de vous, sauf s'il s'agit de la fille d'une de ses employées. Dans ce cas, Lorimar s'en fiche ! C'est drôle, non ? Ici, on a l'éthique à fleur de peau, mais la politique interne de l'entreprise est sans concession !

« Hilary, le problème est que, si Lorimar s'en moque, pas moi ! Un jour je cesserai de travailler ici et personne ne se souviendra de moi car nous, les salariés, sommes remplaçables. Mais...

Mel fixa Hilary, qui lui renvoya son regard sans broncher.

— En tant que mère, je ne suis pas remplaçable, enchaîna-t-elle. Et quand je quitterai ce bagne il sera trop tard pour que je rattrape le temps perdu avec Sarah et Carrie, pour que je fasse tout ce que j'aurai manqué avec elles parce que j'étais enchaînée à mon bureau. Je vous demande de comprendre ça.

— Ce n'est ni le lieu ni le moment d'avoir cette conversation, répliqua Hilary, impassible. Je vous verrai dans mon bureau à deux heures et demie.

— Alors, c'est un déjeuner important, n'est-ce pas ? lança Mel, sarcastique.

Elle avait été incapable de se retenir.

— Nous avons à parler de certains licenciements, répliqua Hilary d'une manière dégagée.

— Oh ! Je devine qui va se retrouver en tête de liste, jeta encore Mel.

Et elle se dirigea vers l'ascenseur.

Dans la fraîcheur du couloir carrelé, elle s'arrêta et s'appuya quelques instants contre le mur. Son cœur battait à tout rompre, elle avait du mal à respirer. Qu'avait-elle fait ? Elle avait éprouvé une profonde satisfaction à dire leurs quatre vérités à Hilary et au manitou des finances, mais elle allait le payer cher.

Pendant l'heure du déjeuner, elle ne fit rien de ce qu'elle aurait dû faire. Elle ignora sa boîte aux lettres électronique bourrée à craquer, la pile de messages et de courriers sur son bureau, et partit faire des courses. Elle s'acheta un magazine, qu'elle lut en mangeant un sandwich et un gâteau au fromage plein de calories dans le confortable salon de thé d'un des grands magasins du quartier. Ensuite, tandis que son imagination s'emballait, elle fit le tour des rayons, tripotant les vêtements d'enfant, la lingerie et les housses de couette aux couleurs vives. Des licenciements ! Il y avait eu des bruits de couloir à ce sujet. Quelques postes étaient menacés. Mais l'idée de pousser Hilary à la licencier n'était jamais venue à l'esprit de Mel. C'était bon pour les gens qui en avaient assez de travailler ou voulaient changer de travail, ou pour les femmes qui n'arrivaient pas à conjuguer emploi et fonction maternelle, tout en ayant besoin de la sécurité d'une rentrée d'argent régulière. Mais pas pour Mel !

Sauf que... C'était peut-être pour elle.

Sa carrière était dans une impasse, il n'y avait aucun doute là-dessus. Mettre des enfants au monde avait diminué ses chances de promotion. Or, Mel voyait les choses sous un autre angle, à présent. La maternité avait changé l'ordre de ses priorités. Elle ne travaillait pas moins, au contraire ! En plus du bureau, elle devait s'occuper de Carrie et de Sarah. En revanche, elle se sentait moins prête à supporter les contraintes qui font partie d'un parcours professionnel.

169

Les intrigues de bureau, les crises de nerfs à cause d'un mauvais article dans la presse, les airs réprobateurs quand elle était en retard, et cela alors qu'elle restait plus tard le soir pour compenser... Elle en avait assez de ces histoires ! Ce n'était pas très clair pour elle, mais la maternité lui avait appris que ce n'était pas cela, la vie. Elle était certaine de ne pas se tromper en faisant passer ses filles avant une carrière compromise. Quel dommage qu'Hilary et Lorimar n'aient pas compris quelles étaient les vraies priorités dans l'existence !

Il y avait une vendeuse ravissante à l'un des stands de produits de beauté et de maquillage.

— Puis-je vous aider ?

— Je veux changer de tête, répondit Mel, séduite par le stand blanc et or, avec ses ravissants pots de crème et ses tubes de rouge à lèvres de toutes les nuances imaginables, chacune plus jolie que l'autre.

— Ça fait des années que j'utilise la même crème hydratante et je crois qu'il est temps que je m'occupe de moi. Crème, démaquillant, tonique, qu'est-ce qui me fera du bien, d'après vous ? Mais surtout, si ça ne dure pas plus d'une demi-heure, j'aimerais me faire maquiller. Un maquillage de star, de gagnante, à l'opposé de ma tête actuelle !

Mel eut un sourire ironique. Se maquiller avait été le cadet de ses soucis, ce matin. La vendeuse lui désigna un fauteuil en retrait.

— Aucun problème, madame. Vous avez une soirée importante ?

Mel s'installa dans le siège rembourré, se laissant aller avec délices contre l'appuie-tête.

— Non. Je quitte mon travail, c'est tout.

— Ah ? Vous y étiez depuis longtemps ?

La fille posait la question par politesse, Mel le savait. En réalité, d'un regard expert, elle évaluait le teint de Mel et ses défauts, élaborant la recette qui, à grand renfort de pinceaux et de petits pots, transformerait sa cliente comme par magie.

— Depuis quatorze ans, répondit Mel. Il est temps que je passe à autre chose.

La vendeuse prit une lingette démaquillante et sourit.

— Vous avez raison. Je pense qu'il faut aller de l'avant et viser toujours plus haut !

Peut-être l'habit ne fait-il pas le moine, mais une chose est certaine : un maquillage réussi requinque une femme pour un moment ! Mel regagna Lorimar d'un pas plein d'entrain, un gros sac plein de produits de beauté à la main, la mine rayonnante. Elle risquait fort de ne plus pouvoir s'offrir autre chose que des marques de supermarché avant longtemps ! C'était son cadeau de démission.

Hilary parut étonnée quand Mel entra dans son bureau à deux heures et demie, fraîche et sereine, et s'installa sur une des chaises en cuir à dossier droit sans qu'on le lui propose.

— Thérapie par le gâteau au fromage et le shopping. Il n'y a rien de mieux. Donc, il était question de licenciements. Où en sommes-nous ? Je suppose qu'après les événements d'aujourd'hui je me trouve en tête de liste ?

— J'y avais déjà pensé avant aujourd'hui, répondit Hilary d'un ton sec.

Mel ne broncha pas, bien que la flèche l'ait atteinte. De quelque façon que ce soit, elle partait, et une seule chose comptait : se débrouiller pour partir avec le plus d'argent possible. Dire ses quatre vérités à Hilary représenterait un agréable bonus.

— Merci pour cette marque de confiance, Hilary, répliqua Mel du tac au tac. J'ai toujours travaillé dur et il n'est guère plaisant de constater que mes efforts n'ont pas été appréciés.

— Ils l'étaient jusqu'à ces dernières années.

Mel se contraignit à rester calme.

— Insinueriez-vous que je ne travaillais plus autant ?

— Vous n'étiez plus si disponible, Mel. Vous aviez d'autres préoccupations et votre travail s'en est ressenti. Quand je vous ai connue, vous étais très impliquée, ambitieuse. Vous avez changé.

— Quand vous m'avez connue, j'avais vingt-sept ans et, en effet, j'ai changé. Je suppose que vous aussi. La vie nous fait évoluer. Avoir des enfants nous transforme.

Mel avait insisté sur la dernière phrase et, pour la première fois, Hilary se départit un peu de son célèbre sang-froid.

— Vous avez été ma protégée, Mel. Je vous ai soutenue et je voulais faire de vous mon bras droit. Si vous aviez maintenu votre effort, vous seriez devenue directrice du département.

— Vous voulez dire : si je n'avais pas eu d'enfants, ou bien si je m'étais comportée comme vous, en occultant leur existence ? J'ai choisi d'avoir mes filles après avoir construit ma carrière.

Mel ne supportait pas l'idée de prononcer leurs noms devant Hilary, comme par crainte de les salir.

— Ce qui est drôle, reprit-elle, c'est qu'en ayant une femme pour patronne je pensais être à l'abri de la discrimination envers les mères qui travaillent. De plus, vous avez des enfants. Je croyais que vous comprendriez mieux, or vous mettez un point d'honneur à ne pas le faire. Vous êtes pire qu'un homme.

— Epargnez-moi les enfants ! jeta Hilary. Depuis que j'ai commencé à travailler, j'ai passé mon temps à prouver qu'ils ne me rendent pas différente de mes collaborateurs. Si vous utilisez votre famille comme excuse, vous nous trahissez toutes ! Les hommes aiment l'idée que nos fonctions biologiques nous empêchent de les valoir.

— Mais nous sommes différentes ! répondit Mel avec exaspération. Vous, Vanessa, moi ! Aucune de nous ne peut se permettre de téléphoner à la maison à la dernière minute, comme un homme, en disant qu'elle rentrera tard. Elle doit passer une demi-douzaine de coups de fil pour tout organiser. Est-elle, pour autant, moins efficace dans son travail ? Je ne pense pas.

— Vous avez tort. Si on ne peut pas se donner à fond, on reste chez soi.

— Les féministes seraient contre les mères qui travaillent ? susurra Mel. Hilary, quand j'étais petite, j'observais maman et, tout en l'adorant, je refusais de devenir comme elle. Elle a quitté son travail quand elle s'est mariée et a dépendu de mon père toute sa vie. Je vous l'ai déjà raconté, Hilary. Je ne voulais pas de ça. Je désirais gagner ma vie et avoir des enfants. J'ai cru que j'y arriverais, mais ça devient impossible, si des gens comme vous refusent d'accepter que la maternité change les femmes et leur façon de travailler. J'aurais eu besoin d'un peu de flexibilité dans mes horaires. Je vous l'aurais rendu au centuple, à vous et à Lorimar.

Mel avait dit ce qu'elle avait à dire, inutile qu'elle poursuive. Hilary avait-elle compris le moindre mot ?

— Je regrette que vous preniez les choses de cette façon, Mel. Comme ça fait longtemps que vous êtes ici, vous partirez dans des conditions très correctes pour vous.

Hilary prit des papiers dans un tiroir tandis que Mel regardait la photo de ses enfants, dans un cadre d'argent posé sur son bureau impeccable. On voyait trois garçons en train de rire sur le pont baigné de soleil d'un bateau, avec des palmiers à l'arrière-plan. A l'époque où le cliché avait été pris, le plus jeune devait avoir six ans et l'aîné peut-être dix. Cela devait dater de plusieurs années, puisqu'ils étaient presque des adultes, à présent. L'aîné faisait des études universitaires. Pourquoi Hilary n'avait-elle pas de photo plus récente ? se demandait Mel. En un éclair, elle eut la réponse.

Hilary prenait ses vacances en fonction des congés de l'entreprise, travaillait la plupart des week-ends et ne partait pas avant dix-neuf heures. Quand aurait-elle pu convaincre ses fils de poser devant son appareil photo ? Hilary pouvait estimer ne rien avoir perdu en se conduisant comme un homme dans un monde d'hommes, mais elle se trompait. Elle n'avait pas vu ses enfants grandir. Mel se sentit gagnée par une grande pitié à son égard.

Quand elle sortit du bureau d'Hilary, serrant son dossier de licenciement contre elle, Vanessa l'attendait. Elles se faufilèrent dans le cagibi de la réserve pour parler discrètement. Vanessa paraissait inquiète.

— Que se passe-t-il ?

Mel ne put s'empêcher de rire.

— Si seulement on embauchait au service des relations publiques les gens qui s'occupent du téléphone arabe ! On n'aurait jamais de problème pour diffuser les informations.

Mais ce n'est pas grave : les relations publiques de Lorimar ne me concernent plus.

Sous le choc, Vanessa avait porté la main à sa poitrine.

— Mel ! Je ne peux pas le croire. Stacey, qui est à la comptabilité, m'a appelée juste après la pause de midi pour me dire que Nylon Nigel était en train de sortir ton dossier. Il prépare les licenciements.

— C'est exact : Hilary vient de me donner les papiers.

Vanessa, abasourdie, écouta Mel sans un mot lui répéter son entretien avec Hilary.

— La garce ! s'exclama-t-elle quand Mel se tut. Elle voudrait toutes nous transformer en forcenées, comme elle. On travaille déjà plus que jamais ! J'ignorais ce que signifiait se défoncer au boulot jusqu'au jour où j'ai eu Conal. Mais depuis que je dois me débrouiller pour le nourrir tous les jours je suis devenue la pire des carriéristes. Comment Hilary a-t-elle osé te parler comme ça ? Tu ne t'arrêtes jamais, Mel. Avec les autres, on se demande comment tu y arrives. Tu es au sommet de la profession, tu as des filles formidables et, en plus, tu restes magnifique.

Mel serra Vanessa dans ses bras.

— Merci.

A présent que la tension retombait, elle se sentait au bord des larmes.

— Que vas-tu faire ? demanda Vanessa. Penses-tu utiliser ta prime de licenciement pour monter ton agence de relations publiques ? J'ai appris que KBK cherche un nouvel associé. La société gère deux gros comptes de l'industrie pharmaceutique. Elle ne laisserait pas passer la chance d'engager quelqu'un qui a autant d'expérience que toi dans le secteur de la santé.

— Je vais rester chez moi pour élever mes enfants, répondit Mel. Fini la garderie, les appels au secours à ma mère, la course pour arriver à tout faire !

Pour la deuxième fois en quelques minutes, Vanessa ouvrit de grands yeux.

— Toi, rester à la maison ?

— Pourquoi pas ? J'ai essayé d'être une mère qui travaille. J'aimerais passer de l'autre côté.

— Celui des ténèbres ! s'exclama Vanessa en riant. Celui des gens qui condamnent les femmes comme nous, qui nous jugent égoïstes et sans cœur de mettre nos enfants à la crèche ou chez une nounou. Mel, ne fais pas ça ! supplia Vanessa en changeant de ton. J'ai besoin d'une amie qui me comprenne. Ma mère me rebat les oreilles du mal que je fais à Conal en ayant une activité professionnelle à plein temps. Comme si je pouvais payer la maison et les vacances autrement ! Sans parler du VTT et de la tenue de football qu'il faut changer tous les trois mois ! Mel, n'arrête pas ! J'ai besoin de ma complice de ragots. Avec qui d'autre pourrai-je parler comme nous le faisons ?

Mel se mit à rire, mais, au fond d'elle-même, elle sentait l'appel du travail, le seul mode de vie qu'elle avait jamais connu. Réussirait-elle à se passer de la montée d'adrénaline, de l'enthousiasme, de l'excitation du défi quotidien, de la sonnerie incessante du téléphone, du clignotement du modem... ?

Puis elle pensa à la photo sur le bureau d'Hilary et à la triste histoire que cela évoquait.

— Vanessa, mon choix est fait.

— Tu nous manqueras... Les sorcières vont tout diriger et elles ne s'absenteront pas à cause de leurs enfants. Elles se contenteront de les mettre au monde dans une clinique chic à l'heure du déjeuner et seront de retour à deux heures. Problème bébé : vu ! Nounou : vu ! Réunion de dix heures : vu ! Rendez-vous liposuccion : vu !

Mel se remit à rire.

— Continue comme ça, et tu te retrouveras au chômage...

— J'espère bien que non ! répondit Vanessa avec un frisson. Même s'il faut coucher avec Nylon Nigel pour rester ici, je le ferai ! J'ai besoin de ce travail. Au moins, toi, tu as Adrian pour aller gagner votre pain à la sueur de son front.

— Oui, j'ai Adrian.

— Que pense-t-il de la situation ?

— C'est ce qu'il y a de plus drôle dans l'histoire : je ne l'ai pas encore mis au courant. Il est en formation tout l'après-midi et on ne peut pas le joindre.

— Il ne sait rien ?

Mel sentit le cœur lui manquer à l'idée d'annoncer la nouvelle à Adrian, mais elle feignit l'enthousiasme.

— Il m'a épousée pour le meilleur et pour le pire. Le pire est arrivé, voilà tout !

Mel attendit que ses filles soient couchées pour ouvrir une bouteille de vin – une dernière avant de commencer à se serrer la ceinture ! – et mettre deux plats indiens à décongeler dans le micro-ondes. Ensuite, elle demanda à Adrian de s'asseoir, déclarant qu'elle avait à lui parler.

— Dois-je m'inquiéter ? demanda-t-il de l'air d'un homme qui ne s'inquiétait pas.

Mel semblait calme et même de bonne humeur, malgré sa nuit passée à veiller sur Carrie. Celle-ci, après un après-midi de câlins avec sa grand-mère, était en pleine forme.

— Aurions-nous gagné une croisière à la tombola annuelle de Lorimar ?

— Non, c'est froid.

— Alors, un séjour à la montagne ?

— Encore plus froid !

— Tu as été augmentée ?

— Tu gèles !

Soudain, Adrian n'eut plus envie de jouer.

— Avons-nous des ennuis, Mel ?

— Hilary m'a licenciée, lâcha-t-elle. Elle était furieuse de mon retard et... Eh bien, je me suis énervée.

— Ensuite ?

Mel se sentit soulagée : Adrian était de son côté. Ce n'était pas le genre d'homme à hurler qu'elle s'était conduite comme une idiote.

— Je lui ai dit ses quatre vérités.

Adrian fit la grimace.

— Tu sais, ajouta Mel, je n'avais pas dormi et, de toute façon, quelle sorte d'employeur faut-il être pour punir une femme d'avoir emmené son enfant malade chez le médecin ? C'est fou !

Adrian prit Mel dans ses bras.

176

— Je suis d'accord avec toi, Mel.

— Hilary a dit qu'il y avait des licenciements et j'ai compris qu'elle voulait me voir partir. Je sais que je ne suis pas obligée d'accepter. Si elle voulait se débarrasser de moi, elle n'avait qu'à m'envoyer l'avertissement habituel dans ces cas-là, mais le résultat aurait été le même. J'en ai assez et elle le sait.

Adrian serra Mel contre lui plus étroitement.

— J'ai eu envie de jouer les mères au foyer pendant quelques années, jusqu'à ce que les filles puissent se passer de nounou. On utilisera une partie de mon indemnité de départ pour faire un remboursement partiel anticipé du prêt immobilier. On peut se débrouiller. Bien sûr, il va falloir se passer de certaines choses...

Mel fixa son mari, sachant que cela signifiait un changement de vie pour eux deux. Ils ne pourraient plus compter que sur son seul salaire et leur niveau de vie en serait affecté.

— Si nous avions un abonnement dans une salle de sport, ce serait la première chose à supprimer, dit Adrian en commençant à compter sur ses doigts.

Mel entra gaiement dans le jeu.

— Absolument ! J'entends sans arrêt parler de gens qui ont des abonnements et ne s'en servent pas. C'est du gaspillage.

— C'est ce que je pense ! Comme ils nagent deux fois par mois au maximum, la trempette leur revient presque à cinquante euros. Donc, c'est notre première économie.

— Et la nourriture.

— Qui a besoin de manger ? s'exclama Adrian. Nous n'avons qu'à produire nos légumes. Ça ne doit pas être si difficile de faire pousser une boîte de haricots...

Ils éclatèrent de rire.

— Je t'aime, dit Mel.

— Moi aussi, je t'aime.

— Soyons réalistes ! Il va falloir rogner sur tout. Les vacances, bien sûr, et même le vin.

Mel désigna la table du regard, avec les plats vides et la bouteille.

— Les dîners au restaurant, ajouta Adrian d'un air soudain morose.

Cela ne dura pas.

— Non, dit-il. On ne fait pas marche arrière. On va de l'avant et on vise toujours plus haut.

— Amusant ! C'est ce que m'a dit la vendeuse de la parfumerie, aujourd'hui.

— Mais c'est vrai. Nous ne pouvons qu'avancer. Ce sera formidable pour Sarah et Carrie.

— C'est pour ça que je suis certaine d'avoir fait le bon choix, Adrian. Je ne supporte pas de devoir les quitter chaque matin. Je me fiche de ce qu'on peut raconter, mais j'ai peur de les faire souffrir. J'ai enfin une occasion de pouvoir rester à la maison, du moins pour un temps. La plupart des femmes n'auront jamais cette chance. Je veux être une mère comme la mienne !

Adrian embrassa Mel tendrement.

— Tu es une mère extraordinaire, que tu sois à ton travail ou à la maison. Dis-moi, aurai-je tous les soirs un dîner fabuleux et te feras-tu belle pour m'attendre, mes pantoufles à la main, le journal préparé sur mon fauteuil et le lit chauffé ? ajouta Adrian en souriant d'un air malicieux.

Mel lui caressa la joue.

— Tu rêves ! Je veux être une mère comme la mienne, pas devenir ma mère !

9

Cleo venait de passer deux semaines à travailler d'arrache-pied pour aider sa mère. Cela l'avait aidée à oublier l'épisode avec Nat. Elle avait un hôtel à rénover, ce qui ne lui laissait pas le temps de s'apitoyer sur elle ni sur son incapacité à aimer un homme qui l'aimait. Elle avait envoyé deux SMS à Nat, qui n'avait pas répondu. Depuis, elle n'avait plus essayé de le joindre.

Trish avait pris la nouvelle avec décontraction. « Il s'en remettra, avait-elle dit. Oublie-le ! » Cleo savait que son amie pouvait se montrer d'un réalisme impitoyable. Elle sortait beaucoup avec Carol et, chaque fois qu'elle en parlait, Cleo éprouvait une jalousie de petite fille à l'égard de la fêtarde inconnue. Elle s'efforçait de réprimer ses réactions, mais n'y parvenait pas toujours. Etre coincée à Carrickwell, à faire tout son possible pour sa famille et le Willow, ne signifiait pas qu'elle n'avait pas envie d'aller à Dublin s'amuser avec Trish.

Quand ses émotions menaçaient de déborder, Cleo se jetait dans le travail à corps perdu. Ainsi, un beau jour, elle décida de s'attaquer aux chambres dans les combles. Au Railway Lodge, quand elle avait vu la place ainsi perdue au profit des insectes et de vieux bagages, elle s'était aperçue que le Willow disposait du même espace exploitable.

Elle passa de nombreuses heures à poncer, nettoyer, peindre en blanc et ajouter quelques objets bien choisis. Enfin, les trois pièces au plafond en pente changèrent d'allure. Les ongles de Cleo étaient dans un état pitoyable, mais elle s'en moquait.

Une des chambres était décorée selon un thème marin, avec

des objets que Cleo avait dénichés dans l'hôtel et à la brocante locale. Pour une autre, elle avait préféré une ambiance de jardin, avec des fleurs partout. Quant à la troisième, elle avait joué sur une combinaison de blanc et de toile de Jouy rose. Pour que son père n'ait pas à piocher dans la caisse, elle avait payé de sa poche le coûteux jeté de lit et les housses d'oreiller assorties.

Elle regrettait qu'il ne soit pas aussi facile de transformer l'ambiance familiale. Depuis la visite du comptable, Harry Málainn s'était radouci, mais n'avait toujours pas donné à sa fille le motif de la réunion. Il avait découvert les pièces qu'elle avait refaites avec un sourire triste et les avait trouvées très réussies, sans rien ajouter. Après avoir tant travaillé pour obtenir ce résultat, Cleo s'était sentie blessée.

Sa mère, de son côté, souffrait toujours de mille petits maux. Heureusement, Trevor et son équipe avaient repris le travail, ce qui la soulageait. Cleo, après avoir arraché l'accord de ses parents, avait eu un entretien avec Trevor. Elle avait souligné les points positifs, comme ses professeurs lui avaient appris à le faire, mais s'était arrangée pour bien faire comprendre à Trevor qu'une autre absence sans certificat médical lui causerait des ennuis. Cette conversation et la rénovation des combles avaient été les seules initiatives accordées à Cleo par sa famille dans la gestion de l'hôtel.

Cleo appelait régulièrement Trish pour lui raconter à quel point la situation la déprimait. Un jour, Trish l'interrompit au milieu d'une tirade plaintive :

— Tu boudes ?

— Non. Je parle à tout le monde, mais je veux qu'on comprenne que j'ai grandi et qu'on doit arrêter de me traiter comme une gamine.

— Bouderie adulte, alors ?

— Trish, répondit calmement Cleo, si nous n'étions pas des amies de longue date, je te raccrocherais au nez !

— J'essaie juste de te faire rire. Je ne comprends pas pourquoi tu te tracasses tant. Trouve-toi un travail à Dublin et laisse ta famille se débrouiller sans toi ! Nous prendrions un appartement ensemble et je déménagerais enfin de l'endroit où j'habite.

Trish était en colocation avec six autres personnes et, de temps en temps, il y avait de terribles disputes pour savoir qui devait nettoyer la salle de bains ou acheter du papier toilette.

— Je ne veux pas partir de Carrickwell, répondit Cleo.

Elle s'entêtait, d'autant plus irritée qu'elle n'avait pas vu Trish une fois depuis trois semaines et n'avait entendu parler que de Carol par-ci, Carol par-là.

— Je veux travailler ici...

Trish poussa un soupir théâtral, ce qui eut le don d'exaspérer Cleo.

— C'était le principe même de mes études. J'ai fait une formation en hôtellerie parce que nous possédons un hôtel et que je voulais m'en occuper. Pourquoi me serais-je embêtée à suivre les cours, si mes parents laissent stagner leur affaire ? Quand je pense qu'ils refusent la moindre modernisation alors que je sais comment procéder...

Cleo en aurait pleuré de frustration.

— C'est ce qu'il y a de pire, Trish. Papa aurait pu me demander mon avis, mais il ne l'a pas fait. Au lieu de ça, il complote avec Barney et Jason, qui n'y connaissent rien. Même Sondra a plus d'autorité que moi au Willow ! J'ai suggéré que Tamara, qui est nulle comme réceptionniste, fasse moins d'heures et maman m'a annoncé que, au contraire, elle en ferait plus. Voyons, qu'est-ce que j'y connais ?

— Dans ce cas, va-t'en !

— Je pars deux semaines à Bristol. L'hôtel où j'ai travaillé l'année dernière est à court de personnel. On me paie mes billets d'avion. Je ferai la nuit. J'ai besoin d'argent. J'ai dépensé des fortunes pour la chambre rose et blanc. Et personne ne semble impressionné par le résultat...

— La situation sera peut-être différente quand tu rentreras, suggéra Trish pour remonter le moral de Cleo.

— A condition que Sondra ait bénéficié d'une greffe de cerveau et que mes parents aient gagné au loto !

Cleo apprécia les quinze jours de coupure, bien qu'elle n'ait pas revu Laurent. Elle se trouvait à l'aise avec cette équipe jeune, dans l'ambiance d'un établissement bien géré et très actif. Quand elle revint au Willow, après un long voyage de retour, la nuit tombait. Il faisait un temps triste et humide, qui ne mettait pas la vieille bâtisse en valeur. Il fallait la lumière de l'été pour que l'élégance des pierres dorées et le charme du rosier grimpant blanc, qui encadrait la porte d'entrée, ressortent.

Cleo se sentit gênée pour le couple qui arrivait et s'arrêtait, désorienté. Il n'y avait personne à l'accueil. Bien que fatiguée par le voyage depuis Bristol, Cleo s'avança aussitôt pour s'occuper des clients. Elle posa son sac dans un coin puis ôta son manteau mouillé d'un geste preste.

— Bonsoir ! Je m'appelle Cleo et je suis heureuse de vous accueillir au Willow. Avez-vous réservé ?

Dix minutes plus tard, le couple était installé dans la chambre de la roseraie, à l'arrière de l'hôtel, et semblait satisfait. Cleo l'était beaucoup moins, car elle avait remarqué que la salle de bains empestait le désinfectant. La devise du Willow était pourtant « une bonne odeur de propre, mais pas celle des produits de nettoyage ».

Dès que Cleo fut certaine qu'il ne manquait rien aux arrivants, elle regagna le rez-de-chaussée, heureuse d'être à la maison. Elle trouvait plus satisfaisant d'accomplir sa tâche chez elle plutôt que dans un de ces établissements démesurés, si impersonnels. Ses deux semaines d'absence lui avaient permis de prendre du recul. Elle commençait à penser qu'elle se montrait peut-être trop impatiente avec son entourage. Ils devaient tous se serrer les coudes, en ces jours difficiles, et elle devait se conduire avec diplomatie.

La réception était toujours déserte. Il n'y avait donc personne, au Willow ? On était vendredi soir, il était bientôt six heures et, à cette heure-là et ce jour-là, tout le monde aurait dû être en train de s'activer. Or, il régnait un silence total et on ne sentait aucune odeur de cuisine.

Cleo alla voir si les fours étaient allumés et trouva sa famille, avec Sondra, en train de boire du champagne. Chacun était sur son trente et un. Sheila portait son bon tailleur bleu marine, Barney et Jason avaient revêtu leur costume du dimanche et dénoué leur cravate. Harry, en revanche, n'avait pas défait sa cravate de soie jaune.

— Tiens, Cleo ! s'exclama Sondra en souriant.

Elle avait mis une tunique de grossesse rose qui lui donnait l'air d'une starlette de MTV voulant passer pour une innocente devant les caméras.

Sheila Málainn se leva pour embrasser Cleo.

— Je suis contente de te voir. Nous t'attendions.

— Bonjour, maman, que se passe-t-il ?

— On fête la bonne nouvelle, répondit gaiement Sondra.

Cleo tourna les yeux vers son père, qui s'absorba dans l'ouverture d'une nouvelle bouteille, déterminé à ne pas croiser le regard de sa fille.

— Et que fête-t-on ?

— La vente du Willow, dit Jason. On a eu une offre inespérée. Vingt pour cent de plus que l'évaluation de l'agent immobilier. Vingt pour cent ! répéta-t-il d'un air extasié.

Cleo entendait les paroles de son frère, mais comme si elles retentissaient dans un cauchemar.

— Quoi ? Pourquoi ?

Rien d'autre ne lui était venu à l'esprit. Sheila Málainn lui répondit sur un ton d'excuse :

— Nous pensons acheter une maison à l'étranger, ton père et moi. Peut-être en France ou en Grèce, en tout cas dans un pays où il fait chaud.

Tout en parlant, elle massait son coude arthritique, comme si elle était déjà au soleil.

— Nous envisageons de créer des chambres d'hôtes. Nous n'avons encore pris aucune décision. Il y a beaucoup trop de choses à régler. Je sais que ça peut te paraître soudain, Cleo, mais...

Jason interrompit sa mère, décidé à mettre les points sur les i, au cas où Cleo aurait conservé des illusions.

— La décision est prise, un point c'est tout ! Un promoteur de la région a appris que nous pensions mettre la propriété en vente et il nous a fait une offre. On a signé chez le notaire cet après-midi.

Cleo ne prit pas la peine de répondre à son frère. Elle fixait son père, concentré sur l'ouverture de la seconde bouteille de champagne. On aurait dit qu'il attendait de voir sa réaction avant de parler. Elle désirait l'entendre dire que c'était un malentendu, qu'ils n'avaient pas vraiment décidé de vendre, mais il restait silencieux.

— Ça ne nous laisse pas autant d'argent que nous l'aurions voulu, renchérit Barney, mais on avait trop de dettes. Ça reste une bonne opération financière.

Il eut un petit sourire à l'intention de Sondra, qui paraissait prête à défaillir de joie. Elle devait rêver à ce qu'elle achèterait bientôt.

Cleo se retourna vers son père.

— Papa ?

Il lui rendit enfin son regard.

— C'est vrai, Cleo, dit-il calmement. Nous avons perdu trop d'argent pour continuer à faire tourner le Willow. Nous allions droit au dépôt de bilan. Nous n'avions pas le choix.

— On a toujours le choix, murmura Cleo.

— Je suis fatigué. Nous sommes fatigués, ta mère et moi, et nous avons envie de tranquillité.

Harry Málainn parlait à Cleo comme s'ils avaient été seuls.

— Tu n'avais pas besoin de vendre l'hôtel pour ça, papa. Je l'aurais géré pour vous.

Cleo n'ajouta pas, mais elle le pensait : « Si seulement vous m'aviez fait confiance... »

Jason explosa, comme toujours dès qu'il y avait un conflit.

— Toi, le gérer ? Redescends sur terre, Cleo ! Tu viens à peine de quitter l'école ! Comment espérais-tu remettre l'entreprise sur pied ? De toute façon, l'affaire est conclue. Le promoteur a l'intention de construire dix maisons ici. Il y a longtemps que ça devait arriver. Le terrain a trop de valeur pour qu'on se contente d'y avoir un hôtel. On a pris la bonne décision.

— C'était évident pour tout le monde, ajouta Barney. Sauf pour toi, Cleo ! Tu bâtis des châteaux en Espagne ; nous, nous sommes réalistes. Il valait mieux te garder à l'écart de tout ça. On savait que tu ne comprendrais pas. Tu es si émotive à ce sujet, frangine !

Cleo comprit que ses frères disaient la vérité. Le marché était conclu. Le Willow avait été vendu. Fini ! La seule façon, pour elle, de survivre au choc était qu'elle pense à autre chose, à son endroit préféré ou à un mot, juste un mot, qu'elle se répéterait pour s'anesthésier. Malheureusement, elle n'avait jamais été douée pour la méditation et se sentait trop bouleversée pour se détacher de la nouvelle. Il lui était insupportable de rester assise là, en train de s'effondrer sous les yeux de sa famille.

Son endroit préféré, c'était près du pommier du jardin, et le seul mot qui lui vienne à l'esprit était « maison ». Ma maison. Et voilà qu'on la lui prenait pour que Barney et Sondra puissent acheter une voiture plus grande et en mettre plein la vue à leurs voisins, et pour que Jason, qui n'aimait pas travailler, reste chez lui, la télécommande de la télévision par satellite dans une main et une bière dans l'autre.

Cleo se sentit submergée d'amertume. Elle reprit la parole d'un ton si dur que ses proches la dévisagèrent avec étonnement, à l'exception de Sondra, qui souriait d'un air suffisant.

— Pourquoi avez-vous fait ça pendant mon absence ? jeta Cleo. J'avais dit que je rentrerais ce soir. Nous aurions pu en parler.

— Ça fait longtemps que nous en parlions, répondit lentement Harry Málainn. C'était d'ailleurs tout ce que nous faisions. Pendant ce temps, la banque me harcelait par téléphone et je me débattais d'une semaine à l'autre pour arriver à payer le personnel.

— Papa, qu'entends-tu par « nous en parlions » ? Où étais-je dans ces moments-là ? Où étais-je pendant que vous preniez, sans moi, des décisions qui ont des conséquences également pour moi ? Aucun d'entre vous n'a imaginé de me demander mon point de vue ni pourquoi j'avais travaillé comme une folle à l'école d'hôtellerie pendant des années. Tout ça, pour te voir vendre l'hôtel sans rien me dire ? Tu aurais pu me livrer tes intentions, le jour où le comptable est venu. Je suppose que c'était la raison de sa présence ?

— Calme-toi, sœurette, dit Barney d'un ton radouci.

Cleo se tourna vers lui avec des yeux de tigresse.

— Ne me fais pas le coup de la petite sœur, fainéant !

Sondra s'arracha à son rêve de shopping et lança à Cleo un regard qui se voulait dominateur.

— Comment oses-tu traiter Barney ainsi ? Il travaille dur et il a assez de bon sens pour voir que cet endroit est un gouffre qui n'a jamais rapporté un centime, sauf aujourd'hui !

— L'argent, toujours l'argent ! cracha Cleo. C'est la seule chose à laquelle tu sois capable de penser, Sondra. L'œuvre d'une vie va être balayée, grâce à quoi tu pourras faire les boutiques jusqu'à en tomber d'épuisement, mais sans avoir eu à te donner du mal pour l'obtenir. Et Barney ne vaut pas mieux que toi. Deux parasites, voilà ce que vous êtes !

La colère rendait Cleo effrayante à voir. Harry Málainn la regardait, horrifié.

— Ne parle pas de cette façon, supplia Sheila Málainn. Je t'en prie, ma chérie. Ça ne vaut pas la peine de vous disputer. Ce n'est qu'une entreprise. Nous ne pouvions pas nous laisser détruire par l'hôtel et ça nous aurait tués de devoir fermer parce que la banque exigeait le remboursement des prêts. A ton avis, comment aurions-nous supporté d'être expulsés au vu et au su de tout le monde ? Ça aurait été un cauchemar. C'est mieux ainsi, ne crois-tu pas ?

— Je crois que tu ne saisis pas, maman, lui répondit Cleo. Papa a compris, même s'il ne le dira pas. Pour moi, cet endroit est plus qu'un hôtel, il fait partie de moi.

— Arrête ton cinéma ! jeta Sondra. Tu n'as fait l'école d'hôtellerie que parce que c'était facile d'avoir un travail ici à la fin de tes études. Tu aurais pu accepter le très bon poste qu'on t'offrait dans le Donegal, mais tu as préféré rester ici, pour te vautrer dans le confort et jouer à la fille du patron ! Si tu crois que je n'ai pas compris qui tu es ! Tamara l'a deviné, elle aussi. C'est simple de prendre de grands airs avec nous parce que nous n'avons pas de diplôme.

Le fiel que Sondra avait accumulé depuis des années

débordait, mais Cleo ne prit pas la peine de répondre aux accusations ridicules.

— J'ai refusé le poste pour apporter, ici, du changement. Je voulais mettre mes compétences au service de la famille. Papa, m'as-tu crue incapable de voir que nous allions à la faillite ?

Cleo faisait face à son père, à présent, et, sur son visage, la rage avait cédé à la défaite.

— Ça me faisait mal, parce que je t'aime et que je te voyais t'enferrer.

Harry Málainn ne put que lui renvoyer un regard triste.

— Je t'aime, papa, et je te respecte, mais j'aurais aimé qu'il en aille de même à mon égard. Si tu avais eu le moindre respect pour moi, tu m'aurais fait confiance pour redresser le Willow. Mais je ne suis que le bébé de la famille, n'est-ce pas ? conclut Cleo amèrement.

— En tout cas, tu te conduis comme tel ! lança Jason.

— Si, pour toi, il faut être un bébé pour dire la vérité, alors j'en suis un, oui !

— Ecoute, Cleo, cria Barney, si ça ne te plaît pas, tu n'as qu'à fiche le camp d'ici !

Cleo l'ignora et se tourna vers ses parents.

— C'est ce que vous voulez ? demanda-t-elle calmement.

Harry Málainn était tendu.

— Ce qu'on veut, c'est que tu t'occupes de ce qui te regarde ! s'exclama Barney.

Il se sentait sûr de lui en voyant que son père ne cédait pas à sa sœur.

Cleo sentit que sa vie était sur le point de basculer. D'un côté, elle savait que ses parents avaient besoin de se libérer et de repartir d'un bon pied. Ils avaient travaillé dur toute leur vie et auraient été heureux de voir leurs trois enfants prendre leur suite. D'un autre côté, elle voyait que ses frères étaient en grande partie responsables des problèmes de l'hôtel. En joignant leurs forces à celles de Cleo, ils auraient pu sauver le Willow. Mais ils étaient paresseux, bornés et avides de satisfactions immédiates. Le rêve de Cleo était détruit, mais les dés étaient jetés et chacun devait s'occuper de sa vie. Cleo avait un grand sens de la loyauté ; elle soutiendrait ses parents.

« Je vous en veux de ce que vous m'avez fait, mais je reste à vos côtés. » Elle s'apprêtait à prononcer ces mots, quand Sondra jeta de l'huile sur le feu.

— Que fais-tu, Cleo ? Tu restes et tu encaisses ce qui te revient ou tu pars en t'accrochant à tes convictions ?

Tous se tournèrent vers Sondra puis vers Cleo, qui attendait que l'un ou l'autre fasse taire sa belle-sœur. Quelqu'un allait lui expliquer que les choses ne se passaient pas ainsi chez les Málainn et que le choc avait été très violent pour Cleo. La loyauté devait marcher dans les deux sens.

Cleo crut que sa mère dirait « Tout va s'arranger » avant de demander qu'on mette l'eau du thé à chauffer et qu'on sorte la réserve secrète de sablés du chef. Son père la prendrait dans ses bras en affirmant qu'il était désolé, mais qu'elle pourrait l'aider à créer son B&B... Et, au moins, ajouterait-il, ils avaient vendu à un promoteur local, pas à une chaîne comme Roth Hotels. Cleo ne l'aurait pas supporté. Ses frères murmureraient qu'il n'en avait jamais été question et qu'on avait un caractère impossible dans la famille Málainn et, maintenant, ne voudrait-elle pas une coupe de champagne ?

Or, personne ne pipa mot.

Jusqu'alors, Cleo avait gardé de l'espoir, mais le silence qui suivit la déclaration de Sondra le lui enleva. Pas une parole de réconfort ou de soutien ! Chacun semblait soudain absorbé par ses propres affaires.

— Je reste fidèle à mes convictions, bien sûr ! dit enfin Cleo d'une voix ferme.

Elle n'avait pas l'intention de laisser voir à ses proches à quel point elle était blessée par leur attitude.

— Je ne vous aurais jamais crus capables de faire une telle chose dans mon dos. J'avais imaginé que j'appartenais à cette famille, mais je me suis trompée. Il vaut donc mieux que je m'en aille. C'est la seule solution.

Cleo tremblait, mais se fit violence pour se maîtriser.

— Je ne supporterais pas de rester pour assister à la démolition de notre foyer.

Cinq minutes plus tard, Trish apprit la nouvelle de la vente du Willow avec stupéfaction. Elle avait toujours vu les parents de Cleo faire de leur mieux pour apaiser les tensions. Si la situation avait dégénéré, ce ne pouvait être qu'à cause de Sondra ou des frères de Cleo. Ils avaient dû dépasser les bornes et la mettre hors d'elle.

— Non, dit tristement Cleo. Ce n'est pas leur faute.

Bien sûr, ils avaient aggravé la situation, mais la question n'était pas là. Cleo n'avait pas le courage d'avouer à Trish que, si quelqu'un l'avait vraiment trahie, c'était son père. Son père, qu'elle avait toujours admiré et idolâtré ! Son père, qu'elle avait voulu impressionner en terminant première de sa promotion ! C'était lui qui avait décidé de vendre l'hôtel, de se séparer de ce qui appartenait aussi à Cleo par droit de naissance. Lui qui n'avait pas bronché tout en sachant à quel point elle avait mal. Cleo ne pouvait l'avouer même à sa meilleure amie. C'était trop douloureux.

Trish n'arrivait pas à croire ce qu'elle avait entendu.

— Et tu ne vas pas revenir sur ce que tu as dit ? demanda-t-elle. Tu ne vas pas changer d'avis ?

— Non.

Trish tenta de plaisanter, d'alléger l'atmosphère.

— Tu te rends compte ! Chassée de la maison telle une héritière du dix-huitième siècle, reniée par sa famille à cause d'une passion pour un beau paysan qui est promis à une autre !

— Personne ne me chasse, corrigea Cleo. C'est moi qui m'en vais, du moins dès que le taxi voudra bien se montrer.

Elle avait lancé la fin de sa réplique de sa voix habituelle, comme si elle reprenait le dessus.

— On n'a pas de chambre d'amis, mais tu peux dormir par terre dans la mienne, proposa Trish, pour essayer de ramener Cleo aux questions pratiques.

— Non, je te remercie. Je me sens incapable de prendre encore un bus, aujourd'hui. Veux-tu appeler Eileen pour moi et lui demander si elle accepte de m'héberger quelques jours ? Si je dois tout raconter une fois de plus, je vais pleurer.

Eileen habitait un appartement dans une résidence de

Carrickwell et avait un grand placard, présenté par l'agent immobilier comme une seconde chambre. Elle n'avait pourtant jamais réussi à la louer à quiconque.

— Cleo, on est mercredi. Je ne peux pas m'absenter de mon travail. Je rentre vendredi soir. On sortira ensemble et on fera les folles. Ça ne résoudra rien, mais on s'amusera.

— Ça me va, répondit Cleo machinalement.

— Allons ! Ça va s'arranger, tes parents viendront te chercher.

Trish aurait tout fait pour remonter le moral de son amie. Mais Cleo lui répondit d'une voix ferme.

— Tu as peut-être raison, mais je ne reviendrai pas.

Durant sa carrière à Carrickwell, le taxi était souvent venu au Willow, mais c'était la première fois qu'on lui demandait de charger des sacs-poubelles remplis de vêtements dans son coffre. Sa cliente – il savait que c'était la fille des Málainn – avait une silhouette d'amazone, avec des jambes sans fin. Elle aurait pu porter les sept sacs elle-même, mais elle semblait si triste que le chauffeur tint à l'aider.

— C'est tout ? s'enquit-il d'un ton léger, dans un effort pour détendre l'atmosphère, une fois le chargement achevé.

Il avait jugé préférable d'éviter le traditionnel : « Allons ! Ne vous en faites pas, ça pourrait être pire. » Il lui suffisait de regarder sa cliente pour comprendre que cela ne pouvait pas être pire.

— C'est tout, répondit Cleo en se glissant sur la banquette. Je vous en prie, démarrez !

— Vous déménagez ? demanda-t-il tandis que la voiture s'engageait dans l'allée en cahotant.

Quelle collection de nids-de-poule ! L'hôtel devait vraiment faire quelque chose pour arranger le passage avant que quelqu'un casse sa suspension.

— Oui, dit Cleo en s'interdisant de regarder en arrière.

Drôle de façon de déménager, pensa le taxi. Il ne put s'empêcher d'en faire la remarque.

— Vous n'avez pas de valise chez vous, alors ? C'est bizarre, pour quelqu'un qui vit dans un hôtel !

L'ancienne Cleo aurait fait un grand sourire, peut-être même aurait-elle ri en précisant : « Oui, il y en a un tas, mais j'étais pressée, vous savez ce que c'est... »

La nouvelle Cleo, la Cleo endurcie, qui se jurait de ne plus faire confiance à personne, répliqua :

— En fait, je suis allergique aux valises. C'est pour ça que je quitte ce boulot. Il est difficile de travailler dans un hôtel quand on ne supporte pas le contact d'une valise.

— Je vous crois, ça ne doit pas être facile ! Ça me rappelle une employée d'un salon de coiffure qui ne pouvait pas s'approcher d'un produit à permanente à moins de dix mètres. Elle, c'était au travail qu'elle était allergique !

— Comme moi...

Eileen prit bien le débarquement de Cleo chez elle.

— Trish m'a raconté qu'il y a eu une dispute.

Elle ouvrit la porte blanche de son appartement en grand pour laisser passer Cleo. Celle-ci acquiesça d'un signe de tête. A présent qu'elle était avec une amie, elle craignait de pleurer si elle commençait à raconter son histoire.

— Tu préfères une glace au café avec des pépites de chocolat ou un gâteau à la crème vanille et chocolat ? demanda Eileen.

La lèvre de Cleo se mit à trembler.

— Je crois qu'il faut les deux, conclut Eileen.

Dans une petite ville comme Carrickwell, les nouvelles se répandaient vite.

Dès le lendemain, l'histoire du départ de Cleo avait été mystérieusement rapprochée de celle du promoteur qui voulait acheter le Willow. Quatre heures plus tard, tout le monde savait que Cleo Málainn s'était enfuie de chez elle en pleine nuit après avoir annoncé à sa famille qu'elle était enceinte. Quant au Willow, il était vendu à d'inquiétants étrangers qui s'apprêtaient à le transformer en bar...

Mme Maguire faisait la queue chez le marchand de journaux quand elle apprit la nouvelle.

— Et le père de l'enfant l'a abandonnée ? demanda-t-elle, glacée d'horreur.

Elle aimait bien Cleo, qu'elle considérait comme une « chic fille ». La pauvre, elle n'avait pas eu de chance de s'amouracher d'un type qui la laissait tomber quand elle se trouvait enceinte. A notre époque ! C'était une honte.

— Je ne sais pas, répondit Mme O'Gorman.

Elle suçait l'intérieur de ses joues comme si elle essayait d'extraire le jus d'un citron récalcitrant.

— Mais, reprit-elle, j'ai entendu dire qu'elle pleurait dans le taxi. Ce n'est pas bon signe. Ce qui me choque, c'est que Sheila et Harry Málainn l'aient jetée à la rue. Cela ne leur ressemble pas.

Mme Hanley avait écouté, avec un dégoût croissant pour ces ragots et les gens qui les colportaient.

— Je ne crois pas un mot de tout ça ! s'exclama-t-elle. La famille Málainn est la plus unie que je connaisse. Il y a certainement une autre explication.

Quand le vendredi arriva, Cleo en était à sa troisième journée de régime tout sucre. Elle aurait du mal à entrer dans son jean et dans le top à paillettes qu'Eileen avait décrété idéal pour sortir.

Elles n'attendaient plus que Trish.

— Je n'ai pas envie de bouger, dit Cleo d'une voix plaintive. Je préfère rester ici, à regarder la télé et traîner.

— C'est très mauvais pour la santé, répondit Eileen.

— Ce n'est pas pire que d'avaler des tonnes de gâteaux, soupira Cleo.

— C'était sur ordre du docteur, donc ça ne compte pas !

— Pourquoi ne sortez-vous pas toutes les deux, Trish et toi ? Laissez-moi ! Je serai un vrai boulet pour vous. Je ne me sens pas d'humeur à faire la fête.

Cleo disait la vérité. Ni Eileen ni Trish ne semblaient comprendre combien elle souffrait. Pour elles, il s'agissait d'une banale dispute familiale. Mais les Málainn ne se disputaient pas ! C'était beaucoup plus grave que cela. Ils avaient vendu le Willow. Une simple dispute ? Alors que l'enfance et la famille de Cleo venaient d'être détruites d'un seul coup ? Et son père n'avait même pas essayé de la retenir. C'était le point le plus douloureux de l'histoire.

— Tu as besoin de te détendre, insista Eileen. Après une heure en notre compagnie, tu te sentiras mieux.

Il était huit heures et demie quand elles s'entassèrent toutes les trois dans la minuscule salle de bains d'Eileen pour se pomponner. Il y faisait très bon. Par mesure d'économie, Eileen chauffait peu son appartement, mais, grâce à sa petitesse, la salle de bains conservait une température agréable.

Eileen s'était installée à la place d'honneur, sur les toilettes. Ainsi, elle pouvait se voir dans le miroir qui couvrait la moitié d'un mur. Quand on prenait une douche, on avait une vision d'épouvante en se découvrant tel qu'on était au moment où on ouvrait le rideau.

— Je modifierais ca panneau, si j'habitais ici, fit Trish d'un ton sans appel.

Assise par terre, elle examinait d'un œil critique une collection de produits bronzants, se demandant lequel conviendrait le mieux, ce soir, pour dissimuler ses taches de rousseur.

— Qui peut avoir envie, poursuivit-elle, de se voir entrer dans son bain et en sortir ?

— Cameron Diaz, peut-être ? proposa Cleo.

Elle était assise sur le rebord de la baignoire, son matériel de maquillage sur les genoux et son pinceau à lèvres à la main. Depuis les encouragements d'Eileen, elle essayait de se montrer plus gaie, mais ce n'était qu'une façade.

— Moi, ça ne me dérange pas de me voir, répondit Eileen, étonnée.

Cleo et Trish en restèrent sans voix. Cleo s'imagina, avec sa taille enrobée, tandis que Trish pensait à la nuance verdâtre que prenait sa peau là où les taches de rousseur l'avaient envahie. On était loin du hâle espéré !

— Tu parles sérieusement ? demanda enfin Trish. Sans tes sous-vêtements de séductrice ?

— La nudité est naturelle, répondit Eileen en haussant les épaules. Le corps humain est beau.

Trish hocha la tête d'un air consterné.

— Tu dois arrêter le yoga. Je ne reconnais plus la fille névrosée que nous aimions tant ! En tout cas, je ne sais pas pour vous, les copines, mais après la semaine que j'ai eue j'ai besoin d'un ravalement complet !

Elles arrivèrent vers neuf heures au Hammerhead Jack's, la boîte de nuit à la mode de Carrickwell. Il y avait foule. Eileen et Trish avaient décidé de s'amuser, mais d'une façon différente. Ni Eileen ni Cleo n'étaient portées sur l'alcool. Cleo avait trop souvent aidé son père à calmer des clients énervés par la boisson pour avoir envie de se mettre dans le même état. En revanche, Trish n'envisageait pas une soirée réussie sans quelques bières ou un cocktail qui lui donnait l'impression de vivre dans le luxe.

Pour Eileen, passer un bon moment consistait à retrouver des amis de l'hôpital où elle travaillait et à s'agiter sur la piste quand le disque-jockey remplaçait sa musique d'ambiance par quelques bons tubes. Eileen ne dansait pas bien, mais savait jeter ses bras dans tous les sens et tourner comme un derviche avec beaucoup d'énergie. Elle s'amusait trop pour se tracasser à ce sujet.

Trish préférait partir à la chasse à l'homme et flirter comme une possédée. Cela expliquait son pantalon à coupe amincissante et son tee-shirt collant, une tenue qui lui valait toujours des succès.

Loin de se sentir dans le ton, Cleo restait muette. Danser ou flirter lui semblait futile, au regard de ce qui venait d'arriver chez elle. Elle n'avait même pas envie d'un verre de vin ; elle savait que, loin d'alléger sa peine, cela ne ferait que l'aiguiser. Quant à la musique et aux gens, elle n'arrivait pas à s'y intéresser.

Trish, en revanche, se passionnait pour le charme masculin.

— Je n'étais pas venue depuis une éternité, c'est fou ! J'avais rayé Carrickwell de la carte, mais j'ai eu tort. Il y a des hommes pas mal du tout, ici. Je vois même plusieurs SC de haut niveau. D'où sortent-ils ? On les livre par cargaisons entières ou on les cultive ?

A un moment, elle pivota sur son siège et s'exclama :

— Regardez ! On est au moins à SC8 !

Elle fixait un des clients, tel un goéland un bateau de pêche. Elle disposait d'une série d'abréviations utiles dans sa quête du prince charmant. Quelle femme voudrait qu'on l'entende s'exclamer « Quel beau mec ! » au risque de voir l'objet de ses désirs se retourner avec un petit sourire satisfait, mettant fin à l'histoire avant qu'elle ait commencé. Avec ses amies de l'école de commerce, Trish avait donc décidé qu'il était plus facile de dire SC6 ou 7, ou même, ce qui arrivait rarement, SC10, super-canon avec dix sur dix. L'idéal était un SC10 qui promettait d'appeler le lendemain et le faisait. Malheureusement, comme Trish et Cleo l'avaient découvert, ce spécimen appartenait à une espèce rare. Les SC10 bien élevés s'intéressaient à d'autres filles qu'elles. Elles, elles attiraient les D (dingues), les HADRIL (« hommes avec des rendez-vous importants le lendemain ») ou les SCCF (« soûlards qui caressent les cheveux des filles »).

Eileen, qui n'avait jamais eu envie de jouer à ça, ne s'y retrouvait pas.

— Un SC8 à sept heures, murmura Trish. Très bonne note en SA et certainement pas un SNP. Il n'a pas de marque d'alliance.

— Quoi ? s'enquit Eileen en regardant Cleo d'un air ahuri.

— Un super-canon, niveau 8, qui est au bar à gauche de Trish. Elle lui met une très bonne note pour le sex-appeal. Il n'est probablement pas marié, parce qu'il n'a pas de trace d'alliance, comme les hommes qui l'enlèvent pour venir ici. Donc, on peut y aller. Ce n'est pas le genre qui donne « seulement son numéro de portable ».

— Vous êtes folles, grogna un client proche d'elles. Pas étonnant que vous restiez seules !

Trish lui fit signe d'aller se faire voir et se leva pour se rendre aux toilettes d'un pas nonchalant.

— Le train magique est passé, dit-elle à son retour. Je me sens mieux !

195

— Dès que l'alcool a eu le temps de te monter à la tête, expliqua Cleo à Eileen, tu vois les choses différemment. Ainsi, quand tu reviens des toilettes, tu ne découvres plus que des princes charmants ; les hommes les plus laids sont partis avec le train magique.

— Mais, ajouta Trish en riant, il y a aussi un taxi magique ! Il passe le lendemain matin, juste avant que tu te réveilles à côté de l'homme de Neandertal. Le prince charmant a disparu avec le taxi magique...

Quand onze heures sonnèrent, Cleo en avait assez et se sentait incapable d'avaler un autre soda light. Elle voulait rentrer, se glisser entre les draps du lit improvisé pour elle chez Eileen et réfléchir.

— Trish, on s'en va, dit-elle. Demain, tu me remercieras.

Mais Trish expliqua laborieusement à ses amies qu'elles devraient aller dans un autre club rempli d'hommes encore plus sexy. Elle aimait bien prendre un verre de temps en temps, mais ne supportait pas l'alcool.

— T'es nulle ! protesta-t-elle. Je veux pas rentrer. Fais pas ta rabat-joie !

— Excuse-moi, Trish, mais je ne suis pas d'humeur à traîner dehors. Viens, nous rentrons !

Trish s'écroula sur l'épaule de Cleo, la serrant de toutes ses forces dans ses bras.

— Désolée, vraiment désolée, marmonna-t-elle. Je te demande pardon pour tout, désolée...

Elle se mit à pleurer.

— A la maison ! renchérit Eileen, qui était aussi sobre que Cleo.

— Et le plus vite possible !

Elles reprirent leurs manteaux, leurs sacs et leurs écharpes pour affronter le froid de la nuit. Trish, de son côté, était si échauffée, physiquement et mentalement, qu'elle trouvait inutile de se couvrir. Cleo et Eileen la prirent chacune sous un bras pour la faire sortir du club.

— Elle va attraper une pneumonie, grogna Cleo.

— Il en faudrait plus que ça, répondit Eileen tandis qu'elles prenaient place dans la queue pour les taxis.

En tête de la file, un homme se mit à brailler.

— L'autre non plus, elle a pas de problème de poitrine ! hurla-t-il en regardant Cleo. Y'en a un qui sera un sacré veinard ! J'aimerais bien que ce soit moi !

— Va te faire voir ! rétorqua Trish sur le même ton.

A cet instant, quelques personnes sortirent d'un restaurant chic, juste devant la station, et se retournèrent. Cleo se sentit gênée. Il y avait quatre hommes et une femme, très élégants, et qui ne devaient pas faire partie de l'habituelle faune nocturne de Carrickwell. Cleo planta son regard dans celui du plus grand des hommes. Il portait un manteau noir. Il avait les cheveux très courts, le visage de marbre, le nez en bec d'aigle et le menton autoritaire. C'était un bel homme, si on aimait les machos, mais son expression était rien moins qu'amicale.

— Va te faire voir toi-même, hurla l'ivrogne en tête de file. Je disais juste que c'est une belle fille !

— Elle s'en fiche, renvoya Trish, alors va te faire...

Cleo l'empêcha de terminer sa phrase d'une brusque secousse au bras. Elle ne voulait pas de scandale. C'était déjà assez horrible de se donner en spectacle sans le faire devant des étrangers !

— La ville est charmante, mais je ne peux pas en dire autant des habitants. Quelle bande de soûlardes !

C'était l'homme à l'air supérieur. Il fixait Cleo, Trish et Eileen avec mépris. Furieuse, Cleo le dévisagea. Quel toupet !

— Je ne vous permets pas de nous traiter de soûlardes ! lui jeta-t-elle.

— Vous z'êtes pas mariées ? bafouilla l'idiot qui était à l'origine de l'incident. Aucune de vous est mariée ? Alors, on a toutes nos chances !

La femme qui faisait partie du groupe des touristes serra plus étroitement sur elle son manteau en poil de chameau. Son compagnon la prit par le bras.

— J'ai des excuses à faire, dit-il.

Cleo leva le menton et le toisa, prête à l'écouter. Il se tourna vers ses amis.

— Je vous présente mes excuses pour le comportement de ces gens. C'est typique de cette sous-culture macho qui pousse les femmes à sortir et se soûler. Je reconnais que ce n'est pas une image très attirante de Carrickwell, mais je vous assure que, normalement, c'est une petite ville très agréable. On ne peut sans doute pas éviter que même les plus beaux endroits aient leurs inconvénients.

La rage qui secoua Cleo lui fit perdre ses forces. Elle laissa retomber le bras dont elle soutenait Trish, qui s'écroula sur le trottoir en se raccrochant aux jambes de Cleo. Malheureusement, celle-ci avait mis ses plus hauts talons. Eileen avait insisté, affirmant que cela donnait de l'assurance. Or, sur des pavés rendus glissants par l'humidité, Trish s'accrochant à elle, Cleo sentit toute assurance la quitter et, à son tour, perdit l'équilibre. Elle tomba et s'égratigna la main sur le sol. Le choc et la douleur lui arrachèrent un cri.

Toujours pratique, Eileen s'occupa de relever Trish, qui hésita, instable sur ses pieds. Pendant ce temps, dans un geste poli mais dépourvu de sympathie, une main que Cleo ne reconnut pas l'aidait à se remettre debout. Choquée, au bord des larmes, elle sentit l'étoffe moelleuse d'un manteau noir lui effleurer le visage. L'inconnu en personne, tout contre elle ! Il était plus grand qu'elle et semblait fort, à en juger par sa façon de la tenir comme une chose fragile. Et il était si viril, avec ce visage tout en angles, ces yeux noirs aux paupières lourdes et ce nez busqué !

— Je pense que vous devriez boire moins, murmura-t-il, si près de Cleo que, avec un petit frisson, elle sentit son souffle sur ses joues.

— C'est la fête ! gloussa Trish.

Titubant, elle se tourna vers Cleo en lui tendant les bras.

L'homme relâcha Cleo, qui put ainsi rattraper Trish avant de se retourner vers son ennemi. Il allait se faire passer le savon de sa vie, celui-là !

Il était déjà parti. Cleo eut une dernière image de sa silhouette élancée qui s'engouffrait dans un taxi.

— Comment osez-vous ! cria-t-elle. Nous ne sommes pas des ivrognes ! Je ne suis pas soûle ! Je n'ai pas bu un verre, vous entendez, espèce... Espèce de sale type !

— Oh là là ! Ma tête ! gémit Trish. Je me sens bizarre, d'un seul coup. S'il te plaît, Cleo, ne crie pas...

— Ouais ! bredouilla l'ivrogne. Criez pas ! Si les flics arrivent, on aura des ennuis.

— J'ai du chocolat chez moi, dit Eileen avec diplomatie. En tablettes et en glace ! Et il reste des muffins, mais je crains qu'ils ne soient secs. Je ne sais pas si vous les aimerez.

Elles se mirent en route vers l'appartement, Cleo aidant Eileen à porter Trish.

— Tes muffins doivent être délicieux... marmonna-t-elle.

Elle était trop en colère pour se hasarder à en dire plus. Elle retrouverait cet individu et, même si c'était la dernière chose qu'elle faisait dans sa vie, lui dirait sa façon de penser !

10

Comme elle voulait faire la meilleure impression possible, Daisy avait choisi son sac à main rose en laine bouillie, une petite merveille de travail artisanal. Il tranchait nettement avec sa tenue noire. Elle s'assit en le posant sur ses genoux et s'efforça de ne pas regarder l'horloge de la salle d'attente aux murs café clair.

Il était dix heures dix. Alex et elle avaient rendez-vous avec le médecin de la clinique Avalon à neuf heures et demie. De nombreux couples attendaient, certains décontractés, d'autres plutôt tendus. Personne n'avait osé se lever pour aller se plaindre du retard du médecin auprès de la secrétaire, une jeune créature au teint frais. On ne se permettait pas ce genre de choses, ici ! Au contraire, on aurait dit que chacun espérait être admis à contempler le saint Graal. L'atmosphère de la pièce se composait de vingt-cinq pour cent d'azote, vingt-cinq pour cent d'oxygène et cinquante pour cent d'espoir fou.

Chaque fois qu'une silhouette en blouse blanche apparaissait et prononçait un nom, les patients se redressaient sur leur siège tels des ressorts, la fixant avec avidité, avant de se laisser retomber quand ce n'était pas eux qu'on appelait.

Alex n'aimait pas attendre. Daisy le sentait nerveux malgré son apparente décontraction. Légèrement avachi sur sa chaise, les jambes croisées, il se trahissait par de brusques rotations du pied qui se trouvait en l'air. Enfin, comme s'il craignait d'être reconnu, il gardait les yeux baissés.

Daisy lui demanda pour la énième fois s'il allait bien.

— Oui, répondit-il avec brusquerie.

C'était l'angoisse, rien d'autre ! pensa Daisy en lui prenant la main. Elle sentit ses doigts se refermer sur les siens et, rassurée, ferma les yeux, essayant de se projeter dans un futur calme et heureux. Le surlendemain, elle devait prendre l'avion pour assister à un salon de prêt-à-porter à Düsseldorf. En principe, elle aurait dû être chez elle, en train de choisir les tenues qu'elle porterait à cette occasion. Elle devait être parfaite. Or, en cet instant, elle s'en moquait. Le rendez-vous était plus important que tout.

Elle se leva pour prendre un magazine sur la table basse. Il y avait plusieurs vieux numéros de revues féminines, deux de nautisme et un *National Geographic*, avec une photo du Pérou en couverture.

— Regarde, dit-elle en le prenant. On s'est toujours promis d'aller au Pérou.

Elle tendit le *National Geographic* à Alex avec un sourire plein d'espoir.

Alex l'avait à peine accepté qu'une grande femme brune en blouse blanche ouvrit la porte.

— Daisy Farrell et Alex Kenny, s'il vous plaît.

Daisy fut debout en un instant.

— C'est nous, répondit-elle d'une voix étranglée.

C'était comme une visite normale chez n'importe quel médecin, se raisonna-t-elle. Mais cette femme, le Dr Makim, notait dans un dossier leurs réponses concernant leurs familles respectives en matière de stérilité. Tout y passa : l'histoire de leurs frères et sœurs éventuels ; de leurs enfants, s'ils en avaient chacun de son côté. Daisy avait-elle déjà été enceinte ? Avaient-ils subi des interventions chirurgicales ou été malades ? Si oui, de quoi ?

Cela dura longtemps et Daisy finit par se détendre ; elle avait été stupide de s'angoisser. Puis le Dr Makim posa son stylo pour leur expliquer ce qu'on faisait à la clinique Avalon. En parlant, elle leur donna une pile de documentation. A un moment, elle s'adressa à Daisy, qui se sentit coupable.

— Vous avez donc trente-cinq ans. C'est l'âge auquel la femme subit un déclin de fertilité. Mais les questions de stérilité ou de fertilité sont très complexes et le problème peut aussi venir de l'homme.

Si c'était la qualité du sperme qui était en cause, leur expliqua-t-elle, on avait différentes possibilités, depuis le lavage du sperme avant insémination artificielle jusqu'aux techniques de fécondation in vitro les plus avancées et au donneur.

A ce point de l'exposé, Daisy osa à peine regarder Alex, qui fixait le Dr Makim d'une manière presque hostile. D'après *Le Guide de la fertilité*, la bible de Daisy, les hommes pouvaient se sentir émasculés quand ils découvraient leur stérilité. Daisy se moquait d'apprendre que la défaillance venait d'elle, si cela évitait à Alex de souffrir. Elle supporterait tout pour avoir un bébé avec lui. Quand elle serait enceinte, ils ne se soucieraient plus de ce qui avait précédé. Elle posa la main sur le genou d'Alex, qui était trop absorbé par les propos du Dr Makim pour remarquer son geste affectueux.

Le Dr Makim s'assura ensuite qu'ils avaient bien compris dans quoi ils s'engageaient : un énorme stress émotionnel et des traitements hormonaux longs, susceptibles d'entraîner le décès de la patiente, même si c'était rarissime. Et tout cela, souvent, pour rien.

— Le taux de réussite varie selon la clinique, mais, pour ce que nous appelons ici le taux de bébé prêt à ramener chez soi...

Le Dr Makim eut un sourire compréhensif pour Daisy, qui avait tressailli sous la brutalité de l'expression.

— La moyenne générale, reprit-elle, atteint vingt pour cent.

Daisy pria de toutes ses forces pour en faire partie et, pour cacher son angoisse, répondit sur le ton de la plaisanterie :

— Et les gens croient qu'on peut désormais avoir un bébé à n'importe quel âge, grâce aux progrès de la science.

Le Dr Makim haussa les épaules avec l'ironie désabusée de quelqu'un qui côtoie la réalité chaque jour.

— La science, ce n'est pas Dieu... Je ne peux vous donner aucune garantie. C'est la chose essentielle à comprendre. En dépit de ce que vous pouvez lire, il s'agit d'une démarche pénible et incertaine.

Daisy et Alex restèrent silencieux, le temps de digérer l'information.

— Pour commencer, reprit le Dr Makim, vous devrez passer un certain nombre d'examens. Un spermogramme pour monsieur, des prises de sang pour tous les deux, un test après coït et une laparoscopie pour madame. Celle-ci est pratiquée sous anesthésie générale. On introduit une microcaméra par une incision au niveau du nombril pour s'assurer du bon état de vos organes. Prévoyez de passer une nuit ici. Avez-vous déjà eu des problèmes d'anesthésie ?

Le Dr Makim écrivait en parlant, attendant la réponse de Daisy.

— Non, dit Daisy.

Avec ou sans anesthésie, elle était prête à tout.

— Une opération ? dit soudain Alex. Je ne savais pas que les examens impliquaient une intervention chirurgicale.

Ce fut au tour de Daisy de s'impatienter. La semaine précédente, elle avait passé *Le Guide de la fertilité* à Alex et tout y était expliqué. Ne l'avait-il donc pas lu ?

Le Dr Makim répondit sèchement.

— On accuse souvent les cliniques de procréation assistée de traiter des patients qui n'en ont pas besoin. Ce n'est pas le cas ici. Nous refusons de nous occuper d'un couple avant d'avoir déterminé avec précision la raison de son infertilité, s'il en existe une qu'on puisse trouver. Nous ne faisons rien sans avoir pratiqué toutes les recherches possibles.

S'ils décidaient de suivre le processus, ils devraient assister à une conférence donnée par le directeur de l'établissement et participer à deux séances avec l'une des équipes de psychologues d'Avalon.

— Je ne dis pas que vous ne savez pas ce que vous voulez et que vous avez décidé à la légère d'entreprendre cette démarche, insista le Dr Makim. Nous voulons juste que vous sachiez ce qu'elle implique avant de commencer.

Daisy montra son accord d'un hochement de la tête, tout en souhaitant pouvoir brûler les étapes. Puisqu'ils voulaient un bébé, Alex et elle, pourquoi attendre ?

Ils quittèrent la clinique avec une pile de documentation,

des formulaires de consentement et le journal d'un couple stérile qui avait été traité. D'après le Dr Makim, ce témoignage était utile aux patients.

Daisy et Alex étaient venus avec la voiture d'Alex. Dans un état d'excitation qui lui coupait le souffle, Daisy s'installa côté passager, serrant contre elle la liasse de papiers. Enfin, ils y étaient ! Avec un peu de chance, elle apprendrait qu'elle était fertile et, un traitement plus tard, serait enceinte. Elle avait souvent entendu ce genre d'histoires.

— Il est presque midi et demi, dit-elle. Je te propose que nous déjeunions ensemble. Ensuite, tu me laisses au parking et tu files à ton bureau…

Comme la clinique était dans Dublin même, ils étaient venus chacun de son côté, de façon à ce que Daisy puisse ensuite rentrer à Carrickwell.

— D'accord, fit Alex, distrait.

Ils choisirent un petit restaurant.

— Daisy, veux-tu me commander un potage, un sandwich au poulet et un café crème ? demanda Alex avant de se rendre aux toilettes.

Daisy passa leur commande et, avec un frisson de bonheur, ouvrit le journal qu'on leur avait remis. Le récit l'aiderait plus que n'importe quel exposé médical, précis mais aride. L'auteur, une femme, était désignée par la seule initiale E. Il n'était pas précisé si elle avait réussi à avoir un enfant.

Je ne peux pas croire que ce soit réel. Nous avons économisé pour cela et T se montre presque aussi enthousiaste que moi. Depuis quatre ans, nous avions arrêté de faire des projets, mais maintenant on peut recommencer. Nous avions préparé la future chambre d'enfants et nous tenions prêts, jusqu'au jour où j'ai appris que j'étais atteinte d'un syndrome ovarien polykystique. Après, nous parlions de la « chambre d'amis ».

Hier soir, T m'a dit que nous devrions refaire la chambre d'enfants. Ce sont ses propres mots ! C'est incroyable, l'amour que j'ai ressenti pour lui quand il les a prononcés !

Daisy feuilleta rapidement la suite du document. Elle avait hâte de le lire, de savoir ce qui arrivait.

Je déteste les piqûres. On dirait un stylo qu'on se plante dans le ventre. Ce sont les mêmes que pour le diabète. T doit me faire les injections, car j'ai horreur des aiguilles. J'ai le ventre ballonné. D'après ce que j'ai lu, certaines femmes sentent les ovules supplémentaires qui sont libérés sous l'effet des hormones. Les médecins parlent de follicules. C'est bizarre : les cheveux poussent à partir d'un follicule. Je préfère me sentir pleine d'ovules, pour avoir un bébé, plutôt que de follicules pileux !

Daisy passa encore quelques pages.

Le pire, c'est l'attente. Le docteur nous avait prévenus, mais je ne l'avais pas cru. Il avait raison : l'attente, c'est l'enfer sur terre. Les femmes normales attendent-elles avec la même angoisse pour savoir si elles sont enceintes ?

Daisy se sentit emportée par un grand élan de sympathie envers cette inconnue. Pourvu que son traitement ait réussi ! Alex revint au moment où la serveuse apportait la commande. Daisy, qui n'avait rien pu avaler au petit déjeuner, sentit l'appétit lui revenir. Elle goûta le jus de fruits et le sandwich avec enthousiasme. Alex n'avait pas encore touché au sien et se contentait de tourner la cuiller dans son café, le fixant comme s'il recelait le secret de l'univers.

Daisy se pencha vers lui, les yeux brillants de joie.

— On va y arriver ! On va avoir un bébé ! murmura-t-elle.

— Daisy, répondit Alex d'un ton précipité, je crois que nous devrions faire une pause. C'est trop lourd, toute cette histoire.

Daisy tressaillit. Soudain, les rondelles de concombre de son sandwich avaient pris un goût amer.

— Quoi ? Je ne comprends pas ? Une pause par rapport à quoi ? Nous venons à peine de commencer.

— Je ne parle pas de la clinique, mais de nous. Je souhaite une séparation à l'essai, si tu préfères.

Passé l'obstacle des premiers mots, Alex ne pouvait pas s'arrêter de parler. Tout sortait.

— Ce processus médical me met mal à l'aise, reprit-il. Ça me stresse, et toi aussi. Tu ne te rends même pas compte que ça t'obsède ! Tu ne parles que de ça.

— Parce que c'est très important, répliqua Daisy avec nervosité. Mais je peux le supporter, je te le promets. Nous y arriverons, Alex. Ce matin, c'était dur, mais il vaut mieux savoir tout de suite à quoi s'en tenir, ne penses-tu pas ? Nous sommes capables d'affronter tout ça.

— Non, Daisy. Pas moi. C'est trop lourd. La vie ne se limite pas à cette folie de bébés. Bébés, bébés, bébés, je n'entends que ça !

— Tu es injuste, protesta Daisy.

Elle ne parlait pas que de son désir d'enfants. Si elle s'était laissée aller à son penchant naturel, elle n'aurait pas eu d'autre sujet de conversation. Mais elle se surveillait et se censurait en permanence.

— Je suis désolé, Daisy, mais je ne peux plus le supporter.

Alex répéta qu'il était désolé sans quitter Daisy des yeux. Elle n'avait jamais vu ce beau visage qu'elle aimait avec une expression tendue et malheureuse.

— Tu n'es pas sérieux, tu ne penses pas ce que tu dis, balbutia-t-elle.

Mais, au moment où elle prononçait ces paroles, elle comprit qu'Alex n'avait pas menti. Il voulait interrompre leur relation. C'était si énorme qu'elle n'arrivait pas à le croire. Alex et Daisy, séparés ? Le monde s'écroulait.

— Si, Daisy. Nous avons besoin de prendre du recul.

— Tu n'es pas sérieux, insista-t-elle. Je t'aime, nous avons toujours été ensemble…

— Nous avons besoin de rester quelque temps chacun de son côté. Je t'en prie, Daisy, c'est pour notre bien. C'est la chose raisonnable à faire.

— Raisonnable ?

— Oui, fais-moi confiance.

Une vieille blague revint à la mémoire de Daisy : « Que dit un menteur quand il veut t'embobiner ? "Fais-moi confiance." »

— Je ne veux pas te blesser, Daisy. Nous avons vécu tant de choses...

Alex s'absorbait de nouveau dans la contemplation de son café au lait et Daisy trouvait cette attitude déconcertante.

— Nous pouvons vivre ça, aussi ! dit-elle avec fièvre. Alex, s'il te plaît ! Tu ne peux pas me quitter, tu ne peux...

— Je le dois ! jeta-t-il en repoussant sa tasse avec tant de violence qu'il la renversa.

Daisy se mit à trembler et à pleurer. Elle tenta sans succès de se maîtriser et, baissant la tête, vit ses mains agitées d'un mouvement incontrôlable. Elle avait l'impression qu'elles lui étaient soudain devenues étrangères.

— Ne me quitte pas !

C'était pathétique ! Tant pis ! Daisy désirait de tout son être qu'Alex reste avec elle. Quand on souhaitait quelque chose de toutes ses forces, cette chose se produisait, n'est-ce pas ?

— Je ne peux pas vivre sans toi, Alex, murmura Daisy. Dis-moi ce qui ne va pas, on va s'expliquer.

— Arrête !

Ce n'était pas une prière mais un ordre. La faiblesse, la pusillanimité de Daisy semblaient insupportables à Alex.

— Reprends-toi, Daisy ! Tu y arriveras très bien. Beaucoup de couples se séparent pendant quelque temps pour faire le point.

Oui, beaucoup de couples passaient par là, bien sûr ! C'était un incident dans leur relation, quelque sinistre rite de passage. Bientôt, ils seraient réunis.

— Ce sera comme avant ? s'enquit Daisy.

Elle se moquait de savoir si elle ressemblait à une petite fille en train de pleurer pour avoir sa maman. Alex lui répondit d'un tapotement amical sur le bras.

— Je vais dormir chez David, ce soir, ça vaut mieux. J'irai prendre des affaires pendant que tu travailles et nous reparlerons de tout ça à ton retour d'Allemagne, d'accord ?

— D'accord, répéta Daisy.

Soudain, une idée la frappa.

— Alex, y a-t-il une autre femme ?

Pendant une seconde, elle crut qu'il allait répondre oui, mais cette impression fut vite dissipée.

— Bien sûr que non ! dit-il en se levant. Il est temps que tu appelles un taxi qui te ramènera à ta voiture. Je file au bureau. Je me suis déjà absenté trop longtemps, ce matin.

Soudain, Alex était très affairé, faisait signe à la serveuse pour avoir l'addition et la priait de commander un taxi. Daisy restait assise, sans force, et Alex lui glissa un billet de cinquante euros dans la main.

— Pour le taxi.

Et Alex embrassa Daisy sur le front.

Elle songea vaguement que cinquante euros, c'était beaucoup. Sa voiture était à moins de deux kilomètres du restaurant. Alex aurait pu l'y déposer en passant.

— On se parle à ton retour d'Allemagne, répéta-t-il. Fais bon voyage et ne dépense pas trop !

Il disait toujours cela. Quand Daisy se lançait à l'assaut des boutiques, sa carte de crédit lui brûlait les doigts et c'était encore pire à l'étranger. Cette fois, la plaisanterie tombait dans le vide.

— Tout ira bien, Daisy. Tu aimes les défilés et les grands salons, et tu prétends que celui de Düsseldorf est le meilleur. A plus tard, d'accord ?

Alex eut le geste de porter un téléphone à son oreille, comme il le faisait à l'adresse d'une vague relation qu'il apercevait dans une pièce bondée pour lui signifier qu'il l'appellerait. En même temps, il soufflait à l'oreille de Daisy : « Un horrible crétin, mais un contact utile. Il a ses entrées partout. » D'habitude, Daisy riait, mais, cette fois, elle se sentait dans la peau de l'horrible crétin : quelqu'un à qui on fait signe, mais qu'on évite.

— Au revoir, dit Alex.

Il s'éloigna à grands pas sans laisser à Daisy le temps de répondre. Elle était figée sur sa chaise, au milieu du bruit des conversations, espérant que le taxi n'arriverait jamais. Elle doutait de pouvoir se lever et traverser la salle sous les regards. L'angoisse était revenue, qui l'écrasait.

A l'adolescence, alors qu'elle avait atteint son poids le plus élevé, Daisy avait traversé une crise où elle ne voulait plus voir qui que ce soit. Cela s'était passé pendant l'été où elles avaient emménagé au cottage, sa mère et elle. Elle ne voyait donc guère ses amies de la ville et il lui avait été aisé de sombrer dans l'agoraphobie. Elle se cachait au passage du facteur, qui avait pourtant hâte de faire la connaissance des nouvelles occupantes de la maison. Quand elle partait faire des courses au magasin local pour sa mère, elle s'accroupissait derrière les haies qui clôturaient les champs dès qu'elle entendait une voiture. Et, quand elle arrivait à la boutique, elle s'y glissait en catimini, essayant d'occuper le moins de place possible, dans l'espoir qu'on ne la verrait pas.

Or, depuis sa rencontre avec Alex, elle n'avait plus ressenti cette terrible peur, qui l'envahissait de nouveau avec brutalité. Elles revenaient, les amies fidèles de la grosse fille : l'angoisse, la haine et le dégoût d'elle-même.

— Le taxi pour Farrell ! cria-t-on.

Avec l'impression que les regards étaient braqués sur elle, Daisy réussit à traverser la salle et à s'installer dans le taxi. Chaque mouvement lui semblait aussi difficile que si elle luttait contre un ouragan. Etait-ce cela qu'avait éprouvé Alex quand il souffrait de la maladie d'Epstein-Barr, cet épuisement qui le contraignait à d'énormes efforts quand il voulait accomplir le moindre geste ?

Le chauffeur conduisait vite et, cinq minutes plus tard, déposa Daisy au parking. Elle regagna sa voiture et s'écroula derrière le volant, fixant le tableau de bord comme si elle ne l'avait jamais vu. En quelques instants, son univers avait basculé de la joie la plus forte au désespoir. Elle se sentait perdue. Elle n'était rien sans Alex. Rien. Personne. Il était sa vie et sa force. Sans lui, elle n'existait pas.

Trois jours après cette scène, à Düsseldorf, dans l'élégante chambre d'hôtel où dominaient le teck et le blanc ivoire, Daisy contemplait les vêtements suspendus dans la penderie. Elle soupira. Elle ne parlait ni l'italien ni le japonais, mais avait l'impression que ce n'était pas le cas, à cause des griffes des tenues : Fendi, Miu Miu, Missoni, Yamamoto, Matsui. Elle maîtrisait à la perfection le langage de la mode, mais, dans le monde réel, elle était inadaptée.

Elle avait le choix entre deux ensembles, noirs, évidemment ! Elle choisit celui de Comme des Garçons, qu'elle portait avec des bottes souples en peau couleur charbon et les perles grises qu'elle avait dénichées pour une bouchée de pain dans une brocante à Paris. La silhouette qu'elle découvrit dans le miroir était celle d'une femme élégante, avec une masse de cheveux roux, l'image même du raffinement. Son allure était parfaite, mais pourquoi, se demanda-t-elle, se sentait-elle si nulle ? Etait-ce à cause des quatre mini-bouteilles de vodka qu'elle avait avalées, la veille, en arrivant ; du Valium fauché dans la prétendue cachette de Mary à la boutique ; ou, simplement, parce que son univers était en train de s'effondrer ?

Les gens qui questionnaient Daisy sur son métier lui demandaient aussi si le champagne coulait à flots pendant les salons du prêt-à-porter, si la cocaïne y circulait sans problème et si les allées regorgeaient de journalistes de mode aux jugements sans appel, avec de faux ongles comme des griffes et des lunettes de soleil vissées sur le nez. Daisy répondait en riant qu'elle n'avait jamais entendu parler de drogue, mais que, peut-être, elle ne connaissait pas les bonnes personnes. En revanche, oui, parfois on buvait du champagne. Quant aux redoutables journalistes de mode, elles ne se montraient qu'aux défilés de Paris, Londres et Milan. Elles ne fréquentaient pas les salons où Daisy effectuait l'essentiel de ses achats. Daisy adorait la période des défilés à Londres et à Paris, mais n'y allait pas tous les ans, car c'était cher. En outre, si un modèle lui plaisait, il lui suffisait de s'adresser au diffuseur du créateur.

Elle se remémora son premier défilé de haute couture. Son mentor, une rousse, comme elle, avait fait partie des professeurs invités à son école de stylisme. Elle prenait les rouquines sous son aile pour embêter les blondes et avait donné une leçon fondamentale à Daisy : ne jamais paraître impressionnée. « Même si les mannequins et les modèles sont divins, même si tu as envie de sauter sur le créateur pour l'entraîner sous la couette, ne le montre pas, avait dit Diana. Aie l'air déprimée, comme si tu t'étais cassé un ongle cinq minutes après avoir payé une manucure ruineuse. Il n'y a que les débutantes pour manifester leur enthousiasme, mon chou. » Le conseil de Diana, devenu accessible à toute acheteuse de son livre pour une somme modique, valait son pesant d'or. Daisy faisait de son mieux pour s'y conformer, aussi difficile que ce soit. Elle aimait les beaux vêtements et avait du mal à ne pas s'emballer.

Le salon du prêt-à-porter de Düsseldorf ne rappelait en rien les mises en scène parfaites d'un défilé de Galliano.

D'abord, c'était une tâche épuisante de parcourir les allées au pas de charge en essayant de tout voir pour choisir et commander les modèles qui se vendraient. Des acheteuses comme Daisy ratissaient les halls immenses, examinant la marchandise venue du monde entier. Vêtements, accessoires, chaussures, chapeaux, ceintures, des milliers d'articles merveilleux étaient présentés dans des centaines de stands. Il y avait des défilés quotidiens, avec des filles superbes au ventre plat et aux os saillants. Parfois, on adorait un modèle, qui ne ressemblerait à rien sur une femme moins bien proportionnée que le mannequin. L'inverse était également possible, d'où le grand nombre d'hésitations et de modifications des commandes.

Daisy allait voir la collection de ses fournisseurs habituels et achetait ce qui devrait plaire aux clientes de Giorgia's Tiara. Cela ne l'empêchait pas de rester aux aguets, cherchant de nouveaux stylistes susceptibles de se vendre à Carrickwell. Les acheteurs venaient du monde entier et, comme chaque marque ne défilait que pendant trois ou quatre jours, il n'y avait guère de temps pour se reposer.

En haute couture, les défilés étaient suivis de réceptions fabuleuses, mais il aurait été ridicule d'y aller sans avoir accès à la zone VIP. Sans cela, on restait dans le troupeau, avec la certitude de voir l'une ou l'autre de ses bêtes noires, munie du passe magique, se diriger vers la partie convoitée.

Dans le prêt-à-porter, tout se passait plus simplement. Daisy connaissait un groupe d'acheteuses qui se rendaient aux mêmes salons chaque année et qui, le soir, sortaient ensemble pour bavarder et comparer leurs notes.

Cette fois, la marque Jazzy organisait une soirée dans un hôtel cinq étoiles pour fêter ses dix ans d'existence. Cela permettrait à Daisy de s'étourdir. Dans le taxi qui l'emmenait, elle se trouva coincée contre une ravissante Polonaise, une acheteuse, qui s'appelait Beata. Elle faisait penser à une délicate poupée.

Elle avait toujours l'air d'être prête pour défiler avec les mannequins. Ce soir-là, elle portait une tenue noir et bleu vif, mise en valeur par ses cheveux aile de corbeau. Les strapontins étaient occupés par deux acheteuses écossaises, tout en Chanel. Enfin, de l'autre côté de Daisy, se trouvait Sorcha, une superbe rousse originaire de Cork. Elle arborait une tenue extravagante, qui, sur elle, ressortait magnifiquement.

Beata prit la main de Daisy, admirant le bracelet assorti à son collier.

— Comment fais-tu pour être si mince ? Tu as suivi un régime ? Moi, j'ai pris deux kilos, la semaine dernière. Aujourd'hui, je ne mange rien !

Elles éclatèrent toutes de rire. Les régimes faisaient partie de leur quotidien.

— Tu es très en beauté, Daisy, c'est vrai, dit Sorcha. Comment vas-tu ?

Daisy fut tentée de dire la vérité : mon compagnon veut faire une pause et, la nuit dernière, je n'ai pu dormir qu'avec une double dose de vodka et de Valium, et cela après avoir dévoré le chocolat du minibar. Elle imaginait l'effet que produirait son aveu. Les autres occupantes du taxi seraient choquées. Bien sûr, elles se débrouilleraient pour ne rien montrer. L'histoire de Daisy deviendrait synonyme d'échec... Elle s'arracha un sourire.

— Très bien, dit-elle. La boutique marche et je n'arrête pas de courir.

Courir ! Elles en savaient toutes quelque chose. C'était le rythme habituel dans leur métier.

Si Daisy gardait les yeux bien ouverts et se concentrait sur un objet familier, comme son luxueux sac Marc Jacobs bleu pâle, elle arrivait presque à croire que tout était normal. Mais si elle les fermait son cauchemar revenait en force. Alex avait disparu de son univers. Elle avait de nouveau dix-sept ans, elle était énorme, et terrifiée à l'idée de sortir de chez elle ou d'y rester. Terrifiée et seule.

Le matin où elle quittait Düsseldorf, Daisy prit son petit déjeuner très tôt et demanda un taxi pour l'aéroport. Elle passa devant la boutique hors taxes d'un pas résolu et s'installa dans la salle d'attente. Alex aurait été fier de la voir résister à l'envie d'acheter quelque chose.

Alex... Assise sur un siège trop dur, Daisy ferma les yeux et s'autorisa à penser à son compagnon. Au cours des derniers jours, elle avait tenté de s'en empêcher, essayant de se convaincre que tout était normal et qu'il suffisait d'y croire assez fort. Mais elle avait échoué. A présent qu'elle revenait à la vie de tous les jours, elle était obligée d'affronter la réalité.

Alex voulait une séparation. Daisy avait fini par se dire qu'il n'y avait qu'une explication possible : leur problème d'infertilité. Que devait-elle faire ?

Au cours de ses nuits d'insomnie, elle n'avait pensé à rien d'autre. Oui, ils pouvaient mettre cette histoire de côté pendant un moment. Le temps travaillait pour eux. Peut-être était-ce ce qu'Alex désirait depuis le début : que Daisy renonce à la clinique et aux examens médicaux. Ainsi, ils se retrouveraient comme ils étaient avant. Ensemble, mais sans bébé.

Elle redoutait de devoir faire ce choix-là. Si Alex refusait définitivement d'avoir un enfant, pourrait-elle vivre avec lui en sachant qu'elle avait cédé par amour ? Arriverait-elle encore à se regarder dans la glace ? Elle tentait de voir clair en elle. Elle ne pouvait laisser une question aussi grave sans réponse.

Un peu plus loin, un homme âgé se dirigeait vers une porte d'embarquement. Il se tenait droit, mais marchait avec une canne et semblait avoir des difficultés avec sa valise à roulettes. Il n'y avait personne pour l'aider ni lui donner le bras. Daisy

213

frissonna. C'était terrible d'être seul. Elle n'imaginait pas de pire façon de vivre.

Cela l'aida à prendre sa décision. Elle préférait ne pas avoir d'enfants et garder Alex. Il était sa pierre de touche, son talisman ; il donnait du sens à sa vie. Peu d'êtres recevaient de l'amour. Ne pas avoir d'enfants représentait un faible sacrifice face à l'attachement véritable.

La solution était donc simple. Daisy n'avait qu'à dire à Alex d'oublier cette histoire de procréation assistée et il ne serait plus question de séparation !

A la vitesse à laquelle Daisy récupéra ses bagages et passa la douane avant de traverser le hall des arrivées, les douaniers durent la soupçonner de transporter des marchandises illégales ou dangereuses. Mais elle brûlait du désir de retrouver Alex, de lui parler et de tout arranger. Cela ne pouvait attendre. Elle lui expliquerait comment elle s'était rendu compte qu'ils étaient faits l'un pour l'autre et qu'elle comprenait ses réserves. Cela s'arrangerait ! Elle aimait Alex par-dessus tout. Elle ferait ce qu'il fallait pour qu'ils soient ensemble. Et elle serait comblée.

Joyeuse d'avoir résolu leur problème, elle sauta dans sa voiture et fonça sur l'autoroute en direction du centre de Dublin. Elle alluma la radio et se mit à chanter à tue-tête.

Elle repéra Alex au moment où il sortait de l'imposant bâtiment à façade vitrée de la banque. Accompagné de Louise, son assistante, il traversa la rue sans interrompre leur conversation. Ils parlaient tous deux avec animation, comme des gens qui se connaissaient bien. Louise était une mère célibataire avec un fils de dix ans. Daisy l'admirait. Rien n'avait été facile pour Louise. Ce qu'elle avait, elle l'avait gagné à force de travail. Comme disait Alex, elle était pourtant l'opposé de l'employé de banque typique. Elle répondait du tac au tac et possédait un flair redoutable pour détecter les mensonges de sa hiérarchie. Elle s'en tirait toujours, en partie grâce à son intelligence et à son sens de la repartie, en partie grâce à sa beauté. Daisy en était convaincue : on disposait d'une marge de manœuvre plus importante avec un visage séduisant, des lèvres pulpeuses, un beau sourire et de longs cheveux noirs soyeux. Pourtant, Louise ne semblait pas s'intéresser aux hommes. « Mon fils me suffit », avait-elle dit un jour où Daisy parlait de lui faire rencontrer quelqu'un. Alex avait défendu Louise d'un ton sec. « Laisse-la tranquille ! » avait-il lancé à Daisy.

Alex avait sans doute raison, avait admis Daisy. Rien de pire que les rencontres arrangées par des personnes bien intentionnées avec des hommes soi-disant fantastiques ! Quand on connaît quelqu'un depuis longtemps, on ne prête plus attention à son gros ventre ou à son habitude de parler constamment de son salaire. Parfois, le célibat s'explique...

Daisy rattrapa Louise et Alex devant le Coffee Bank Restaurant, où la moitié du personnel de la banque venait déjeuner.

— Bonjour !

Louise faillit s'étrangler et Daisy la prit par le bras.

— Désolée, dit-elle en souriant, je ne voulais pas vous faire peur. J'ai besoin de voir Alex.

Elle se tourna vers lui, le visage rayonnant. Malgré son désir de séparation à l'essai, il se réjouirait de la voir. Or, il paraissait aussi stupéfait que Louise. Daisy ne s'en formalisa pas. Elle l'avait surpris, voilà tout.

— Vous alliez déjeuner ?

— Oui, bredouilla Alex.

— Est-ce un déjeuner d'affaires ou acceptez-vous quelqu'un d'autre ? poursuivit Daisy sur le ton de la plaisanterie.

— Excusez-moi, je dois y aller, lança Louise.

Elle disparut dans la foule de midi sans même dire au revoir. Daisy la regarda s'éloigner, sidérée.

— Ecoute, Daisy... commença Alex.

— Désolée, répéta Daisy machinalement.

Pourquoi la plupart de ses phrases débutaient-elles par « désolée » ?

— J'ai voulu te voir dès mon retour, c'est pourquoi je n'ai pas pris le temps de te téléphoner. J'ai pensé qu'on n'avait qu'à se marier, Alex, et à arrêter de vouloir un bébé. Je sais à quel point ça t'angoisse. Même si nous n'avons pas d'enfants, nous sommes là l'un pour l'autre, n'est-ce pas ?

Daisy avait terminé sa phrase presque sans voix. Soudain, son idée ne lui semblait plus merveilleuse. Alex paraissait mal à l'aise. Comme Louise...

Daisy se demanda ce qu'elle avait dit de mal.

— J'aurais dû t'appeler, répéta-t-elle. Excuse-moi, j'arrive à un mauvais moment. Avec mes Spocks !

C'était une plaisanterie entre eux, une théorie d'après laquelle M. Spock, dans *Star Trek*, devait avoir les pieds aussi grands que les oreilles. Mais cette allusion à leur complicité ne fit pas sourire Alex. Daisy ressentit une vague sensation d'étrangeté. Quelque chose n'allait pas.

— Qu'y a-t-il ?

— On ne peut pas se parler ici.

— Au Coffee Bank Restaurant, alors ?

— Surtout pas ! Impossible d'avoir une conversation privée, là-dedans !

Le malaise de Daisy se transforma en angoisse. Elle en avait la chair de poule. Alex et elle avaient déjà déjeuné au Coffee Bank Restaurant sans problème pour se parler. Il était même arrivé, un jour où on les avait placés dans l'alcôve à côté des cuisines, qu'Alex l'y embrasse avec passion. Elle en avait été émoustillée.

— Viens, dit-il. Allons au Rio Lounge.

Situé dans une ruelle adjacente, le Rio Lounge n'évoquait guère les plages et le soleil de Rio ; sombre, sinistre, il offrait l'image d'un repaire pour vendeurs de haschich. La pauvreté de l'éclairage favorisait tous les trafics. Quant aux touristes, ils y venaient pour la décoration « vieille Irlande ». Les amateurs de recoins crasseux, de sciure et d'outils agricoles bizarres, achetés en lots par le décorateur, y trouvaient aussi leur compte.

Daisy suivit Alex sans oser protester.

En dépit de la saleté ambiante, le Rio Lounge faisait des affaires en or. C'était plein. Comme il ne restait pas un tabouret de libre, Alex et Daisy se frayèrent un chemin jusqu'à une extrémité du bar. Alex commanda les boissons, choisit un quart de vin blanc pour Daisy sans lui demander ce qu'elle voulait et garda les yeux posés sur le barman en attendant qu'il les serve. Il paya et, observé par Daisy, prit le quart de rouge qu'il avait demandé, remplit son verre et but la moitié d'un trait. Quoi qu'il ait à dire, ce devait être grave.

Avec l'expression d'un homme qui s'apprête à faire son premier saut à l'élastique sans en avoir envie, il se tourna enfin vers Daisy et se lança sans respirer.

— Louise est enceinte.

Daisy ne comprenait pas. Pourquoi Louise avait-elle semblé si malheureuse, en ce cas ? Peut-être venait-elle de découvrir son état et se trouvait-elle sous le choc. A moins...

— Oh ! Elle ne veut pas du bébé ?

Pendant un bref instant de folie, Daisy faillit ajouter : « Nous l'adopterons ! » Un petit non désiré, qui n'attendait que d'être aimé par Alex et elle...

— Bien sûr que si !

— Ah... Euh... Alors, quel est le problème ?

Daisy n'arrivait pas à se détacher de cette image : Alex et elle cajolant l'adorable nourrisson. Une autre idée lui vint soudain.

— Le père n'en veut pas. C'est ça, n'est-ce pas ? Pauvre Louise !

— Non, ce n'est pas ça.

A présent, Alex avait l'air d'un homme qui a sauté et découvre que l'élastique est cassé.

— Il est marié ? insista Daisy.

Elle ne pensait plus à ses propres angoisses, pleine de compassion pour Louise.

— Je comprends, reprit-elle. Le père est marié.

C'était facile pour les hommes de jouer sur les deux tableaux, pensa-t-elle avec amertume. Ils prenaient leur plaisir et les conséquences étaient pour les femmes.

— Pas exactement.

— Alors, quoi ?

Alex s'absorba dans la contemplation de son verre puis, non sans une visible réticence, leva la tête pour regarder Daisy, qui attendait, les yeux pleins d'innocence. Au cours des années passées à côté d'elle, il l'avait regardée de mille façons, mais jamais ainsi, avec pitié, même quand on lui avait arraché les dents de sagesse et qu'elle ressemblait à un hamster. A l'époque, il éprouvait de l'amour pour elle.

— Daisy, tu ne comprends pas ?

Et, brutalement, la vérité lui apparut. La froideur d'Alex s'expliquait par le fait que Louise attendait le bébé d'Alex. Ils avaient une liaison. Voilà pourquoi Alex voulait une séparation à l'essai. Par pitié, il n'avait pas assené la vérité d'un coup à Daisy. Il avait prévu de lui apprendre les nouvelles au compte-gouttes. D'abord, la séparation ; ensuite, sa relation avec Louise ; enfin, le bébé. Mais Daisy avait fichu ces beaux projets en l'air en débarquant sans prévenir pour informer Alex de ses réflexions.

— C'est ton enfant...

— Oui.

— Mais tu n'en voulais pas ? balbutia Daisy, incrédule.

— Non, mais c'est arrivé et nous ne pouvons pas faire marche arrière.

— Je croyais que tu n'en voulais absolument pas ! J'en étais convaincue et j'avais décidé d'y renoncer pour te garder. J'en aurais souffert, mais ma décision était prise... Et maintenant tu... Comment as-tu pu me faire ça ?

Tout s'écroulait pour Daisy, ses projets naïfs, cet avenir rose où Alex et elle vivaient de nouveau ensemble, où ils se mariaient. Il n'en restait rien.

— Quand me l'aurais-tu annoncé ?

Daisy se sentit fière d'avoir réussi à poser la question sans s'effondrer en larmes.

— Je ne sais pas. Louise voulait qu'on te dise la vérité dès le début. Mais nous ne l'avons pas fait exprès, je te le jure.

« Nous. » Il y avait toujours un « nous », mais il ne signifiait plus « Daisy et Alex ».

— Je ne souhaitais pas te faire de mal, insista Alex.

C'en était presque comique !

— C'est trop tard.

— Je sais. J'aurais fait n'importe quoi pour l'éviter.

Alex parlait avec une telle sincérité !

— J'aurais fait n'importe quoi, Daisy, crois-moi...

Elle était encore trop choquée pour pleurer. Cela viendrait plus tard.

— Te croire ? Mais je t'ai toujours cru, Alex, et regarde où ça m'a menée...

Cette fois, elle était sur le point de craquer.

— Alex, je veux que tu me dises au moins une chose : depuis combien de temps cela dure-t-il, entre Louise et toi ?

L'élastique auquel Alex se sentait suspendu se répara comme par miracle et Alex retrouva son assurance.

— A peine deux mois, dit-il avec aisance.

Avec beaucoup trop d'aisance...

Daisy repensa à l'année précédente, alors que son infertilité l'angoissait de plus en plus. Elle avait senti Alex s'éloigner d'elle tout doucement, mais assez clairement pour qu'elle n'ose pas lui parler de ses sentiments. Elle s'était reproché d'être la cause de ce comportement, avec son obsession d'avoir un bébé. Or, pendant tous ces mois, c'était autre chose qui se passait.

— Tu mens !

— Non !

— Ne mens pas ! Je veux la vérité.

Le regard d'Alex perdit son assurance.

— Depuis le congrès du Kerry, l'année dernière...

Daisy s'en souvenait. C'était en avril, une importante réunion de financiers, pour laquelle Daisy avait fait d'innombrables allers et retours au pressing, portant les costumes dont Alex avait besoin. Pendant son absence, elle avait attrapé la grippe et, à son retour, il avait été adorable. Il lui faisait des citronnades chaudes pour la gorge, allait lui acheter ses magazines de mode préférés et s'était occupé du dîner tous les soirs jusqu'à sa complète guérison. A cette époque-là, Mary traversait des moments difficiles et Daisy avait culpabilisé d'avoir un compagnon si aimant, alors que son amie souffrait de la solitude. Daisy découvrait à présent que son bel amour avait été une tromperie.

— Quand Louise doit-elle accoucher ?

— Dans cinq mois...

Daisy se sentit brutalement stérile. Elle était comme une plaine désertique où nulle semence ne pousserait jamais, quels que soient les soins qu'on lui donne. Elle était vide, le ventre plat, tandis que Louise était grosse d'une nouvelle vie.

Avec la plus parfaite indifférence, Louise avait volé l'essentiel à Daisy : Alex et son bébé. Louise n'en avait pas besoin ! Elle avait déjà un fils à aimer et serait toujours une mère. Toujours. Mais pas Daisy.

Elle ne comprit qu'elle pleurait qu'en voyant l'expression contrariée d'Alex. Il détestait ce débordement d'émotion. Il avait pris son expression habituelle dans ces cas-là : la bouche crispée, les yeux plissés, comme pour la supplier d'arrêter.

— Je suis désolé, vraiment désolé. Si seulement je pouvais arrêter le temps et revenir en arrière...

Il s'interrompit, conscient de l'inutilité de ses paroles.

— Je n'ai pas voulu te faire souffrir, Daisy.

Daisy avait à peine entendu. Elle porta soudain la main au ravissant pendentif en forme de cœur qu'elle portait au cou. Quand Alex le lui avait offert, elle en avait été si heureuse !

— Le collier de chez Tiffany était-il vraiment pour moi ?

— Oui. J'avais décidé de t'avouer la vérité, ce soir-là. J'avais pensé que le bijou t'aiderait à supporter la situation. Il te prouverait que je n'avais pas cherché à te blesser.

— Pourquoi n'as-tu rien dit ?

Alex se prit le visage dans les mains.

— Je ne sais pas. Tu étais enthousiasmée par l'idée de recourir à la fécondation assistée... Je ne savais plus quoi faire. Comment te dire que c'était fini alors que tu étais si heureuse ?

Daisy essuya ses larmes d'un revers de main.

— Tu m'as laissée espérer et rêver, dit-elle d'une voix brisée. Quelle cruauté !

— Comment pouvais-je te le dire ? répéta Alex.

Au souvenir de sa frustration, il se mettait en colère.

— Tu ne pensais plus qu'à ça ! Je n'ai pas eu un instant la possibilité de te dire que c'était fini. Tu ne voyais donc rien, Daisy ?

— Quoi ?

— Qu'un jour chacun de nous rencontrerait la personne

220

idéale. Toi et moi savions que nous attendions ça. Qui passe sa vie avec son flirt d'étudiant ? Nous cherchons tous l'être qui nous conviendra, pendant ce temps, non ? J'attendais de trouver quelqu'un d'unique pour moi. Allons, Daisy, sois honnête ! C'est la même chose pour toi.

— Non...

Elle était choquée. C'était donc ainsi qu'Alex envisageait leur relation ?

— N'essaie pas de te donner bonne conscience en racontant des mensonges à mon sujet. Je n'ai jamais espéré un autre homme que toi. Tu trichais, pas moi ! Tu étais l'homme de ma vie.

— Tu ne peux pas ne rien avoir remarqué, repartit Alex d'un air désemparé. Quand je t'ai dit que je ne voyais pas l'intérêt de nous marier, tu n'as donc pas compris ?

— Non, répliqua Daisy de façon presque inaudible.

— J'ai essayé de te le faire comprendre, insista-t-il.

— Nous étions aussi unis qu'un couple marié. Nous avons acheté notre appartement en commun, fait des projets, passé les fêtes de fin d'année et les vacances ensemble depuis que nous nous connaissons. Peux-tu me dire où est le provisoire là-dedans ? Comment aurais-je pu savoir que c'était différent pour toi ?

Alex ne répondit pas tout de suite, à court d'arguments.

— J'ai cru, reprit-il enfin, que tu avais saisi quand nous avons parlé de mariage. C'est ça qui m'a empêché de te dire la vérité quand tu m'as annoncé que tu avais pris rendez-vous à la clinique. Et zut, Daisy ! Pourquoi es-tu si confiante ?

— Parce que je t'aime.

— Excuse-moi, fit Alex en se levant. C'est fini, Daisy. Fini ! Il n'existe aucun moyen de le dire gentiment. Ça ira ?

— Non, ça n'ira pas. Comment arriverai-je à vivre sans toi ?

— Ce n'est pas mon problème. Tu devras te débrouiller.

Sur quoi, Alex tourna les talons et partit.

Au milieu des clients qui se pressaient en foule au bar du Rio Lounge, Daisy ne s'était jamais sentie aussi seule de sa vie.

Elle s'offrit des boots qui ne la consolèrent pas, pas plus que le cardigan en cachemire noir avec un décolleté en V sexy. Elle les acheta pourtant, ainsi que des slips en soie très chers, un gris perle, l'autre bordeaux avec des pois ivoire, tous les deux coquins, avec leur nœud à l'arrière. Une vraie folie ! Ensuite, elle choisit un grand pot de crème glacée et rentra chez elle, à Carrickwell, profitant des embouteillages pour manger la glace avec une petite cuiller en plastique.

Elle avait posé ses achats sur le siège passager et les touchait de temps en temps, comme si le contact ou la vue de ces choses ruineuses pouvait l'empêcher de sombrer dans le grand vide sinistre qui s'ouvrait au fond d'elle. Son esprit refusait d'enregistrer la réalité : Alex était avec Louise. Si Daisy refusait d'y penser, peut-être cela n'existerait-il pas ?

En arrivant à Carrickwell, après le pont par lequel elle avait l'habitude de passer, elle vit le vieil accordéoniste qui s'installait parfois sur le trottoir surplombant la rivière. Frêle, enfoui dans un manteau trop grand, il jouait, un chapeau posé par terre devant lui. Daisy avait horreur de ses mélodies tristes, mais elle jetait toujours quelques pièces dans le chapeau. Cet homme était-il heureux ? Plus heureux qu'elle ? Probablement...

Une fois chez elle, elle rangea ses vêtements neufs, défit sa valise et tria le contenu en deux tas : ce qui passait en machine et ce qui allait au pressing. Deux tas nets, méthodiques. Elle ôta ensuite les habits qu'elle avait mis le matin même à Düsseldorf avec enthousiasme, puis enfila une vieille chemise et le pantalon souple en velours marron qu'elle aimait porter à la maison.

Quand tout fut en ordre, elle sortit une bouteille de vin du réfrigérateur et s'assit en tailleur sur le canapé devant la télévision, espérant se sentir mieux. C'était impossible que cela lui soit arrivé, à elle. Alex ne l'avait pas quittée. Il n'aurait jamais fait ça.

Daisy se mit à pleurer, à en avoir le visage brûlant. Et elle vida la bouteille.

11

Le premier lundi matin de la nouvelle existence de Mel, le réveil, qu'elle avait oublié d'éteindre, sonna à six heures et demie, comme d'habitude. Mel paressa quelques instants, comme elle aimait le faire, savourant le calme avant la tornade quotidienne. Adrian grogna dans son sommeil et se retourna. Encore quelques minutes !

Mel commença à passer en revue ce qu'elle avait à faire dans la journée, ce qu'elle aurait dû faire la veille et ce qu'elle pourrait peut-être remettre au lendemain. Soudain, la mémoire lui revint. Ce fut une sensation délicieuse, comme se glisser entre des draps frais alors qu'on est épuisé. Mel n'avait plus besoin de courir travailler loin de chez elle ! A présent, elle était mère à plein temps.

« Mère au foyer... » Elle retourna le mot dans son esprit. Femme d'intérieur... Etait-elle devenue différente ? Elle sortit un bras et le tendit dans le jour naissant. Non, c'était toujours le même membre, elle n'avait pas changé. Elle avait les mêmes doigts et les mêmes peaux sèches autour des ongles, sans vernis, pour tout arranger. Désormais, elle aurait peut-être le loisir de se faire faire des manucures ? Non, elle n'en aurait plus les moyens. En revanche, elle trouverait bien un moment pour s'occuper d'elle. Et la cuisine ! Elle allait s'y remettre. Elle préparerait des muffins. Son livre de cuisine datait de plusieurs années, mais elle ne s'en était pas servie. Et du pain ! Quoique, elle se montrait peut-être trop ambitieuse... On trouvait de la pâte prête à cuire dans les magasins ; elle essaierait.

Mel se retourna, se nicha contre son mari et glissa dans un demi-sommeil bienheureux. Restait-il un tablier quelque part dans la maison ? se demanda-t-elle encore vaguement. Elle en avait eu un gratuit, avec des haricots en conserve, des années auparavant. Elle avait envie d'en avoir un rose à fleurs, style années cinquante. Les vraies mères au foyer avaient de vrais tabliers.

Une heure plus tard, dans la cuisine, elle démoulait une douzaine de muffins dorés.

Carrie n'avait pas compris que Sarah et elle n'iraient pas au jardin d'enfants, ni ce matin-là ni les autres. Par ailleurs, cela ne pouvait pas être le week-end, puisque son père était parti travailler.

— Je vais chercher mon manteau ? répétait-elle d'un ton plein d'espoir.

— Non, ma chérie. Aujourd'hui, maman s'occupe de Sarah et de toi. On va s'amuser.

Carrie planta sa cuiller dans le yaourt aux fraises et la releva avec énergie, faisant gicler la crème rosée autour d'elle. Elle éclata de rire et Mel l'imita. Inutile de se lamenter sur le yaourt répandu !

Sarah vint à son tour s'asseoir à la table de la cuisine, fixant la boîte de céréales sans la voir, plongée dans son monde imaginaire. Cela se passait ainsi chaque matin et, d'habitude, Mel rongeait son frein, car cela rendait Sarah très lente. Mais ce n'était plus un problème ! Mel eut soudain une sensation de vertige à l'idée du temps dont elle disposait, sans urgences, sans réunions. Elle s'assit sur la chaise à côté de Sarah et lui caressa les cheveux.

— Qu'allons-nous faire, aujourd'hui ?

Mel avait savouré chacun de ces mots. C'était mieux que : « Sarah, dépêche-toi de finir ton petit déjeuner ; tu vas nous mettre en retard. »

— Lily peut venir jouer avec moi ?

Lily avait depuis peu supplanté Tabitha dans le rôle de meilleure amie de Sarah au jardin d'enfants. Mel connaissait à peine la mère de Lily, une femme d'affaires de haut niveau. Elle venait chercher Lily encore plus tard que Mel ses deux filles. Une bouffée de soulagement envahit Mel à l'idée que ces jours-là étaient terminés. Elle pouvait enfin s'avouer à quel point elle s'était sentie stressée et coupable d'infliger un rythme pareil à Sarah et Carrie.

— Lily passe la journée au jardin d'enfants, dit Mel. Mais toi, tu n'as plus besoin d'y aller, puisque maman a arrêté de travailler au bureau. Tu vas te faire de nouvelles amies et nous inviterons Lily le soir ou pendant le week-end.

— Je veux voir Lily maintenant, répliqua Sarah d'une petite voix.

— Tu sais ce qu'on va faire ? On téléphonera à sa maman. D'accord ?

Par chance, Mel avait gardé son numéro à la suite d'une fête d'anniversaire où Sarah avait été invitée.

— Maintenant, insista Sarah. C'est ma meilleure amie.

Elle était triste. Mel n'avait pas imaginé un instant que Sarah et Carrie regretteraient leurs petites compagnes des Little Tigers. Quelle sotte ! pensa-t-elle. Le jardin d'enfants refuserait de prendre Sarah et Carrie seulement le matin. De toute façon, c'était aussi une question de moyens. Quant aux différents groupes Montessori de Carrickwell, il ne leur restait pas une place. Tous les parents voulaient y inscrire leur progéniture et Mel ne s'en était jamais occupée. Elle devrait se débrouiller pour que Sarah et Carrie jouent régulièrement avec des camarades.

— Je croyais que tu voulais que maman reste à la maison avec toi ? Ça ne te fait pas plaisir ? Je n'irai plus au bureau. Maintenant, je peux t'emmener au zoo, au parc et à la petite ferme.

— Aujourd'hui et demain, et le jour après demain ? demanda Sarah d'un air soupçonneux.

— Oui, répondit Mel avec tendresse.

— D'accord ! Je peux avoir un muffin, maman ? Je n'aime plus les céréales.

Le petit déjeuner terminé, Mel recourut à toute son astuce d'ex-femme active pour découvrir où se retrouvaient les mères de jeunes enfants. Cela lui prit cinq coups de téléphone : le lundi matin, un groupe se réunissait dans la grande salle de l'école St Simeon.

— Les filles, on part à l'aventure ! On va dans un endroit très amusant que vous ne connaissez pas encore et où vous pourrez vous faire de nouvelles amies. Vite, on monte se laver les mains et se coiffer !

Tandis que Sarah et Carrie se précipitaient dans l'escalier, Mel se demanda pourquoi elle n'avait pas songé à arrêter de travailler des années plus tôt. Par comparaison avec la tension qu'elle aurait dû subir à cette heure de la matinée, s'occuper de sa famille la reposait. Elle prit un des muffins encore tièdes et le dégusta en montant à son tour. Pas mauvais, pour un essai !

Deux femmes qui vivaient dans la même rue que Mel fréquentaient le groupe. Mel les reconnut quand elles arrêtèrent leur poussette devant l'entrée de l'école St Simeon. L'une, très grande et avec d'épaisses boucles noires qui dansaient librement sur ses épaules, était enceinte. Son pantalon violet et sa tunique de grossesse assortie, qu'elle portait avec un collier en or et pierres précieuses pour détourner l'attention de son tour de taille, lui donnaient une allure originale. Mel l'avait vue plus d'une fois passer au volant de sa voiture, mais elles ne s'étaient jamais parlé ni même saluées. L'autre femme, plus petite et assez frêle, paraissait plus âgée, mais peut-être parce que, à la connaissance de Mel, elle avait cinq enfants. Elle habitait à quelques maisons de chez Mel, qui l'avait déjà vue criant à sa progéniture de monter dans le monospace familial « sans claquer les portes ». Ses deux voisines se saluèrent. Elles semblaient très amies.

Mel les suivit, avec l'impression d'avoir quinze ans et d'arriver dans une nouvelle école. Elle ne connaissait personne et tout le monde la regardait avec intérêt. Un groupe était déjà assis dans un coin, où le plancher était jonché de jouets et de voitures en plastique. Une table haute, hors de portée des petites mains, était garnie de tasses, de paquets de biscuits et d'un gâteau fait maison. Mel se sentait capable d'en confectionner un, elle aussi, puisqu'elle avait réussi les muffins.

Elle sourit à la ronde et posa son sac sur une chaise près de la porte. Ainsi, elle espérait montrer qu'elle était une étrangère en ce lieu et le savait. Sarah et Carrie n'avaient pas eu ces scrupules de timidité et s'étaient précipitées pour jouer avec leurs congénères.

— C'est la première fois que vous venez ?

La femme qui avait posé la question était à un stade avancé de sa grossesse. Un bambin s'accrochait à elle. Mel s'assit et la salua de la tête.

— Vous aussi ? demanda-t-elle.

— Non, je viens régulièrement, mais Cormac reste intimidé.

Elle regarda Sarah et Carrie, qui s'amusaient.

— Vos filles s'adaptent vite ! Elles semblent très sociables.

— Elles sont allées tôt à la crèche, répondit Mel. Je viens d'arrêter de travailler pour m'occuper d'elles.

Elle avait dit ces derniers mots comme pour s'excuser d'avoir confié Sarah et Carrie à autrui.

— Ça les socialise mieux, soupira l'interlocutrice de Mel. Nous vivons en pleine campagne, à plusieurs kilomètres de Carrickwell, et Cormac est isolé. J'ai récemment compris qu'il a besoin de voir d'autres enfants, surtout avec le bébé qui arrive.

Mel se présenta.

— Je m'appelle Mel. Quand le bébé doit-il arriver ?

— Dans six semaines. J'ai hâte d'y être ! Moi, c'est Elaine.

— Astrid.

— Sylvia.

— Bernie.

— Lizanna, ajouta la femme en violet et aux longs cheveux.

— Claire.

— Ria, dit la voisine de Mel qui avait cinq enfants.

Mel sourit à chacune. Elle n'avait plus l'impression d'une rentrée scolaire. Au contraire, elle se sentait accueillie. Certaines de ces femmes étaient soignées et élégantes. Mel ne s'était jamais habillée avec recherche pendant le week-end. Elle avait un style pour aller travailler – tailleur et hauts talons – et un autre pour rester chez elle – vieux jean, sweat-shirt, pas de maquillage et cheveux coiffés à la diable.

Astrid, du moins Mel pensait qu'il s'agissait d'elle, était l'image même de la jeune mère digne de figurer dans un magazine de luxe, celle qui va chercher ses enfants à l'école vêtue d'un pantalon en velours côtelé beige et d'une chemise en daim caramel, ses mèches blondes relevées en queue de cheval.

Elaine traversait l'enfer vestimentaire propre au stade ultime de la grossesse. Elle portait un pantalon de jogging noir et une chemise à rayures qui devait appartenir à son mari. Elle avait chaud et transpirait. Elle semblait épuisée. Une jolie brune qui tenait un bébé sur les genoux se tourna vers Mel. Claire, peut-être ?

— Vous avez dit que vous veniez d'arrêter de travailler. Que faisiez-vous ?

Mel répondit d'un ton hésitant. Elle craignait de passer pour une carriériste, qui regrettait d'avoir fait un marché de dupes en renonçant à tout. Cela n'aurait pas été le bon moyen de se faire des amies !

— Je travaillais pour une compagnie d'assurances, Lorimar.

— Vraiment ? s'exclama une autre femme. (Sylvia ?) J'étais aussi dans les assurances.

L'instant d'après, elles échangeaient des anecdotes sur leur milieu professionnel et découvraient avoir côtoyé un génie de l'informatique, un homme agréable, qui occupait à présent un poste important dans l'industrie.

Le fils de Sylvia se mit soudain à crier, réclamant du jus d'orange.

— Shane, demande poliment, dit sa mère sans s'émouvoir. Est-ce que ça vous manque, Mel ? Le travail, le bureau, toute cette activité ?

Mel réfléchit avant de répondre.

— C'est le premier jour... Je cherche mes marques. Je suis ravie de ne plus courir pour attraper le train du matin et de ne plus porter des talons toute la journée.

Bernie soupira. Elle était vêtue d'un jean usé. Un petit garçon jouait à ses pieds.

— J'étais comptable... Je suis comptable. On n'a pas une seconde à soi, quand on reste à la maison.

— Ne m'en parle pas ! grogna Sylvia. Quand on ne gagne pas d'argent, on culpabilise de prendre du temps pour s'occuper de soi. Ça fait deux ans que je ne vais plus chez mon coiffeur habituel, parce que c'est trop compliqué, avec Shane et la poussette. Maintenant, je fréquente le salon du centre commercial, dont l'accès est aisé.

— Et si tu dépenses de l'argent pour toi, renchérit Claire, tu as l'impression de l'avoir volé.

— Mais il n'y a pas de raison ! protesta Mel, étonnée. S'occuper de ses enfants, c'est un travail. Si votre mari vous payait pour ce que vous faites, vous gagneriez plus que lui. Vous ne croyez pas ?

Les autres femmes échangèrent des sourires entendus.

— On en reparlera dans un mois, dit Sylvia. Ce n'est pas si facile. Vous verrez que vous n'oserez plus entrer dans une parfumerie pour le seul plaisir d'acheter un rouge à lèvres de marque.

— Et si on le fait, ajouta Claire, c'est en cachette !

— Ou on raconte qu'on l'a eu gratuitement avec un magazine, glissa une troisième en éclatant de rire.

— Vous en rajoutez ! s'exclama Mel. Mon mari ne s'apercevrait pas que j'ai un rouge à lèvres ruineux, même s'il tombait de son étui devant lui.

— Comme le mien, avoua Sylvia. Non, ce dont on parle, c'est d'un sentiment de culpabilité. Vous ne gagnez plus votre vie, alors, quand vous dépensez pour vous, vous vous reprochez de n'avoir pas plutôt acheté un vêtement ou des chaussures neuves pour vos enfants. C'est comme si vous les aviez privés de quelque chose.

Carrie courut à cet instant vers Mel pour se rassurer et Mel la prit sur ses genoux en la câlinant.

— Je pensais, dit-elle, que c'était les femmes qui travaillent qui culpabilisaient.

— Toutes les mères culpabilisent, répondit Claire. Ça va de pair avec les vergetures et l'absence de vie sexuelle, compléta-t-elle en baissant la voix.

Les autres éclatèrent de rire.

— Parle pour toi ! s'exclama Sylvia.

— Je préfère culpabiliser chaque jour plutôt que de subir de nouveau la guerre des bureaux, dit Bernie. Je travaillais dans une banque, ajouta-t-elle à l'intention de Mel. Ça ne me dérangerait pas de reprendre un emploi, mais pas dans une banque !

— Pour moi, c'est le meilleur lundi matin que j'aie connu depuis longtemps, confia Mel. Ça ne me donne pas envie de revenir en arrière.

Elle ne mentait pas. Normalement, le lundi était la pire journée de la semaine. Mel était épuisée d'avoir couru partout avec Sarah et Carrie pendant le week-end et avait repris l'habitude de les avoir avec elle en permanence. Chaque lundi matin lui faisait revivre ce qu'elle avait ressenti le premier jour où elle était retournée travailler après ses congés de maternité.

— J'adorerais pouvoir rester avec mes enfants et mener une activité professionnelle, dit soudain Lizanna. J'aimerais retrouver, au moins en partie, mon statut d'avant.

— Que faisiez-vous ? demanda Mel.

— Directrice financière d'une société de presse qui publie les magazines de mode et de décoration que vous voyez partout. C'était génial ! Quand j'ai eu Theo...

Elle s'interrompit et jeta un coup d'œil à un petit garçon, qui, à grand renfort de « vroum vroum », jouait avec une voiture cabossée.

— J'ai arrêté, reprit Lizanna. J'ai songé que j'avais réussi, que j'étais arrivée en haut de l'échelle, et que je pouvais me reposer et me consacrer à la maternité. Ça ne s'est pas passé de cette façon.

— Je ne comprends pas, Lizanna, intervint Sylvia. Tu prétends que tu aimes être à la maison. Je ne sais pas comment tu réussissais à tout faire, avant. Maintenant, tu vois Theo grandir.

Lizanna prit le temps de choisir ses mots.

— Bien sûr, c'est merveilleux... Je suis d'accord sur ce point, mais ça ne remplace pas ce que j'ai perdu. J'étais fière de mes responsabilités et de ma réussite. On m'admirait.

Personne n'admire une mère au foyer. Elle compte pour moins que rien ! J'avais l'habitude d'être invitée à des réceptions, de recevoir des cadeaux promotionnels. Quand un créateur de sacs à main lançait un modèle, j'étais en tête de la liste avec la rédactrice en chef de *Style* pour le recevoir, bref, tout ce que vous pouvez imaginer. C'est futile, certes, mais ça m'amusait et j'avais travaillé dur pour arriver à ce niveau-là. Maintenant...

Elle se tut pour réfléchir.

— C'est peut-être la crise du huitième mois et demi, quand on donnerait tout pour que le bébé soit né, mais je redoute la suite. L'arrivée d'un deuxième enfant signifie que je ne suis pas près de renouer avec une carrière. Comprenez-moi bien : je désire cet enfant, mais j'ai l'impression de ne plus exister. Ça ne vous fait pas ça ?

— Bien sûr que si ! répondit Elaine avec conviction. On te comprend ! Peu importe qui tu étais avant, tu n'es plus qu'une mère.

Lizanna approuva de la tête, mais elle avait l'air navrée d'avoir lancé cette discussion.

— C'est affreux à dire... Pourtant, j'adore mes enfants, dit-elle en posant la main sur son ventre.

— Tu recommenceras à travailler quand ils iront à l'école, avança Ria.

— Ce n'est pas pour tout de suite, fit remarquer Sylvia. Si je me remettais à chercher du travail, quand ce sera possible, je craindrais qu'on ne me trouve trop vieille. Je ne saurais pas comment m'habiller, par exemple. Une mère ne sait plus être prête tôt. Si nous sommes invités à une réception habillée, mon mari et moi, il me faut deux heures pour choisir une tenue.

— C'est difficile, reconnut Mel. Sarah avait trois mois, quand j'ai réintégré mon poste chez Lorimar. J'avais l'impression d'être comme un hamster dans sa roue. Je courais sans arrêt, la roue tournait de plus en plus vite, mais je n'arrivais nulle part.

— Mais, dit Bernie, je suppose que, dans les soirées, les

gens ne te tournaient pas le dos après t'avoir demandé ce que tu faisais dans la vie ?

Mel comprit que Bernie ne plaisantait pas.

— Ça, ça va te plaire, dit Lizanna à Mel, la tutoyant soudain. Brusquement, on ne te voit plus. Les hommes sont terribles sur ce plan-là, mais c'est pire avec certaines carriéristes.

Mel eut un brusque élan de remords. Il lui était certainement arrivé de réagir ainsi.

— Ce n'est pas ça, fit-elle. Ces femmes se sentent honteuses de ne pas s'occuper de leurs enfants comme vous le faites. C'est une réaction de culpabilité.

— C'est une horreur ! insista Lizanna. Les gens te regardent comme si ton cerveau avait fondu à l'instant où tu as quitté ton bureau. Et les femmes prient le dieu de l'élégance pour ne jamais tomber enceintes !

Deux heures s'écoulèrent. Les sujets de conversation changeaient sans cesse, suivant les départs et les arrivées. Mel était fascinée de découvrir ces femmes, si franches, si directes. Elle n'avait jamais eu ce genre d'échange avec ses collègues, en dehors de Vanessa. Or, elle découvrait dans ce groupe des femmes qui parlaient de tout très librement. Aucune ne prétendait avoir une existence idéale, au contraire de la plupart des mères salariées que connaissait Mel. Elles vivaient au même rythme infernal qu'elle, mais si elles l'admettaient elles s'avouaient vaincues.

Au sein du groupe, toutes parvenaient à se moquer d'elles-mêmes et à rire de leurs difficultés. Elles se séparèrent à midi et Mel rentra chez elle avec Sarah et Carrie, très gaies. Quant à elle, le répertoire de son téléphone portable s'était enrichi de nouveaux numéros. Elle avait trouvé reposant de parler de son nouveau rôle sans avoir l'impression de commettre une imposture.

Tout aussi reposant avait été de découvrir que les mères au foyer avaient des problèmes. Ainsi, elles s'inquiétaient, y compris celles qui semblaient gérer les choses à la perfection. Mel trouvait cela rassurant.

Après le déjeuner, tandis que Carrie faisait la sieste et que Sarah regardait une cassette, Mel décida de s'attaquer à quelques tâches ménagères qu'elle repoussait depuis des mois. Elle commença par récurer à fond le sol de la cuisine puis passa à l'arrière-cuisine. Dans les coins, le carrelage était encrassé et Mel frotta jusqu'à ne plus supporter l'odeur de l'eau de Javel. Elle tira une profonde satisfaction du fait de nettoyer et, quand Adrian l'appela plus tard pour prendre des nouvelles, elle répondit avec enthousiasme :

— Ça va très bien ! Je me transforme en fée du logis.

— Tu préfères vraiment être à la maison ? demanda Adrian d'un ton inquiet.

— C'est mille fois mieux, répondit Mel avec un regard plein de fierté sur son royaume bien propre.

Il avait été entendu que la mère de Mel s'occuperait des filles pendant toute la matinée du vendredi. Mel disposait ainsi de quelques heures pour elle. Comme elle ne voulait pas perdre le contact avec son ancien univers, elle appela Vanessa et lui proposa un déjeuner.

Karen arriva vers dix heures.

— Mes petites-filles me manquent, avoua-t-elle.

— Je sais, maman.

Encore un motif de culpabilité ! pensa Mel. Karen, qui avait joué un rôle important auprès des enfants pendant les années précédentes, devait trouver dur de passer à l'arrière-plan.

— Je suis désolée... commença Mel.

Karen l'interrompit d'un ton très ferme :

— Arrête, Mel ! Sarah et Carrie me manquent, mais je n'ai jamais été aussi heureuse pour toi que le jour où tu as claqué la porte de Lorimar. Tu étais en train d'y laisser ta peau. Nous nous faisions du souci, ton père et moi. On se demandait comment tu arrivais à tout tenir à la fois, mais je ne te l'aurais jamais dit. J'avais peur que tu ne me reproches de me mêler de tes affaires.

— Tu n'as sans doute pas tort.

Mel aurait été incapable de le reconnaître, avant. Rester

chez elle lui réussissait. Elle ne se sentait plus sur la défensive ; elle pouvait se détendre.

— La vérité, c'est que travail et maternité sont incompatibles, dit Karen. A moins que quelqu'un ne trouve le moyen d'employer les mères sans les obliger à laisser leur famille, elles resteront condamnées à faire comme toi : courir sans arrêt et se sentir écartelées.

— Je reprendrai une activité professionnelle quand Carrie sera scolarisée.

— Parfait ! Je suis certaine qu'on serait ravi de te reprendre, chez Lorimar. Cette sorcière d'Hilary doit se maudire de t'avoir laissée partir !

Vanessa arriva à l'Oriental Palace avec cinq minutes de retard et, précédée par son parfum, se précipita vers Mel.

— Excuse-moi ! On organise de nouvelles réunions de consommateurs pour mieux définir l'assurance dépendance et ça commence ce soir. Désolée... Ça ne doit pas beaucoup t'intéresser.

— Mais si ! protesta Mel. Je n'ai pas effacé Lorimar de ma vie. Ça m'intéresse toujours, et heureusement !

— Ouf ! Je craignais que tu n'aies changé. Tu n'imagines pas ce qui se passe.

Vanessa parcourut le menu d'un coup d'œil rapide et, d'un mouvement de sourcils, fit accourir le serveur. Il n'avait pas bronché quand Mel était arrivée. Elle avait dû se lever pour aller prendre elle-même les cartes sur une autre table. De toute évidence, elle avait perdu l'art d'attirer l'attention d'autrui.

— Un bœuf aux champignons noirs avec du chou chinois, dit Vanessa, et une demi-bouteille de rosé. Et toi, Mel, tu as choisi ?

— Euh... Oui, je prendrai un poulet aux noix de cajou et de l'eau plate.

— Alors, je t'explique. Il y a eu une histoire terrible avec le service des cotisations, parce que les clients qui utilisaient leur carte de crédit pour payer étaient surtaxés de douze pour cent ! Une erreur de programmation, bien sûr, mais les gens de l'informatique affirment que ce n'est pas notre faute. Hilary a passé le week-end à essayer de calmer le jeu. Oh ! Tu ne devineras jamais avec qui on a vu Shaznay, tu sais, la fille très grande du service des primes ?

Mel trouvait étrange d'entendre parler de Lorimar. Elle aurait cru qu'elle aimerait apprendre toutes les nouvelles, mais l'histoire de Shaznay et de Peter, qui était aux réclamations, l'intéressait peu. Sans les ragots de couloir, la vie aurait été triste chez Lorimar. Mais, vu de l'extérieur, cela paraissait banal.

En réalité, Mel aurait aimé entendre que, depuis son départ, tout marchait de travers et qu'Hilary pleurait deux fois par jour en répétant : « Nous n'avons pas su apprécier Mel à sa juste valeur. Ramenez-la-moi ! Je me moque de ce que cela coûtera ! » Sa journée en aurait été illuminée. Hélas, son absence n'avait, apparemment, pas suscité de catastrophe ! Sa remplaçante, une jeune diplômée originaire de Chine et qui s'appelait Kami, avait mis tout le monde dans sa poche. Il arrivait à Vanessa de déjeuner avec elle.

— Et je te garantis qu'elle sait s'y prendre avec Hilary ! précisa Vanessa en dévorant le bœuf aux champignons. Quand Hilary est au bord de la crise de nerfs, Kami la regarde de haut, impassible. Hilary ne sait pas comment réagir à ça. Comment veux-tu perdre ton sang-froid face à quelqu'un qui garde le sien ?

— C'est vrai.

Mel constata qu'elle mourait de faim. Pourtant, elle avait terminé les céréales de Carrie en plus de son propre petit déjeuner. Il était difficile de ne pas manger, quand on restait chez soi. Il fallait sans cesse préparer des en-cas pour les enfants et, quand Mel ouvrait le réfrigérateur pour en sortir un jus de fruits ou du fromage frais, elle grignotait un morceau de fromage ou une olive.

— Et toi, comment ça va ? Tu as commencé à aller à des réunions de femmes ?

— Euh...

Mel se sentit enfermée dans le cliché de la mère au foyer qui a le temps de se chouchouter, alors que la réalité n'a rien à voir.

— En fait, il y en a une demain, admit-elle. Comme toutes les participantes du groupe ont des enfants, ce sera comme si l'assemblée se tenait dans une maison particulière au lieu de la salle habituelle.

— Tu as fait de nouvelles connaissances ?

Mel, qui avait la bouche pleine, acquiesça de la tête. La sauce du poulet était délicieuse !

— Oui. Adrian et moi sommes invités à dîner samedi prochain chez Astrid. Son mari et elle n'habitent pas loin de chez nous, dans le quartier chic.

— Tu vois ? Tu fais déjà partie de la mafia des mères de Carrickwell, dit Vanessa en riant. Dis-moi, as-tu utilisé les chèques-cadeaux pour le spa ?

Pour son départ de Lorimar, Mel en avait reçu deux pour le Cloud's Hill Spa.

— Pas encore ; je les garde pour une grande occasion.

— J'aimerais bien avoir le temps d'y aller avec toi, mais, en ce moment, c'est de la folie.

Il était à peine deux heures moins dix, mais Vanessa avala le reste de son verre.

— Je dois filer, Mel. J'ai juste le temps de foncer au super-marché acheter quelque chose pour le dîner de Conal.

Mel avait encore faim. Après avoir dit au revoir à Vanessa, elle prit sans hâte la direction du centre commercial, où elle s'offrit un café avec un chou à la crème. Il y avait de jolies choses dans les vitrines, en particulier une paire de sandales couleur cannelle qui devaient aller à la perfection à Mel. Elle en mourait d'envie, mais elles étaient chères et, comme elle ne travaillait plus, ce petit luxe lui était interdit.

Le samedi suivant, tandis qu'elle se préparait pour aller chez Astrid, Mel regretta de ne pas avoir acheté un des modèles qu'elle avait admirés après son déjeuner avec Vanessa. Sa garde-robe du soir se composait de tenues noires ou bleu marine, dignes d'un cadre supérieur et parfaites pour les réceptions professionnelles ; de deux petits hauts en tissu brillant passés de mode depuis une éternité ; d'un chemisier noir transparent impossible à porter sans des sous-vêtements

236

adaptés ; enfin de deux robes que Mel portait à vingt ans pour aller en boîte. Quant au reste, c'était trop décontracté pour dîner ailleurs qu'au McDo.

Mel se résigna à se rabattre sur une de ses robes de carriériste. Elle commençait à se rendre compte qu'elle était mal équipée, sur le plan vestimentaire, pour sa nouvelle vie. Alors qu'elle désespérait de trouver mieux, elle découvrit au fond de son placard la vieille robe violette à emmanchures américaines achetée en Italie, au début de sa relation avec Adrian. Avec une vague allure années trente, elle paraissait intemporelle et, surtout, elle lui allait toujours. Ce serait parfait pour dîner chez Astrid, où Mel n'avait pas besoin de porter le masque de Mel Redmond, du service publicité.

Astrid habitait, dans une des rues les plus élégantes de Carrickwell, une immense maison en brique rouge. Toutes les demeures du quartier étaient dans le même matériau, mais avec des architectures différentes. C'était à cinq minutes de marche de la rue de Mel, mais, d'un point de vue financier, à l'autre extrémité de l'échelle.

— Nous avons des fréquentations très distinguées, ironisa Adrian alors qu'ils se dirigeaient à pied vers chez leurs hôtes.

L'allée d'Astrid, bordée de conifères, décrivait une courbe élégante.

— Oui, répondit Mel. Tu crois que nous pourrions les inviter à manger des spaghettis à la bolognaise chez nous ? Je rangerais quelques jouets pour que nous puissions allonger les jambes sous la table.

— Je crois que ce ne serait même pas nécessaire. Marcher sur un jouet peut être une excellente façon de rompre la glace !

En dépit de son imposante façade, la maison d'Astrid et de Mike, son mari, était accueillante. On se sentait dans un lieu chaleureux, où vivaient des enfants. Au grand soulagement de Mel, Astrid n'était pas non plus une adepte des dîners d'apparat. Sur la grande table, le couvert était mis avec simplicité, sans argenterie ni cristaux.

Mike s'installa en bout de table et désigna à chacun sa place de façon à ce que les couples soient mélangés. Mel se trouva assise entre un homme encore très jeune vêtu d'un pantalon de coton et d'un pull bleu jean, et un plus âgé, qui portait une chemise blanche impeccable, avec des boutons de manchette à monogramme. Il s'appelait Colin et habitait la maison voisine.

— Que faites-vous ? demanda-t-il à Mel quand les verres furent remplis.

— Je suis dans la publicité. Non, je travaillais au service publicité de Lorimar, se reprit-elle en riant. Vous connaissez ?

Colin la regardait avec un intérêt sincère. Mel le trouvait attirant malgré son âge.

— Ça paraît passionnant.

Colin approcha son coude de celui de Mel.

— Je faisais partie de l'équipe de gestion du site Internet. Maintenant, aucune société ne peut se passer d'Internet. Mais c'est fini, pour moi !

— Que faites-vous ?

— J'ai arrêté de travailler pour m'occuper de mes enfants.

Comme si on avait appuyé sur un interrupteur, la lueur d'intérêt qui avait brillé dans le regard de Colin s'éteignit. Mel était certaine de ne pas l'avoir imaginé.

— J'ai deux filles, poursuivit-elle. L'aînée a presque cinq ans et la petite deux ans et demi.

Colin se renfonça sur sa chaise, brisant l'impression d'intimité amicale entre eux. Mel avait besoin de savoir si c'était le fait qu'elle n'ait plus de travail qui l'écartait d'elle ou qu'elle ait mentionné ses enfants.

— Et vous-même, avez-vous des enfants ?

— Oui, ce sont presque des adultes, à présent. Ils me coûtent une fortune ! Je dois travailler comme un malade pour maintenir leur argent de poche.

Sur ces considérations, le sujet fut clos. Colin but une gorgée de vin et jeta un regard autour de lui comme s'il mourait de faim et se demandait quand le dîner arriverait.

Non, pensa Mel, ses filles n'étaient pas un problème, mais qu'elle soit une mère au foyer, si. Lizanna avait raison. Pour Colin, Mel était transparente.

Astrid et Mike savaient recevoir. Ils ne laissaient pas tomber la conversation et se débrouillaient pour faire participer tout le monde. Astrid se tournait de temps en temps vers Mel pour l'inclure dans les échanges. Mel appréciait d'autant plus l'attention que Colin l'évitait avec soin et qu'Adrian était engagé dans une discussion animée avec sa voisine. Tous les sujets possibles furent abordés et fournirent une occasion de rire : le football, le prix des maisons, les écoles locales, les travaux du pont de Carrickwell, le dernier James Bond. On évoqua même la grande question des téléphones portables pour les enfants. Etait-ce raisonnable ?

L'autre voisin de Mel ne prêtait pas attention à elle. Mel n'y attachait aucune importance car, de toute évidence, il avait été invité à l'intention de sa seconde voisine de table. Astrid ne s'était pas trompée en les asseyant l'un à côté de l'autre. Ils se parlaient comme s'ils étaient seuls au monde. Mel voyait donc surtout le dos de ses voisins.

Après plusieurs verres de vin et un cognac, Colin éprouva de nouveau le désir de parler à Mel. Elle l'écouta tout lui expliquer sur ses responsabilités dans une société de télémarketing, sur son sport préféré – il possédait un bateau à moteur très puissant – et ce qu'il pensait de la dernière saison de formule 1. Il était temps que de nouveaux pilotes apparaissent sur le circuit, n'est-ce pas ?

Ne voulant pas se montrer impolie, Mel sourit en surveillant les aiguilles de sa montre. Bientôt onze heures ! C'était décent pour prendre congé. Pendant ce temps, les yeux de Colin – qui avaient perdu toute séduction – n'arrêtaient pas de descendre du visage de Mel à sa poitrine. Comme elle n'avait pas réussi à mettre la main sur son soutien-gorge spécial emmanchures américaines, elle n'en portait pas. Vanessa aurait beaucoup ri de voir un homme fasciné par une poitrine que Mel considérait comme irrécupérable.

Elle finit pourtant par en avoir assez. Colin se moquait de savoir si elle avait mené sa carrière avec succès ; il ne voyait qu'une femme en robe moulante, sans travail ni soutien-gorge.

Ce n'était pas la première fois que Mel se trouvait confrontée au sexisme, mais elle avait toujours su réagir avec assurance. Elle ne se limitait pas à un ensemble de caractéristiques biologiques et physiques. Si elle se faisait siffler par un homme à cause de ses jambes, cela ne la dérangeait pas. Elle était plus intelligente que lui et avait confiance en ses capacités. Qu'il siffle, si cela l'amusait ! Si un de ses collègues de travail se permettait une remarque sexiste, elle n'avait aucun problème pour le remettre à sa place : dans son travail, pas un homme ne lui arrivait à la cheville.

Mais elle ne travaillait plus. L'assurance que lui donnait sa réussite professionnelle avait disparu comme par magie et le regard appuyé d'un voisin de table qui avait trop bu la dérangeait.

Elle croisa les bras sur sa poitrine, là où les yeux de Colin s'étaient attardés.

— Vous voulez une photo ? s'enquit-elle. Ça dure plus longtemps.

Colin avait peut-être l'esprit occupé par ses fantasmes, mais il comprit le message. Il se reprit, sans oser regarder Mel en face. Il semblait très gêné.

— Excusez-moi, bafouilla-t-il.

Mel parvint à attirer l'attention d'Adrian, de l'autre côté de la table, et se leva d'une manière décidée.

— Astrid, Mike, merci pour cette soirée très agréable et pour le délicieux dîner, dit-elle gaiement. Mais il est déjà onze heures et nous devons partir. Vous savez ce que c'est, les baby-sitters !

Adrian, qui avait tout de suite compris, se leva à son tour en remerciant Astrid.

— Nous devons vous quitter, dit-il.

Ils reprirent le chemin de leur maison, main dans la main, et Mel expliqua sa réaction à Adrian.

— Je me demande ce qui m'a retenue de gifler cet homme ! conclut-elle d'une voix furieuse.

— Tu aurais dû le faire, approuva Adrian.

— Quelle grossièreté ! Dès qu'il a découvert que je restais à la maison avec les filles, je n'existais plus. Juste une enquiquineuse de mère au foyer sans intérêt !

— Il ne sait pas ce qu'il rate ! suggéra Adrian d'un air malicieux.

— N'essaie pas de détourner la conversation ! Il s'est conduit de manière inexcusable et méritait de recevoir une bonne leçon devant tout le monde. Je ne comprends pas ce qui m'a retenue.

Malgré ses hauts talons, Mel marchait vite, comme toujours quand elle était en colère.

— En plus, si j'avais menti et prétendu que je travaillais chez Lorimar, il aurait essayé de flirter avec moi toute la soirée. Je connais ce genre d'individu. Les femmes qui ont des responsabilités professionnelles, ça les excite !

— Je n'aurais pas apprécié de le voir te faire les yeux doux. Tu sais que je ne suis pas possessif, mais je préfère que les hommes qui veulent te séduire ne tentent pas de le faire devant moi. Tu sais, poursuivit Adrian, l'air pensif, je crois que c'est un réflexe qui remonte à l'âge des cavernes, quelque chose du style : moi, grand chasseur, ne veux pas voir autre chasseur tourner autour de femme à moi ! Je n'aurais pas hésité à lui casser ma massue sur la tête ou je l'aurais provoqué sous le regard des dinosaures prêts à nous charger...

— L'espèce était éteinte quand les premiers hommes sont apparus.

— Vraiment ?

Adrian feignait l'étonnement. Mel le prit par la taille.

— Tu sais que les dinosaures et les hommes n'ont jamais cohabité, mais tu as eu la bonne réaction. C'est dans de telles occasions, vois-tu, que je sais pourquoi je t'ai épousé.

— Merci de ce beau témoignage de confiance, madame Redmond ! Moi aussi, je t'aime.

12

Il était presque deux heures du matin et, derrière les dorures de la réception du Mc Arthur's Hotel, dans le quartier des ambassades à Dublin, Cleo s'obligeait à sourire. Le problème, avec les grands mariages, c'était qu'il y avait toujours de la bagarre. Toujours ! Même dans un établissement de luxe où le château-petrus coulait à flots et où la chambre la plus simple coûtait 300 euros la nuit. Quel que soit leur milieu social, les familles semblaient avoir des motifs de querelle.

— Quand cela a-t-il commencé ? demanda Jean-Paul, le concierge.

Avec Cleo, il était un des rares employés encore debout. Cleo s'était souvent étonnée de constater que les grands hôtels semblaient déserts, la nuit. Dans les étages, les clients dormaient et, pendant ce temps, en bas, une équipe réduite assurait la permanence. Quant au personnel de l'entretien, ses membres se déplaçaient dans les couloirs tels des fantômes.

— On devrait voir les premiers coups de poing dans peu de temps, répondit Cleo avec entrain, comme si elle ne tombait pas d'épuisement. Luigi vient de m'appeler du bar. Le père de la mariée et l'oncle du marié en sont à se jeter des noms d'oiseaux et il ne peut pas faire face seul. Vincent est à la cave. D'après Luigi, ils ont réclamé de la fine Napoléon pour tout le monde.

Quelques heures plus tôt, dans l'après-midi, l'élégant mariage Smith-O'Hara offrait l'image idéale pour les magazines people : des visages rayonnant de bonheur, des gens qui se tenaient très droits, l'estomac rentré, des robes ravissantes aux teintes vives et des poignets, bronzés au soleil de la Riviera, sur lesquels étincelaient des Rolex. Mais, à deux heures du matin, le noyau dur des joyeux fêtards qui étaient encore au bar n'avait plus l'allure fraîche. Les visages, les silhouettes, les vêtements étaient froissés. Les convives n'arrêtaient pas de regarder leur Rolex pour vérifier l'heure et montrer aux autres qu'ils étaient indifférents à leur richesse – la preuve, ils avaient une Rolex –, mais personne ne voulait admettre sa défaite et aller se coucher.

Les parents de la mariée avaient payé une fortune pour s'offrir le mariage de la saison au Mc Arthur's et il n'était pas question qu'ils n'en aient pas pour leur argent. Les jeter à la porte du bar serait difficile, en particulier dans la mesure où la note n'avait pas été faite.

— Une fine de deux cents ans, dit Jean-Paul avec mépris. On pourrait leur servir de l'eau de vaisselle, au point où ils en sont, ils ne sentiraient pas la différence.

Trois hommes d'affaires arabes en costume occidental entrèrent dans le hall, alertes malgré l'heure avancée de la nuit. Ils avaient pris leur petit déjeuner à midi, avaient déjeuné légèrement à quatre heures puis dîné dans un club privé à dix. Ils s'apprêtaient à terminer la soirée par une partie de cartes ou une discussion.

Jean-Paul, qui savait où était son intérêt – ces hommes-là laissaient de gros pourboires –, sortit de la réception et dirigea ces gentlemen vers le Library Bar, l'antichambre du bar principal, où ils avaient des chances de ne pas être dérangés par les ivrognes du mariage.

Cleo se retrouva donc seule derrière le comptoir de la réception, ce qu'elle détestait, car cela lui offrait le loisir de réfléchir. Au cours du mois qui s'était écoulé depuis qu'elle était partie de chez elle en claquant la porte, elle avait eu le temps de se demander si la vente du Willow était terminée, où sa famille logeait, comment allaient ses parents et, surtout, si elle leur manquait.

La mère de Trish avait pu lui donner des nouvelles générales. Via le système d'information style Interpol qui fonctionnait à Carrickwell, elle avait découvert que le Willow était vendu, mais que la famille Málainn n'avait pas déménagé. On racontait que Harry et Sheila voulaient acheter une maison en Bretagne. Toutefois, personne n'avait dit si Cleo leur manquait ou non, et Cleo était trop fière pour poser la question.

Elle restait convaincue de n'avoir rien fait de mal ; c'était les autres qui s'étaient mal conduits. Elle l'avait dit clairement à sa mère, qui l'avait appelée une semaine après son départ, pour lui demander quand elle deviendrait raisonnable.

« Cette brouille stupide a assez duré, Cleo, avait commencé Sheila d'un ton autoritaire. Tu n'es plus une petite fille. Reviens à la maison, présente tes excuses, et oublions cette histoire.

— M'excuser ? »

Cleo s'était d'abord réjouie de voir le numéro du Willow s'afficher sur l'écran de son portable, certaine que Sheila Málainn téléphonait à des fins de réconciliation. « Je n'ai rien fait de mal, maman, avait-elle dit, les yeux pleins de larmes brûlantes. Vous m'avez reproché des choses terribles et je me suis sentie mise à l'écart. Ça m'a fait si mal... » C'était son père qui l'avait le plus blessée. Elle l'adorait. Comment avait-il pu ne pas l'appeler ? Pourquoi ne voulait-il pas lui parler ?

« Cleo, pour l'amour du ciel... » L'impatience dans la voix de sa mère, en général si douce, avait tout déclenché. Cleo s'était sentie envahie de colère.

« Vous êtes ma famille et je vous aime tous, mais je ne suis plus une enfant et je ne veux pas qu'on me traite ainsi. J'avais le droit d'être impliquée dans les décisions concernant l'avenir du Willow. Tant que personne ne m'aura fait d'excuses pour m'avoir laissée de côté, je ne reviendrai pas.

— Fais comme tu veux, avait répondu Sheila d'une voix lasse. Au revoir. »

Cleo restait convaincue d'avoir raison. C'était à ses parents ou à ses frères de revenir vers elle. Tant que cela n'arriverait pas, elle ne restait un membre de la famille Málainn que par le nom.

Ce n'était pas ce dernier qui lui avait permis d'obtenir la place si convoitée au Mc Arthur's. Les références qu'elle avait obtenues après avoir travaillé dans un château-hôtel en France et son diplôme avaient joué en sa faveur. Le Mc Arthur's était un établissement prestigieux, qui s'enorgueillissait de combiner la modernité, avec sa galerie marchande, et le style d'un palace. Ainsi, au restaurant, un sandwich club coûtait le prix d'une chambre dans un motel bon marché d'aéroport. Le Mc Arthur's fonctionnait comme une montre suisse bien réglée et le respect de la vie privée des clients était assuré à la manière de l'autre grande industrie suisse, la banque. Ces qualités en faisaient l'hôtel favori des stars du rock, des vedettes de cinéma et des milliardaires.

Trish, tentant de consoler Cleo, lui répétait :

« Ne vaut-il pas mieux travailler à Dublin que dans un trou perdu ? Pense aux hommes que tu vas rencontrer, les vedettes de cinéma, les chanteurs, les personnalités de la télé. C'est génial.

— On ne croise pas les grands de ce monde à deux heures du matin, avait rétorqué Cleo. C'est l'heure à laquelle ils rentrent et ne me voient même pas. Ils n'ont qu'une envie : dormir. »

Toujours pour encourager Cleo, Trish lui disait que l'intérim représentait un grand pas vers un travail à plein temps. Cleo essayait de se montrer aussi enthousiaste que son amie, mais l'intérim signifiait surtout faire encore plus d'équipes de nuit, et elle détestait cela. Ce travail impliquait une monotonie qui l'abrutissait. Elle passait son temps à surveiller les aiguilles de l'horloge. A trois heures du matin, elle n'en pouvait plus et ne parvenait à se réveiller un peu qu'avec une ou deux canettes de Diet Coke. Quand sept heures arrivaient et qu'elle pouvait rentrer se coucher, elle avait dépassé le stade de l'épuisement. Elle savait que, pendant la moitié de la matinée, elle se tournerait et se retournerait dans son lit avant de s'endormir pour quelques heures. Cela ne l'empêchait pas de se réveiller plusieurs fois et de faire de nombreux cauchemars. Elle habitait chez Trish, ce qui n'était pas l'endroit idéal pour dormir dans la journée. L'appartement se trouvait au-dessus de la ligne du chemin de fer et le sommeil de Cleo était ponctué par le bruit de tonnerre de l'express de Belfast.

Ce n'était pas le manque de repos en tant que tel qui ennuyait Cleo, bien qu'elle ait du mal à reprendre le travail après ses quelques heures de tranquillité. Non, le problème était que, quand elle restait éveillée, elle n'arrêtait pas de revoir la scène de la dispute et d'imaginer le comportement que chacun aurait dû avoir. Si seulement elle avait dit ceci ou fait cela ! Le même scénario revenait en boucle. « Oublie tout ça, disait Trish. Tes parents aussi vont oublier et, dans quelques années, vous vous demanderez tous comment vous avez pu en arriver là. Parfois, les gens vous laissent tomber, Cleo ; il faut l'accepter. C'est comme ça et la vie continue. »

Cleo n'était pas comme Trish et ne pensait pas que les choses étaient si simples. Sa famille était très importante pour elle. Partir à la découverte du monde, c'était possible quand, à l'arrière-plan, le Willow et les Málainn servaient de position de repli, si besoin était. Sans eux, c'était effrayant et le sentiment d'abandon aggravait les choses. Trish pouvait raconter tout ce qu'elle voulait, normalement, votre famille est toujours là pour vous soutenir. Les hommes vous laissent tomber, mais pas vos parents. Cleo n'arrivait pas à dépasser cette idée.

Paige arriva à cinq heures à la réception. C'était une jeune femme séduisante. Elle était originaire du Mississippi et parlait quatre langues. Elle faisait le lien entre l'équipe de nuit et celle de jour. Elle bâillait. Elle apportait deux cafés au lait dans des gobelets en carton et quelques journaux du matin, qu'elle avait pris dans la pile de Jean-Paul.

— Pas de sucre pour toi, c'est ça ?

— Merci, répondit Cleo.

Paige, qui avait l'air fraîche comme une rose malgré l'heure, s'assit et commença à feuilleter la presse.

— Quoi de neuf ? demanda-t-elle.

Cleo lui résuma les événements de la nuit.

— Luigi a réussi à envoyer les invités du mariage Smith-O'Hara au lit avant la première effusion de sang. Et Vincent est ravi parce que les clients d'Amérique du Sud du dernier étage lui ont donné un pourboire de 500 euros !

— Pas de problème de double réservation ? s'enquit Paige.

Les hôtels pratiquaient le surbooking. Le travail du responsable des réservations consistait à trouver un équilibre pour que le Mc Arthur's soit plein toutes les nuits. En raison des annulations, inévitables, il restait souvent des chambres vides, d'où la pratique de la surréservation pour limiter la perte. Mais, quand il y avait plus de mille demandes pour mille chambres, cela posait un problème. En général, le client qu'on refusait était l'homme d'affaires qui voyageait seul.

— Si, répondit Cleo en vérifiant sur l'ordinateur. Il y a eu deux arrivées tardives. On les a envoyées au BeauRegard. Greg Junior était encore là. Il a eu la gentillesse de m'aider quand le client qui venait juste d'arriver de Londres s'est fâché.

Greg Junior et son père, Greg Senior, les concierges, jouaient un rôle essentiel au Mc Arthur's. Le directeur ignorait quels hommes d'affaires importants recevaient des femmes dans leur chambre et les gardaient pendant la nuit ou quelle femme riche avait essayé de faire du charme au valet de chambre, étonné, qui lui apportait un en-cas à minuit, champagne et caviar. Les Greg, eux, le savaient. Depuis leur minuscule bureau, qui trompait sur leur importance, juste à gauche de la porte à tambour de l'entrée, ils gardaient en permanence le doigt sur le pouls du Mc Arthur's.

— Greg Junior est plutôt mignon, tu ne trouves pas ? plaisanta Paige.

Cleo réfléchit. Greg Junior avait un corps de sportif et les cheveux courts.

— Il n'est pas mal, mais ce n'est pas mon type.

Curieusement, en cet instant, le souvenir dérangeant d'un homme très grand, très brun, aux cheveux coupés très court, surgit dans l'esprit de Cleo.

Paige termina son café.

— Encore cinq minutes et je m'y mets.

Elle tendit le journal qu'elle venait de parcourir à Cleo et prit le suivant. Elle le feuilleta avant de s'arrêter à la section, en principe ennuyeuse, des pages économiques.

— Ah ! fit-elle d'une voix rêveuse. Lui, c'est mon style.

Tyler Roth. Il est superbe, ajouta-t-elle en tortillant sa queue de cheval blonde.

— Montre !

Cleo se pencha par-dessus l'épaule de Paige. Souriant au photographe, l'air de quelqu'un qui vient d'hériter du trône d'un émirat, apparut l'homme qui hantait le sommeil de Cleo depuis la fameuse soirée à Carrickwell, celui qui l'avait insultée puis relevée quand elle était tombée sur le trottoir, avant de disparaître.

— Bon sang !

— Quoi ?

— Rien, répondit Cleo.

Elle regarda de nouveau la photographie. Tyler Roth posait devant le chantier d'un hôtel géant. Il avait la tête presque rasée, ce qui lui donnait l'air dangereux. C'était un prédateur en costume et cravate de soie.

— C'est un compte en banque ambulant, reprit Paige. Son père possède la chaîne Roth Hotels et lui s'occupe des nouvelles acquisitions.

Elle fit courir un doigt à l'ongle verni de rose sur toute la hauteur du cliché.

— L'article précise que Tyler Roth est dur en affaires et ambitieux. Il est digne de son père. Il est en Irlande pour racheter des établissements ou trouver des sites de construction.

Tyler Roth... Quelle ironie ! pensa Cleo. Voilà qu'elle connaissait son nom. Elle pouvait le retrouver. Il y avait toujours un petit coin de son esprit où elle le voyait et, d'une façon ou d'une autre, comptait lui dire son fait.

Paige replia le journal, rangea autour d'elle et alla s'asseoir devant l'écran d'ordinateur.

— Je ferais n'importe quoi pour qu'il me remarque. La fille qui réussit à accrocher un type comme ça n'a plus besoin de travailler de sa vie.

Cleo se sentit gênée. Pourquoi une jeune femme aussi intelligente et belle que Paige considérait-elle le mariage avec un homme riche comme un but dans l'existence ? Comment ne comprenait-elle pas qu'arriver grâce à son travail était plus satisfaisant ? Voilà ce que, elle, Cleo, obtiendrait. Si elle construisait un empire, personne ne le lui prendrait. Personne !

Au Mc Arthur's, apparemment, tout le monde savait quelque chose au sujet de Tyler Roth. Greg Senior avait travaillé dans le premier établissement Roth, plus de vingt ans auparavant.

— Le Manhattan Roth, soupira-t-il, quand Cleo vint, mine de rien, lui demander des informations. Ça, c'était un hôtel ! Les stars y défilaient. Déjeuner au grill Roth était très chic. Tyler n'était qu'un enfant, à l'époque. Il était le cadet de la famille ; Lévi Roth l'a eu avec sa seconde femme.

Cleo fit oui avec la tête.

— Tyler a deux sœurs, qui étaient de vraies beautés, des petites princesses, si tu vois ce que je veux dire. Leur père leur donnait tout ce qu'elles voulaient. L'une a fait un disque et l'autre s'est lancée dans le stylisme. Mais rien de tout cela n'a duré. C'était un jeu pour elles. Elles dépensaient l'argent de papa jusqu'à ce que quelque chose de mieux se présente. Ce n'était pas comme le petit Tyler.

Greg Senior eut un sourire avant d'ajouter :

— Vraiment futé, ce Tyler ! S'il est aussi doué que son père, il va faire parler de lui.

Wendy, la gouvernante, expliqua volontiers qu'elle avait connu Lévi Roth quand elle était en formation. Il était dur mais correct. Pour Tyler, c'était la même chose, du moins d'après ce qu'une de ses vieilles amies lui avait dit, quelqu'un qui avait travaillé dans plusieurs hôtels Roth.

Ruby Jack, le responsable du bar, avait été au Roth de La Nouvelle-Orléans.

— Tyler ? Bien sûr que je le connais ! répondit-il en sifflant entre ses dents. Il aime les jolies filles, notre ami. Quand il avait dix-huit ans, il avait deux copines en même temps.

— Vraiment ?

Cleo appréciait de moins en moins ce Tyler Roth. Il donnait vraiment l'impression de se prendre pour un petit malin, avec un père assez riche pour qu'il se permette de foncer dans la vie en bousculant tout le monde.

249

— Tu sais, ajouta Ruby Jack, les filles se connaissaient, mais ça ne les dérangeait pas.

Encore des femmes qui renonçaient à tout pour un homme riche, comme Paige ! Les filles modernes n'avaient-elles donc aucun sens de leur valeur ?

Avec tous ces gens qui connaissaient l'histoire des Roth, il ne fallait pas être très malin pour apprendre que, quand Tyler Roth, chargé de l'expansion de Roth Hotels en Irlande, venait à Dublin, il descendait au Mc Arthur's. Evidemment ! pensa Cleo avec amertume. Elle l'attendrait de pied ferme. La chambre serait réservée à l'avance. Cleo se débrouillerait pour être là à l'arrivée du cher M. Roth. Elle ne savait pas encore ce qu'elle ferait pour se venger de lui, mais elle avait le temps d'y réfléchir.

En réalité, elle n'eut guère à attendre. Le bruit courut que le groupe Roth était intéressé par un site important à l'extérieur de Galway. L'endroit serait vendu aux enchères à la fin de la semaine. Tyler et son équipe seraient au Mc Arthur's cinq jours plus tard. Tout ce que Cleo avait à faire était de trouver quelqu'un avec qui elle échangerait ses heures.

Geena, une jeune fille qui travaillait de jour à la réception, avait mis une annonce sur le tableau d'affichage du personnel, suppliant qu'une collègue accepte un changement d'équipe. Elle voulait passer un long week-end à Paris avec son petit ami. Bien sûr, elle n'avait pas formulé sa requête en ces termes. La direction n'aimait pas que les salariés modifient leur emploi du temps, aussi évitaient-ils de le faire. Officiellement, Geena avait invoqué un baptême dans sa famille.

— Si tu veux, je peux te remplacer ce week-end, lui proposa Cleo. J'ai besoin d'argent.

— Ce serait bien, dit Geena avec regret, mais ça ne marchera pas. Comme je reviens le mardi matin, je ne peux pas assurer le service de jour et, en plus, celui de nuit. Les équipes n'ont pas le droit de se substituer les unes aux autres. Mais je te remercie de ta proposition.

— Je ne te demande pas de faire mon service, insista Cleo. Ce week-end, je suis de congé. Je peux donc tenir ton poste jusqu'au lundi et enchaîner avec le mien.

— Ce sera fatigant.

— Je me débrouillerai.

Pouvoir rendre la monnaie de sa pièce à Tyler Roth en valait bien la peine.

Tyler Roth arriva au Mc Arthur's le vendredi soir. Cleo était à la réception, sur son trente et un, prête à l'accueillir. Elle n'imaginait pas qu'il la reconnaisse. Comment cela aurait-il été possible ?

Un homme accompagnait Tyler Roth. Arrivait-il à celui-ci de travailler seul, se demanda Cleo avec ironie, ou voyageait-il toujours avec quelqu'un pour s'occuper de lui ?

— Nous avons réservé deux chambres, au nom de Roth et Mc Kenzie.

Le compagnon de Tyler était un bel homme, également très grand, mais qui paraissait ordinaire et insignifiant à côté de Tyler.

Tyler ne regardait pas du côté de la réception et ne voyait pas Cleo. Son téléphone portable collé à l'oreille, il écoutait avec attention ce que son interlocuteur lui disait.

— Je vous souhaite la bienvenue au Mc Arthur's, dit Cleo. Je vérifie vos réservations.

Elle s'efforçait d'imiter l'expression de Tamara qui aurait pu signifier : « Je ne sourirai pas, à moins que vous ne soyez Brad Pitt. » Cleo trouva les noms dans l'ordinateur, donna une fiche à remplir à Larry Mc Kenzie et l'enregistra. Elle posa une seconde fiche à l'attention de Tyler Roth sur le comptoir de la réception.

— Je la remplirai, dit Larry.

— M. Roth devra la signer, précisa Cleo.

Son expression revêche disparut. C'était plus fort qu'elle. Elle sourit. C'était dans sa nature. Larry lui renvoya un sourire admiratif. Cleo se dit que cela ne faisait pas partie de son plan. Elle en avait un peu trop fait dans le style jeune fille irlandaise : elle portait ses boucles d'oreilles en forme de *claddagh*, le symbole traditionnel de la fidélité, deux mains enserrant un cœur. Elle avait aussi mis ses yeux verts en valeur avec de l'eye-liner kaki.

251

Voyant que Tyler rangeait son portable dans sa poche, Larry l'appela. L'héritier Roth pivota sur ses talons et approcha. Son regard sombre croisa celui de Cleo. Pendant une fraction de seconde, elle eut l'impression qu'il essayait de se souvenir de l'endroit où il avait pu la croiser, puis cela se dissipa. Tyler tendit la main à Larry pour prendre son stylo, se conduisant comme n'importe quel client en train de remplir sa fiche d'hôtel. Pourquoi se souviendrait-il d'elle ? se demanda Cleo. Qui se rappellerait la confrontation qui les avait opposés ? Cleo était furieuse. Les hommes étaient impossibles.

— Merci, dit Tyler en lui tendant la fiche.

Il avait une grande écriture, avec des hampes et des jambages importants. Cleo avait vu une émission où des graphologues analysaient le caractère des gens d'après leur signature. Si ses souvenirs étaient exacts, une écriture comme celle de Tyler dénotait une personnalité égocentrique, éprise de pouvoir.

Tyler retint le stylo quelques instants, comme s'il s'apprêtait à le mettre dans sa poche, puis sembla s'apercevoir que ce n'était pas le sien et le reposa. Cleo le prit d'un geste sec. « Epris de pouvoir, c'est bien ça ! »

— Merci, Cleo, dit Tyler en fixant le badge doré qui portait son nom.

Cleo se sentit soudain gênée par les courbes de sa poitrine.

— Monsieur Roth, je vous souhaite la bienvenue au Mc Arthur's.

En parlant, Cleo essayait de réussir le tour de force de sourire et de dégager de mauvaises vibrations.

— Je vous remercie, répondit Tyler.

Il dévisagea Cleo, qui fut convaincue qu'il se souvenait d'elle.

— Voulez-vous avoir l'amabilité de faire monter nos bagages dans nos chambres, s'il vous plaît ? ajouta-t-il.

Cleo se retint de lui répondre : « Vous les voulez dans vos chambres ? Je suis contente que vous me l'ayez précisé. Je m'apprêtais à les faire envoyer au Four Seasons. »

Ce genre de réponse constituait un motif de licenciement immédiat...

— Certainement, monsieur Roth. J'espère que vous serez satisfait de votre séjour chez nous.

Cela dit, Cleo se tourna vers le compagnon de Tyler et, son expression glaciale disparaissant en un clin d'œil, lui décocha son plus beau sourire.

Si le client fut étonné par ce changement d'attitude, il ne le manifesta pas et se contenta de jeter un coup d'œil à Tyler. Cleo, de plus en plus en colère, songea qu'il avait sans doute l'habitude de voir les femmes se conduire bizarrement devant son patron, fascinées par la magie du nom et le pouvoir de l'argent. Eh bien ! pas Cleo ! Tyler avait trouvé à qui parler.

Elle dut attendre jusqu'au début de la soirée avant de revoir Tyler Roth. Elle faisait équipe avec Eric, qui s'occupait de régler le problème d'une cliente âgée, qui avait perdu la clé de sa chambre.

En rentrant, Tyler regarda machinalement vers la réception. Cleo se pencha aussitôt sur son écran et afficha son sourire le plus professionnel quand elle le vit se diriger vers elle.

— Nous semblons destinés à nous rencontrer, dit Tyler.

Son accent, assez neutre, était celui de quelqu'un qui avait voyagé de par le monde et qui s'adaptait aisément à la langue des autres pays. On n'aurait pas pu dire que Tyler venait de New York. Quant à son air, impitoyable, il confirmait le contenu de l'article que Paige avait lu à Cleo. Tyler Roth devait obtenir ce qu'il voulait, comme il voulait.

— Bonsoir, monsieur Roth. Y a-t-il quelque chose que je puisse faire pour vous ? Votre chambre vous donne-t-elle satisfaction ? Pardon, votre suite.

Un petit sarcasme ne faisait pas de mal.

— Tout le monde aime le penthouse. Beaucoup d'espace, de grandes fenêtres... Bien sûr, c'est un peu haut, si on tombe.

Cleo souriait avec candeur.

— Je ferai attention à ne pas trop boire et j'éviterai d'aller sur la terrasse, dans ces conditions, reprit Tyler d'un ton mielleux.

Cleo perdit instantanément son calme. Son regard se durcit. Tyler Roth se moquait d'elle.

— Je vous avais reconnue.

Il s'accouda au comptoir de la réception et se pencha vers Cleo, si près qu'elle voyait l'ombre de sa barbe naissante et sentait son eau de Cologne. Il était trop près d'elle pour qu'elle n'en soit pas gênée. Il dégageait trop de puissance et de charisme. Cleo eut un mouvement de recul instinctif. En même temps, elle prit conscience qu'Eric, qui avait fini de s'occuper de la cliente âgée, suivait la discussion avec intérêt.

— J'aurais reconnu ces yeux n'importe où, reprit Tyler. Quelle était cette créature mythologique qui pouvait tuer un homme d'un regard ? L'hydre ? La méduse ?

— Cleo ! dit Eric avec un petit rire.

Cleo lui lança un coup d'œil meurtrier et il se concentra sur l'écran de l'ordinateur.

— Et votre sourire, poursuivit Tyler en ignorant la remarque d'Eric.

— Quel sourire ? jeta Cleo.

— Celui que vous avez quand vous pensez que personne ne vous regarde, quand vous vous montrez amicale au lieu de jouer les chipies, répondit Tyler d'une façon unie. Je ne parle pas de votre imitation de sourire, mais du vrai. Depuis combien de temps travaillez-vous au Mc Arthur's ? J'y suis descendu régulièrement, ces derniers temps, mais je ne vous ai jamais vue.

— Notre histoire de soûlardes n'a pas très bien marché, répliqua Cleo d'un air bravache, décidée à choquer Tyler. Il n'y a pas autant d'argent à ramasser, comme danseuse exotique, que je l'avais espéré. Et les gens, du moins les hommes, n'arrêtent pas de se faire des idées fausses à mon sujet. C'est drôle, il suffit de mettre, par exemple, un costume de Bunny, pour qu'ils vous prennent pour une fille facile. Ils ignorent tout de la personne que vous êtes en réalité, mais tirent sur-le-champ les conclusions qui les arrangent. Ça ne vous rappelle rien ?

Cleo trouva énervant que Tyler ne semble pas fâché par ses remarques acides. Au contraire, il la détaillait.

Elle savait qu'Eric écoutait. Quant à Greg Senior, il paraissait absorbé par la contemplation du tableau accroché au-dessus de son bureau. Cleo fut soulagée de voir un client arriver à cet instant pour discuter avec Eric de la possibilité de quitter sa chambre un peu plus tard.

— Monsieur Roth, répéta Cleo, puis-je faire quelque chose pour vous ?

Elle avait repris son ton de parfaite réceptionniste.

— Accepteriez-vous de prendre un verre avec moi ?

— Nous n'avons pas le droit de fréquenter les clients, précisa Cleo avec détachement. C'est la même chose que pour les danseuses nues, vous savez. La direction a une opinion très arrêtée sur la question.

— Si je comprends bien, vous avez fréquenté des clients du club de strip-tease, enchaîna Tyler d'un air innocent.

— Seulement les plus répugnants, repartit Cleo. En fait, ceux qui m'insultaient. J'adore les hommes qui m'insultent. C'est vraiment le meilleur moyen de gagner le cœur d'une fille, ne croyez-vous pas ?

— Je vois.

— Parfait, parce que c'est la seule chose que vous verrez de moi, jeta Cleo.

— J'ai peut-être jugé trop vite, ce soir-là, admit Tyler

— C'est pour ça que vous êtes un homme d'affaires multi-millionnaire, monsieur Roth, n'est-ce pas ? Ça n'a rien à voir avec le fait que vous soyez né dans une famille dont les activités étaient déjà florissantes. Ça tient plutôt à votre extraordinaire capacité à tirer d'abord et poser les questions ensuite. Savez-vous ce qu'on dit à propos du mot jugement ? Il se termine par « ment ».

Eric, qui écoutait toujours, en resta bouche bée, tout comme le client dont il était en train de s'occuper. Mais Cleo se fichait qu'on l'entende.

— Si vous ne vous étiez pas permis de juger la situation comme vous l'avez fait, vous m'auriez épargné l'humiliation d'être insultée par un étranger dans ma propre ville, et devant des spectateurs.

— Il y en a ici aussi, fit remarquer Tyler avec un sourire.

De toute évidence, il s'amusait beaucoup.

— On oublie l'idée d'aller prendre un verre. Je vous

emmène dîner et je vous présenterai mes excuses. Je suis vraiment désolé.

— C'était sur le moment qu'il fallait vous excuser, répondit Cleo, furieuse. Vous m'avez ridiculisée. Je ne sais pas de quel trou vous sortez, mais chez moi, à Carrickwell, les hommes n'insultent pas les femmes dans la rue. Je...

Elle s'interrompit. Elle n'avait pas envie de donner aux gens autour d'elle la satisfaction de l'entendre répéter ce que Tyler avait dit à l'époque : « Quelle bande de soûlardes ! » Vraiment !

— Et il n'est pas dans mes habitudes de dîner avec un homme que je ne connais pas.

— Alors, le petit déjeuner ? Prenez-vous du lait avec le café ?

A cet instant précis, Greg Senior entreprit de traverser le hall d'un pas détaché.

— Greg ! lança Cleo.

Elle affichait de nouveau un sourire professionnel.

— Greg, vous êtes la personne dont j'avais besoin. Monsieur Roth a une requête inhabituelle, pour laquelle ni moi ni personne ici ne peut l'aider. Il voudrait des renseignements sur...

Cleo chuchota telle une conspiratrice.

— Il cherche un magasin pour les hommes qui ont des besoins spéciaux...

Elle baissa encore le ton.

— Le genre d'endroit où vont ceux qui désirent explorer leur côté féminin. Où on trouve des vêtements... de femme...

En grand professionnel qu'il était, Greg ne broncha pas. Tyler non plus, d'ailleurs.

— Si vous voulez bien me suivre jusqu'à mon bureau, monsieur Roth, je vais voir ce que je peux faire pour vous, dit Greg d'un ton chaleureux.

A l'entendre, on aurait pu croire qu'ils s'apprêtaient à avoir une bonne conversation sur les mérites comparés des cigares Monte-Cristo et Romeo y Julieta. Tyler jeta un dernier regard à Cleo, qu'elle lui retourna avec un sourire éclatant, comme pour le défier de lui causer des ennuis.

— C'est une question délicate, dit Tyler à Greg. J'ai un ami qui arrive et il apprécierait de faire un tour dans un lieu de ce genre.

— Un ami, bien sûr, répondit Greg. Vous serez étonné par ce que nous pouvons arranger pour les amis de nos clients.

Le lendemain matin, Cleo commençait à sept heures. Elle était fatiguée ; elle avait mal dormi, hantée par des images perturbantes, où elle se voyait avec un homme, musclé, athlétique, aux cheveux courts et aux yeux très sombres. A quatre heures du matin, elle s'était réveillée et n'avait pu se rendormir. Enfin, à cinq heures et demie, le réveil avait sonné.

De l'autre côté du lit, Trish dormait à poings fermés. Elle ne broncha pas quand Cleo rejeta la couverture. Cleo devrait tôt ou tard trouver un logement. Il était impossible qu'elle continue à partager la chambre déjà très encombrée de Trish, même si Trish répétait qu'elle était contente de la présence de son amie. « C'est comme si on était redevenues petites, prétendait-elle, et qu'on restait coucher l'une chez l'autre. » Elles avaient envisagé la possibilité de louer un appartement ensemble, mais s'étaient vite rendu compte qu'elles n'en avaient pas les moyens.

A l'hôtel, la réception était débordée. Comme de nombreux clients partaient tôt, quatre employés s'affairaient déjà derrière le comptoir. Cleo constata que Tyler rejoignait la queue qui se formait devant elle. Au bout de dix minutes, pendant lesquelles il ne la lâcha pas des yeux, il ne restait plus qu'une personne avant lui.

Norah, l'employée qui travaillait juste à côté de Cleo, finit de s'occuper d'un client et se retrouva libre. Elle se tourna vers Tyler.

— Que puis-je pour vous, monsieur ?

Il lui décocha un sourire à tomber à la renverse.

— Je vous remercie, je veux parler à Cleo.

Norah pivota vers Cleo avec un sourire plein de sous-entendus et, sous prétexte de prendre l'agrafeuse qui était à côté d'elle, lui glissa à l'oreille :

— Alors, il se passe quelque chose avec ce beau gosse ?

Tyler les observait. Soudain, Cleo eut chaud jusqu'à la racine des cheveux.

— Il me harcèle, chuchota-t-elle à l'oreille de Norah.

— Il peut me harceler autant qu'il veut, répondit Norah en prenant une voix de gorge sensuelle.

— Ça m'a l'air correct, dit à ce moment l'homme à la mine épuisée dont Cleo était censée s'occuper.

Il signa la note et se précipita vers la sortie. Dans un mouvement souple, Tyler arriva au bureau de Cleo.

— Monsieur... Vous nous quittez ?

— Non. Je veux me plaindre, parce que j'ai demandé quelque chose et que je ne l'ai toujours pas. J'avoue que je suis étonné. Un hôtel de cette catégorie est censé donner satisfaction à la clientèle.

Instantanément, Cleo retrouva ses réflexes, se demandant en quoi le Mc Arthur's avait failli à ses devoirs.

— Quel est votre problème ?

— Je voulais une bouteille de champagne, parce que j'attendais quelqu'un qui m'est cher, et je n'ai pas trouvé ma marque préférée dans le minibar. Le pire, c'est que cette personne à laquelle je tiens, et qui travaille dans cet établissement, n'est pas venue.

Tyler fixa Cleo. L'allusion était claire.

Norah s'entretenait avec un homme d'un certain âge, très élégant et aux manières charmantes, flanqué de bagages en cuir d'une qualité exceptionnelle. Il regardait Cleo.

Cleo se sentit gagnée par l'irritation.

— Monsieur, pour le champagne, vous auriez dû appeler le bar. Nous avons la plupart des marques et, si nous n'avions pas eu celle que vous désiriez, nous aurions fait en sorte de nous la procurer. En revanche, l'hôtel n'organise pas de rendez-vous galants pour ses clients. Nos cinq étoiles n'impliquent pas que nous fournissions ce genre de service. Mais peut-être le fait-on dans les établissements du groupe Roth.

Norah se retint d'éclater de rire, mais son client ne s'en priva pas.

— On dirait que cette dame vous envoie sur les roses, fiston, lança-t-il à Tyler.

— Je ne cesse de lui demander de me laisser tranquille, mais il ne comprend pas, dit Cleo.

— Vous ne pouvez pas lui reprocher d'essayer, renchérit le client.

Tyler se tourna vers lui, feignant d'ignorer Cleo.

— Elle essaie de me faire marcher. C'est tout.

— Je vois. C'est ce que faisait ma deuxième femme. Non, la troisième.

Norah se pencha sur l'ordinateur pour vérifier l'état civil du monsieur puis releva les yeux et lui décocha un sourire éblouissant.

— Et... l'actuelle Mme Lewis ?

— Il n'y a pas de Mme Lewis, répondit le client avec un sourire. Quatre femmes, ça suffit pour un seul homme.

— Quatre ?

— Oui, quatre. Il y a des gens à qui ce chiffre ne porte pas chance.

— Et pour d'autres c'est le treize, pépia Norah.

Elle y avait mis tout son cœur. M. Lewis était charmant.

— Pour moi, répondit-il d'un ton plutôt sec, c'est quatre. Bonne chance avec elle ! poursuivit-il à l'adresse de Tyler. Puis-je me permettre un conseil ? N'oubliez pas de lui faire signer un contrat avant de l'épouser. J'espère que vous ne m'en voudrez pas, conclut-il en regardant Cleo.

C'en était trop ! Cleo explosa.

— Les femmes qui essaient de ruiner un homme au moment de la séparation me paraissent méprisables, fit-elle, outragée. J'ai toujours gagné ma vie et ça ne changerait pas à cause d'un divorce. De toute façon, ce n'est vraiment pas de ça qu'il est question. Ce monsieur est insupportable.

Elle fusilla Tyler du regard.

— C'est vrai, admit Tyler. Elle ne me supporte pas. Je suis l'homme le plus exaspérant qu'elle ait rencontré, mais c'est un début comme un autre. J'aime que ça fasse des étincelles. Dites-moi un peu ce qu'il y aurait d'intéressant avec une femme qui serait gâteuse de vous ? Cleo et moi, nous avons des chances de bien nous amuser ensemble.

A la façon dont Tyler avait prononcé la dernière phrase, Cleo sentit son cœur s'emballer.

— Cette fois, ça me rappelle ma femme numéro deux, commenta M. Lewis. Les étincelles, oui, c'est excitant, mais plutôt dangereux. Quoique... Je crois que je tiens toujours à elle. Elle m'a quitté, mais je pourrais essayer de lui téléphoner.

— Certainement, acquiesça Tyler.

Il se pencha par-dessus le bureau, ce qui lui était facile, grâce à sa stature, et effleura la main de Cleo avant de reculer. Il ne l'avait pas touchée depuis la soirée à Carrickwell, quand il l'avait aidée à se relever. Cleo sentit les étincelles dont il avait parlé la parcourir. Elle eut un sursaut et se décala.

— On dîne ensemble ? Je passe vous prendre à sept heures. Je connais un petit restaurant formidable, dit Tyler.

Cleo renonça, décidée à ne pas se mettre en colère.

— Je termine à sept heures et je ne sors pas en tenue de travail. Je passerai vous prendre ici à huit heures et demie, et c'est moi qui vous emmènerai dans un petit restaurant formidable. Vu ?

— Quelle maîtresse femme ! glissa M. Lewis. Tout à fait mon épouse numéro quatre.

— J'aime les maîtresses femmes, enchaîna Tyler avec un sourire en coin. C'est amusant de les apprivoiser.

Sur ces mots, il s'éloigna, non sans avoir envoyé un baiser à Cleo du bout des doigts.

— Il n'est que sept heures et demie du matin et tu as déjà un rendez-vous pour ce soir, soupira Norah.

M. Lewis jeta un regard admiratif à Cleo.

— Oui, mais regardez l'allure qu'a mademoiselle ! Ce type-là, c'est Tyler Roth. C'est ce que ma mère aurait appelé une « belle prise ».

— Je ne cherche pas à l'attraper, répliqua Cleo.

Elle était encore fâchée de la remarque de M. Lewis sur le contrat de mariage.

— Oh ! s'exclama-t-il, c'est clair. Tyler n'est pas le genre d'homme qui vous accorderait de l'attention, si vous étiez intéressée.

Si seulement il savait la vérité, pensa Cleo. Elle ne voulait pas sortir avec l'héritier Roth à cause de ce qu'il était, mais pour l'humilier, de la même façon qu'il l'avait humiliée. Alors, et alors seulement, elle serait satisfaite.

— On jurerait qu'il te plaît, à la façon dont tu t'inquiètes de ce que tu vas mettre ce soir, grommela Trish.

Elle était assise par terre dans la chambre. Sur le lit s'entassaient tous les vêtements de Cleo, la plupart de ceux de Trish et d'autres encore, qui appartenaient à Diane, une colocataire de la maison. Diane avait l'œil pour trouver des tenues vintage de qualité.

— Il ne me plaît pas ! se défendit Cleo. Ne dis pas de bêtises ! En plus, ce n'est pas un rendez-vous galant.

Elle pivota devant le miroir pour voir comment la jupe en dentelle noire de Diane tombait sur elle. Normalement, Diane la portait avec un top rose pâle à grand décolleté, mais Cleo n'était pas certaine que ce coloris lui aille. De plus, avec ses longues jambes, la jupe était plus courte sur elle que sur Diane et l'ourlet lui frôlait à peine les genoux.

— Je ne suis pas sûre que la jupe soit idéale pour moi. Et je me demande si ce décolleté n'est pas trop profond.

Elle tiraillait le bord du tissu.

— Trop profond ? reprit Trish. Pas assez ! Tu ne voudrais quand même pas avoir l'air d'une gourde à peine débarquée de la campagne !

— Je n'ai pas non plus envie d'avoir l'air de racoler. Il me suffit que Tyler Roth l'ait pensé la première fois que je l'ai vu.

— Arrête avec ça ! protesta Trish.

L'incident restait un motif de dispute entre elles. C'était à cause de Trish, parce qu'elle avait trop bu, ce soir-là, que Tyler avait mal jugé Cleo.

— Ce n'était pas ma faute, rappela Trish. Je faisais la fête. Et puis, qui est-ce que ça intéresse ?

— Moi ! Ce n'est pas l'image idéale qu'une femme peut donner d'elle : celle d'une personne capable de s'enivrer au point de s'écrouler sur le trottoir devant une boîte, à s'en évanouir.

En tout cas, ce n'était pas celle qu'elle voulait offrir à un homme, que, dans d'autres circonstances, elle aurait aimé impressionner.

— Les hommes le font, répondit Trish. Pourquoi les femmes n'en auraient-elles pas le droit ?

— D'accord, si ça avait été n'importe où, mais pas à Carrickwell... Les gens parlent et ma famille serait gênée de m'imaginer assise dans le caniveau, soûle. Quand je pense au nombre de fois où j'ai aidé papa à sortir des clients du bar du Willow parce qu'ils étaient ivres...

Trish l'interrompit.

— Un seul membre de ta chère famille t'a-t-il téléphoné, récemment ?

— Non.

C'était là où le bât blessait le plus.

— On fait la paix ? demanda Cleo.

— D'accord. Je suis désolée, ce n'était pas gentil de ma part, s'excusa Trish d'un air navré.

— On n'en parle plus ! Que dis-tu de ça ?

Cleo portait à présent la jupe avec un simple chemisier blanc.

— Très classe, dit Trish. Franchement, Cleo, n'importe qui te voyant en ce moment conclurait que tu es folle de ce type.

— Non, il ne me plaît pas.

— Dans ce cas, pourquoi dînes-tu avec lui ?

Cleo s'était posé la question toute la journée.

— Pour me venger !

— Tu aurais pu le faire sans sortir avec lui. Par exemple, tu aurais pu brancher la télévision de sa chambre sur la chaîne porno toute la journée et lui présenter la facture la plus gênante de la planète. Tu avais aussi la possibilité de mettre un laxatif dans le café de son petit déjeuner, de le faire réveiller par téléphone tous les quarts d'heure à partir de trois heures du matin... Oh ! conclut-elle d'un air joyeux, il existait mille moyens de te venger.

Cleo l'observait, ahurie.

— Tu as vraiment l'esprit tordu !

— Merci, répondit Trish avec malice.

— Tout ça, c'est trop sournois. Je veux que Tyler Roth sache d'où vient la vengeance.

Quand Cleo franchit la porte à tambour du Mc Arthur's et qu'elle vit Tyler assis dans le hall, penché sur le dernier numéro de *Newsweek*, elle sentit ses mauvaises intentions faiblir. Tyler portait un pantalon noir et un magnifique pull en laine tricotée qui lui moulait les épaules. Les filles qui étaient de service à la réception le fixaient avec insistance. Cleo comprit qu'elle avait commis une erreur en lui donnant rendez-vous dans ce nid à ragots. Dès le lendemain, tout le monde saurait qu'ils étaient sortis ensemble.

Tyler leva les yeux et parut heureux de la voir, comme si c'était un véritable rendez-vous d'amoureux. Et zut ! pensa Cleo. Il était plus difficile de mentir qu'elle ne le croyait.

— Vous êtes superbe, dit Tyler en se levant.

Il se pencha vers elle et l'embrassa sur la joue.

Dans sa tenue d'emprunt, ses cheveux flottant sur les épaules et ses yeux savamment maquillés, Cleo savait qu'elle était bien.

— Merci, répondit-elle, comme on le conseillait dans les articles sur la façon d'accepter des compliments avec grâce.

Dire « J'ai emprunté la jupe et j'ai les cheveux rêches parce que je n'ai plus de sérum » aurait été stupide...

— Vous n'êtes pas mal non plus.

Cleo, en femme moderne, ne pensait pas que les compliments soient l'apanage de la partie mâle de l'humanité. De plus, Tyler était très beau.

— Merci. Qu'avez-vous prévu, Cleo ?

Elle se sentit désarçonnée, car elle s'était préparée à une bataille à propos de ce qu'ils allaient faire et s'en était réjouie. Mais peut-être Tyler ne se montrait-il intransigeant que dans le travail.

— Ce qui est prévu, c'est qu'il n'y a rien de prévu.

Ce n'était pas vrai. Cleo avait passé la journée à y réfléchir.

— Je veux vous montrer des coins de Dublin que les touristes ne connaissent pas, poursuivit-elle. Non qu'il y ait quoi que ce soit à reprocher aux circuits touristiques, mais je ne veux pas vous laisser croire que tout ce qui nous intéresse, ce sont de vieux *geansais* tricotés à la main et des bérets de laine.

— Qu'est-ce qu'un *geansai* ?

Tyler n'avait pas bien saisi la prononciation.

— *Gan, zee.* Ça signifie « tricot ».

— Vous voulez m'apprendre d'autres mots ? demanda Tyler avec enthousiasme.

Cleo sourit. Il s'était vraiment départi de son autoritarisme.

— Bien sûr !

Ils marchaient tranquillement, profitant de l'air tiède du début de l'été et parlant sans cesse. Cleo trouvait que la marche rendait la conversation plus facile. Si elle ne regardait pas Tyler, elle pouvait se conduire de façon presque normale, mais, quand elle le regardait, elle commençait à se conduire de façon bizarre. Comme n'importe quelle idiote qui trouve un garçon à son goût, pensa-t-elle. C'était gênant.

Ils finirent par arriver au restaurant français que Cleo avait choisi. Ils étaient affamés et commandèrent rapidement. Cleo prit des coquilles Saint-Jacques et Tyler des langoustines. Un groupe de filles dans des robes très décolletées et qui ne cachaient pas grand-chose de leurs jambes passèrent à côté de leur table dans un froufrou. Quelques-unes ne se gênèrent pas pour faire de l'œil à Tyler.

— Quelle vulgarité ! s'exclama Cleo, fâchée.

Tyler ne répondit pas et haussa les sourcils de cette façon qui avait le don d'énerver Cleo. Il semblait prendre plaisir à la taquiner.

— Trop de clinquant, trop de chair exposée et trop de cheveux teints, ajouta-t-elle en guise d'explication.

— Vous n'approuvez donc pas qu'on se dénude ainsi en public ? s'enquit Tyler avec innocence. Oh ! Ce doit être en relation avec la religion. Vous êtes catholique, n'est-ce pas ? Je suppose que vous êtes allée à l'école dans une institution religieuse et que vous n'imagineriez pas d'avoir des relations avec un homme avant le mariage ? Et vous vous confessez ?

Cleo songea que le jour où on mettrait au point un laser

capable d'anéantir quelqu'un sur un simple coup d'œil, elle s'en procurerait un dans l'instant.

— Pour votre information, monsieur Roth, même si je suis allée à l'école chez les sœurs... je me considère avant tout comme une chrétienne. Certaines personnes estiment que c'est un catholicisme à la carte : nous choisissons ce que nous voulons sur le menu. De la même façon, ajouta Cleo d'un ton mielleux, que vous êtes un juif à la carte. Si vous étiez un juif orthodoxe, vous ne mangeriez pas de langoustines.

Tyler se contenta de planter sa fourchette dans un crustacé et de le déguster.

— Mon premier petit copain était juif, expliqua Cleo. C'était passionnant quand il me parlait de sa culture.

— Vous étiez déjà une rebelle, si je comprends bien. Et c'était la même chose pour lui, qui sortait avec une *shiksa*.

— Il respectait mon héritage culturel et moi, le sien, jeta Cleo.

Elle se sentait de nouveau furieuse contre Tyler.

— Mais je respecte votre héritage, Cleo, dit Tyler d'un ton uni. Je m'amuse simplement à vous mettre en colère, parce que c'est drôle. Vous vous enflammez si vite ! Existe-t-il un mot qui dépeigne cette disposition de caractère ? Vous qui appartenez à un peuple de génies littéraires, vous devez le savoir.

— Certains Irlandais font la réputation de leur pays, mais on ne peut pas en dire autant des petits malins qui habitent Manhattan, et qui feraient mieux de rentrer chez eux pour s'occuper de leurs affaires !

— Je me rappelle aussi que l'Irlande est célèbre pour le comportement amical de ses habitants.

Tyler avait parlé avec une hypocrisie parfaite.

Cleo changea de nouveau d'avis à son sujet ; il était susceptible et pouvait se montrer sans pitié.

— C'est bien l'autre particularité irlandaise, n'est-ce pas ? *Cead mile failte.*

Tyler avait parfaitement prononcé l'expression gaélique « cent mille bonjours ».

— J'adore cette formule. Et celle-ci : « Grâce à Dieu. » C'est charmant. Comment dit-on ça en gaélique ?

Cleo pensa que Tyler était en train de détourner son attention pour faire passer sa colère.

— *Buiochas le Dia,* traduisit-elle.

— Délicieux.

Tyler eut un geste approbateur et ravi, et si Cleo ne l'avait pas trouvé exaspérant quand il faisait le malin elle l'aurait trouvé irrésistible.

Même ses oreilles étaient bien. Elles n'avaient rien à voir avec ces espèces d'anses qui faisaient saillie de chaque côté de la tête chez certains hommes quand ils avaient les cheveux très courts. Elles étaient nettement dessinées, raffinées et bien collées contre son crâne à la forme parfaite. Elles ne détournaient pas l'attention de sa mâchoire virile. Et zut ! Pourquoi remarquait-elle ces choses-là ?

— Ces tournures sont aussi charmantes que les filles d'ici. Ne le prenez pas mal, Cleo, il n'y a aucun sous-entendu blessant ou susceptible de vous offenser dans cette remarque. Roth Hotels attache de l'importance à l'égalité entre les hommes et les femmes.

Cleo approuva de la tête. Elle venait d'avoir une idée formidable.

— Oui, je vois que celle-ci compte pour vous, dit-elle avec sérieux. En fait, j'étais en train de penser à une autre expression irlandaise charmante.

— Vraiment ?

— Oui, vous allez l'adorer. Elle est pour vous. *Póg mo thon.*

La personne qui avait appris à Tyler les quelques phrases en gaélique qu'il connaissait ne lui avait certainement pas appris à dire « Va te faire voir ».

— Et ça signifie ?

— « Bonne chance ! » répondit Cleo avec un grand sourire. Ça remonte... à l'époque de Brian Boru, je pense.

Un peu d'esbroufe historique ne manquerait pas d'impressionner Tyler.

— Compte tenu de l'ancienneté de la langue, on estime qu'on a là un exemple du gaélique le plus pur. Chaque mot est riche de sens. La traduction la plus longue et sans doute la plus juste est : « Puisse la chance superbe des Irlandais et la bénédiction de Dieu vous accompagner à chaque instant. »

— La phrase est un peu courte pour exprimer tout ça, non ?

— Le gaélique est une langue lyrique et unique en son genre. Les termes les plus simples possèdent plusieurs sens.

— Je comprends. Redites-le encore une fois, pour que je puisse le retenir, s'il vous plaît.

Cleo dut se mordre la langue pour ne pas rire.

— *Póg*, un peu comme dans dogue. *Mo hoe-in*, mais en le disant rapidement.

— *Póg mo thon*, répéta Tyler. J'ai compris.

Cleo se retint de s'esclaffer. Oui, il avait compris ! Elle avait hâte de l'entendre dire aux gens d'aller se faire voir.

Ils parlèrent ensuite de leur travail respectif. Par orgueil, Cleo omit d'évoquer le Willow et son départ précipité de Carrickwell. Elle était certaine que Tyler connaissait son cher hôtel, s'il avait cherché un terrain à acheter autour de Carrickwell. Elle n'avait pas envie de lui apprendre qu'elle faisait partie de la famille qui avait conduit un établissement magnifique à la ruine. Pour la même raison, elle lui dit que son nom de famille était Malley. Málainn n'était pas courant et Tyler aurait tout de suite fait le rapprochement.

Tyler lui expliqua ensuite qu'il avait dû gravir les échelons dans la société de son père.

— Les gens croient que le népotisme mène à tout. En réalité, ça vous met le pied à l'étrier, mais il faut retrousser ses manches pour y arriver. Mon père croit qu'il faut travailler dur, dans la vie, et encore plus s'il s'agit de moi. Il prétend qu'il a exigé deux fois plus de lui-même que de n'importe qui parce que c'est lui qui détient le pouvoir de décision. Et je fais comme lui.

Cleo aurait aimé décrire l'endroit où elle avait grandi à Tyler, mais elle se tut. Elle raconta que ses parents avaient pris leur retraite après avoir tenu une petite affaire. L'idée de tromper Tyler l'attristait et elle se méprisait de le faire.

Tyler vivait à Manhattan et, en l'écoutant, Cleo se dit que c'était vraiment un autre monde.

— Et vous, où vivez-vous ? demanda-t-il.

— Avec mon amie Trish.

Cleo avait répondu sans réfléchir. Partager le futon pas très confortable de sa meilleure amie ne correspondait pas au standing d'une jeune cadre dynamique.

— Vous avez un appartement en ville ?

— Euh... Non, une maison... Nous la partageons avec une autre amie.

Ce n'était pas tout à fait faux. Trish habitait bien une maison et Diane vivait avec elle. En réalité, elles étaient six en tout. Tyler ne risquait pas de se rendre jamais dans les lieux.

— C'est en dehors de la ville. Nous préférons un rythme plus détendu, vous comprenez. La ville est trop bruyante.

Les appartements étaient trop chers pour les moyens de la bande, même mis ensemble.

— C'est vrai, dit Tyler avec un hochement de tête approbateur.

Le plan de Cleo était de terminer la soirée dans un pub que Trish et elle avaient fréquenté quand elles étaient à l'université. Comme prévu, Trish et quelques membres de leur groupe étaient là. Trish et Cleo avaient décidé que, si le dîner tournait au cauchemar, Cleo n'avait qu'à envoyer un SMS d'appel à l'aide. Trish la rappellerait aussitôt en lui demandant de venir sous prétexte d'une urgence quelconque. Comme Trish n'avait pas reçu ce fameux message, elle attendait, les yeux grands ouverts pour voir à quoi ressemblait Tyler. Si Cleo était encore avec lui à cette heure-là, il avait dû réussir un test secret.

— Cleo ! s'exclama Trish depuis l'extrémité du bar en voyant arriver Tyler et Cleo.

Les clients tournèrent la tête. On murmura sur le passage du couple.

— Je ne savais pas que nous devions rencontrer vos amis, commenta Tyler tandis qu'il suivait Cleo jusqu'à la table où se trouvaient les autres.

— J'ignorais qu'ils seraient ici, répondit Cleo.

Elle craignait de ne pas avoir été convaincante.

— Quelle surprise ! reprit Trish.

« Pourquoi insiste-t-elle si lourdement ? » gémit Cleo en elle-même. Elle s'assit sur le tabouret à côté de Trish et lui donna un bon coup de coude dans les côtes pour lui signifier de se taire.

— Quelqu'un boit quelque chose ? s'enquit Tyler.

Comme par miracle, les huit membres du groupe venaient de terminer leur verre. Et oui, merci beaucoup, ils prendraient volontiers quelque chose. Tyler ne parut pas gêné par le nombre des commandes.

— On a donc deux pintes de Guiness, un Paddy, deux Coca light, une Heineken, un jus d'orange, pour vous...

Diane répondit à Tyler d'un charmant sourire.

— Un gin tonic.

Ce fut au tour de Trish de battre des cils.

— Et une eau pétillante pour Cleo.

Pendant que Tyler allait passer la commande au bar, Cleo fusilla ses amis du regard.

— Vous n'avez pas honte ? Tyler n'est pas la banque d'Irlande !

— Désolé, répondirent plusieurs d'entre eux.

— Oui, désolé, renchérit Barry.

— Je n'avais pas l'intention d'abuser de la situation, marmonna Ron.

Trish se pencha à l'oreille de Cleo.

— Alors ? Je croyais qu'il était l'incarnation vivante de la vengeance servie froide.

— La ferme ! siffla Cleo entre ses dents. La vengeance est en route.

En disant cela, elle ne pouvait s'empêcher de sourire.

— Qu'il est beau ! s'extasia Carol, la nouvelle amie de Trish.

Mince comme un roseau et d'un ravissant blond pâle, Carol avait l'allure d'une mannequin. Elle faisait penser à Gwyneth Paltrow.

Cleo ne dit rien.

Tyler, qui avait le contact facile, s'intégra facilement à la bande. Carol, en particulier, se montra très communicative avec lui et, à la grande irritation de Cleo, Tyler se montra aussi peu farouche.

Ce fut au moment où Carol lui proposait de lui faire visiter la ville – comment osait-elle ? – que Tyler voulut vérifier s'il se souvenait des expressions en gaélique qu'il avait apprises. Chacun applaudit à son *cead mile failte* et son *go raibh maith agat*, et s'esclaffa en l'entendant dire à Trish *póg mo thon*.

— Cleo, affreuse chipie, je parie que c'est toi la responsable ! Quel vilain tour ! fit Carol.

Tout en riant, elle tapotait le bras de Tyler d'une manière intime.

— Si je comprends bien, enchaîna Tyler, imperturbable, ça ne signifie pas ce que vous m'avez raconté ?

Cleo, vexée, était écarlate.

— Non ! s'écria Carol en ne lâchant pas le bras de Tyler.

Elle lui expliqua le sens de l'expression.

— Cleo adore me taquiner, reprit Tyler. Pas vrai ?

Il la regarda dans les yeux et Cleo sentit son cœur faire un bond.

Une heure plus tard, Cleo, Trish et les autres se retrouvèrent dans le bus des ivrognes, ainsi nommé car ceux qui avaient passé la nuit en ville l'empruntaient pour rentrer chez eux. Cleo avait prétendu devant Tyler qu'elle prendrait un taxi, alors que ses fonds ne le lui permettaient pas. Elle aurait, en effet, été gênée que Tyler la voie en train de grimper dans le bus avec ses amis, telle une écolière en goguette.

— Il est sympa ! dit Trish avec étonnement.

— Oui, il est gentil, répondit Cleo.

Elle se cala sur le siège, rêveuse, sans même remarquer l'odeur des gaz d'échappement. Tyler ? Sympathique ? Il était mieux encore !

— Bien sûr, on ne risque pas de le revoir, reprit Trish. C'est un play-boy de la jet-set, avec un papa très riche, et qui doit avoir un million de filles à ses pieds. C'est toujours comme ça, avec ce genre d'homme.

— Oui, fit Cleo.

Elle se sentit soudain très triste. Quelqu'un comme Tyler pouvait sans problème avoir une petite amie partout où il allait, mais pendant la soirée il lui avait parlé comme si elle était la seule personne importante pour lui, malgré les tentatives de Carol pour le séduire. Bien sûr, il avait pris plaisir à parler avec le groupe, mais il était aussi un de ces hommes capables de vous donner l'impression qu'il n'était là que pour vous. C'était flatteur.

— C'était pour rire, dit Cleo à Trish.

Elle s'aperçut qu'elle mentait. C'était la première fois qu'elle mentait à Trish. En principe, on ne raconte pas d'histoires à sa meilleure amie. Seulement, Trish se moquerait d'elle si elle lui avouait avoir perdu l'envie de se venger de Tyler Roth. Elle avait changé d'avis. Elle rêvait de sentir les bras de Tyler se refermer sur elle et la serrer très fort, et sa respiration lui caresser le cou. Mais comment cela s'était-il produit ?

Le lendemain matin, Cleo trouva une enveloppe qui portait la mention « personnel » posée sur le comptoir de la réception. Elle reconnut aussitôt l'écriture impérieuse de Tyler. Curieusement, celle-ci ne lui semblait plus aussi caractéristique d'un tyran. Si on lui avait demandé à présent de la définir, Cleo aurait parlé d'une écriture pleine de force et d'énergie.

Pour un homme qui parlait aisément, Tyler avait été très succinct :

Voulez-vous passer la soirée avec moi ? Qu'est-ce qui vous ferait plaisir ? Je ne voudrais pas me montrer cavalier et vous imposer mes goûts.

Cleo eut un bref étourdissement et imagina Tyler botté, avec des éperons, prêt à se montrer cavalier... Puis elle fit un effort pour revenir au présent. Stan, un de ses complices de l'équipe de nuit, s'approcha.

— M. Roth a laissé ça pour toi, mais il s'est trompé en écrivant ton nom sur l'enveloppe. Il a écrit Malley au lieu de Málainn.

— J'espère que tu ne l'as pas corrigé ? demanda Cleo d'un ton inquiet.

— Non, il était pressé. Il avait rendez-vous pour le petit déjeuner avec une sacrée jolie femme !

— Une sacrée jolie femme ? répéta Cleo.

Stan, qui rassemblait ses affaires pour laisser la place à l'équipe de jour, acquiesça de la tête.

— Certains types ont toutes les chances, soupira-t-il.

L'idée de la « sacrée jolie femme » hanta Cleo pendant l'heure et demie qui suivit. Mais qu'était exactement une « sacrée jolie femme » pour Stan ? Une femme superbe ou une fille plus banale ? Cleo n'arrivait pas à penser à autre chose.

Le client de la chambre 172 affirmait qu'il n'avait rien pris dans le minibar, même si le service d'étage avait signalé sa consommation de deux whiskies, trois vodkas et un Toblerone. Cleo ne parvenait pas à se concentrer sur la facture. Elle travaillait avec Norah, Paige et Nero, un Italien adorable. Elle finit par régler la question avec le menteur de la chambre 172 puis se tourna vers Paige, qui était juste à côté d'elle.

— Je vais aux toilettes, chuchota-t-elle.

Elle s'y rendit pour se calmer. Elle avait les joues écarlates de colère. Ensuite, elle se glissa jusqu'à la salle à manger où on servait le petit déjeuner. Il n'était encore que huit heures et demie, mais la majorité de la clientèle d'affaires était déjà partie et les petits déjeuners de travail se terminaient. Les gens qui séjournaient au Mc Arthur's, quant à eux, commençaient à prendre place ; leur tenue et leur comportement décontractés contrastaient avec l'allure des premiers. Ces derniers avaient des rendez-vous à respecter, des gens à voir, et pas de temps à consacrer au choix des viennoiseries.

Cleo ne voulait pas donner l'impression qu'elle espionnait Tyler. Elle balaya l'immense salle à manger du regard, comme si elle cherchait une personne pour laquelle elle aurait eu un message important. Soudain, elle le vit ! Assis à une table discrète, mais sans son acolyte, Larry Mc Kenzie, Tyler était en grande conversation avec une femme qu'on pouvait, en effet, qualifier de « sacrée jolie fille ». Elle était très raffinée, vêtue de noir et les cheveux d'un brun acajou brillant. Cleo fut jalouse. Elle repartit en vitesse, furieuse. Comment Tyler osait-il ? Cette femme n'était pas là pour un petit déjeuner de travail, elle était le petit déjeuner !

— Tu te sens bien ? chuchota Paige quand Cleo reprit sa place.

— Ça va, répondit Cleo entre les dents.

— Tu pourras tout me raconter pendant la pause.

Quand Tyler fit son apparition, à la fin de l'après-midi, Cleo était hors d'elle, les yeux flamboyants et la bouche pincée. Dans sa famille, on aurait su qu'il était temps de se mettre à l'abri. Tyler, lui, l'ignorait.

— Bonjour, dit-il.

Il s'appuya au comptoir de la réception et regarda Cleo avec l'expression décontractée et sensuelle, qui, pas plus tard que la veille, l'avait fait fondre. A présent, elle la laissait plus qu'indifférente.

— Bonjour, répondit-elle d'un ton glacial.

Tyler comprit que quelque chose n'allait pas.

— La journée a été dure ? demanda-t-il en haussant un sourcil, selon son habitude.

Cleo se rappela qu'il n'avait pas repoussé les avances de Carol, la veille, et avait ensuite pris le petit déjeuner avec une créature de rêve. Il devait réellement avoir une fille dans chaque port.

— Laissez-moi tranquille, jeta-t-elle.

— Qu'est-ce qui ne va pas, Cleo ?

— J'ai un petit déjeuner important très tôt demain matin, et je dois rentrer, m'occuper de mes cheveux, de mon maquillage et de mes ongles, pour être impeccable.

— Ah !

Tyler avait compris.

— Auriez-vous des espions dans l'hôtel ?

— Pas des espions, des amis. Ils me tiennent au courant de ce qui me concerne. Par exemple, si un type qui a voulu sortir avec moi prend son petit déjeuner de façon intime avec une femme, je le sais.

— Je vois, vous voulez parler des ragots ?

— Il n'est pas question de ça !

— Si je vous disais qu'elle est gay, est-ce que ça changerait les choses ?

— Elle est gay ? La fille avec qui vous étiez est gay ?

Cela faisait une différence. Tyler ne s'intéressait probablement pas à cette fille, dans ce cas. Il était vrai que, pour certains hommes, la situation aurait représenté un défi passionnant.

— Est-elle gay ? répéta Cleo.

— Non, reconnut Tyler. Je voulais juste voir votre réaction.

— Comment pouvez-vous être si désagréable ? Mais pourquoi ai-je accepté de sortir avec vous, hier ?

— Parce que vous m'appréciez...

— Non ! Je n'aime pas les gens qui prennent leur petit déjeuner avec une femme inconnue et ensuite se moquent de moi en prétendant qu'elle est gay. En plus...

— Cleo ! l'interrompit Tyler. Si je vous disais qu'il s'agissait d'un rendez-vous de travail, ce qui est la vérité, vous ne me croiriez pas. Vous imagineriez que j'essaie de vous donner le change. Or, c'était réellement professionnel. Bien sûr, cette femme est ravissante et j'avoue que je la trouve séduisante.

« Tyler doit s'amuser en racontant cela », pensa Cleo.

Elle réussit à maîtriser son envie de le gifler.

— Cependant, reprit-il, elle est mariée et très heureuse dans son couple. Je vous garantis que je ne l'intéresse pas du tout, non que j'aie jamais tenté ma chance, si vous voulez le savoir. Nous parlons du travail, c'est tout. Vous qui défendez le droit des femmes à faire carrière, pensez-vous impossible qu'une de vos semblables ait un parcours brillant et, en plus, soit jolie ? C'est votre cas, pourtant.

— Ne croyez pas que vous vous en sortirez ainsi !

Cleo devait reconnaître, toutefois, qu'elle était flattée. L'histoire de Tyler paraissait crédible, mais peut-être faisait-il partie des hommes qui trouvent toujours une explication à leur conduite. Cleo refusait de devenir sa prochaine conquête.

— Je suis désolée, dit-elle d'un ton très raide en se levant. Vous savez, ça a été une erreur. Vous et moi, nous venons de mondes très différents. J'ai dû avoir une crise de folie pour dîner avec vous. Je vous remercie pour cette soirée agréable et je vous dis au revoir.

Tyler lui saisit le poignet d'un geste ferme mais doux.

— Je vous en prie, ne soyez pas comme ça.

— Dois-je hurler et demander qu'on appelle la police parce que vous me retenez contre mon gré ?

— Ne vous gênez pas, si c'est ce que vous voulez, répliqua-t-il sans lâcher Cleo des yeux. Je préférerais, toutefois, que vous vous absteniez. Je voudrais vous connaître mieux, Cleo. Est-ce impossible ? Nous venons peut-être de mondes différents, et alors ? Ne peut-on envisager une fusion entre Manhattan et Carrickwell ?

Cette supposition était si ridicule que Cleo ne put s'empêcher de rire et se rassit. Elle savait reconnaître une défaite.

— D'accord, admit-elle, vous avez gagné. Vous êtes un vrai *beurdin,* mais vous avez gagné.

— Un quoi ? *Beurdin ?* Qu'est-ce que c'est ?

— Hum, dit Cleo, d'un air pensif. C'est un mot de la campagne. On l'utilise pour désigner quelqu'un de merveilleux, de fou...

— Des blagues ! Vous êtes encore en train de vous payer ma tête avec de prétendues traductions du gaélique. Vous ne m'aurez pas une seconde fois, mademoiselle Malley.

Cleo eut un pincement au cœur. Elle ne pouvait pas avouer son vrai nom de famille à Tyler maintenant. Ce serait pour plus tard.

Ils sortirent de nouveau ensemble le dimanche soir, cette fois pour aller au cinéma. Cleo eut du mal, par la suite, à se souvenir du film. Elle était trop sensible à la présence de Tyler, assis à côté d'elle, et qui lui tenait la main. C'était merveilleux.

Il ne s'agissait pas d'une simple attirance physique ; Cleo appréciait Tyler, elle aimait sa façon de rire, de la taquiner, de s'intéresser à elle. Cela lui paraissait bizarre de se l'avouer, mais elle avait l'impression de le connaître depuis toujours. Il était sans doute redoutable en affaires, mais il avait une autre facette, qui plaisait infiniment à Cleo.

Il devait prendre l'avion pour Galway le lundi matin pour

assister à la vente aux enchères de la propriété qui l'intéressait. Cleo se sentait triste à l'idée que leur début d'histoire allait déjà se terminer. Il retournerait à son monde, elle resterait dans le sien, et il retrouverait son harem.

Serait-elle sa petite amie de Dublin ? Non, il n'était pas question qu'elle devienne un numéro de plus dans la mémoire de son téléphone. Cela ne lui suffisait pas. Plus elle passait de temps avec lui, plus elle aimait sa compagnie. Elle était en train de tomber amoureuse.

En réalité, elle était déjà amoureuse de lui. Elle ne devait pas se voiler la face. Elle n'aurait jamais cru possible d'aimer un homme si rapidement.

Après le cinéma, Tyler lui proposa d'aller prendre un dernier verre dans sa suite. Elle accepta.

— Je veux vous dire au revoir correctement, précisa Tyler.

— J'espère que, pour vous, ça ne signifie pas faire des galipettes sur le lit.

Cleo avait pris un ton sévère pour cacher sa tristesse. Tyler fit signe à un taxi avant de lui répondre.

— Voyons, ai-je vraiment l'air de ce genre d'homme ? fit-il de son ton taquin.

Cleo n'était jamais entrée dans une des quatre suites du dernier étage du Mc Arthur's ; lors de son embauche, on ne lui avait montré que les chambres. La suite qu'occupait Tyler était aussi impressionnante et luxueuse que Cleo l'avait imaginé. Le Mc Arthur's s'enorgueillissait d'une décoration simple mais élégante. On s'enfonçait dans les tapis épais, les canapés profonds et moelleux soutenaient le corps de la manière la plus confortable. Cleo était certaine qu'il était agréable de se glisser entre les draps. Elle fit quelques pas, admirant les roses blanches dans le vase carré posé sur la table basse.

— Bel espace, commenta-t-elle d'un ton dégagé.

— Oui, c'est superbe.

Cleo apprécia la réponse de Tyler. Malgré son habitude du luxe, il n'était pas blasé. S'il avait vu la petite chambre en désordre que Cleo partageait avec Trish !

— Que voulez-vous boire ? s'enquit Tyler.

Il enleva sa veste et la posa sur le dossier d'une chaise. Sa chemise à col ouvert révélait un triangle de peau sombre à la base du cou. Cleo sentit son cœur accélérer. Y avait-il quelque chose de plus sexy que ce morceau de peau ?

— Que voulez-vous boire ? répéta Tyler.

— J'aimerais une boisson chaude. Une camomille, par exemple.

Cela aiderait Cleo à s'endormir. Elle craignait qu'elle n'ait des difficultés à trouver le sommeil, après les heures excitantes qu'elle venait de vivre.

Tyler s'assit au bord d'un fauteuil et décrocha le téléphone pour appeler le service en chambre. Il commanda deux camomilles, ce que Cleo trouva élégant. La plupart des hommes détestaient les infusions. Matt, à l'époque où Cleo sortait avec lui, avait goûté pour lui faire plaisir. Il avait conclu que cela ressemblait à une décoction de poussière. Tyler était si différent de Matt ! Matt ne pensait qu'à faire plaisir, à rendre service. Tyler était froid et distant, et plutôt conquérant. La première fois qu'on le voyait, il donnait l'impression de ne se préoccuper que de lui. Et voilà qu'il cherchait à satisfaire Cleo ! Mais il serait bientôt parti, pensa-t-elle tristement.

— Voilà, dit-il en s'asseyant à une extrémité du canapé.

Cleo était à l'autre. C'était un grand canapé.

— Voilà, répondit-elle en souriant.

— Ai-je l'air de vouloir mordre ?

Tyler tapota l'espace entre eux.

— Vous voulez dire que vous ne mordez pas ?

Tyler se glissa à côté de Cleo.

— Nous allons peut-être trop vite, mais vous savez que je pars demain pour Galway et ensuite pour New York...

— Oui, fit Cleo d'un ton très sérieux. Vous voulez marquer des points avant de vous en aller.

Tyler eut l'air blessé.

— Il ne s'agit pas de ça ! Vous n'êtes pas ce genre de femme, Cleo, ni moi ce genre d'homme.

Cleo n'avait plus envie de plaisanter. Elle refusait de souffrir à cause de Tyler. Elle ne voulait pas se conduire avec lui comme Nat avec elle, se montrer confiante, naïve, incapable de reconnaître la réalité, au risque d'être anéantie quand le coup arriverait.

— Ce n'est pas ce que j'ai entendu dire.

— Oubliez ce que vous avez entendu, répondit Tyler. Les gens parlent de moi, ils parleront de vous, ça ne signifie pas qu'ils savent quoi que ce soit. Je ne fais pas n'importe quoi avec les femmes et je ne leur raconte pas d'histoires.

Il avait l'air si sérieux que Cleo eut envie de lui caresser le visage pour en effacer la gravité.

Il se pencha vers elle d'une façon qui la troubla encore plus.

— A quoi pensez-vous en ce moment ?

Elle éclata de rire.

— Je pensais que le service est désastreux, car vous avez commandé les tisanes depuis au moins cinq minutes et on ne les a toujours pas.

— Roth Hotels devrait embaucher une femme avec vos capacités professionnelles. Je ne plaisante pas.

— Je comprends mieux. C'est pour cette raison que vous m'avez amenée ici ?

— Non, répondit Tyler en venant encore plus près de Cleo.

Il lui passa un bras autour des épaules. Le cœur battant la chamade, Cleo sentit la chaleur de l'homme qui l'attirait tant sur sa peau.

— Non, ce n'est pas pour ça que je vous ai proposé de monter. Mais si vous le croyez vous devez songer qu'on ne fait pas plus bizarre comme entretien d'embauche.

— Je croyais, rétorqua Cleo avec un grand sourire, que vous m'aviez amenée ici parce que je vous plaisais. J'ai accepté parce que vous me plaisez.

— J'en suis heureux.

Soudain, leurs lèvres se touchaient, leurs corps se rapprochaient et ils se caressaient. Cleo n'avait jamais connu cela auparavant, rien à voir avec les caresses de Laurent ni les baisers de ses précédents petits amis. Ce trouble, cette excitation, c'était nouveau, différent, unique. Cleo gémit et se serra contre Tyler. Elle n'avait plus qu'une idée : lui arracher ses vêtements, le laisser lui arracher les siens, et qu'ils s'aiment comme des fous.

— Il ne faut pas, dit-il d'une voix hachée.

— Je sais, répondit-elle alors même qu'ils se déshabillaient l'un l'autre.

— C'est une erreur, c'est trop tôt, répétait Tyler en caressant Cleo.

— Ouis, c'est trop tôt, c'est trop tôt... balbutiait Cleo, le visage enfoui dans le cou de Tyler.

— Nous devrions attendre.

— Oui, murmura-t-elle en lui effleurant le dos.

A cet instant, une sonnerie stridente les fit sursauter. Cleo ne s'était pas rendu compte que les téléphones du Mc Arthur's étaient si bruyants.

— Zut ! s'exclama Tyler en se levant.

— Zut ! reprit Cleo.

Elle reboutonna son cardigan.

— Allô ? Oui, bien sûr, non, pas de problème. Il n'est que onze heures, ici. Ça doit faire quatre ou cinq heures chez nous ?

Tyler alla s'asseoir au bureau, prit un bloc de papier qu'il posa devant lui et commença à écrire, non sans jeter un regard navré à Cleo. Il lui signifia que c'était urgent. Elle lui fit comprendre de la main que ce n'était pas grave, se leva et se rendit dans la salle de bains pour remettre de l'ordre dans sa tenue. Elle se regarda dans le miroir. Oui, elle avait l'air d'une femme qui vient de se faire embrasser avec passion sur un canapé.

Elle but une gorgée d'eau au robinet et chercha un peigne pour remettre de l'ordre dans sa chevelure emmêlée. Tyler n'en possédait peut-être pas, compte tenu de la longueur de ses cheveux. Cleo jeta un coup d'œil dans sa trousse de toilette pour voir les produits qu'il utilisait. C'était indiscret, mais, après tout, ils venaient de s'embrasser. La curiosité de Cleo devenait acceptable.

Quand elle revint, Tyler était toujours au téléphone. Il la regarda en levant les yeux au ciel, posa la main sur le combiné et chuchota :

— Un gros problème au bureau, je dois m'en occuper. Désolé.

— Pas grave.

Bien sûr, les tisanes furent apportées à ce moment-là. Bien sûr, la personne qui les montait ne pouvait être qu'un membre du personnel que Cleo connaissait ! Xi, une ravissante jeune Chinoise, eut un sourire surpris et confus quand Cleo lui ouvrit.

— Bonsoir.

— Bonsoir, répondit Cleo en rougissant. Merci, Xi. Je m'en occupe. Merci, répéta-t-elle.

Elle n'avait pas de monnaie pour lui laisser un pourboire. De toute façon, n'aurait-il pas été gênant pour une employée, qui se trouvait à tort dans la chambre d'un client, de laisser un pourboire à une collègue ? Comment savoir ? Aucun manuel de savoir-vivre n'avait envisagé la situation.

Cleo versa les tisanes et posa la tasse de Tyler sur le bureau. Ensuite, elle fit le tour de la suite. Un jeu d'échecs de voyage était posé sur la table basse au milieu des journaux et des magazines. Cleo se demanda qui était le partenaire de Tyler, car il y avait une partie en cours. Elle s'assit et feuilleta les magazines. Sous l'un d'eux, elle découvrit un dossier avec un projet d'architecte sur la couverture, un ravissant dessin à la plume et à l'encre. Comme il était posé à l'envers, elle le retourna pour mieux le voir. Le bâtiment lui parut familier. Soudain, elle comprit ce qu'elle regardait : le Willow. Elle avait sous les yeux la représentation de sa maison, embellie et agrandie. Seule la façade, nettoyée, n'avait pas changé. La glycine qui grimpait de façon indisciplinée sur le porche d'entrée avait disparu, ainsi que l'urne en pierre fissurée devant la porte. Le résultat était superbe.

Cleo se laissa retomber dans les coussins et feuilleta les documents. Elle se moquait de savoir si Tyler la voyait ou non. Il semblait trop préoccupé par sa conversation pour se rendre compte de ce qui se passait autour de lui. Il y avait plusieurs photos aériennes du Willow, des croquis et des projections en trois dimensions dessinées par ordinateur de la bâtisse transformée en hôtel. Son nouveau nom était calligraphié sur le côté du dessin de couverture : « Roth Carrickwell ». Le Willow paraissait plus grand, plus imposant qu'avant. Le foyer, l'héritage de Cleo, aussi beau qu'elle savait la chose possible. Sauf que, cette fois, elle n'était plus concernée.

Quand elle remit les papiers dans le dossier, ses mains tremblaient. Elle le replaça sur la table basse et posa des magazines par-dessus. Tyler était dans un autre monde, à présent ; il parlait, écrivait et gesticulait au téléphone. Il n'avait pas touché à la tasse de camomille. C'était typique ! pensa Cleo. Il avait prétendu qu'il en voulait pour la mettre dans son lit. Comment en douter ! Cleo était furieuse. C'était un menteur et un requin. Le promoteur de Carrickwell censé acheter le Willow n'avait été qu'un prête-nom pour Roth Hotels. Si sa famille avait trahi Cleo en vendant le Willow, Roth Hotels les avait tous trahis en travaillant en sous-main. Cleo était certaine que son père aurait tout fait pour garder le Willow plutôt que de le vendre à un groupe de cette importance. Etait-ce donc ainsi que les Roth acquéraient les sites qui les intéressaient ? La vente de Galway n'était-elle qu'un paravent pour l'achat d'un autre établissement au bord de la faillite, que le propriétaire acceptait de céder à un entrepreneur local, mais pas à Roth Hotels ?

Tyler posa de nouveau la main sur le combiné du téléphone.

— Excuse-moi, Cleo, ce ne sera pas long.

Il la tutoyait ! pensa-t-elle, de plus en plus furieuse.

— Nous, les New-Yorkais, n'arrivons pas à croire que le monde ne vit pas à la même heure que nous, poursuivit-il avec un sourire.

Elle ne le regarda pas. Elle n'en était pas capable, pas maintenant, car il lui avait vraiment plu. Elle aurait pu l'aimer. Heureusement, elle ne lui avait pas révélé son vrai nom ! Elle aurait été humiliée, s'il avait su qu'elle appartenait à la famille qui avait possédé le Willow et l'avait conduit à la faillite. Elle ne lui donnerait pas cette satisfaction. Elle prit une longue gorgée de camomille pour se réconforter, rassembla ses affaires et se dirigea vers la porte.

Tyler était si absorbé par sa conversation téléphonique qu'il ne remarqua pas que Cleo sortait de sa vie.

13

Daisy resta chez elle toute la semaine qui suivit la rupture avec Alex. Elle faisait ses courses d'épicerie sur Internet et ne se rendit qu'une ou deux fois au magasin le plus proche pour de petits achats, tel du chocolat.

Elle ne rencontra personne de sa connaissance, mais cela ne changeait rien : nul ne l'aurait reconnue. Quand elle sortait, elle enfonçait une casquette de base-ball sur ses cheveux et se dissimulait dans un vieux pull d'Alex qui avait conservé son odeur. Pendant qu'elle était à Düsseldorf, il avait emporté ses vêtements et la plupart de ses affaires. Il n'avait laissé que les objets importants, comme la télévision qu'ils avaient achetée ensemble et quelques tableaux. L'appartement semblait sinistre sans les objets qui en avaient fait leur foyer.

Seule avec sa douleur, Daisy ne répondait pas au téléphone. Pourtant, elle sursautait chaque fois qu'il sonnait, au cas où cela aurait été Alex. Mais ce n'était jamais lui. Le répondeur enregistrait fidèlement les messages, ceux de Mary, qui demandait comment allait la « grippe » de Daisy ; ceux de Paula ou de Fay ; et, une fois, un message de Nan Farrell. Elle annonçait qu'elle passerait ses vacances d'été à Prague avec sa tante. Cette dernière se remettait lentement d'une intervention chirurgicale.

La mère de Daisy aimait bien parler au répondeur et se montrait plus chaleureuse qu'elle ne l'avait jamais été avec Daisy. La machine était un interlocuteur valable, dépourvu d'opinion et qui se contentait d'écouter.

« Je m'apprêtais à tout annuler, parce que ta tante Imogen

ne se croyait pas assez bien pour partir, mais, en définitive, elle peut. Donc, ça y est, nous partons. Brendan, mon voisin, viendra vérifier que tout va bien et ramasser le courrier. On se verra à mon retour. J'espère que ça va. Ciao ! »

Blottie sous sa couette sur le canapé, les restes d'une tablette de chocolat sur la table à côté d'elle, Daisy fixait le téléphone. Ciao ! Etait-ce une façon de parler à sa fille ? Nan ne savait pas dire : « Je t'aime, mon chou, tu me manqueras. » Il est vrai que Daisy ne la voyait presque jamais. Comment aurait-elle pu lui manquer, dans ces conditions ?

Daisy s'était promis d'élever son enfant avec plus de tendresse et d'amour qu'elle n'en avait reçu. Pas question que, comme elle, il ne doive se faire ni voir ni entendre. Il ne serait pas, non plus, expédié à la crèche ou, plus tard, en pension, pour que ses parents vivent tranquilles. C'était cela qu'on avait fait à Daisy et qui avait fait d'elle ce qu'elle était devenue.

L'enfant de Daisy serait aimé et câliné tous les jours. Et il se pelotonnerait sur le canapé avec elle, et rirait devant les dessins animés.

Il restait des caramels pour les cas d'urgence dans le placard de la cuisine. Daisy alla les chercher puis poussa le son de la télévision au maximum. Elle aurait fait n'importe quoi pour ne plus penser.

Au bout de cette terrible semaine, pendant laquelle il n'y eut aucun appel d'anciens amis, Daisy émergea dans le monde réel, avec quelques kilos de plus et une poussée d'acné. Elle aurait voulu passer le reste de sa vie dans son cocon, mais c'était impossible. Elle devait se remettre au travail et, qui sait, ce serait peut-être moins douloureux si elle était avec d'autres personnes. Mais comment pourrait-elle parler de ce qui s'était passé ?

En définitive, elle n'eut pas à le faire. Quand elle poussa la porte de Giorgia's Tiara, à dix heures du matin, Mary comprit en une seconde. Ce n'était pas la grippe qui avait retenu Daisy chez elle. Mary, qui était en train de faire l'inventaire, s'interrompit et se précipita vers Daisy.

— Qu'est-ce qui se passe ?

— Alex est avec Louise, qui est enceinte de lui.

— Louise ?

— Son assistante. Ma vie serait-elle un condensé des situations désespérées ?

La plaisanterie ne les fit pas rire.

— Je ne sais vraiment pas quoi te dire, Daisy. Allez ! On ferme la boutique et on s'offre un petit déjeuner tardif.

— Non ! Je ne veux pas l'annoncer à Paula !

Daisy ne supportait pas l'idée que Paula ait pitié d'elle.

— On n'a pas besoin de le lui raconter, répondit Mary. Je vais prétendre qu'on va prendre un café toutes les deux pour parler et que je ne veux pas la laisser se débrouiller seule alors que c'est sa dernière semaine de travail.

— J'avais oublié qu'elle partait en congé maternité, dit Daisy tristement.

En l'honneur du futur bébé, Mary avait organisé chez elle une fête prénatale qui devait avoir lieu quelques jours après. Les amis de Paula étaient invités. Tout le monde apporterait des cadeaux pour le bébé. Daisy n'osa pas demander si la fête était maintenue. Elle avait acheté deux ravissants pyjamas, un blanc et un jaune, en velours très doux. Elle chargerait Mary de les donner à Paula. Elle ne tiendrait pas le coup pendant la soirée.

Mary lui passa un bras autour des épaules.

— J'ai vu un livre sur la meilleure façon de jeter un sort à un ex-copain. Veux-tu qu'on l'achète et qu'on fasse un essai ? Je suis persuadée que chez Mystical Fires on trouvera du matériel de magie blanche. Zara est capable de jeter un sort à Alex.

Daisy ne put s'empêcher de rire. Elle ne savait pourtant pas très bien ce qui l'amusait, l'idée de l'adorable Zara en train d'ensorceler quelqu'un ou celle d'Alex en train de souffrir.

— Et si je supprimais les intermédiaires et que je l'abattais moi-même ?

Mo's Diner, où elles avaient l'habitude d'aller, n'était ouvert que depuis une dizaine d'années, mais on avait l'impression qu'il faisait partie de Carrickwell depuis toujours. La décoration était dans l'esprit des restaurants américains des années cinquante, avec des juke-box sur les tables en formica, des banquettes rouges et quantité de photos d'Elvis, l'emblème de Mo's. Le personnel était habillé comme pour une version amateur de *Grease*, les filles en petite jupe virevoltante, queue de cheval et socquettes, et les garçons en pantalon droit et chemise, les manches roulées jusqu'aux biceps, à la James Dean.

Mo avait l'allure typiquement américaine, alors qu'il venait du comté de Clare. Il avait passé une grande partie de sa vie à Memphis avant de revenir en Irlande, non sans apporter avec lui un peu du Tennessee. Il servait du gruau d'avoine, du café, des hamburgers, des sodas à la glace et des muffins aux myrtilles, pour lesquels ses clients se seraient battus. On se bagarrait aussi pour travailler chez lui et plus d'un étudiant de Carrickwell avait amélioré ses finances en étant serveur pendant le week-end.

La clientèle du petit déjeuner était partie. Quand Mary et Daisy arrivèrent, il régnait un moment de calme inhabituel. Elles s'installèrent à une table en alcôve dans le fond de la salle. Le juke-box jouait en douceur *Love me tender*.

Mary ne dit pas « Raconte ! » comme quand elles voulaient se faire des confidences. Elle commanda leurs consommations avant de poser les deux mains à plat sur la table et de se pencher vers Daisy, attendant qu'elle soit prête.

— Alex a dit que nous avions besoin de faire une pause avant que je parte pour Düsseldorf.

— Faire une pause ! Tu parles d'une excuse minable ! Il y avait anguille sous roche, j'en suis certaine.

Daisy soupira.

— Nous avions rendez-vous chez un spécialiste de l'infertilité. Alex a prétendu qu'il avait besoin de temps pour réfléchir.

Mary ne put cacher son étonnement.

— Oh ! je n'avais aucune idée de ce qui se passait.

— Je ne pouvais pas t'en parler, Mary. Ça me faisait trop de mal. Tu as des enfants, Paula en attend un, et j'ai pensé que vous ne comprendriez pas ce que je ressens. J'ai cru que vous m'accuseriez de dramatiser ou...

— J'espère que je n'aurais rien dit d'aussi blessant ! Avoir des enfants ne m'empêche pas d'éprouver de la sympathie pour une femme qui peine à en avoir. Mes enfants sont ce qui m'est arrivé de plus merveilleux. Si je n'avais pas pu en avoir, j'en aurais souffert, moi aussi. Je n'aurais certainement pas pensé que tu dramatisais. Je suis désolée que tu n'aies pas pu me parler de ce qui t'arrivait. J'ai l'impression de t'avoir laissée tomber.

Daisy eut un haussement d'épaules.

— Tu ne m'as pas laissée tomber. Si j'ai des reproches à faire, c'est à mon corps. Mais comment savoir ? Nous essayions d'avoir un bébé depuis que j'avais eu trente ans. Enfin, j'essayais. Quand je me suis rendu compte que je n'arrivais pas à être enceinte, j'ai décidé d'agir au lieu de me contenter d'acheter des tests de grossesse. J'ai appelé des spécialistes, j'ai pris rendez-vous dans une clinique et, quand je l'ai dit à Alex, il n'a guère montré d'enthousiasme.

Mary prit la main de Daisy.

— J'ai cru que ça venait du fait que nous allions trop vite, reprit Daisy. J'ai pensé qu'Alex avait peur. C'est un cauchemar, pour un homme, de devoir se satisfaire dans une éprouvette pour qu'un médecin analyse son sperme. Qui le vivrait bien ? Mais ça nous aurait peut-être permis d'avoir un bébé et moi j'étais prête à tout pour y parvenir.

Elles furent interrompues par un très jeune serveur qui leur apportait les cafés et les muffins.

— Et alors ? reprit Mary dès qu'il eut tourné les talons.

Daisy rompit son muffin du bout des doigts sans le manger.

— Alex a dit que nous devions faire une pause.

— Et toi, tu as demandé pourquoi.

— Oui. Il m'a répondu qu'il lui fallait du temps, ou je ne sais quoi.

— Quel menteur !

Mary mit un morceau de sucre dans son café.

— Et je l'ai cru, soupira Daisy.

— Voyons, Daisy, pourquoi ne m'as-tu rien dit ? Quand tu es partie pour Düsseldorf, tu le savais déjà. Nous aurions dû annuler. Comment as-tu pu travailler en étant si triste ?

— Si je n'y étais pas allée, répondit Daisy, je n'aurais pas foncé de l'aéroport jusqu'au bureau d'Alex pour lui dire que, après tout, il n'était pas indispensable d'avoir un bébé et qu'il nous suffisait de nous aimer. Si je n'avais pas réagi ainsi, je n'aurais pas découvert la vérité.

En parlant, Daisy avait réduit le muffin en miettes. Mary se sentait malheureuse pour son amie.

— Mon voyage a servi de catalyseur, reprit Daisy. Pendant que j'étais en Allemagne, il m'a semblé évident que la question des examens tracassait Alex et que nous devions oublier tout ça. A côté de notre amour, qu'était un enfant ? Un bébé, me suis-je dit, détruirait notre relation. Essaie d'imaginer la réaction d'Alex devant un bébé qui vomit et répand ses jouets dans un appartement immaculé ! Très contente d'avoir compris, je me suis empressée d'aller trouver Alex dès ma descente de l'avion. Il sortait de la banque avec Louise. J'ai senti que quelque chose n'allait pas. Louise m'a évitée ; elle est partie en courant. Quant à Alex, ça lui a fait un choc de me voir. C'est là qu'il m'a tout avoué. Il veut des enfants, mais pas avec moi ! Avec Louise... Comment ai-je pu être assez bête pour ne rien deviner ! La chose est officielle, je suis une idiote.

Mary ne prit pas la peine de relever.

— Depuis combien de temps leur relation dure-t-elle ?

— Plusieurs mois, presque un an... Je ne sais pas ce qui est le pire, qu'Alex soit parti ou qu'il vive avec une femme enceinte de lui. Mary, j'ai encore l'impression que ce n'est pas réel. Je n'arrive pas à croire que c'est arrivé. C'est comme si quelqu'un d'autre que moi était concerné, que j'apprenne la chose et que je compatisse.

— Alex est heureux d'avoir un enfant avec Louise ? Ce n'était pas une simple passade ? Il ne reste pas avec elle parce qu'il pense que c'est son devoir ? Il pourrait élever l'enfant et être avec toi, tu sais. Evidemment, tu devrais lui pardonner, mais je suis sûre que tu en es capable.

Mary avait parlé avec assurance, comme si rien de tout cela ne faisait de doute.

— Il est très heureux, répondit Daisy d'une petite voix. Je n'étais pas la femme de sa vie. Les couples qui se forment à la fac sont voués à l'échec, et Alex et moi regardions autour de nous, en quête du partenaire idéal.

Cette fois, Mary ne comprenait rien.

— Du moins, reprit Daisy avec une expression amère, c'est ce qu'Alex a prétendu. Moi aussi, bien sûr, d'après lui, je cherchais l'homme qui me convient ! Nous passions le temps agréablement en attendant mieux. Et ce qui s'est produit, toujours d'après lui, c'est qu'il a trouvé chaussure à son pied avant que j'en aie fait autant.

En formulant la chose, Daisy comprit que c'était sans doute ce qui lui faisait le plus mal. Elle aimait Alex de toutes ses forces, mais il n'éprouvait pas le même sentiment. La façon dont il avait évoqué leur relation donnait l'impression à Daisy qu'ils avaient vécu plusieurs années dans le mensonge.

— Ce n'est pas vrai ! s'insurgea Mary. Tu ne cherchais personne d'autre.

— C'est ce que j'ai répliqué, mais Alex a affirmé que j'avais tort. N'avais-je pas saisi ce qu'il essayait de me dire depuis le début ? Le fait qu'il refuse de se marier n'était-il pas le meilleur indice de ce qu'il éprouvait ? Il a ajouté qu'il ne comprenait pas que je sois si confiante et si naïve. S'il avait voulu être avec moi, il m'aurait épousée. Je n'aurais donc pas dû me faire des illusions et être choquée qu'il soit tombé amoureux de Louise.

— Ainsi, c'est ta faute... Parce que tu n'as pas compris qu'entre vous il ne s'agissait pas d'un engagement...

— On peut le résumer comme ça, oui.

Daisy, tête baissée, goûta une miette de muffin. Délicieux ! Est-ce qu'on soignait un cœur brisé avec des muffins ?

Mary était furieuse.

— Alex est le pire menteur que j'aie jamais connu ! Au moins, Bart a eu le cran de me dire qu'il ne m'aimait plus. Il n'a pas osé soutenir le contraire.

Daisy fut réconfortée par la réaction indignée de son amie.

— Et maintenant que veux-tu faire ?

Daisy voulait qu'Alex revienne. Mary ne manquerait pas de protester.

288

— Je veux que les choses redeviennent comme avant, lâcha-t-elle quand même.

— Mais ce ne sera jamais comme avant, jamais ! Tu ne pourras pas oublier ce qu'Alex t'a fait ni ce qu'il t'a dit. Je te répète qu'il ne mérite pas que tu le reprennes.

— S'il revenait, je recommencerais avec lui.

— Non ! Je sais que je ne respecte pas la règle absolue de l'amitié en dénigrant ton ex, mais Alex n'est rien d'autre qu'un tricheur.

— Mais ça ne m'empêche pas de l'aimer...

— Est-ce qu'il a repris contact avec toi ?

Daisy fit non de la tête.

— Je suis certaine qu'il le fera, dit Mary.

Daisy se sentit soudain pleine d'espoir. Si seulement elle pouvait voir Alex, elle saurait ce qu'il fallait dire et faire pour tout arranger !

— Il essaiera de se réconcilier avec toi, insista Mary, ne serait-ce que pour ne pas avoir de problèmes de sommeil à cause de sa mauvaise conscience. Il ne peut pas faire comme si vos quatorze années de vie commune n'avaient pas existé. Il a certainement envie de pouvoir dire à vos amis que vous vous êtes séparés à l'amiable, et qu'en réalité vous étiez comme frère et sœur. Il clamera que, en fait, tout est pour le mieux, que vous avez toujours été là l'un pour l'autre, et autres mensonges !

Même en sachant qu'elle aurait dû s'en abstenir, Daisy s'était accrochée de toutes ses forces à cet espoir. Si Alex et elle pouvaient rester amis, ils se verraient de temps en temps. Elle n'aurait plus l'impression d'avoir le cœur brisé en mille morceaux. Elle comprenait que certaines femmes supportent de partager un homme avec une autre parce qu'il en valait la peine. S'il le fallait, Daisy était prête à partager Alex. Si elle n'acceptait pas la situation, elle perdrait toute chance de le revoir. Ce serait comme s'il était mort et même pire, car il aurait alors choisi de vivre sans se soucier d'elle.

— Tout le monde sait que rester amis n'est pas une bonne chose, reprit Mary. Si tu veux pouvoir faire ton deuil, il faut une rupture nette et définitive. Prétendre que tout allait et que tout va toujours pour le mieux ne sert qu'à reculer l'échéance. Il faudra tôt ou tard affronter les questions douloureuses.

Pour surmonter son divorce, Mary avait suivi une thérapie et, depuis, elle utilisait volontiers un langage de spécialiste. « Faire son deuil » ou « tourner la page » étaient ses expressions favorites.

— Mary, je ne veux pas oublier mon histoire avec Alex. Je veux fermer les yeux et que tout redevienne comme avant.

— Je te l'interdis ! fit Mary d'un ton énergique. Ce que tu veux, c'est aller chez Alex, cacher des limaces dans les tiroirs de Louise et ensuite avoir une liaison torride avec un apollon de vingt-quatre ans ! En attendant, j'ai des livres à te prêter. Par exemple, *Ces femmes qui aiment les salauds* devrait te plaire.

Mary avait eu raison, même si Daisy dut attendre six semaines avant qu'Alex reprenne contact avec elle. Elle l'aperçut avant même qu'il la voie. Elle rentrait chez elle, encombrée de sacs de provisions. Elle avait aussi acheté deux ouvrages sur l'art de surmonter un chagrin et d'aller mieux. Elle remarqua d'abord la voiture garée au parking des visiteurs devant leur immeuble. Six semaines après le départ d'Alex, elle pensait encore à l'appartement comme au « leur ». Six semaines sans un appel téléphonique, sans aucun signe de vie, six semaines pendant lesquelles elle avait traversé l'enfer.

Sans bien savoir comment, elle avait survécu à sa douleur. Elle avait réussi à vivre, un jour après l'autre, espérant chaque matin que le lendemain serait meilleur.

Alex était assis dans sa voiture, seul. Il n'y avait aucun signe de Louise. Daisy pensa que ce n'était donc pas la visite où il lui proposerait qu'ils soient amis, tous les trois.

Daisy remontait l'allée dallée qui menait à l'entrée principale quand Alex la vit enfin.

— Salut, Daisy !

Il resta derrière elle pendant qu'elle composait le code. Il portait un nouvel après-rasage, un parfum viril, qui donna à Daisy l'envie de s'abandonner dans ses bras, comme avant.

— Salut, Alex ! Comment vas-tu ?

Elle espérait que ces paroles banales ne trahissaient pas sa joie de le voir. Si elle laissait paraître à quel point elle avait besoin de lui, il prendrait la fuite. Elle ne devait pas le harceler. Alex lui tint la porte.

— Je vais bien. Tu as l'air en forme, Daisy.

En réalité, elle avait pris du poids, le prix à payer pour ses incursions nocturnes dans le réfrigérateur. Les gens qui prétendaient que le vin et le chocolat n'allaient pas bien ensemble n'avaient jamais été abandonnés par leur partenaire. Daisy se détestait de ne plus pouvoir entrer dans ses vêtements de femme mince, mais Mary essayait de lui remonter le moral en affirmant qu'elle était plus belle avec quelques rondeurs. Les hommes adorent les femmes aux formes accentuées, soutenait Mary avec conviction. Mais Daisy s'en moquait. Elle désirait juste qu'Alex aime son corps.

Devant l'ascenseur, elle se tourna vers lui.

— Pourquoi es-tu venu, Alex ?

— Je voulais te voir, te parler.

En entrant dans la cabine, Daisy se cogna la cheville contre son sac de livres et se souvint de ses lectures. Il faut ressentir sa souffrance, conseillaient les auteurs, et passer à autre chose...

— De quoi veux-tu me parler ? demanda-t-elle avec fermeté.

— De nous, de tout, de comment tu vas...

Par contraste avec celle de Daisy, la voix d'Alex avait été hésitante. Pourtant, il s'exprimait toujours de manière décidée. Il n'était pas du genre à bafouiller.

— Je m'inquiète pour toi, Daisy. Je déteste savoir que tu souffres.

Un point pour Mary ! pensa Daisy. Elle lui était reconnaissante d'être, grâce à elle, préparée pour affronter la manœuvre d'Alex. L'ascenseur s'arrêta au quatrième étage. Alex attendit que la porte de l'appartement soit refermée pour donner un paquet d'apparence luxueuse, vert et or, à Daisy.

— C'est pour toi.

Daisy ouvrit le cadeau, qui contenait un bouquet de roses jaunes et une bouteille de vin. Elle sentit renaître l'espoir. Quel homme viendrait chez son ex-amie avec du vin et des roses, si ce n'était pour lui dire qu'il regrettait de l'avoir quittée ? C'était bon signe. Mary avait eu tort. Alex voulait reprendre la vie commune. Daisy en était certaine.

— As-tu envie d'un verre de vin ? proposa-t-elle en essayant de dissimuler sa joie.

— Oui, avec plaisir.

Pendant qu'elle s'occupait d'aller chercher des verres, Alex fit le tour du salon, contemplant les vides qu'il avait créés en emportant ses affaires. Au fil des ans, ils avaient acheté tant de choses en commun qu'il déclarait impossible de faire le tri entre ce qui lui appartenait et ce qui appartenait à Daisy. Dans le petit mot qu'il avait laissé à l'intention de Daisy pendant son séjour à Düsseldorf, il avait écrit qu'ils se partageraient les choses plus tard. « Je serais triste si nous nous disputions pour quelques meubles », avait-il écrit.

Il avait emporté ses CD et ses livres, ainsi que le grand poster des Blues Brothers qu'ils avaient accroché au-dessus du canapé, des années auparavant. En revanche, il avait laissé la télévision et les différents appareils annexes.

Daisy, qui l'observait, prit la commande de contrôle à distance et la lui lança.

— La chaîne des sports ne marche pas bien. Peux-tu y jeter un coup d'œil pendant que je vais chercher le vin ?

Avait-elle l'air heureuse ? Pas de pression ! A voir le grand sourire avec lequel Alex lui répondit, le message était passé.

Une fois sortie du salon, Daisy se précipita dans sa chambre et ôta son ensemble pantalon noir. En fredonnant, elle fouilla dans son tiroir à lingerie et enfila un soutien-gorge et une culotte corail. Elle se rhabilla ensuite à toute vitesse. Avec des sous-vêtements frais et sexy, elle se sentait mieux, maîtresse d'elle-même. De plus, on ne pouvait pas supposer qu'elle avait fait d'autres efforts que se donner un coup de brosse. En effet, si elle se trompait – pourvu que ce ne soit pas le cas ! – et qu'Alex ne voulait pas reprendre avec elle, au moins ne se serait-elle pas rendue ridicule.

Elle passa ensuite dans la cuisine, versa le vin dans les verres, but une bonne gorgée du sien, le remplit à nouveau et emporta le tout dans le salon.

Alex n'avait pas mis la chaîne des sports, mais celle des feuilletons à l'eau de rose, que Daisy adorait et qu'il détestait. Un autre signe, pensa-t-elle.

Depuis qu'il était dans l'appartement, Alex n'avait plus l'air de quelqu'un qui a envie de parler de quoi que ce soit en particulier. Il s'était installé dans son fauteuil habituel, avait posé son verre sur le bras du siège et bavardait comme si de rien n'était. Comment cela allait-il au magasin ? Est-ce que les affaires marchaient ? Et Mary ?

« Mary ? pensa Daisy. Elle ne rêve que de t'arracher les tripes et de les étaler autour de toi ! »

— Elle va bien, répondit-elle.

— Je suppose qu'elle est déchaînée contre moi ?

— Quelque chose comme ça, reconnut Daisy en riant.

— C'est une de tes bonnes amies, dit Alex avec un hochement de tête approbateur.

— Tu ne t'es jamais entendu avec elle, fit remarquer Daisy.

Elle n'avait pas résisté ! Dès le premier jour de leur rencontre, Mary et Alex s'étaient à peine tolérés, ce qui avait toujours énervé Daisy. Elle était si reconnaissante à Mary de tant de choses...

— Ça ne veut pas dire que je ne suis pas capable de me rendre compte que c'est une bonne amie pour toi, reprit Alex, imperturbable. C'est une dure à cuire et ce n'est pas mon style de femme, c'est tout.

Le silence s'installa. Mary n'était peut-être pas le style de femme d'Alex, mais Louise, la belle Louise, si !

Alex s'absorba quelques instants dans la dégustation du vin.

— Et Paula, comment va-t-elle ?

Encore une gaffe, pensa Daisy.

— Elle a eu son bébé. C'est une fille.

La petite Emma-Marie était née en avance et l'accouchement avait été rapide, sans problème. Paula était en admiration devant sa fille, qui avait une semaine et pesait quatre kilos. Mary trouvait qu'Emma avait les oreilles parfaites.

— Ah... Très bien.

La tension montait entre Daisy et Alex. Daisy avait l'estomac noué, ignorant comment manœuvrer. Elle ne voulait pas sembler mourir de tristesse ou déborder d'amertume. En même temps, si elle paraissait distante, Alex penserait qu'il était trop tard pour revenir. Pourtant, s'il le voulait, la porte était grande ouverte. Comment Daisy pouvait-elle dire cela en restant calme ?

En quête d'un sujet de conversation qui ne risquait pas d'aboutir, tôt ou tard, à une phrase malheureuse, ils les abordèrent tous, même les plus dénués d'intérêt.

La banque ! Voilà un bon thème. Ils consommèrent la bouteille de vin et un énorme paquet de chips au fromage pendant qu'Alex racontait une longue histoire au sujet de son travail, sans faire une seule fois mention de Louise.

Beaucoup plus détendue, Daisy joua un instant avec l'idée de s'intéresser à Louise. Comment se déroulait sa grossesse ? Quand devait-elle passer la prochaine échographie ? Mais c'était impossible. Elle pouvait pardonner, mais pas à ce point.

— As-tu une autre bouteille ? demanda Alex en se levant à moitié du fauteuil.

Daisy fit oui de la tête en posant sur Alex des yeux brillants. Il alla chercher du vin. Après tout, c'était aussi sa maison. Pendant qu'il ouvrait la bouteille, Daisy se rendit à la salle de bains. Se regardant dans le miroir, elle sourit. Elle trouvait que l'alcool lui réussissait, lui donnait l'air heureux. Quand elle avait bu un ou deux verres, ses cheveux se mettaient mieux en place et elle ne semblait plus grosse ; elle était juste une femme accueillante aux joues rondes. Comme une madone bien en chair avec un bébé. « Non ! se reprit-elle. Il faut oublier ça. »

Elle se brossa les dents, remit du parfum et du rouge à lèvres. Quand elle revint au salon, Alex était de nouveau assis, un verre plein à côté de lui.

— J'adore ce fauteuil, dit-il en étirant les jambes.

— Tu peux en profiter chaque fois que tu en as envie, répondit Daisy.

Elle se pelotonna sur le canapé, du côté qui était le plus proche d'Alex.

— Je sais.

Alex posa la main sur la cuisse de Daisy, de telle sorte qu'elle trouva naturel de pencher la tête vers lui.

— Tu es une femme étonnante, Daisy, soupira-t-il.

Une chaleur, qui n'avait rien à voir avec l'alcool, envahit Daisy.

— Tu me manques, reprit Alex, et notre vie aussi. Tout est changé et c'est difficile à accepter.

Le regard brumeux, Alex désigna un masque de bois peint, accroché au-dessus de la bibliothèque.

— Tu te souviens, reprit-il, de notre voyage à Puerto Rico, quand on a acheté ce masque ? On n'avait presque plus un centime et le vendeur a dit que j'avais de la chance, et qu'il était prêt à t'acheter.

— Oui, dit Daisy. Tu te rappelles les photos de nous sur cette plage où j'ai attrapé des coups de soleil parce qu'on s'était endormis ?

— Tu avais une joue écarlate et l'autre encore blanche ! C'étaient des vacances formidables. Bien sûr, on n'a pas visité grand-chose...

Cela avait été leur premier voyage hors d'Irlande. A l'époque, ils étaient tous les deux fauchés. Ils avaient atterri dans une chambre minuscule aux murs blancs, dans un petit hôtel bon marché, mais où on servait le vin à volonté. Il y avait du soleil sur le balcon toute la journée et le lit était assez moelleux pour qu'on puisse y rester des heures après avoir fait l'amour. Ils avaient passé beaucoup de temps couchés, pendant ces vacances. Le fait qu'ils soient en permanence presque nus, le bikini blanc qu'Alex avait à tout prix voulu acheter à Daisy et qui tranchait avec son bronzage, la sensation du soleil sur la peau, tout cela donnait l'impression que faire l'amour était la seule façon de passer les longues journées chaudes.

— Tu te souviens de ton maillot de bain...

— Oui, mon bikini blanc ! Je l'ai toujours, avoua Daisy.

Alex lui sourit.

— Je parie qu'il te va encore mieux, maintenant !

Daisy savait qu'il le pensait vraiment, car il avait les yeux pleins d'amour.

— Alex... commença-t-elle.

— Je sais, Daisy, je sais.

Soudain, il se leva et attira Daisy sur la moquette. Leurs lèvres se rencontrèrent. Daisy faillit pleurer en retrouvant ce contact familier.

— Daisy… gémit Alex en l'aidant à enlever son top en soie.

Elle se félicita d'avoir changé de sous-vêtements.

— Tu as la peau si douce, murmurait Alex.

Il la caressait et elle se sentait fondre. Alex lui avait fait découvrir le plaisir, avait été son premier et unique amant.

Quelques instants plus tard, ils étaient nus et s'étreignaient avec passion. Daisy se sentait follement heureuse, nichée contre l'épaule rassurante d'Alex. Ce n'était pas une question de sexe, mais de bien-être, cette impression de sécurité qu'elle éprouvait dans les bras de l'homme qu'elle aimait. Et très vite, quand il cria son prénom, comme à l'accoutumée, Daisy ne put retenir ses larmes. Elle fit de son mieux pour les cacher, car elle ne voulait pas qu'Alex la croie triste. D'ailleurs, il s'agissait de larmes de joie. Daisy n'aurait jamais cru connaître de nouveau le bonheur d'être aimée par Alex. Elle se serra contre lui de toutes ses forces.

— Je t'aime, chuchota-t-elle.

Il se laissa aller contre elle puis se dégagea en grognant. Daisy se pelotonna contre lui pendant qu'il s'étendait sur la moquette. L'instant était parfait. Daisy ne voulait pas que cela s'arrête. Alex jeta un regard anxieux à sa montre.

— Il faut que j'y aille. Tu comprends… Je ne sais pas comment t'expliquer.

Daisy hocha la tête. Alex avait raison. Il avait besoin de temps pour expliquer à Louise que c'était fini avec elle. Cela n'était pas facile. Alex revenait vers Daisy et rien d'autre ne comptait.

— Je comprends, dit-elle.

— Tu es une femme exceptionnelle, rétorqua Alex avec affection.

Avec un bref baiser d'adieu, il ramassa ses vêtements, s'habilla et partit. Encore toute à son plaisir, Daisy se prépara pour la nuit. Elle rangea les livres sur la meilleure façon de surmonter un chagrin en bas de la pile posée à côté du lit, prit un magazine de mode et s'installa contre les oreillers. A présent, les choses iraient bien.

Le lendemain matin, Daisy arriva au magasin d'une démarche guillerette, que Mary remarqua tout de suite.

— Tu es superbe, dit-elle d'un ton approbateur.

— J'ai bien dormi, répondit Daisy, gênée.

C'était vrai, mais ce n'était pas cela qui la rendait heureuse

— As-tu lu l'ouvrage que je t'avais conseillé, *Ces femmes qui aiment des hommes incapables d'aimer* ? Ce n'est pas mal, non ?

— Non, répondit Daisy d'une voix rêveuse, pas mal du tout.

Au bout d'une semaine pendant laquelle Alex ne rappela pas, ne prit pas la peine d'envoyer d'e-mail ni de SMS pour fixer un rendez-vous, Daisy commença à paniquer.

Les roses jaunes avaient fané, mais, avec entêtement, Daisy les avait mises à sécher dans un buvard. Elle avait mal au ventre chaque fois qu'elle regardait l'endroit, sur la moquette, où ils avaient fait l'amour. Elle avait été si heureuse ! Mais voilà que le coin de moquette se moquait d'elle. L'appartement lui pesait. Elle avait envie de déménager et de quitter ces souvenirs.

Cela aurait été stupide. Elle devait attendre, bien sûr ! Malheureusement, elle n'avait personne à qui demander conseil, et en aucun cas Mary ! La plupart des amis de Daisy et Alex étaient des amis communs, et Daisy ignorait de quel côté ils se situaient. Cela serait plus simple si les couples qui se séparent se partageaient leurs amis comme ils se partagent les disques. Daisy aurait alors pu appeler quelqu'un pour s'épancher sans craindre que l'autre raccroche et dise ensuite : « C'était affreux ! Je n'ai pas eu le cœur d'avouer à cette pauvre Daisy qu'Alex et Louise viennent dîner vendredi. Louise s'inquiétait de savoir comment Daisy allait passer le cap et Alex m'a dit qu'elle est dépressive... »

Daisy se reprochait sa lâcheté. Elle devait savoir ce qui se passait. « Appelle Alex ! » se répétait-elle.

Elle finit par lui laisser un message sur son portable : « Il faut que je te parle. Je m'inquiète. Je me demande si tout va bien. Après ce qui s'est passé la semaine dernière, je pensais que... »

297

Et zut ! Comment poursuivre ? Daisy appuya sur la touche d'effacement du message et recommença : « Alex, c'est moi. Je me demandais si tu allais bien. Peux-tu me rappeler ? Il y a encore des choses dont nous devons parler. » C'était simple, mais au moins cela avait le mérite d'aller droit au but. « Je n'arrête pas de penser à ce qui s'est passé l'autre jour », ajouta Daisy, comme si elle venait juste de s'en souvenir. Cette fois, elle n'avait pas besoin de modifier le message.

Le lendemain, elle se rendit à Dublin en train pour éviter les problèmes de stationnement. Elle était invitée au lancement d'une nouvelle collection de bijoux fantaisie et Mary avait insisté pour qu'elle y aille. La remplaçante de Paula était là et Daisy avait besoin de se changer les idées. « Je rentrerai dans l'après-midi, avait-elle dit. Ce ne sera pas long. » Mary l'avait poussée dehors en répétant qu'elle devait prendre autant de temps qu'elle en avait besoin. Elle avait ajouté que, peut-être, Daisy rencontrerait un beau garçon. Daisy avait ri. Non, elle n'avait pas l'intention de chercher un homme.

Il y avait comme un air d'été dans les rues de Dublin. Les gens commençaient à délaisser leurs vêtements d'hiver. Quelques courageuses s'étaient présentées à la réception jambes nues.

Les bijoux étaient très beaux, parfaits pour Giorgia's Tiara, pensa Daisy. Il y avait aussi du champagne et, après quelques coupes prises en compagnie d'une de ses vieilles amies stylistes de mode, Daisy n'éprouvait plus d'inquiétude.

— Comment va Alex ? demanda Zsa Zsa, la styliste.

— Eh bien… bafouilla Daisy.

Toute la journée, elle avait espéré que son portable sonne. Alex ne manquerait pas de la rappeler vite. Bien sûr, pendant le défilé, elle avait éteint son téléphone.

— Nous nous sommes séparés, dit enfin Daisy.

L'étonnement de Zsa Zsa ne dura pas longtemps.

— Un de perdu, dix de retrouvés. Si tu veux, on va draguer ensemble.

— Oui, c'est ça !

Daisy ouvrit son sac pour y prendre son appareil. Pourquoi les gens s'obstinaient-ils à vouloir lui faire rencontrer des hommes ? Elle était la femme d'un seul. Et puis, chaque couple ne traversait-il pas des moments difficiles ?

L'écran du portable de Daisy afficha le message d'appel en absence. Quand Daisy fit se dérouler le menu, le numéro d'Alex apparut. Daisy appuya sur la touche de rappel. Tant pis si Alex était en réunion !

— Allô ?

— C'est moi, dit Daisy.

Quand Alex décrochait, l'écran de son appareil s'illuminait d'une photo de Daisy. Du moins était-ce ainsi, avant la séparation.

— Un instant, répondit Alex de la voix qu'il avait à son bureau.

Daisy entendit un bruit de pas et l'imagina sortant de la pièce où il se trouvait pour que l'on n'entende pas. C'était bon signe. Il avait à lui parler.

Elle reprit une gorgée de champagne et sourit à Zsa Zsa, qui bavardait avec animation avec quelqu'un. Le défilé était terminé et la réception battait son plein. Daisy se sentait sûre d'elle grâce à l'alcool et à l'excitation du moment. Elle était douée comme acheteuse, elle avait un goût très sûr. De plus, tout le monde avait été enchanté de la voir. Après tout, elle n'était pas une nullité. Alex avait dû s'en rendre compte.

— Daisy, j'étais en réunion.

Avant, Daisy se serait confondue en excuses pour avoir dérangé Alex en plein travail, mais cette fois elle s'en abstint. Les lectures conseillées par Mary lui avaient appris qu'en étant toujours celle qui s'excuse elle avait créé un précédent dans sa relation avec Alex. Elle demandait pardon et il acceptait, sans chercher qui était responsable du problème.

— Je m'inquiétais de ne pas avoir de tes nouvelles.

— Pourquoi ?

— A cause de ce qui s'est passé l'autre soir.

— Et alors ?

Daisy sentit renaître sa vieille terreur, cette sensation d'être réduite à néant.

— Ça voulait dire quelque chose, fit Daisy en baissant la voix autant que possible.

Elle se leva pour se réfugier dans le couloir, où il y avait moins de monde.

— Tu sais bien, reprit-elle, ce que tu as dit.

— Je n'ai rien dit, jeta Alex.

— Mais si, tu as dit que j'étais formidable et...

— Tu l'étais. Tu étais pleine de pardon, Daisy. Mais c'est tout. Nous ne sommes plus ensemble. C'était sexuel.

Daisy eut l'impression de prendre un coup sur la tête.

— Tu n'es pas sérieux...

— Mais si, Daisy ! Bon sang ! Ne recommence pas, c'est fini et tu dois l'accepter.

— Mais pourquoi as-tu voulu faire l'amour ? demanda-t-elle d'une voix presque inaudible.

— C'est arrivé comme ça, lâcha Alex, exaspéré. Il arrive qu'on ait envie de quelqu'un. Ce n'est pas pour autant que ça signifie quelque chose. Daisy, je suis avec Louise. Ne me harcèle pas !

— Mais pourquoi as-tu fait ça ? répéta-t-elle.

Comment Alex osait-il prétendre que ce n'était que sexuel ?

— Tu étais là, c'est arrivé, et alors ? Ça ne se produira plus. Je pensais que tu avais compris. Tu as dit que tu comprenais, ajouta-t-il d'un ton presque plaintif.

— Je n'ai rien compris, sauf que nous faisions l'amour. Pour moi, ça signifiait que tu me revenais. Ensuite, quand tu ne m'as pas rappelée...

La conversation fut interrompue par une des organisatrices de la réception.

— Daisy ? On est en train de réserver les taxis pour les gens qui veulent retourner à leur bureau.

Daisy fit non avec la tête et leva la main pour montrer qu'elle ne pouvait pas parler.

— Ecoute, disait Alex, tu dois revenir sur terre, Daisy. Toi et moi, c'est fini. Je croyais qu'on pouvait se voir et rester amis, mais je constate que je me suis trompé. Ce qui s'est passé l'autre soir était une erreur, il vaut mieux que tu l'oublies. Moi, j'ai déjà presque oublié.

— Parce que cela ferait du mal à Louise, chuchota Daisy.

— Elle n'a pas besoin de le savoir et, si tu as l'intention de me pourrir la vie en lui racontant tout, tu es la pire des garces.

Ce furent ces mots qui finirent par convaincre Daisy qu'Alex était sérieux. Il ne lui avait jamais parlé de cette façon. Qu'il ait pu le faire, en un pareil moment, signifiait que leur histoire était finie. Daisy n'était plus rien pour lui. Elle appartenait à son passé, une femme qu'il ne voulait pas revoir parce que cela risquait de nuire à sa relation avec Louise.

— Je ne ferais jamais ça... bafouilla Daisy.

Ses paroles tombèrent dans le vide. Alex avait raccroché. Daisy eut l'impression de sombrer dans une nuit sans fin. Il n'y avait plus que du vide en elle, au point qu'elle douta d'éprouver de nouveau chaleur et joie de vivre. Comment supporter la sensation de néant ? Comment pourrait-elle ne jamais revoir Alex, ne plus le serrer contre elle ni sentir ses lèvres sur les siennes ? Elle l'aimait toujours. Mais elle aurait beau aspirer à ce qu'il lui retourne son amour, ce serait en vain. Elle n'avait aucun pouvoir en ce domaine. L'avenir s'étendait devant elle, triste et solitaire.

Le lendemain matin, avant d'ouvrir les yeux, Daisy attendit que les coups de gong qui retentissaient à l'intérieur de son crâne se calment. Les événements de la soirée lui revenaient par bribes.

Ils étaient d'abord allés prendre des cocktails au Diamond Bar, un établissement proche des salons où avait eu lieu la réception. Vers neuf heures du soir, alors qu'ils faisaient la fête depuis l'après-midi, un des membres de la bande, sans doute plus sensé, avait proposé d'aller dîner.

Dopée par six martinis généreusement dosés, Daisy avait crié non de toutes ses forces. Dîner, ce serait ennuyeux, normal. De plus, si elle mangeait, elle risquait de dessoûler et de souffrir. S'asseoir pour manger avec des gens qui n'étaient pas Alex, qui ne seraient jamais Alex, gâcherait la soirée.

Les autres personnes présentes envisagèrent les différentes possibilités. Outre Daisy, il y avait Zsa Zsa ; un photographe aux cheveux gris, blasé, du nom de KC ; deux maquilleuses ;

Ricardo, l'attaché de presse d'une société de cosmétiques ; enfin, un architecte d'intérieur d'avant-garde.

— Ce serait génial d'aller dîner, dit Sita, une des maquilleuses. Vous ne pouvez pas tous être au régime !

Sita mourait de faim ; elle avait dû se lever avant cinq heures du matin pour maquiller les acteurs d'un spot publicitaire pour la télévision.

Zsa Zsa, qui avait fait la course avec Daisy pour boire autant qu'elle, interrompit Sita avec enthousiasme.

— Ça risque de casser l'atmosphère, et nous avons déjà mangé ! Regarde, six olives ! Mais nous ne sommes pas tous au régime.

Elle fut soudain frappée d'une idée qu'elle trouva géniale, comme un nouveau Michel-Ange s'apercevant que les plafonds étaient modernes et les murs dépassés.

— Allons au Pilgrimage, ça nous permettra de commencer la soirée plus tôt.

Le Pilgrimage, la boîte où il fallait être vu, était si branchée qu'elle n'avait pas l'air d'une boîte ; le numéro de téléphone était sur liste rouge et le filtrage était à peine moins strict que chez les francs-maçons. Evidemment, c'était toujours plein et on n'entrait pas sans avoir réservé au moins deux jours à l'avance. Les stars du rock, les gens de l'industrie du disque et de la mode étaient les seuls à avoir une petite chance d'accéder sans réservation.

— Le Pilgrimage ? J'adorerais y aller, soupira Zsa Zsa.

Ils étaient tous d'accord avec elle. Daisy donna l'olive de son martini à Zsa Zsa. Pour la première fois depuis des semaines, elle n'avait pas faim.

— Il n'y a qu'à voter, suggéra-t-elle.

Elle espérait en elle-même qu'ils iraient au Pilgrimage, où elle boirait encore pour endormir son chagrin. Elle n'aspirait qu'à une chose : oublier.

La sortie en boîte fut adoptée à l'unanimité. Sita voulait quand même s'arrêter quelque part pour manger.

— On va au Pilgrimage ! se réjouit Zsa Zsa.

Elle s'empressa de faire signe au serveur pour avoir la note avant que quelqu'un commande une autre tournée.

Mais que s'était-il passé ensuite ? se demanda Daisy, à l'abri sous la couette. Le souvenir du trajet jusqu'au Pilgrimage était brumeux, mais elle se souvenait du fauteuil de cuir chocolat bas et profond où elle s'était installée, tandis que des petits verres pleins d'un liquide clair s'alignaient sur la table basse devant elle. Et la musique... Oui, elle se rappelait avoir sauté de joie quand le disque-jockey avait mis *We are Family*, de Sister Fledge. Daisy adorait cette chanson. Elle se souvenait vaguement de la façon dont elle avait dansé devant tout le monde, sans prendre la peine d'aller sur la piste. Ensuite... Elle se revoyait en train d'enlever son cardigan arachnéen car elle avait trop chaud. Ricardo lui disait de le remettre, parce que la direction du Pilgrimage ne penserait sans doute pas qu'un soutien-gorge, même ravissant et de marque, suffisait à l'habiller.

« Mais il est assorti à ma culotte », répétait Daisy. C'était important. Les femmes qui se souciaient de ce genre de détail gardaient leur homme, elle en était certaine. Ce n'était pas le cas des autres, celles qui se montraient négligentes en matière de lingerie et de petites attentions.

Dans ce domaine, Daisy était très douée. Elle avait emporté les vêtements d'Alex au pressing régulièrement, sans même qu'il ait à le lui demander. Elle n'achetait que son dentifrice préféré. Quand il partait en voyage d'affaires, elle pliait ses chemises dans la valise. Et elle l'embrassait dans le cou, exactement comme on expliquait dans les articles des magazines. La pomme d'Adam des hommes, paraît-il, faisait partie des zones les plus érogènes et, si on les embrassait là, ils devenaient fous de désir. Daisy avait suivi tous ces conseils, elle avait fait tout cela, et voilà où cela l'avait menée.

Ricardo l'avait tenue bien serrée contre lui. C'était un homme qui aimait toucher et Daisy avait trouvé son attitude naturelle. Il était plus grand qu'elle et très mince, un peu dans le style d'Alex. Daisy s'était blottie entre ses bras, son cardigan jeté à la diable sur ses épaules, se régalant de l'odeur de la chemise de lin blanc et de l'eau de Cologne au vétiver. C'était si bon d'être dans les bras de quelqu'un. Y aurait-il un homme qui la tiendrait de nouveau dans les siens ? A cette idée, elle avait pleuré en cachant son visage contre l'épaule de Ricardo, se demandant s'il l'aimait ou pas. Il était si gentil et elle avait tant besoin d'une présence masculine.

Ricardo s'était détaché de Daisy avec une grande douceur et l'avait aidée à se rasseoir dans le fauteuil. Ensuite, comme s'il habillait un mannequin, il avait réussi à lui faire remettre son cardigan et à le lui reboutonner, sans jamais frôler sa peau.

« Je ne te plais pas ? » avait demandé Daisy. Elle était si soûle qu'elle se moquait de savoir si on pouvait se rendre compte qu'elle était en manque d'affection. « Je suis plus mince qu'il y a cinq ans, tu sais. » C'était vrai. Le miroir le prouvait à Daisy, même si, ayant une piètre estime d'elle-même, elle refusait d'y croire.

Ricardo s'était assis à côté d'elle et l'avait regardée dans les yeux.

« Nous ne sommes pas compatibles.

— Tu veux dire que je ne suis pas ton genre », avait bafouillé Daisy.

Elle avait été celui d'Alex, et rien d'autre.

Ricardo lui avait pris le visage dans les mains avec une gentillesse infinie, comme un parent celui de son enfant pour l'embrasser avant de l'envoyer au lit. « Non, mais tu es adorable. » Daisy avait vu dans ses yeux qu'il s'éloignait.

Dans la lumière du petit jour, elle comprenait. Bien sûr, Ricardo était gay ! Quelle honte ! Elle aurait voulu disparaître sous la couette et n'émerger que plus tard, quand tout le monde aurait oublié qu'elle s'était ridiculisée.

Elle ne connaissait presque pas Ricardo et se rappelait vaguement que Zsa Zsa avait évoqué son homosexualité. Pourtant, même dans l'état où elle se trouvait, elle aurait dû comprendre. Il ne lui restait qu'une chose à faire : envoyer une carte de visite avec ses excuses.

Un autre souvenir lui revint, la faisant frissonner. KC, le photographe. Non ! Qu'avait-elle fait avec lui ? Mary, qui l'avait fait travailler une fois pour des photos pour la boutique, ne le trouvait pas mal, car il était séduisant, dans le genre mal rasé. Il portait en général une chemise en jean qui semblait cousue sur lui et fumait sans arrêt, mais cela ne le rendait pas moins attirant. S'il avait fallu un autre modèle de cow-boy sexy pour la publicité Marlboro, KC aurait pu poser. Au cours de la soirée, à un moment flou dans la mémoire de Daisy, KC s'était assis à côté d'elle.

« La vie n'est pas tendre, lui avait-il dit en allumant une cigarette.

— Tu ne peux pas fumer ici. »

Du haut de son petit nuage alcoolisé, Daisy avait été choquée. Il était interdit de fumer dans les boîtes et les restaurants, raison pour laquelle leurs propriétaires installaient des cendriers géants à l'extérieur. Zsa Zsa racontait qu'elle allait souvent, pour rire, dans le coin des fumeurs, parce que, en général, c'était des gens intéressants.

« Et alors ? avait demandé KC en soufflant de la fumée devant lui.

— Tu as raison. Donne-m'en une ! » avait dit Daisy d'un air de défi.

Un démon, qui sommeillait depuis trop longtemps en elle, s'était réveillé. A quoi lui avait servi d'être une gentille fille, jusqu'à présent ? Elle n'était pas une grande fumeuse, au contraire de sa mère, qu'on n'avait jamais vue sans une cigarette, tenue avec élégance, d'une longue main raffinée.

Daisy avait inhalé la fumée et senti la drogue faire son effet. Oui, cela marchait. Elle s'était détendue, à moins que ce ne soit l'effet des martinis.

« Il est interdit de fumer », avait ensuite dit un homme d'une voix sévère. Levant les yeux, Daisy avait découvert la silhouette d'un videur à la carrure menaçante, penché sur KC et elle. « Je vous prie de sortir. Nous sommes stricts en ce qui concerne la loi sur le tabac dans notre établissement. »

Soudain, les yeux de KC, déjà à moitié clos par la fatigue et la fumée, n'avaient plus été qu'une fente menaçante. Il avait laissé tomber son mégot, l'avait écrasé sous le talon de sa botte et avait vidé son verre d'un trait.

Daisy avait fait la même chose, se sentant dans la peau de l'écolière impertinente qui dit « zut » à la principale de son collège.

« De toute façon, nous partions », avait grommelé KC en l'entraînant vers la sortie.

Toujours accrochée aux oreillers, Daisy se sentit mal à l'aise. Elle avait quitté le club avec KC ; ensuite, il y avait des blancs, beaucoup de blancs. Elle se souvenait vaguement d'avoir ramené KC chez elle, de s'être assise avec lui devant le feu, de l'avoir embrassé et... Non ! Quelle horreur...

Elle ouvrit les yeux, se retourna... Elle était seule dans son lit. Elle soupira de soulagement. Quoi qu'il ait pu se passer, elle n'avait pas couché avec KC. Cela aurait été impardonnable, stupide, sans même mentionner la déloyauté à l'égard d'Alex. Comment Daisy aurait-elle pu tout lui dire ? Mais elle n'avait pas à le faire. Alex était sorti de sa vie. Il n'avait plus le droit d'être jaloux.

Alors que Daisy prenait peu à peu conscience de sa conduite scandaleuse de la veille, elle se sentait de plus en plus mal. Elle essayait de se rassurer à l'idée que, au moins, elle n'avait pas commis l'irréparable avec KC. Mais elle avait dû être fin soûle ! Elle n'avait même pas enlevé ses collants noirs opaques, si peu sexy. Trop ivre pour se déshabiller ! Charmant...

Elle réussit à se lever, avec l'impression que sa tête allait exploser. Titubant, elle se dit qu'une bonne tasse de thé lui ferait du bien. Et c'est alors, tandis qu'elle enfilait sa robe de chambre, qu'elle les vit : jetées n'importe comment au pied du lit, trônaient des bottes de cow-boy, visiblement abandonnées là où leur propriétaire les avait enlevées. A côté, éparpillés sur le sol, se trouvaient les divers objets qu'un homme a dans ses poches. Daisy se sentit envahie par la honte, le remords, le regret et autres émotions du même ordre ; toutes avaient à voir avec le chapitre des grandes erreurs.

Comme Daisy était toujours à moitié habillée, il était clair qu'il ne s'était rien passé d'ordre sexuel. Mais elle n'en retirait qu'un léger soulagement.

Cinq minutes plus tard, après deux comprimés et un long brossage de dents, elle se sentit redevenir humaine. Ensuite, elle risqua un regard dans le miroir. Elle ne savait pas ce qui l'épouvantait le plus, son horrible odeur d'alcool ou son visage gris et gonflé. Elle aurait voulu disparaître. Elle resserra la ceinture de la robe de chambre et sortit de la pièce.

En jean et tee-shirt, KC était assis à la table de la cuisine. Une cigarette aux lèvres, il regardait les informations. A la lumière du jour – Daisy n'avait pas tiré les rideaux, la veille –, il paraissait plus vieux et moins séduisant. Malgré tout, il n'avait pas aussi mauvaise mine que Daisy. Il était en train de boire quelque chose que Daisy soupçonna être un Bloody Mary. Elle ne pouvait pourtant pas imaginer qu'on supporte une goutte d'alcool après les quantités qu'ils avaient avalées quelques heures auparavant.

— Tiens ! Daisy.

Daisy se sentit encore plus mal, redoutant la terrible « conversation du lendemain ». Au moins, KC connaissait son nom. Cela constituait peut-être une circonstance atténuante.

— Bonjour toi-même, dit-elle, essayant de paraître blasée. Comment te sens-tu, ce matin ?

Elle ne s'était jamais trouvée dans une pareille situation et ignorait quel comportement adopter.

— Pas terrible, répondit KC. Mais ça fait du bien. Tu en veux un ? demanda-t-il en désignant son verre.

— Jus de tomate ?

KC haussa imperceptiblement les sourcils.

— A ton avis ?

— Je serais malade, si je buvais une goutte de Bloody Mary.

— Pourtant, ça te ferait du bien.

En ce qui concernait Daisy, la conversation ne dépasserait pas ce degré d'intimité. Elle refusa encore une fois l'alcool, se prépara une tasse de café, y ajouta une tonne de sucre et but lentement. Elle se rendit compte qu'elle tremblait.

— Je regrette que nous n'ayons pas... tu sais... la nuit dernière, dit KC. Ce n'est pas grave, je ne suis pas pressé.

Il écrasa son mégot dans un cendrier improvisé, un ravissant bol bleu et blanc déniché par Daisy dans une brocante, et alluma une autre cigarette. L'odeur rendit Daisy malade. Elle bafouilla une excuse et se précipita aux toilettes, où elle arriva juste à temps.

Pliée en deux par la nausée, les yeux rouges, elle ne savait plus où elle était. Seulement deux mois plus tôt, elle partageait cette salle de bains avec Alex. Ils faisaient leur toilette en bavardant et se partageaient le miroir au-dessus du lavabo. La grande plaisanterie d'Alex était de taper Daisy sur le derrière en riant quand elle entrait dans la douche.

« Dépêche-toi, beauté ! J'ai besoin de toi, disait-il.

— C'est une promesse ou une menace en l'air ? » répondait-elle.

Elle se laissa glisser au sol et, de ce point de vue inhabituel, découvrit qu'elle avait négligé le ménage depuis le départ d'Alex. Il y avait des moutons partout. La poubelle était pleine à ras bord. Daisy n'avait pas eu l'énergie de la vider. Cela ne se serait jamais produit, avant. Le soir, normalement, Daisy ne se reposait pas tant qu'elle n'avait pas débarrassé la table du dîner et tout fait briller. Cette saleté, ce n'était pas elle.

Mais qu'était-ce, « elle » ? Elle ne savait pas, comme si Alex avait emporté son identité avec lui. Daisy essayait de se retrouver, mais il n'y avait personne à trouver. Sans Alex, elle n'était plus rien.

— Tu vas bien ? cria KC derrière la porte.

Daisy n'était plus rien, mais ce rien avait ramené un homme bizarre chez elle après une soirée trop arrosée. En plus, ce rien était une traînée ! Daisy se corrigea dans sa tête. Ce rien aurait pu être une traînée, mais avait été trop ivre pour cela. A l'idée que KC lui proposait de remédier rapidement à ce manque, la nausée reprit Daisy. Sa vie était finie, pensa-t-elle avec désespoir en se vidant l'estomac. Puisque personne ne se souciait d'elle, pourquoi le ferait-elle ?

Il lui fallut dix minutes pour rassembler son courage et demander à KC de partir. Ensuite, il lui fallut encore deux heures pour se sentir assez bien pour aller travailler. Elle décida de marcher, estimant que l'air lui ferait du bien. En chemin, elle s'arrêta chez le marchand de journaux et acheta des cigarettes, alors qu'elle ne fumait pas, ainsi qu'une grande tablette de chocolat et une bouteille d'eau.

Elle arriva à la boutique à onze heures et demie. Elle salua aussi gaiement que possible Carla, la remplaçante de Paula. Carla était très jeune et folle de mode.

Elle écarquilla les yeux, horrifiée à la vue de Daisy. Celle-ci ne s'était pas maquillée malgré son teint d'une bizarre couleur grise. Mais il y avait pire : la façon dont elle était habillée faisait presque peur. Elle avait associé une jupe en soie violette d'allure vintage, des collants noirs, un grand pull d'homme gris et des chaussons en faux daim.

— Mary, s'il te plaît ? appela Carla d'une voix tendue.

Mary passa la tête dans l'entrebâillement de la porte du bureau. Elle eut une exclamation de surprise en découvrant le spectacle qu'offrait son amie.

— Daisy, qu'est-ce qui t'arrive ?

— J'aimerais bien le savoir.

Daisy avait encore l'air ivre. Elle se laissa tomber dans la vitrine, à côté d'un mannequin qui portait un ensemble d'été élégant.

— C'est fini. Alex ne veut vraiment plus de moi. C'est fini, fini, fini...

Mary ouvrit la caisse, prit quelques billets et les fourra dans la main de Carla.

— Va chez Mo's et rapporte-nous deux cafés et un muffin. Demande des doubles expressos avec du lait.

Carla disparut sans demander son reste. Daisy ne sembla pas s'en apercevoir.

— Mary, ce que je ne comprends pas, c'est pourquoi je n'ai rien vu.

Mary retourna la pancarte indiquant la fermeture du magasin et alla s'asseoir à côté de Daisy.

— Ça, c'est l'art de cloisonner ! Les hommes sont capables d'organiser leur vie en compartiments, alors qu'ils sont incapables de ranger leurs chaussettes dans le bon tiroir. Nous, nous savons trier le linge, mais pas mettre notre existence dans des cases. Si nous aimons quelqu'un, nous l'aimons complètement et tout le monde le sait.

— Je ne pensais pas que c'était une vraie histoire d'amour avec Louise. Tu comprends ? J'espérais que c'était une passade et qu'Alex me reviendrait.

Mary jeta un regard plein de compassion à Daisy.

— On ne gagne rien à se raconter des histoires, dit-elle avec douceur.

Daisy eut un grand soupir et, soudain, raconta tout : comment elle avait fait l'amour avec Alex et comment elle avait ramené KC chez elle.

— Ma pauvre Daisy, c'est la chose à éviter quand on veut oublier un homme.

Mary voulut passer un bras autour des épaules de Daisy, mais celle-ci, les yeux pleins de larmes, la repoussa.

— C'est horrible, vraiment horrible ! Je n'avais jamais rien fait de semblable et voilà que, un jour après avoir appris que c'était sans espoir avec Alex, je ramène un type que je connais à peine à la maison et je ne me souviens pas de ce qui a pu se passer. Je suis nulle !

— Mais non ! Tu es une excellente amie et une femme de talent. Regarde ce que tu as réussi ! Tu possèdes une part de notre affaire. Ça n'a rien à voir avec Alex. Tu as obtenu ça parce que tu es intelligente et douée.

— Ça n'a aucune importance, dit Daisy avec emportement. A quoi ça sert ? A quoi servent ces bêtises ?

Elle avait, d'un grand geste, désigné le magasin et les vêtements suspendus aux cintres.

— Ce ne sont pas des bêtises, répondit Mary d'un ton patient. Ce sont des vêtements, c'est notre travail.

— Pour moi, ce n'était pas du travail. Je pensais que ça avait un sens et que, si je me vêtais comme il fallait, je m'intégrerais au monde. J'avais tort. Les vêtements ne veulent rien dire. Les mots non plus, d'ailleurs. Je n'ai rien, je ne vaux rien.

Daisy leva un regard désespéré vers Mary.

— Mais si, répondit Mary.

Elle cherchait les mots justes, capables d'aider son amie. Mais, face à une telle détresse, elle se sentait perdue, elle aussi.

— Non, répéta Daisy avec entêtement.

D'une main tremblante, elle prit les cigarettes. Elle avait envie de fumer tout le paquet d'un coup, de boire jusqu'à s'étourdir et de manger une montagne de gâteaux, de biscuits et de crèmes.

— J'ai passé ma vie d'adulte avec un homme qui ne m'aime plus, qui n'a plus envie d'être avec moi. Je croyais que j'étais quelqu'un de bien parce qu'il était avec moi. Sans lui, je ne suis plus personne. Je suis vide, pleine de rien. Il suffit qu'il me laisse tomber pour que je fasse n'importe quoi.

Elle baissa les yeux sur la jolie jupe en soie violette avec son appliqué de fleurs qu'elle portait et commença à la déchirer.

— Regarde, tout est comme ça : n'importe quoi, des choses insignifiantes qu'on détruit comme un rien.

Daisy s'appliqua à déchiqueter la fine étoffe, se complaisant à entendre le bruit de la soie déchirée.

Mary resta immobile. Si cela rendait Daisy moins malheureuse de réduire sa tenue en lambeaux, tant mieux ! Mary avait un autre point de vue. Lors de sa séparation d'avec son mari, elle avait déchiré sa collection de magazines de moto. De la première à la dernière page ! Elle avait dû faire un aller et retour spécial à la déchetterie avec des sacs-poubelles pleins de papier, car les voisins auraient conclu qu'elle avait perdu la tête si elle les avait laissés devant sa maison, dans l'attente du passage de la benne à ordures. Ce n'était pas parce qu'elle se retrouvait seule qu'elle permettrait au voisinage d'avoir pitié d'elle.

La pauvre Daisy avait largement dépassé ce stade. Elle se moquait de savoir si on avait pitié d'elle ou non. Cela effrayait Mary. Elle connaissait Daisy depuis des années et l'avait toujours vue se soucier du regard des autres. Elle devait avoir touché le fond pour ne pas s'en préoccuper.

— Tu devrais prendre un peu de vacances, dit-elle avec précaution, du moins, si tu en as envie. Tu peux aussi préférer te mettre à travailler comme une folle. Si c'est le cas, ne t'en prive pas ! On pourra même t'aider. Mais peut-être que le repos ne te ferait pas de mal.

Daisy regarda Mary, les yeux rouges.

— Je rentre chez moi.

— Tu as raison, répondit Mary, soulagée. Viens, je t'emmène.

— Non, je vais chez maman. Je ne veux pas rester seule

dans l'appartement. Je ne veux plus y retourner. Là-bas, il n'y a rien qui m'intéresse.

Daisy ramassa son sac et sortit du magasin en claquant la porte. Mary courut derrière elle, juste à temps pour la voir monter dans un taxi.

— Zut ! s'exclama-t-elle en voyant le taxi démarrer sur les chapeaux de roues.

Il fallait toujours une éternité pour en obtenir un, à Carrickwell, et au moment où elle n'en voulait pas l'un d'eux surgissait comme par miracle pour disparaître aussi vite, emmenant une amie qui n'allait pas bien.

Mary retourna à la boutique en courant et décrocha le téléphone. Elle connaissait assez les hommes pour savoir qu'Alex ne prendrait pas un appel de la patronne de son ex-amie, en particulier si celle-ci ne s'était jamais entendue avec lui. Elle se fit donc passer pour la mère d'Alex.

A moins que Mme Kenny n'ait radicalement changé depuis la dernière fois que Mary l'avait vue, elle devait toujours adorer Daisy. Il était peu vraisemblable qu'elle ait ouvert les bras à Louise pour l'accueillir au sein de la famille Kenny. Cela voulait dire que, si c'était Louise qui décrochait, elle serait peu encline à bavarder et ignorerait que son interlocutrice n'était pas la mère d'Alex. Le mensonge était un passe-partout efficace !

Imitant la voix douce et un peu chevrotante de la vieille dame, Mary prétendit qu'elle appelait pour une urgence. Trente secondes plus tard, elle parlait à Alex.

— Maman ?

Alex était essoufflé, comme s'il avait couru.

— C'est Mary Dillon, et ne raccroche surtout pas ! Il y a un gros problème.

— Avec Daisy ?

— Non, avec Julia Roberts et le dalaï-lama ! hurla Mary. Bien sûr, avec Daisy ! Je sais que tu n'es rien qu'un sale coureur, mais j'espère que ton cerveau est moins minable. Alors, tu m'écoutes !

Mary ne laissa pas le temps à Alex de placer un mot et poursuivit d'un trait.

— Daisy fait une dépression et je m'inquiète pour elle. Elle vient de partir du magasin en me disant qu'elle allait chez sa mère. Même toi, tu dois savoir que ce n'est pas normal ! Elles ne se parlent pas. Pourquoi voudrait-elle donc aller chez elle ? De plus, elle a refusé de passer à l'appartement pour prendre des vêtements. Il faut que tu l'appelles. Tu dois agir.

Il y eut un grand silence.

— Que puis-je faire ? demanda enfin Alex.

— Va la voir ! Calme-la !

Mary était furieuse contre lui.

Quand Daisy arriva au cottage, elle vit la voiture de sa mère garée dans l'allée de gravier. Elle sonna, mais personne ne vint lui ouvrir. Puisque la voiture était là, sa mère devait être rentrée de voyage, pensa-t-elle. Puis elle se souvint des messages qu'elle avait vaguement écoutés au cours des jours passés et auxquels elle n'avait pas répondu. L'un d'eux venait de sa mère, qui lui parlait d'un voyage à l'étranger avec sa tante Imogen, à peine remise d'une intervention chirurgicale. De quelle opération parlait-elle ? Daisy n'en avait aucune idée et s'en fichait. Si un membre de sa famille avait un problème, Nan Farrell se précipitait, mais, s'il s'agissait de sa fille, elle ne bougeait pas.

Le chauffeur de taxi jeta un coup d'œil à sa montre.

— J'ai un autre client qui m'attend, mon chou, cria-t-il depuis la fenêtre du véhicule. Je dois filer à l'aéroport et je ne peux pas rater l'avion. Vous restez là ou vous revenez avec moi en ville ?

Daisy s'apprêtait à répondre qu'elle l'ignorait quand la tête d'un voisin apparut au-dessus de la haie. C'était un monsieur âgé, qui avait les clés quand Nan Farrell s'absentait. Daisy réussit à lui sourire. Par chance, elle retrouva son nom au fond de sa mémoire.

— Brendan ! J'ai oublié mes clés.

A présent, tout irait bien.

Brendan paraissait inquiet de l'arrivée impromptue de Daisy et répétait que sa mère ne lui avait rien dit, mais Daisy finit par le convaincre de la laisser seule. Elle referma la porte sur lui avec un soupir de soulagement et s'adossa contre le panneau. Enfin, la paix et le calme !

Contrairement à la première maison où Nan et Daisy avaient habité, une bâtisse mitoyenne située dans une impasse bourdonnante d'activité à Carrickwell, le cottage était un endroit tranquille. Il faisait partie d'un ensemble de six habitations indépendantes d'une autre époque, qui formaient un hameau en pleine campagne. En dehors de celle du bout, qui avait été achetée par un jeune couple, elles appartenaient à des gens qui avaient plus de cinquante ans, un gage de paix pour le voisinage.

Celle de Nan Farrell était petite mais ravissante. Elle était parfaite, avec un minuscule salon aux murs du même bleu que la salle du petit déjeuner dans le manoir où Nan avait grandi. Elle avait hérité d'une partie de l'argenterie, rangée avec soin dans le meuble à argenterie. Des aquarelles peintes par elle étaient accrochées aux murs. La cuisine, la pièce la plus utilisée, était très confortable, et possédait un grand poêle – malheureusement, pas un AGA, comme le disait toujours Nan – et un siège de fenêtre garni d'un coussin jaune. Quand Daisy habitait là, elle avait l'habitude de s'y installer pour lire, les jours où il faisait très froid.

Elle grimpa l'escalier en colimaçon jusqu'à son ancienne chambre. Le couvre-lit qu'elle avait fait avec sa machine à coudre, à six ans, avait disparu, comme tout ce qu'elle avait laissé en partant. Sa mère n'était pas une grande sentimentale. En revanche, le lit dans lequel Daisy avait rêvé de son avenir n'avait pas changé. Elle s'y allongea, se débarrassa des pantoufles avec lesquelles elle était sortie de chez elle et s'endormit d'un sommeil sans rêves.

A son réveil, elle se prépara du thé et alluma son téléphone portable. Il y avait plusieurs messages, la plupart de Mary, qui paraissait de plus en plus inquiète, mais essayait de le cacher. Et il y en avait un d'Alex : « Mary m'a appelé. Elle se fait du souci pour toi. Elle dit que tu es allée voir ta mère... Je suis désolé, Daisy. » Alex avait fait une pause, comme s'il savait qu'il venait de dire ce qu'il ne fallait pas. « Rappelle-moi et dis-moi que tout va bien. »

Son message n'adoucit en rien l'amertume de Daisy. Alex lui demandait de le rassurer pour qu'il puisse se coucher tranquillement avec Louise, poser la main sur son ventre rond et sentir son bébé donner des coups de pied. L'amertume épouvantait Daisy. Elle en avait la nausée, comme si elle était empoisonnée par cet affreux sentiment qui lui interdirait à jamais de regarder même le soleil sans éprouver une rage terrible de le voir si beau alors que son monde s'était écroulé.

Elle fouilla dans les placards à la recherche de quelque chose à boire en sachant qu'elle perdait son temps. Sa mère pouvait avoir une bouteille de sherry pour les invités, mais ce serait tout. Et encore n'était-ce pas certain. Daisy devrait faire des courses à l'épicerie voisine. Par chance, Nan ne laissait jamais sa voiture à l'aéroport. Daisy trouva la clé à la place habituelle, accrochée derrière la porte. Le magasin se trouvait à un croisement dangereux, où la route continuait d'un côté vers l'ancien manoir Delaney et de l'autre vers le Lough Enla. Il y avait quelques maisons, une minuscule chapelle et un établissement peint en vert vif qui portait une inscription en grosses lettres au-dessus de la porte : Slattery's Grocery & Draper.

L'endroit n'avait pas changé depuis que Daisy avait quitté la maison. C'était le genre de boutique où on trouvait de tout, de l'huile d'olive à celle de vidange en passant par la mercerie et un rayon de vêtements. Les astuces des grandes surfaces, où les allées et les rayonnages étaient organisés de façon à diriger les clients dans la bonne direction, n'avaient pas encore atteint le Slattery's. Les marchandises étaient entassées n'importe comment sur les étagères, les boîtes de conserve coincées à côté de l'eau de javel, les sacs-poubelles entre les paquets de gâteaux secs et les chaussons d'enfant aux couleurs vives près des lunettes de soleil, qui voisinaient elles-mêmes, de manière incongrue, avec l'offre spéciale de la semaine, le pinot noir du Chili.

Daisy alla chercher un panier et y mit deux bouteilles de vin chilien. Et tant pis ! Une autre, ce ne serait pas plus mal. Elle en prit donc une troisième, ainsi que du pain, du fromage, un chou-fleur et un énorme paquet de biscuits au chocolat. En arrivant à la caisse, tenue par une adolescente, elle éprouva le besoin de se justifier.

— Pendaison de crémaillère, fit-elle d'un ton dégagé.

— Ah ! dit l'adolescente en passant le chou-fleur au lecteur de prix.

— Quelques amis qui viennent de Dublin, ajouta Daisy en se demandant pourquoi elle insistait.

La fille eut un hochement de tête compréhensif.

— Il faut bien que j'aie quelque chose à leur offrir, n'est-ce pas ? ajouta encore Daisy, consciente qu'elle devait avoir l'air d'une folle.

Elle paya et dit merci d'un ton un peu trop joyeux. C'était exactement l'impression idéale à donner aux gens, celle d'une cinglée qui racontait le moindre détail de sa vie.

De retour dans la cuisine de sa mère, elle mit le poêle en marche et se versa un verre de vin. Il y avait des étagères pleines de CD d'opéras, dans la maison. Daisy y trouva son préféré, *Tosca*, et la musique envahit la pièce, accordée à sa tristesse.

Daisy caressa l'idée de se préparer un sandwich, mais, au cinquième verre, cela lui parut inutile. Elle n'avait plus de raison de s'embêter avec quoi que ce soit.

14

Dans la salle d'attente du médecin, les magazines n'avaient pas changé. Mel retrouva les mêmes vieux numéros de *Hello !* et de *GolfPro* cornés et, pour certains, à moitié déchirés. Les gens qui attendaient n'avaient guère changé, eux non plus : toujours une majorité de mères, qui essayaient désespérément de faire tenir tranquilles des enfants énervés. Cette fois, c'était un petit garçon, l'air grincheux et malade, qui tentait d'arracher la pellicule de protection d'un numéro de *National Geographic* pour y coller des fragments d'un *Vogue* en lambeaux. Sa maman, le regard épuisé, tentait de détourner son attention à l'aide de divers jouets.

Mel s'assit à côté d'elle avec Sarah et prit Carrie sur ses genoux. Carrie avait de nouveau mal à la gorge, sans doute encore une angine. Après un rapide coup d'œil autour d'elle, Mel songea qu'elle était l'unique nouveauté dans la pièce. Elle ne détonnait plus par son allure de carriériste. Avec son jean délavé à l'ourlet effiloché, ses sandales à lanières et son tee-shirt blanc, elle se fondait dans la masse. Ses cheveux avaient poussé et elle avait le teint hâlé, grâce aux nombreuses heures passées dans le jardin avec ses filles.

La veille, en s'habillant, elle s'était vue dans le miroir et avait ri. « Adrian, j'ai l'air d'une hippie ! Faites l'amour, pas la guerre, non au maquillage et au peigne ! » Elle avait été frappée de paraître plus jeune que jamais, avec ses taches de rousseur, son air heureux et ses boucles qui moussaient autour de ses oreilles. Le matin, elle se préparait en si peu de temps qu'elle en avait presque honte. Se brosser les dents, prendre sa douche, s'enduire de crème hydratante, enfiler un jean avec un chemisier ou, selon l'humeur, un tee-shirt. Et hop ! C'était fini.

Adrian l'avait prise dans ses bras, sa serviette de toilette humide autour des reins.

« Je te trouve très excitante, ça te va bien. Tu es détendue et je te sens prête à t'amuser, comme quand je t'ai connue. Ça me plaît.

— Adrian, il est presque sept heures, avait répliqué Mel en éclatant de rire. Les filles vont se réveiller d'une minute à l'autre.

— Moi, je suis réveillé, avait grogné Adrian.

— On n'a pas le temps...

— On peut essayer. Il ne faut que quelques minutes...

— Oh ! J'ai donc droit aux préliminaires ! » avait dit Mel pour taquiner Adrian.

Elle l'avait embrassé et ils s'étaient retrouvés sous la couette.

Heureusement que c'était hier ! pensa Mel. Ce matin, après une nuit sans sommeil au chevet de Carrie, elle n'aurait pas été d'humeur amoureuse.

Elle se pencha sur Carrie et lui embrassa la tête.

— Comment te sens-tu, mon cœur ?

Pour toute réponse, Carrie se dégagea des bras de sa mère en se tortillant et partit explorer le coffre à jouets. Sarah l'observa quelques instants avec condescendance puis céda à la tentation et la rejoignit.

Pendant que Sarah et Carrie se disputaient un livre en tissu, la voisine de Mel se tourna vers elle. Son fils, lassé de déchirer le *National Geographic*, avait réussi à prendre le téléphone de sa mère dans son sac et le tétait avec délices. Au moins, pendant ce temps, il restait calme.

— Qu'arrive-t-il à votre fille ?

— Une angine. Mais j'ai de la chance, c'est la première depuis des mois. Elle a passé une mauvaise nuit. Je crains qu'il ne faille l'opérer des amygdales.

L'inconnue avait envie de bavarder.

— On a dû enlever celles de ma fille, mais ça peut repousser, vous savez.

Mel eut un frisson d'horreur à l'idée que Carrie doive aller à l'hôpital. Si cela arrivait, aucune force au monde ne l'empêcherait de rester à côté de son lit en permanence. Quand elle travaillait, elle pensait souvent à ce genre d'éventualité et s'inquiétait de la façon dont elle se débrouillerait pour s'absenter le temps qu'il faudrait. Désormais, elle n'avait plus à se soucier d'Hilary et s'occuperait de son enfant l'esprit libre.

Son tour arriva enfin.

Le médecin confirma qu'il s'agissait d'une angine.

— On va peut-être devoir retirer les amygdales à votre fille. A-t-elle eu d'autres angines, cette année ?

— Quatre, répondit Mel.

Tout en parlant, le docteur feuilletait le dossier médical de Carrie.

— Je vois. Ce n'est pas facile, n'est-ce pas, quand un enfant vous tient debout toute la nuit, que vous faites ce que vous pouvez pour le soulager et que ça ne l'empêche pas de pleurer.

Il avait à peu près son âge, songea Mel, peut-être un ou deux ans de plus, mais il avait des mèches grises. Il devait avoir des enfants, lui aussi. Pour la première fois depuis qu'elle le connaissait, Mel éprouva de la sympathie pour lui. Elle se demanda comment elle avait pu le trouver superficiel ou condescendant quand il avait dit à sa mère qu'il aimerait la voir quand elle en aurait le temps. Comme elle se reprochait son manque de disponibilité, elle avait pensé qu'il l'accusait de négligence. Que de temps perdu à culpabiliser ! Pourtant, en général, c'était pour des situations sur lesquelles Mel n'avait pas de prise. Au moins, elle n'avait plus à se sentir coupable de quoi que ce soit envers ses filles !

Quand quatre heures de l'après-midi sonnèrent, le soulagement que Mel avait éprouvé dans la matinée était depuis longtemps oublié. Carrie avait de la fièvre et se plaignait, et Mel devait la porter.

— Non, maman, non, gémissait Carrie chaque fois que Mel essayait de l'installer sur le canapé devant ses dessins animés préférés.

Sarah voulait que sa mère la prenne aussi dans ses bras. Elle avait mis son déguisement d'Halloween. Elle avait tant hurlé pour en avoir la permission que Mel avait fini par céder. Mais au lieu de jouer Sarah avait piqué une crise de colère, tapant des pieds comme un lutin furieux.

— Moi aussi, moi aussi ! criait-elle.

Mel peinait à conserver son calme. Elle aurait donné n'importe quoi pour se faire une tasse de thé et souffler.

— Ça va, Carrie, dit-elle en essayant de paraître sereine. Maman ne va pas te quitter. Maman t'aime. Et toi aussi, Sarah. Seulement tu es une grande fille et Carrie est malade. C'est pour ça que maman doit la garder dans ses bras. Et si on allait toutes les trois dans la cuisine ? Tu pourrais te servir du lait, Sarah, et ensuite on regarderait *Nemo* ?

Le visage angélique de Sarah se plissa d'une colère encore plus violente. Comment sa mère osait-elle la traiter en bébé qu'on peut tromper ?

— Non ! Je déteste *Nemo* ! Je veux que tu me portes !

Mel se pencha sans lâcher Carrie et voulut soulever Sarah en même temps. Evidemment, elle n'y parvint pas. Carrie voulait être seule dans les bras de sa mère, Sarah aussi. Les hurlements montaient, en stéréo, et Mel en avait les oreilles cassées.

De désespoir, elle proposa à ses filles de les installer devant *Shrek*. Eddie avait offert la vidéo à Adrian. Mel estimait que le film était trop compliqué pour Sarah et Carrie, mais elles adoraient les extraits qu'elles connaissaient et demandaient à en voir plus.

— Non ! explosa Sarah.

Le niveau des décibels avait augmenté et, en même temps, Sarah tenta de frapper sa sœur pour la chasser des bras de Mel.

« Pense à quelque chose d'apaisant... » se dit Mel. S'il n'était pas question d'utiliser la télévision ou le magnétoscope, que restait-il ? Mel revit en imagination ce qu'elle appelait les moyens de manipulation propres aux mauvaises mères. En général, la télévision était un atout, directement suivie par le chocolat. Si cela échouait, il y avait les produits de maquillage. Ensuite venait le tour de manège au supermarché. Enfin, en désespoir de cause, il restait le spécial « papa sera très fâché d'apprendre que ses filles ont été vilaines ».

320

Après deux paquets de bonbons au chocolat, Sarah et Carrie commencèrent à se calmer. Mel réussit à mettre de l'eau à chauffer et à préparer un sachet de thé dans une tasse avant de constater qu'elle devait aller aux toilettes de toute urgence. Elle prit Carrie dans ses bras et Sarah par la main.

— On part en exploration.

— Je ne veux pas ! répliqua Sarah.

— Il y aura d'autres chocolats à l'étage, insinua Mel d'un ton suppliant.

Pourquoi Adrian et elle n'avaient-ils pas économisé pour installer des toilettes au rez-de-chaussée ? songea-t-elle.

Sarah refusait de bouger. Au même instant, Carrie posa la main sur sa tête.

— Maman... Suis malade...

— Tu pourras jouer avec le maquillage de maman, suggéra Mel en désespoir de cause.

Sarah se leva soudain et grimpa l'escalier à toute vitesse, et Carrie se sentit comme par miracle assez bien pour la suivre.

— Le rouge à lèvres est à moi ! hurla Sarah tandis que Mel arrivait à l'étage.

— Non, à moi ! renchérit Carrie en traversant le palier.

Au moins, pensa Mel avec épuisement, Carrie semblait aller mieux. De toute façon, depuis que Mel ne travaillait plus, elle n'utilisait pas de rouge à lèvres. Peu importe si ses filles détruisaient ce qui lui restait. Elle aurait donné n'importe quoi pour un instant de paix.

Adrian rentra à sept heures du soir. Sarah et Carrie étaient tranquilles, et ravies d'avoir passé l'après-midi à se barbouiller l'une l'autre avec l'ombre à paupières et le blush de leur mère. La moquette blanc cassé de la chambre de leurs parents ne s'en remettrait pas, pas plus que la trousse à maquillage de Mel.

Carrie avait enduit la tête de son ours en peluche de la précieuse et ruineuse crème hydratante que Mel avait achetée juste avant son licenciement, et Mel s'était emportée en découvrant son forfait. « Carrie ! je n'arrive pas à le croire, s'était-elle exclamée. Tu es vilaine ! Tu ne peux pas tout prendre dans les affaires de maman. » Mais cela ne servait à rien que Mel s'énerve. Sarah et Carrie avaient éclaté en sanglots, effrayées par le soudain changement d'attitude de leur mère. Mel avait fini par réussir à aller aux toilettes, se faire une tasse de thé, préparer le dîner et avaler quatre biscuits au chocolat. Etre une mère à plein temps n'était pas seulement épuisant pour les nerfs, c'était aussi désastreux pour le tour de taille !

Elle accueillit Adrian dans l'entrée, Carrie, souriante, accrochée à son cou.

— Les filles ont pris leur bain, fit-elle d'un ton crispé.

Elle était incapable d'en dire plus sans hurler qu'elle était au bord de la dépression et qu'Adrian arrivait trop tard pour l'aider. Ce n'était pas parce qu'il lui avait offert d'aller dîner le samedi soir dans un restaurant chinois qu'il pouvait échapper à ses devoirs parentaux... Certainement pas !

Carrie se blottit contre l'épaule de Mel en suçant son pouce.

— Maman ! dit-elle doucement.

Mel se souvint de la règle d'or : jamais devant les enfants ! Elle respira à fond pour se maîtriser.

— Carrie a eu son médicament, et Sarah et elle sont prêtes à se coucher. Tu n'auras qu'à retirer leur maquillage avec une lingette. Carrie voulait garder le sien aussi longtemps que possible.

Mel prit la clé de voiture sur le panneau dans l'entrée.

— Adrian, je viens de passer un après-midi de cauchemar. Je sors.

Elle tendit Carrie à Adrian. La petite adressa un grand sourire à son père en lui faisant admirer l'ombre argentée sur ses paupières et le blush posé en grosses taches rondes et rouges sur ses joues.

Adrian se tourna vers Mel, sidéré. Elle était livide.

— Tout va bien ? demanda-t-il d'un ton anxieux.

— Très bien !

Si Mel ne sortait pas sur-le-champ de la maison, elle exploserait ! Elle attrapa son sac.

— J'ai juste besoin d'un peu de temps pour moi. La journée a été rude.

Le mot était faible, pensa-t-elle.

— Je ne serai pas longue. Je vais peut-être m'offrir un café chez Mo's.

Mel n'avait jamais fait cela depuis leur installation à Carrickwell. Ils allaient chez Mo's en famille, parfois le week-end, mais pas à sept heures du soir, en semaine, au moment de mettre les enfants au lit. Par chance, Adrian le prit bien.

— Ne t'inquiète pas, je me débrouille. Vas-y !

Mel ne démarra qu'après être restée assise cinq minutes derrière le volant. Elle gara la voiture près de chez Mo's, en descendit et entra dans l'établissement. Une fois installée à une table, alors qu'elle tournait le sucre dans son café au lait décaféiné, elle pensa soudain à Caroline. Elles ne s'étaient pas parlé depuis la dispute qui avait suivi leur sortie au mois de janvier. Mel avait eu beau laisser plusieurs messages à son amie, celle-ci n'avait pas rappelé.

A présent, Mel comprenait le point de vue de Caroline. Personne ne décernait de prix aux mères au foyer. Il n'y avait pas de prime quand on faisait la cuisine, le ménage et la lessive. Aucun jury ne félicitait les mamans qui restaient calmes face à des enfants malades. Rien ! La seule certitude était qu'il faudrait tout recommencer le lendemain. Il n'y avait pas à s'étonner s'il arrivait aux mères de s'énerver.

En cet instant précis, Mel aurait donné n'importe quoi pour une soirée entre copines où elle pourrait rire avec des femmes qui pensaient comme elle, se laisser aller et redevenir quelqu'un d'autre qu'une mère. Quand elle travaillait chez Lorimar, elle n'avait pas compris cela.

Elle fouilla dans son sac à la recherche de son téléphone et fit le numéro de Caroline.

— Coucou ! lança-t-elle quand Caroline décrocha. Je suis désolée de ne pas t'avoir entendue depuis longtemps, et aussi de la dispute que nous avons eue.

Inutile de tourner autour du pot !

— J'ai arrêté de travailler pour rester à la maison avec Sarah et Carrie. Comme tu le sais, ça signifie que je n'ai pas eu un moment à moi, depuis.

Caroline ne cacha pas sa stupéfaction.

— Tu ne travailles plus ? Je croyais que tu étais mariée avec ton boulot et qu'on t'enterrerait avec quatre téléphones fixes, deux portables, un ordinateur et un BlackBerry.

Mel éclata de rire. Elle avait oublié que Caroline savait manier l'humour noir.

— Presque ! Sauf que la société n'aurait pas autorisé une employée aussi peu importante que moi à disposer d'un matériel aussi chic qu'un BlackBerry. Pouvoir lire ses e-mails sur une machine qui tient dans la main, c'est réservé aux échelons supérieurs ! Ecoute, accepterais-tu que nous dînions ensemble, juste toi et moi ?

— Je ne peux pas sortir le soir, en ce moment, répondit Caroline, non sans amertume. Graham travaille tard. Que dirais-tu de venir déjeuner demain ? Je ne bouge pas, parce qu'on doit m'apporter un devis de peinture pour les fenêtres, qui n'ont pas été refaites depuis des années.

Il y avait longtemps que Mel n'était pas allée chez Caroline.

— Ça me ferait très plaisir, comme aux filles, du moins, si Carrie est guérie de son angine.

— Pauvre chou !

La maison de Caroline n'aurait pas pu figurer dans un magazine de décoration. Les plinthes et les murs portaient les marques de l'entraînement de football auquel se livraient Ryan, dix ans, Fion, huit ans, et Luka, six ans. Le jardin témoignait aussi de leur présence, car la pelouse était en partie arrachée là où les garçons devaient jouer chaque jour. Quant aux buissons et aux arbustes, ils avaient souffert de leur enthousiasme. Cela n'empêchait pas les lieux de dégager chaleur et douceur de vivre. Une cruche pleine de fleurs trônait sur le rebord de la fenêtre baignée de soleil et les bons petits plats embaumaient la cuisine. Le congélateur regorgeait de soupes et de lasagnes préparées maison, et de la spécialité de Caroline, le gratin de légumes au parmesan. A l'occasion de la venue de Mel et des filles, Caroline avait préparé des gâteaux garnis d'un glaçage rose et surmontés d'une pastille en chocolat. Sarah et Carrie, qui allait mieux, se montrèrent intéressées.

Mel, assise à la table de la cuisine tandis que Caroline donnait de jolies assiettes à fleurs pleines de pâtisseries à Sarah et Carrie, reconnut qu'elle avait traversé une période au cours de laquelle elle engloutissait les muffins.

— Ça m'a passé, conclut-elle.

— Je connais ça, répondit Caroline. Les muffins, c'est comme les boutons, ça vient par crises. Quand ça me prend, j'en fais des tonnes et je mets la plus grande partie au congélateur. Le reste du temps, je les achète à la boulangerie d'à côté. Pourquoi s'embêter à les confectionner quand on peut les avoir pour moins cher ? De toute façon, je suis au régime. J'économise de l'argent et des calories.

— Je pensais que tu faisais tout toi-même.

— Je me sentais mieux si on le croyait, avoua Caroline. Ça évite que tout le monde s'interroge sur ce qu'on fait de ses journées. Tu sais, ces personnes qui te demandent d'un ton condescendant comment tu occupes ton temps. En revanche, si tu passes pour un cordon-bleu, elles t'imaginent en train de faire du pesto dans un mortier et te trouvent respectable.

Mel se rendit compte que Caroline était triste.

— On peut déjeuner dehors, reprit Caroline. J'ai préparé des sandwiches et les filles joueront avec les affaires des garçons.

— Parfait !

Elles s'installèrent dans des chaises longues, à côté d'une table en bois qui avait souffert des intempéries. Sarah et Carrie partirent explorer le jardin. Il ne fallut pas longtemps avant que Caroline se confie à Mel. Cela n'allait pas avec Graham.

— Moi-même, j'ai traversé une crise de la quarantaine qui a été assez difficile, expliqua-t-elle.

Quand elle avait arrêté de travailler pour s'occuper de ses fils, son abonnement au club de gymnastique avait été une des premières choses auxquelles elle avait renoncé. Quel que soit le bien qu'on pouvait dire de la marche, il était difficile de trouver l'énergie d'aller marcher en plein hiver, quand il faisait mauvais et que la nuit était déjà tombée. Caroline avait commencé à prendre kilo après kilo. Un jour où elle avait dit à Graham qu'elle se sentait grosse et vieillie, il lui avait répondu qu'il était normal de grossir, avec l'âge.

— Tu parles d'une réponse ! commenta Caroline. Ça prouve que nous avons un problème de communication.

Elle avait l'impression de parler à son mari sans qu'il entende. De son côté, elle était prête à l'écouter, mais il se taisait.

— Il y a encore quelques années, il n'arrêtait pas de me dire qu'il me trouvait belle, ajouta Caroline. Aujourd'hui, je pourrais rester en pyjama toute la journée sans qu'il s'en aperçoive.

Mel se souvenait de Caroline quand elles travaillaient ensemble, mince, séduisante, élégante. Il suffisait qu'elle apparaisse dans un bureau pour que les regards masculins se tournent vers elle. C'était fini, même si elle était encore bien. Elle avait toujours le visage vivant et intelligent, et une jolie silhouette, malgré des courbes plus accentuées. Mais l'étincelle qui brillait dans ses yeux avait disparu.

— Graham m'a dit que les femmes qui gémissent sans arrêt au sujet de leur régime sont insupportables et qu'il refusait de s'attarder sur la question.

Caroline s'était alors inscrite dans un groupe de Weight Watchers. Elle avait fondu de cinq kilos, mais il lui en restait autant à perdre pour atteindre son poids idéal.

— Les gens du groupe étaient contents pour moi, mais Graham n'a rien remarqué. Quand je réussissais dans mon travail, il s'en rendait compte, mais maintenant plus rien de ce que je réussis n'a d'importance à ses yeux, plus rien.

Mel se sentait triste pour Caroline et se demandait comment lui remonter le moral.

— Tu te souviens de notre dispute au sujet de Lorna, quand tu as dit que personne ne reconnaissait que s'occuper d'une maison était la tâche la plus ardue au monde ? Tu avais raison, et moi tort, Caroline. C'est très dur. Adrian me soutient et me répète que je suis formidable, mais ce n'est pas aussi satisfaisant que recevoir les félicitations de son patron parce qu'on vient de boucler brillamment un projet important. Tout le monde semble croire qu'il ne faut pas être futée pour faire la cuisine, le ménage et élever des enfants. Or, éduquer sa progéniture et l'aider à développer son intelligence pour qu'elle s'accomplisse, une fois parvenue à l'âge adulte, nécessite un vrai travail.

— C'est vrai.

Caroline prit un des petits gâteaux et grignota la pastille en chocolat.

— Elever des enfants ? Personne ne trouve ça important. Graham, en particulier. Et à moins que je ne sois malade ou qu'il n'ait commencé à porter des parfums de femme, il a une liaison.

Mel en resta bouche bée.

— Je connais les symptômes, reprit Caroline. Ce n'est pas ce qu'on lit dans les magazines, les histoires de sous-vêtements neufs, les douches continuelles. Il y a quand même une chose vraie : le parfum. Si je dis que Graham a une liaison, c'est parce que je le connais. Nous sommes mariés depuis douze ans et il me regarde comme s'il n'arrivait pas à croire qu'il a pu m'épouser.

— Caroline, je suis désolée...

Caroline interrompit Mel. Elle voulait terminer l'histoire qu'elle avait commencée.

— J'observe Graham quand il me dévisage et je sais ce qu'il pense : « Comment Caroline est-elle devenue cette femme avec un jean de supermarché et un visage brillant d'être trop frotté ? » C'est écrit sur sa figure. Il a épousé une directrice de publicité pleine d'ambition et se retrouve avec une banale mère au foyer. Ce n'est pas ce qu'il avait imaginé.

— Es-tu certaine qu'il a une liaison ? Vous pourriez simplement traverser une mauvaise passe et tu te sens négligée...

— J'en suis certaine à quatre-vingt-dix-neuf pour cent. Je n'ai pas surpris Graham au lit avec une voisine, ou ce genre de chose, mais il a quelqu'un. Je le sais. C'est évident. Mel, mon mari n'achète jamais ses vêtements lui-même. Or, depuis quelque temps, il a plusieurs cravates neuves. Et tous ces déplacements professionnels qui l'obligent à passer la nuit loin d'ici, c'est faux. Un jour, j'ai appelé à son bureau parce que j'avais un message à lui laisser ; on m'a répondu qu'il avait pris un jour de congé.

Mel soupira. Les faits semblaient concluants.

— Que penses-tu faire ? Tu ne dois pas rester passive, Caroline. Si tu as changé, Graham aussi, et il doit assumer ses responsabilités. Quand vous vous êtes mariés, tu n'imaginais pas qu'il deviendrait un menteur.

Comme elle le faisait quand elle avait des problèmes dans son travail, à l'époque où elle était chez Lorimar, Mel avait retourné le scénario en un clin d'œil.

— Sans doute pas, répondit Caroline, mais je ne peux pas me permettre de considérer les choses sous cet angle. Graham travaille et je reste à la maison. Il nous fait vivre, les enfants et moi ; ça limite mon choix.

— Caroline, je ne le pense pas. Tu ne peux pas jouer les utilités sous prétexte que Graham paie les factures. Vous êtes un couple. Le fait que vous soyez parents est à envisager à part. Vous pouvez le rester sans être mariés. Mettre un terme à votre mariage fait partie des options possibles.

— Tu parles de cette façon parce que tu ne t'es jamais demandé ce qui se passerait si tu quittais Adrian, répondit Caroline d'un ton sec. Ici, on n'est pas à Hollywood, où les femmes se retrouvent avec des millions de dollars dès qu'elles divorcent. Ici, nous sommes dans le monde réel et je ne veux pas que les garçons aient à pâtir de la situation.

— Mais tu peux quand même t'en aller ! Tu n'es pas obligée de rester avec Graham et de subir les choses en silence.

— En théorie, tu as raison. En pratique, non.

Mel commençait à s'énerver.

— Tu sais quoi, Caroline ? Quand je t'ai connue, tu débordais d'énergie et je t'admirais plus que n'importe laquelle des femmes avec qui j'ai travaillé. Tu disais ce que tu pensais. Tu ne tournais pas autour du pot comme la plupart d'entre nous. Tu étais franche, directe, et tu avais confiance en toi. Aujourd'hui, tu as oublié tout ça, comme si le fait de rester chez toi t'avait détruite.

— Ça ne m'a pas détruite... Quoique... Peut-être un peu. Mais Graham m'a démolie ; les enfants aussi ; la vie m'a démolie. J'ai l'impression que Caroline est partie, qu'elle est ensevelie sous le costume de « maman ».

— Es-tu certaine que Graham a une liaison ? redemanda

Mel. Il pourrait y avoir une explication innocente. Par exemple... Il pourrait faire une dépression. Y as-tu pensé ? Et puis...

Mel s'interrompit. Elle abordait à présent une question délicate.

— Et... votre vie sexuelle ?

Elle avait lu que les hommes infidèles ont souvent d'excellentes relations sexuelles avec leur femme pour compenser leur infidélité, au lieu de s'abstenir, comme on le croit en général.

— Le sexe ? répéta Caroline d'une voix atone. Il n'en est pas vraiment question. Nous nous couchons en général à des moments différents, nous nous donnons un petit baiser chaste, ensuite Graham se tourne sur le côté pour lire le dernier polar qui l'intéresse et moi je parcours mes catalogues. Heureusement que j'ai fait enlever mon stérilet, sinon il aurait pu rouiller...

Mel eut envie de pleurer devant tant de désarroi.

— Pardon. J'ai l'impression que je n'ai pas été une très bonne amie pour toi.

— Tu n'aurais pas pu empêcher Graham d'avoir une liaison. J'ai voulu croire que, si je restais en contact avec mon ancien milieu professionnel, je serais encore un peu moi-même, la femme dont Graham était tombé amoureux. Quand je vous voyais, toi et les autres, je me racontais que c'était possible.

Mel pensa au déjeuner avec Vanessa, où elle essayait de se convaincre que ce lien avec sa vie passée l'aiderait à rendre sa nouvelle existence plus passionnante. Mais cela n'avait pas marché. C'était deux sphères différentes.

— Ce n'est pas la bonne solution de revoir les gens avec qui on a travaillé, affirma-t-elle. Il faut absolument couper le cordon, trouver d'autres façons de se définir et de se sentir mieux. Avant tout, tu dois mettre Graham en face de ses responsabilités. Tu te le dois à toi-même ainsi qu'aux enfants. Tu dois savoir si vous formez toujours un couple. Tu ne peux pas y échapper. Si c'est nécessaire, tu peux chasser Graham de ta vie. Mais il te faut une certitude absolue, Caroline. Si tu te trompes, tu risques de tout détruire.

Caroline haussa les épaules avec découragement.

— Et quand Graham se couche à côté de moi, le soir, empestant le parfum d'une autre femme, n'est-ce pas destructeur ?

— Tu marques un point ! Je voulais juste te dire de ne pas prendre de risque inutile.

— Je n'en ai pris aucun, inutile ou pas, depuis des années. La liaison de Graham dure sans doute depuis des mois et je me suis tue. J'ai préféré fermer les yeux et jouer la bonne épouse qui ne voit rien de mal...

— En réalité, tu as besoin de quelques jours de vacances ou d'un moment de tranquillité pour réfléchir. Il te faut quelques heures, où les garçons ne seront pas sans arrêt en train de te réclamer une chose ou une autre, de façon à ce que tu redeviennes la femme que tu étais avant. Alors, tu y verras plus clair.

— Il m'est impossible de partir seule. J'adorerais ça. Mais prendre du temps pour moi est la dernière des priorités, dans cette maison. Graham « travaille » toute la journée et nous ne pouvons pas nous permettre de payer une baby-sitter qualifiée pour que je me repose une semaine.

— Même pas un week-end prolongé ?

— Non ! Tout ce que je peux faire, c'est m'absenter une heure pour aller chez le coiffeur.

Mel eut soudain une idée. Les chèques-cadeaux pour le Cloud's Hill Spa ! Elle n'avait pas trouvé le temps de s'en servir et c'était aussi bien : le moment était venu.

— Ecoute, quand j'ai quitté Lorimar, on m'a offert deux chèques-cadeaux pour des soins au Cloud's Hill Spa. Que dirais-tu si nous y passions une journée ensemble ? La veille du jour où nous irons, tu peux dormir à la maison. Ça nous permettra, le lendemain, de filer dès que nous serons pomponnées. Graham fera la baby-sitter, pour une fois, et toi tu auras du temps pour réfléchir.

Le visage de Caroline s'illumina, mais cela ne dura pas.

— Réfléchir à quoi ?

— A la possibilité de dire à Graham de virer ses pieds de tricheur de ta maison puis de consulter un avocat. D'accord, tu pourrais ne pas être sérieuse en disant cela, mais Graham l'ignore et ça lui ferait du bien d'avoir un choc. Il doit comprendre que tu ne plaisantes pas.

— Et s'il répond qu'il est d'accord, s'il attendait juste l'occasion pour me quitter ?

— Dans ce cas, tu joues contre toi en restant avec un homme qui ne veut plus être avec toi.

— Ce serait un cauchemar...

— C'est lui qui en est l'instigateur. A toi d'y mettre un terme. Tu as le droit de savoir si Graham est toujours ton mari, s'il veut essayer de recommencer ou s'il attend que tu découvres la vérité parce qu'il n'a pas le courage de te la dire.

Mel avait visé juste. Pensive, Caroline prit un gâteau.

— Je me demande comment elle est. Plus jeune ? Plus mince ? Je suppose qu'elle ne porte pas des jeans de supermarché.

Ce genre de réflexion ne pouvait que faire du mal à Caroline et Mel réagit immédiatement.

— Ecoute, on va laisser décanter tout ça jusqu'au jour où nous irons au spa ; après, tu prendras une décision.

Quand Mel rentra à Carrickwell, en fin d'après-midi, les filles étaient épuisées d'avoir joué toute la journée. Elles s'endormirent dans leur siège de voiture, ce qui permit à Mel de méditer. Elle avait de la peine pour Caroline. Elle-même se sentait chanceuse d'avoir un mari aimant. Comment avait-elle pu se tromper au point d'envier Caroline pendant toutes ces années ! Rester à la maison pour élever ses enfants n'était pas ce long fleuve tranquille qu'elle avait imaginé auparavant.

Elle aimait avoir le temps de préparer de meilleurs repas pour sa famille et sa maison n'avait jamais été aussi propre. En fait, il était facile de comprendre que des femmes deviennent obsédées par le ménage en oubliant qu'il existe une vie au-delà de leur aspirateur. Quand on ne faisait rien d'autre de la journée, cela occupait toutes les pensées. Le ménage et les enfants. Mel avait beaucoup de plaisir à jouer avec Sarah et Carrie, à les aider à se déguiser, à peindre, à confectionner des figurines en pâte à modeler, à réaliser des puzzles qui n'en finissaient pas ou encore à vêtir leurs poupées. Quand elle travaillait chez Lorimar, elle évitait de lire les articles sur les mérites du jeu de création et d'imagination, auquel elle n'avait pas une minute à consacrer. Depuis qu'elle restait chez elle, elle avait découvert que jouer était prenant. Il n'était pas question qu'elle s'installe sur le canapé avec un magazine en laissant Sarah et Carrie livrées à elles-mêmes. Quand on s'amuse avec de très jeunes enfants, cela capte l'attention. Mel trouvait cela épuisant.

« Dis, maman, pourquoi le ciel est bleu ? Dis, maman, qu'est-ce que les éléphants ont dans leur trompe ? Dis, maman, est-ce que les papas ont des petits garçons et les mamans des petites filles ? »

On avait besoin de bien dormir pour affronter la situation. Il fallait des tonnes d'énergie et une patience d'ange. Mel se remémora la colère qu'elle éprouvait, ainsi qu'Adrian, quand ils devaient payer la facture de la crèche. A présent, elle ressentait de l'admiration pour le personnel des Little Tigers. Elle adorait s'occuper de ses filles, mais comprenait le point de vue de Caroline : sans vouloir paraître égoïste, elle avait quand même toujours envie d'être plus qu'une maman.

Le Dragon Palace, le restaurant chinois le plus animé de Carrickwell, était toujours assez bruyant le samedi soir. On riait, on parlait fort, et la porcelaine blanche résonnait sur les tables en bois. Mel et Adrian devaient hausser le ton pour s'entendre. Cela ne les empêchait pas de s'amuser. C'était le genre de sortie qu'ils avaient l'habitude de faire des années plus tôt, avant d'avoir des enfants. Mel avait cru que cela ne leur arriverait plus. Quand elle travaillait, elle était trop fatiguée pour sortir, sauf s'il s'agissait d'une soirée professionnelle. Dans ce cas, de toute façon, elle était si inquiète à l'idée que Lynda la juge mal qu'elle s'était toujours sentie mal à l'aise en lui demandant de s'occuper des filles. Depuis qu'elle appartenait à la catégorie des mères au foyer, elle était détendue avec Lynda. Quand elle lui avait parlé du projet de dîner, Lynda avait été ferme : « Vous méritez bien, tous les deux, d'être un peu ensemble. J'adore m'occuper de mes petites-filles. » Mel avait compris que c'était la vérité. Il était étrange de découvrir à quel point ses propres craintes, dans le passé, l'avaient amenée à sentir une menace dans tout ce que disait Lynda.

— Il y a longtemps que nous ne sommes pas sortis de cette façon, dit gaiement Adrian. On n'a pas besoin de se surveiller sous prétexte que c'est dans le cadre de ton travail ou de s'inquiéter de savoir si nous ne devrions pas être à la maison avec les enfants. Enfin, on peut se détendre !

Mel en fut sidérée. Elle ne s'était pas rendu compte qu'Adrian avait compris ce qu'elle ressentait quand ils devaient assister aux soirées de Lorimar. Elle découvrait qu'ils le vivaient de manière identique. Son sentiment de culpabilité avait dû être contagieux...

— Je suis désolée. Je ne voulais pas que ça te stresse. J'avais l'impression de mal me conduire envers les filles quand on devait s'absenter le week-end au lieu de passer chaque instant avec elles.

— Je sais. Maintenant, tout va bien ; tu n'es plus si nerveuse.

— Comment ça ? Que veux-tu dire ?

— Je plaisante ! Je te taquine.

Mais il y avait certainement une part de vérité dans les propos d'Adrian, Mel le savait. Et zut ! Elle prit le dernier beignet aux crevettes, bien qu'elle se soit promis de faire attention à sa ligne.

— Je ne suis plus si nerveuse, tu as raison.

— Moi aussi, je suis plus calme, reprit Adrian. Nous sommes mieux.

— Oui, mais nous sommes fauchés. Adrian, il faut regarder les choses en face. La prochaine fois que nous pourrons partir en vacances, les filles voudront amener leurs petits copains avec elles.

— La situation n'est pas si mauvaise. On se débrouille et on est plus heureux qu'avant. J'aime te trouver à la maison, le soir, quand je rentre.

Mel éclata de rire.

— Tu veux dire que tu penses : « Femme, je suis de retour !

Vite, dans la chambre, que je puisse te faire subir les derniers outrages ! »

— Exactement ! Quand je suis coincé au milieu d'un embouteillage, l'idée de te sauter dessus dès que j'arrive chez nous est la première chose qui me vient à l'esprit... Ensuite seulement, je pense à m'asseoir dans mon fauteuil pour lire le journal et me reposer.

— Tant que tes priorités sont dans cet ordre-là, c'est parfait, rétorqua Mel d'un ton soudain sérieux. Moi d'abord, le repos ensuite.

Le serveur les interrompit, apportant leur commande.

— On devrait faire ça plus souvent, reprit Adrian.

— Tu veux dire : nous empiffrer comme des goinfres ?

Comme d'habitude, ils avaient eu les yeux plus grands que le ventre.

— Non, sortir ensemble, rien que nous deux.

Mel prit la main d'Adrian. Elle lui avait parlé des problèmes de Caroline avec Graham et Adrian avait compris qu'elle soit bouleversée.

— Oui, mais c'est toute la question quand on a des enfants, répondit Mel. A peine sont-ils nés qu'ils font leur possible pour s'assurer que leurs parents n'auront pas d'autre bébé. Et ils sont prêts à tout pour les empêcher d'avoir un moment d'intimité. Les enfants ? C'est le meilleur contraceptif au monde !

— Sans faire un bébé, nous pourrions envisager, tout à l'heure...

Mel eut un grand sourire.

— Rien ne vaut la pratique pour progresser, répondit-elle.

15

Après deux journées passées à se morfondre chez Trish, se cachant de Tyler, Cleo décida d'aller à Carrickwell. A sa descente du train, elle fut soulagée de trouver un taxi. Elle lui donna l'adresse du Cloud's Hill, mais, alors qu'il passait près de l'embranchement pour le Willow, elle céda à la tentation et lui demanda de faire le détour.

— Vous ne voulez pas vraiment aller à l'hôtel ? demanda le chauffeur d'un ton incrédule. Vous voulez rester là et regarder ?

— Oui.

Cleo se sentait irritée par la remarque. Elle aurait préféré que le taxi s'occupe de ses affaires. De toute façon, depuis quelque temps, en réalité depuis deux jours, elle était facilement irritable.

Le lendemain de la soirée où elle avait quitté la suite de Tyler sans un mot, elle avait téléphoné pour se faire porter pâle. Elle était incapable de retourner travailler et de rencontrer Tyler. Même s'il n'était pas dans sa nature de tirer au flanc, elle n'avait pas le choix. Elle avait la nausée à l'idée d'avoir fait confiance à Tyler alors qu'il avait acheté le Willow en utilisant un prête-nom. Et puis, comment aurait-elle pu rester avec un homme qui s'apprêtait à transformer sa maison en un hôtel sans âme ? Il allait probablement organiser des réunions de mise en confiance pour ses salariés, au cours desquelles il dénoncerait la gestion catastrophique du Willow avant son arrivée et expliquerait sa stratégie pour en faire une structure hôtelière modèle. L'idée en était insupportable à Cleo.

Quand elle était rentrée, à la fois triste et furieuse de ce qu'elle considérait comme une trahison, Trish avait essayé de la consoler : « Tyler ignore qui tu es. C'est une coïncidence si la chaîne Roth a acquis le Willow. En supposant que Tyler connaisse ton nom – je continue à ne pas voir comment il l'aurait appris, puisque tu ne le lui as pas donné –, que gagnerait-il en sortant avec toi ? Ta famille a vendu l'hôtel. Ce n'est pas comme si Tyler essayait de t'arracher des informations importantes en te mettant dans son lit. » Tout cela semblait raisonnable, bien sûr.

« Je n'avais pas l'intention d'aller dans son lit ! avait répondu Cleo, furieuse. J'ai juste accepté de prendre une tisane avant de rentrer.

— Je te crois, et moi je suis dentellière ! Voilà deux gros mensonges ! Aucune femme ne monte dans la chambre d'un homme « juste » pour une tisane. Tu devais te douter que ça se terminerait au lit. »

Cleo, de plus en plus en colère, avait nié farouchement. Comment sa meilleure amie refusait-elle de comprendre son point de vue ? Mais Trish avait insisté :

« Cleo, sérieusement, pourquoi Tyler t'aurait-il fréquentée par intérêt, puisque Roth Hotels avait déjà racheté le Willow ?

— Oublie l'aspect rendez-vous d'affaires ! avait jeté Cleo à Trish avec amertume, avant de lui lancer un regard noir. Je te parle de sentiment et d'émotion, et de ce que j'aurais ressenti si j'éprouvais quelque chose pour Tyler, sachant ce que je sais et...

— Ah ! Tu es donc amoureuse de lui ? Et tu es mal à l'aise parce qu'il ne sait pas qui tu es ? Mais tu serais en colère contre lui s'il le savait. »

Cleo avait hurlé si fort que Trish avait dû lui demander d'être plus discrète :

« Tu vas réveiller tout le monde ! Tu sais que les murs sont fins comme du papier, ici.

— Excuse-moi, avait marmonné Cleo. Je ne sais plus où je suis. Tout allait si bien et...

— Le problème, c'est que tu ne fais pas confiance à Tyler, avait repris Trish d'un air entendu. Sinon, tu te moquerais de savoir qui il est ou qui tu es, ou ce que Roth Hotels va faire du Willow. Comme tu ne lui fais pas confiance, tu as pensé qu'il s'apprêtait à te culbuter et qu'il t'oublierait, que tu ne serais qu'une conquête de plus pour lui. Je me trompe ?

— Pourquoi me parles-tu comme ça ? avait rétorqué Cleo, soudain suspicieuse.

— C'est toi qui m'as conseillé de dire ce que je pense. J'essaie de le faire.

— Ça s'applique aux hommes, pas à moi ! Tu es censée me remonter le moral et me dire ce que j'ai envie d'entendre. Par exemple, que ce type est un menteur, un tricheur, et qu'il ne me mérite pas, et cetera.

— Très bien ! Ce type est un menteur, un tricheur, il ne te mérite pas, et cetera. Et maintenant, on peut dormir ? »

Le lendemain, Cleo avait décidé qu'elle se sentirait mieux si elle allait chez elle, à Carrickwell. Sauf qu'il n'y avait plus de chez elle. Ses parents devaient avoir quitté le Willow. « Ils ne m'ont pas dit où ils allaient », avait-elle pensé. Si c'était ce qu'ils voulaient, elle ne les embêterait plus, ni eux ni ses frères. Elle pouvait être aussi têtue que le reste de sa famille.

Puis elle s'était souvenue de sa conversation avec Leah, au Cloud's Hill. Leah lui avait dit qu'elle aurait du travail à lui proposer. Ce serait presque comme si Cleo était chez elle.

Quand elle avait appelé Leah, celle-ci ne l'avait pas laissée terminer sa phrase.

« Bien sûr, j'étais sérieuse. Je ne parle jamais pour rien. Du moins, avait-elle ajouté d'une façon mystérieuse, plus maintenant. Je serais heureuse de vous avoir dans l'équipe. J'ai le poste qu'il vous faut. Voulez-vous que je vienne vous chercher à la gare ou préférez-vous prendre un taxi ?

— Je prendrai un taxi », avait dit Cleo en essuyant les larmes qui avaient commencé à couler dès qu'elle avait entendu la voix amicale de Leah.

Le taxi s'engagea dans l'allée qui menait au Willow et s'arrêta.

— C'est comme vous voulez ? demanda le chauffeur avec l'expression d'un homme qui subit des choses terribles.

— C'est parfait, merci.

De l'habitacle, Cleo contemplait son ancienne maison. On avait l'impression qu'elle était vide depuis quelque temps. Elle avait l'air abandonnée et le jardin délaissé. Il n'y avait plus de clients entrant dans le hall, leurs valises à la main. On n'entendait plus l'écho d'un rire ou d'un mot dans les pièces. Fini les bonnes odeurs dans la cuisine ! Fini les cris de désespoir de Jacqui parce que le soufflé aux fraises s'était écroulé ou qu'il restait trois soles alors que la table neuf venait d'en commander quatre. La vieille bâtisse que Cleo aimait paraissait aussi triste et solitaire qu'elle.

— L'acquéreur est un gros promoteur immobilier, précisa le taxi. Il paraît qu'il va construire des logements sociaux. Je ne sais pas comment il a obtenu le permis de démolir un si bel endroit.

Cleo faillit le reprendre en lui expliquant que, en réalité, c'était Roth Hotels qui avait racheté la propriété, mais elle n'en avait pas l'énergie.

— Vous n'êtes pas de la famille Málainn ? demanda soudain le chauffeur en jetant un regard curieux à Cleo dans le rétroviseur.

— Non, dit-elle.

Cela lui fit aussi mal que si c'était la vérité. Elle ne faisait plus partie de la famille Málainn. Celle-ci lui avait tourné le dos.

— J'ai séjourné au Willow à une époque, c'est tout. J'étais curieuse de savoir ce que ça devenait.

— On va au Cloud's Hill, maintenant ? Parce que le compteur tourne, vous savez.

— D'accord.

Pourquoi s'obstiner à contempler le passé ?

Cleo songea encore à ses parents. Elle souffrait plus qu'elle ne pouvait l'exprimer de ne plus avoir de contact avec eux. Elle n'avait pas reçu un SMS depuis le coup de téléphone tendu de sa mère. Cleo estimait qu'elle n'avait pas à s'excuser. Sa fierté l'en empêchait. Trish prétendait que c'était à elle de faire le premier pas. « C'est aux enfants de revenir. C'est ainsi que ça se passe, en famille. »

Tout en repensant à ce que lui avait dit Trish, Cleo sentait le manque l'envahir. Elle avait besoin de revoir les siens ; elle aspirait à ce que les choses redeviennent comme avant. Mais tandis qu'elle contemplait la façade décrépie du Willow elle admit enfin que c'était impossible. La situation avait changé, sa famille était partie sans elle et elle ne surmonterait pas son chagrin. Le souvenir de la dernière dispute était encore brûlant.

Et maintenant il y avait Tyler ! A quoi bon rester honnête, sincère et directe avec les gens quand on ne recevait que trahison en retour ? Cleo n'avait plus qu'à faire comme Trish et organiser sa vie seule. Et que lui avait donc dit Leah au téléphone ? « Tout s'arrangera à la fin, même si ce n'est pas de la façon dont vous l'aviez imaginé. » Entre les réflexions philosophiques de Leah et les conseils de Trish, Cleo ne s'y retrouvait pas.

Le taxi passa dans un énorme nid-de-poule, ce qui la fit sursauter et l'arracha à ses pensées.

— Bon Dieu de bon Dieu ! jura le chauffeur en reprenant le contrôle du véhicule. Je ne sais pas qui a acheté l'hôtel, mais j'espère qu'il va réparer cette sacrée route, c'est tout ce que je peux dire.

Peu après, Cleo descendait de la voiture devant le spa. Elle entendit de grands éclats de rire en provenance de la terrasse. Tirant la lourde valise qu'elle avait empruntée à Trish, elle suivit le son jusqu'à l'arrière du Cloud's Hill. Elle trouva Leah et quelques clientes en train de boire du thé glacé et de bavarder.

Leah se leva et sourit à Cleo. Elle se dirigea vers elle et l'embrassa.

— Cleo ! Je suis heureuse de vous voir.

Une fois de plus, Cleo fut frappée par le parfum de Leah. C'était merveilleux d'être avec elle, d'être embrassée par elle, un peu comme s'il s'était agi d'une mère. Il y avait trop long-temps que Cleo n'avait pas ressenti l'affection maternelle. Et voilà qu'elle était de retour à Carrickwell et que, à l'évidence, ses proches ne se souciaient pas d'elle.

Elle éclata en sanglots bruyants et Leah n'eut même pas l'air étonnée. De la main, elle dit au revoir à ses clientes et entraîna Cleo vers la maison.

— C'est fatigant, de voyager. Laissez votre valise ici, mon chou, on la prendra plus tard.

— C'est si bon de vous retrouver ; je me sens accueillie, répondit Cleo entre deux hoquets.

— On peut être ému, quand on rentre chez soi. Mais c'est pire quand l'endroit que l'on appelait sa maison ne l'est plus.

Les sanglots de Cleo redoublèrent.

— C'est exactement ça. J'ai demandé au taxi de passer par le Willow et je l'ai trouvé si abandonné, si triste… C'est insupportable. De surcroît, j'ignore où sont mes parents.

— J'ai peut-être des nouvelles à ce sujet. Votre mère connaît-elle une Mme Hanley ?

— Oui, Irene Hanley.

— Elle pourrait aussi bien travailler pour la CIA, parce qu'elle est au courant de tout ce qui se passe dans cette ville. Je ne veux pas dire qu'elle colporte des ragots, simplement qu'elle sait à qui donner des informations pour en tirer le meilleur parti. Je l'ai appréciée.

— Moi aussi, je l'aime bien, dit Cleo en reniflant. Qu'a-t-elle raconté ?

— Vos parents, bouleversés par ce qui était arrivé, sont partis en vacances à l'étranger. Votre mère était désespérée de ne pas vous voir revenir après vous avoir téléphoné. D'après Mme Hanley, ça lui a causé du chagrin.

Cleo sentit monter une nouvelle vague de sanglots.

— J'avais trop de peine moi-même et elle m'a dit que je devais m'excuser. C'était comme si mon père et elle avaient pris le parti de mes frères et de ma belle-sœur contre moi. Ils ont refusé de voir que j'étais blessée d'avoir été tenue à l'écart des décisions importantes.

— Je suppose que tout le monde a souffert, dans cette

histoire. Si votre maman vous avait appelée quelques semaines plus tard, vous auriez été plus conciliante, n'est-ce pas ?

Cleo fit oui de la tête.

— Vos parents ont peur que vous ne vouliez plus jamais les revoir, ils craignent d'avoir tout gâché. C'est pour ça que, avant leur départ, ils ont demandé à vos frères de vous appeler. Ceux-ci devaient jouer les ambassadeurs.

— Mes frères seraient incapables d'épeler le mot « ambassadeur »... Quant à en être...

— C'est ce que pense Mme Hanley, acquiesça Leah. C'est une femme intelligente.

— Mes frères n'ont pas repris contact avec moi, dit Cleo avec rage.

Elle comprenait tout, à présent. Jamais ses parents ne seraient partis sans lui dire où ils allaient.

— La fille de Mme Hanley connaît bien la meilleure amie de Sondra. Elle a appris par elle que vos frères pensaient qu'il valait mieux vous laisser dans votre coin pendant un moment.

— Je parie que c'est Sondra qui est à l'origine de ça. Elle ne m'aime pas. Et mes frères sont trop faibles pour prendre une décision par eux-mêmes.

Cleo se remit à pleurer. Peu importait l'identité de la personne qui avait poussé ses frères à se conduire comme ils l'avaient fait, Cleo trouvait très dur qu'ils aient cherché à la punir.

Leah guida Cleo jusqu'à l'une des plus jolies chambres de la vieille demeure, une sorte de boudoir fleuri avec des rideaux roses et un édredon sur lequel des pétales semblaient avoir été cousus.

— C'est ravissant, soupira Cleo. On n'aménage plus ce genre de chambre. J'ai toujours rêvé d'en avoir une au Willow, mais personne n'était d'accord avec moi, sous prétexte que c'était trop féminin et qu'aucun homme n'accepterait d'y dormir...

— Je comprends, répondit Leah. Parfois, les femmes ont envie de froufrous.

— Ne devrais-je pas plutôt loger dans les quartiers du personnel ?

Après tout, Cleo venait ici pour travailler. Le Cloud's Hill connaissait un tel succès qu'il fallait une seconde réceptionniste. Cleo, de son côté, cherchait un travail qui ne la stresse pas, au moins pendant un moment.

— Si ; nous avions une jolie chambre pour vous, mais elle n'est pas tout à fait prête.

Ce n'était pas vrai. La chambre prévue pour Cleo était faite, mais Leah estimait que cela ferait du bien à la jeune fille d'être dorlotée quelques jours.

— Pourquoi ne vous coucheriez-vous pas tôt ? dit-elle en tirant les rideaux. Je vais vous faire monter un plateau. Ça vous permettra d'être tranquille.

— Ce serait très gentil.

A vivre avec les colocataires agités de Trish, Cleo n'avait guère eu le temps de réfléchir.

— Merci de tout cœur, Leah.

Leah serra encore une fois Cleo contre elle.

— Je suis ravie que vous soyez ici. Nous avons tous besoin qu'on s'occupe de nous, de temps en temps.

Pendant les deux jours suivants, Leah insista pour que Cleo se repose. Ce fut paradisiaque. Cleo essaya presque tous les soins proposés par le spa. Comme Leah le lui fit remarquer, cela lui permettrait d'en parler aux clientes en connaissance de cause. Cleo commençait à se sentir mieux. Elle avait déjà meilleure mine.

— Et ça remonte le moral, dit-elle.

Leah et elle étaient dans le jacuzzi, et Leah admirait ses mains fraîchement manucurées.

Cleo s'étira avec volupté dans l'eau chaude.

— Je pourrais m'habituer à ne rien faire !

— Vraiment ? demanda Leah. Je ne l'aurais pas cru. Si on m'avait posé la question, j'aurais répondu que vous faites partie des gens qui ont toujours dix projets en cours.

— C'est vrai, reconnut Cleo, mais c'est ce que je ressens en ce moment. Ne rien faire repose, quand ça représente une rupture dans les occupations habituelles, en particulier s'il s'agit d'un travail stressant. Leah, vous devriez être célèbre comme gourou de stage de motivation ! C'est incroyable ce que vous savez.

— Je ne sais rien de plus que les autres, répondit Leah. Je me contente de suivre mon instinct.

— Je me suis fiée au mien au sujet de Tyler, confia Cleo avec amertume, et je me suis trompée.

Pour la première fois depuis son arrivée au Cloud's Hill, elle se sentait assez forte pour parler de Tyler et se livra à Leah. Malgré l'ambiance détendue et lumineuse, elle eut de la peine.

Leah la rassura :

— Vous ne vous êtes pas trompée.

— Comment ça ?

— Il vous plaisait ; ça n'a pas tourné comme vous l'espériez, c'est tout. Je ne vois pas où serait l'erreur.

Cleo n'était pas certaine de bien comprendre.

— Vous pensez que j'ai quelque chose à apprendre de cet échec ? J'en ai assez d'apprendre ! Ça fait souffrir. Pourquoi doit-on en passer par là ? La leçon de ces derniers temps, c'est que votre famille peut en avoir assez de vous et que les hommes vous utilisent...

Cleo exagérait. Tyler ne s'était pas servi d'elle, pas plus que Nat, son cher Nat. Quel dommage qu'il n'ait pas été son style d'homme !

— C'est exactement ça, se fier à son instinct, reprit Leah d'un ton ferme. Qu'est-ce que ça vous inspire au sujet de vos parents ?

Cleo sentit monter l'envie de pleurer.

— Il est impossible qu'ils ne cherchent pas à me joindre.

— Vous voyez, votre instinct ne vous trompe pas. Votre mère vous a tendu la main pour que vous reveniez dans le giron familial, mais vous étiez trop choquée pour obtempérer. Puis vos frères ont été chargés de vous transmettre un message.

— Leah, je trouve très dur de repenser à tout ça. Ne pourrait-on pas juste profiter du jacuzzi ?

Leah sourit à Cleo.

— D'accord ! Mais je dois vous laisser. J'ai à faire.

Cleo songea que Leah venait de montrer une fois de plus sa finesse en la laissant réfléchir seule dans l'eau chaude, même si elle en avait assez de réfléchir ! Ses parents avaient, en effet, cherché à rétablir le contact avec elle et elle s'en réjouissait, malgré la tristesse que lui inspirait l'attitude de ses frères. Elle admit qu'elle aurait dû appeler son père et ressentit du remords à l'idée de ne l'avoir pas déjà fait. Elle tenterait de le joindre sur son téléphone portable un peu plus tard, juste pour savoir comment il réagissait. Elle se sentit mieux. Elle serait courageuse, se conduirait en adulte et réparerait les dégâts avec sa famille.

Il restait un point noir : Tyler et l'achat du Willow par Roth Hotels. Il n'existait pas de solution miracle. Même si Tyler arrivait à quatre pattes en répétant mille excuses, Cleo n'avait plus rien à faire avec lui. Tyler était un ennemi. Harry Málainn avait dû avoir le cœur brisé en découvrant qui avait acquis le Willow.

Tyler pouvait aller au diable ! Il ne s'était même pas manifesté... A son sujet, quoi qu'en dise Leah, son instinct avait trompé Cleo.

Elle sortit de l'eau en soupirant. De toute façon, elle ne risquait pas de revoir Tyler !

16

Daisy vivait chez sa mère depuis une semaine et s'était aussi peu que possible aventurée hors de son cocon. Elle s'était installée dans une routine qui n'aurait pas eu sa place même dans le livre de régime le plus tolérant. Le matin, elle s'affalait devant la télévision, en pyjama, avec des céréales noyées dans le sucre en guise de petit déjeuner, et regardait des rediffusions d'émissions qu'elle n'aurait pas imaginé voir un jour. L'après-midi, elle se rendait parfois en voiture jusqu'au magasin du carrefour et empilait de la nourriture dans un panier : du chocolat, des céréales, des pizzas et n'importe quel vin, pourvu qu'il soit en réclame. Le soir, elle mettait un CD d'opéra à pleine puissance et s'abîmait dans des océans de détresse tandis que les héroïnes chantaient à n'en plus finir leurs amours perdues. Puis, sans égard pour son tour de taille, elle avalait en une fois sa consommation d'alcool pour une semaine. Et ainsi chaque jour.

Daisy ne répondait pas aux appels téléphoniques, sauf une fois, pour dire à Mary qu'elle allait bien et qu'elle reviendrait bientôt, deux affirmations mensongères.

— Je me fais un sang d'encre pour toi. J'ai appelé ce menteur d'Alex et je lui ai dit de t'appeler. L'a-t-il fait ?

— Oui.

Daisy ne prit pas la peine d'expliquer à Mary que la conversation avec Alex s'était résumée à un message bref sur sa boîte vocale. Daisy avait commencé à songer que, si cela avait été possible, Alex l'aurait laissée tomber par répondeur interposé.

— Je lui ai dit ce que je pensais, poursuivit Mary. Quel salaud ! Il ne savait pas quoi me répondre.

Daisy éprouva une sombre satisfaction à imaginer Mary assenant ses quatre vérités à Alex. Mais à quoi bon ? Alex était parti et cela ne pouvait être changé.

— Tu ferais mieux de revenir travailler, Daisy. Crois-moi, je sais ce que c'est d'avoir le cœur brisé. Ce n'est pas en se terrant dans son trou qu'on arrange les choses. Alex ne représente qu'une partie de ta vie. Oublie-le et pense à l'avenir. Avoir un homme dans son existence n'est pas le début et la fin de tout.

Quand elle avait décidé de remonter le moral de quelqu'un, Mary n'était pas facile à arrêter. Mais, pensa Daisy, elle passait à côté d'un point essentiel : Alex avait été tout pour elle. Elle essaya de l'expliquer à Mary.

— Alex me donnait confiance en moi. Quand j'étais avec lui, je m'aimais et, quand je me retrouvais seule, je continuais à m'aimer, parce que lui m'aimait.

Pourtant, de quelque façon qu'elle le tourne, cela semblait stupide. Cela révélait un tel dégoût d'elle-même ! Une personne comme Mary, une vraie femme d'affaires, forte et sûre d'elle, ne pouvait comprendre qui était Daisy avant de rencontrer Alex. Elle était timide, terrifiée par le monde et avait peur de vivre. Alex avait changé tout cela. Surtout, et c'était le plus important, il avait amené Daisy à s'apprécier elle-même.

— Tu ne peux pas... Euh... Tu ne devrais pas...

Mary semblait avoir des difficultés à intégrer cet élément.

— Ce n'est pas Alex qui t'a faite ce que tu es, réussit-elle à formuler. Si tu lui dois tout, dis-moi comment tu te débrouillais quand il n'était pas là ? Réponds-moi ! Comment as-tu pu aller à Paris, à Londres, à Düsseldorf et réussir si bien dans ton travail, sans Alex à ton côté ? Tu y es arrivée grâce à tes qualités, pas grâce à lui !

La logique du raisonnement était sans doute évidente pour Mary, mais pas pour Daisy.

— Quand j'étais loin d'Alex, il me suffisait de savoir qu'il m'aimait. Qu'il soit dans ma vie signifiait que je me débrouillais bien, que quelqu'un tenait à moi. Je n'avais ni alliance ni bague de fiançailles pour le clamer à la face du monde, mais ça n'avait aucune importance. J'étais bien. Quand Alex est parti, tout s'est écroulé. Je n'avais pas l'air différente, mais à l'intérieur j'étais changée. Je me sentais... Je me sens impossible à aimer, bizarre...

— Etre seule ne veut pas dire ça, l'interrompit Mary. Daisy, tu ne peux pas prétendre que tu n'es rien simplement parce qu'Alex t'a quittée.

— C'est ce que je ressens. J'ai l'impression de m'être réveillée d'un beau rêve pour découvrir que j'ai dix-sept ans, et que je suis de nouveau obèse et seule. Alex m'avait arrachée à cette horreur.

— Non ! insista Mary. Tu ne dois qu'à toi d'avoir évolué. D'où m'appelles-tu ? De chez ta mère ?

— Non, comme elle est revenue, je suis chez des amis.

Daisy avait horreur de mentir, mais elle craignait que Mary ne vienne la chercher et ne la ramène dans le monde réel.

— Ne veux-tu pas t'installer chez moi ?

— Non, je te remercie. Je te rappellerai bientôt, promis.

Daisy ne voulait pas de la compagnie de qui que ce soit ; elle désirait rester seule. Elle raccrocha et erra dans la maison. Elle avait fini les biscuits au chocolat qu'elle avait achetés la veille, il n'y avait rien dans le réfrigérateur pour le dîner et il ne restait qu'une bouteille de vin. Inutile de chercher dans la cave à liqueur maternelle : Nan Farrell prenait exceptionnellement une gorgée de gin tonic ou de sherry lors d'une soirée, mais rien de plus.

Le père de Daisy avait été l'exact opposé. C'était un homme chaleureux, prêt à boire une bière au pub avec la première personne qu'il rencontrait. Cela ne lui laissait guère de temps pour sa famille. Daisy était presque heureuse qu'il soit parti vivre à l'étranger. S'il était resté dans la région, elle aurait peut-être dû réfléchir à la raison pour laquelle il avait préféré la compagnie d'inconnus à celle de sa femme et de sa fille. Elle l'adorait pour son humour et sa gaieté, qui contrastaient avec l'attitude rigide de sa mère. Mais il était sorti de sa vie.

Décidément, les hommes semblaient enclins à fuir le voisinage de Nan et de Daisy...

Et zut ! Elle avait besoin d'un verre. Cela contribuerait peut-être à atténuer cette douleur lancinante. Rien qu'un verre... Bizarrement, la dernière bouteille de vin fut bientôt vide.

Un verre de plus, et Daisy aurait réussi à oublier Alex, Louise, leur magnifique bébé... Elle glissa dans un rêve semi-éveillé où elle se voyait avec Alex et un nourrisson. Son premier enfant serait une fille. Elle était avec eux dans un grand lit, pas celui de leur appartement, mais un lit familial garni de gros coussins, d'oreillers et de peluches très douces. Et Alex regardait sa femme et sa fille avec adoration.

Ce rêve était parfait, car Daisy avait enfin un enfant. Elle ne demandait rien de plus. Qu'y avait-il de mal à cela ? Quelle tare portait-elle pour que cela lui soit refusé ? Car c'était sa faute, elle le savait. Alex avait mis Louise enceinte. Il n'était donc pas stérile. Daisy avait-elle commis quelque crime par le passé, qu'elle serait en train de payer par son infertilité, son incapacité à retenir un être vivant, homme ou enfant ? Les livres et les magazines s'élevaient contre cette idée, mais Daisy refusait leurs analyses rationnelles. Elle se souvint du témoignage de cette patiente anonyme, suivie à la clinique Avalon, sur la procréation assistée.

Est-ce ma faute ? Je ne peux pas en parler à T, parce qu'il me soutient que non, mais je me pose la question. Est-ce ma punition parce que je n'ai pas été une fille assez bien, une sœur, une amie, une épouse digne de ce nom ? La stérilité donne l'impression d'une maladie qu'on a attrapée parce qu'on est mauvaise. Parce qu'on a eu des relations sexuelles avec un homme avec qui on n'aurait pas dû en avoir, que cela nous a abîmée intérieurement. On croit qu'on a des reproches à se faire, quoi que disent les autres.

Le journal tenu par l'inconnue symbolisait la fin du bonheur de Daisy. Le jour où elle avait commencé à le lire, Alex lui avait annoncé qu'il voulait une séparation à l'essai. Comme elle avait été naïve, alors, de ne pas comprendre ce qu'il désirait réellement ! Elle se haïssait de s'être montrée si crédule, si pleine d'espoir. Deux de ses rêves avaient été anéantis en un instant. Elle avait perdu Alex et appris qu'elle était incapable d'avoir un bébé.

Elle sombra dans le désespoir et pleura toutes les larmes de son corps.

Elle avait dû finir par s'assoupir sur le canapé, car elle rouvrit les yeux une heure et demie plus tard. La journée touchait à sa fin. Le soleil couchant de cette belle soirée d'été illuminait la fenêtre à meneaux de devant. Des mugissements paisibles montaient tandis que les troupeaux se rendaient en procession vers les lieux de traite.

Daisy avait besoin d'un autre verre, qui lui permettrait de tout oublier. Mais elle n'était pas en état de prendre la voiture jusqu'au magasin pour refaire des provisions. Un réflexe d'autoprotection l'empêchait de commettre l'erreur de conduire quand elle avait trop bu ; elle n'était quand même pas tombée si bas. De plus, l'épicerie n'était qu'à cinq cents mètres à pied par le sentier, et la même chose pour revenir. L'exercice aiderait Daisy à mieux dormir et lui épargnerait ces réveils au milieu de la nuit, trempée de sueur.

Elle ne prit pas la peine d'effacer les traces de larmes sur ses joues ; elle se contenta de mettre un grand chapeau de soleil qui appartenait à sa mère et des lunettes noires. Elle suivit lentement le chemin, étourdie par l'alcool, l'esprit envahi d'obsessions. Pourtant, elle luttait pour les chasser. Le dîner ! Il valait mieux qu'elle réfléchisse à ce qu'elle allait manger. Elle pouvait acheter une tarte aux pommes faite maison, qu'elle agrémenterait avec de la crème et ferait descendre avec un grand verre de vin rouge. Cela l'arracherait à sa misère.

Quand elle atteignit le croisement, elle était si concentrée sur son besoin de ne pas penser qu'elle ne s'arrêta pas. Sans regarder, elle s'élança sur la route, très fréquentée. Il y eut un grand bruit de freins tandis qu'une voiture faisait un écart pour l'éviter. Daisy cria de peur.

Le véhicule s'arrêta devant le magasin, laissant des traces de pneus sur la chaussée. Sous le choc, Daisy restait plantée sur le bas-côté. Elle fixait la voiture sans la voir, incapable de pleurer, car elle n'avait plus de larmes. La conductrice, une grande femme aux cheveux noirs, en jean et chemise rose légère, descendit et courut vers Daisy.

— Etes-vous blessée ?

— Non... Oui... Non... bafouilla Daisy. Je ne voulais pas...

— Aimeriez-vous que je vous raccompagne chez vous ou préférez-vous que je vous conduise chez un médecin ?

— La maison... C'est à quelques minutes de marche.

— Vous ne pouvez pas marcher. Vous avez failli avoir un grave accident.

— J'ai des courses à faire, dit Daisy d'un ton brusque, comme si elle se réveillait.

Il lui fallait quelque chose à manger et, plus important, à boire.

— J'y vais avec vous et, ensuite, je vous ramène chez vous. Y a-t-il quelqu'un qui vous attend ?

Daisy fit non avec la tête. La femme, pendant ce temps, n'avait cessé de la dévisager.

— Vous êtes Daisy ?

Daisy prit enfin la peine de regarder son interlocutrice. Son visage lui parut familier.

— Je suis Leah Meyer, du Cloud's Hill. Je vous ai rencontrée quand vous êtes venue au spa, il y a environ deux mois. Vous travaillez dans la belle boutique de mode de Carrickwell, n'est-ce pas ? J'ai failli ne pas vous voir à cause du virage. Il est très dangereux. C'est un miracle si je ne vous ai pas renversée.

Daisy se retourna vers le croisement et le virage à angle aigu qui le précédait. Elle pensa à la façon dont elle avait débouché sur la route sans y penser. Si Leah avait conduit ne serait-ce qu'un peu plus vite, elle serait à présent inconsciente. Ses jambes se mirent à trembler.

— Excusez-moi. Il faut que je m'asseye.

Il y avait une minuscule station-service avec une seule pompe qui vendait du diesel. Un banc en bois était posé devant la guérite de la caisse. Daisy s'y laissa tomber.

— Attendez-moi ici ! ordonna Leah. Je vais chercher ma voiture et je vous reconduis chez vous.

Quelques instants plus tard, elle était de retour et aida Daisy à s'installer à la place du passager.

— Il faut prendre le chemin, indiqua Daisy. C'est le deuxième cottage, à cinq cents mètres.

Quand Leah arrêta le véhicule devant la maison indiquée par Daisy, elle ne put retenir une exclamation admirative.

— C'est ravissant !

— C'est chez ma mère ; elle est en voyage, expliqua Daisy en prenant la clé. Je me suis installée ici pour quelques jours.

— Dites-moi où est la cuisine. Je vais vous préparer du thé.

L'intérieur était assez propre. Daisy passait ses journées pelotonnée sur le canapé du salon et, le soir, elle enlevait les verres et les assiettes qu'elle avait laissés sur la table basse.

Mais la cuisine ! C'était une autre histoire. Sous l'évier en grès, Nan Farrell entassait les choses qui partaient au recyclage. Par habitude, Daisy y avait posé les bouteilles vides pour les emporter facilement le jour où elle partirait. Il y en avait une quantité scandaleuse, pensa-t-elle en voyant la pièce avec les yeux de Leah. Elle eut un geste vague en direction du désordre et faillit expliquer la présence des bouteilles par une fête qu'elle aurait organisée, mais cela lui parut peu convaincant.

— Je voulais aller à la déchetterie, mais je n'ai pas eu le temps.

— Vous êtes seule, ici ?

Daisy fit oui de la tête.

— Vous avez eu un choc, reprit Leah avec fermeté. Ce n'est pas une bonne idée que je vous laisse, ce soir. Vous venez passer la nuit au Cloud's Hill.

— Non...

Leah leva les mains en signe d'apaisement.

— Pas de problème, Daisy ! C'est à titre amical et vous me ferez plaisir en acceptant mon invitation.

— Euh...

— Parfait ! Je m'occupe de vos affaires.

Leah grimpa l'escalier en coup de vent, rassembla quelques vêtements, les rangea dans un fourre-tout qu'elle trouva par terre et redescendit.

— Vous devriez vous assurer que j'ai pris tout ce que vous voulez. Je vous attends dans la voiture.

Daisy monta dans son ancienne chambre et ne vit rien qu'elle ait envie d'emporter. Leah avait embarqué l'essentiel.

Elle pouvait aussi bien aller au Cloud's Hill. Pourquoi pas ?

Le parfum des roses réveilla Daisy à l'aube, le lendemain matin. En ouvrant les yeux, elle se demanda si elle n'était pas morte, si elle ne se retrouvait pas au ciel, dans un bateau en forme de fleur bleue. Au-dessus d'elle étaient drapés des flots de mousseline d'un bleu-gris très doux. Les housses d'oreillers, au bord festonné, étaient en coton bleu pâle, semé de petites fleurs. Le lit était couvert d'un boutis de damas ivoire avec des boutons brodés d'un bleu céruléen. Toute la chambre était décorée dans un subtil dégradé de bleu, jusqu'aux murs, de la couleur du ciel par un beau matin d'été. Daisy s'adossa contre les oreillers et découvrit l'origine du parfum de roses : un bouquet de fleurs d'un rouge velouté dans une coupe de cuivre martelé.

Daisy ne se souvenait pas vraiment de l'endroit où elle se trouvait, mais elle se sentait à l'abri, en sécurité. Elle se laissa retomber dans le lit et se rendormit. Pour la première fois depuis une semaine, elle récupérait. Quand elle s'éveilla de nouveau, il était neuf heures et demie, et elle mourait de faim.

Ses vêtements étaient dans le sac où Leah les avait pliés avec soin. Daisy prit une douche, se lava les cheveux jusqu'à ce qu'ils crissent sous ses doigts, puis s'habilla et quitta la chambre. Dans le couloir, il y avait quelques marches, qu'elle descendit. Elle se retrouva dans un corridor blanc, d'une austérité monacale, avec un sol aux dalles de pierre et d'étroites fenêtres hautes sans rideau. C'était certainement l'aile de l'ancien manoir Delaney qui était réservée aux domestiques.

Daisy aboutit à une immense cuisine. C'était celle du personnel. Une femme était déjà assise à la table de réfectoire et prenait son petit déjeuner. Elle portait l'uniforme du Cloud's Hill. Son visage était très frais, très jeune. Elle parut contente de voir Daisy.

— Bonjour, Daisy ! Je m'appelle Jane. Servez-vous du café, si vous en avez envie. Je vais prévenir Leah que vous êtes réveillée.

— Merci, bredouilla Daisy.

Elle se sentait déconcertée à l'idée que cette femme dont elle ignorait tout connaissait son prénom. Elle en était à la deuxième tasse de café et avait mangé des fruits et du pain grillé quand Leah arriva.

— Avez-vous bien dormi ? demanda-t-elle en versant de l'eau bouillante dans un mug.

— Oui, merci. La chambre est ravissante.

— C'est vrai ; c'est la bleu porcelaine.

Leah ouvrit un tiroir, y prit un sachet de thé et le plongea dans l'eau bouillante. Un parfum de framboise se répandit dans la cuisine.

— Je préfère la chambre rose, dit Jane.

— J'y ai installé Cleo. Vous vous entendrez bien avec elle, ajouta-t-elle à l'intention de Daisy. Maintenant, si vous voulez m'accompagner jusqu'à mon bureau, nous allons bavarder.

La pièce, petite, n'était pas très loin de la réception. Elle portait la marque de la personnalité de Leah jusque dans les moindres détails. Des étagères avec des livres, des peintures et des photographies couvraient les murs. D'autres photos étaient posées sur la table basse entre les deux fauteuils, ainsi qu'une délicate orchidée blanche. Sur le bureau trônait un téléphone noir d'un ancien modèle.

Leah s'installa dans l'un des fauteuils et Daisy prit place dans l'autre, sa tasse de café entre les mains.

— Tentiez-vous de vous tuer ?

— Pardon ? demanda Daisy, abasourdie.

— Hier ? Essayiez-vous d'en finir avec la vie ou était-ce un accident ?

Daisy en resta bouche bée.

— Un accident ! répliqua-t-elle enfin. Mais qu'est-ce qui pourrait vous faire penser le contraire ?

— J'ai constaté que vous aviez bu, au cours des jours précédents.

Outrée, Daisy répondit avec emportement.

353

— J'ai bu un peu de vin, c'est tout.

— Je dirais plutôt beaucoup de vin, corrigea Leah. J'ai vu les bouteilles, Daisy. Et vous n'étiez là que depuis une semaine. Alors, à moins que votre mère ne reçoive sans cesse, vous avez dû boire... deux bouteilles par jour.

Daisy rougit de honte.

— J'étais déprimée et j'avais besoin d'un remontant.

— L'alcool n'en est pas un. Toute personne pour qui deux bouteilles de vin quotidiennes représentent une quantité raisonnable a un vrai problème.

Daisy aurait voulu nier l'évidence, mais le choc l'avait rendue muette. Ce que Leah venait de dire était exact.

— Là d'où je viens, les gens ne boivent pas comme ça, reprit Leah. A Los Angeles, si quelqu'un prend un cocktail au déjeuner, les autres personnes présentes lui donnent le numéro des alcooliques anonymes. C'est un des reproches que je fais à l'Europe. On y boit et on y fume trop.

— Vous trouvez que les Européens font des excès ?

— Oui, mais il existe aussi des problèmes en Amérique. L'obésité en est un. Ici ou là-bas, les gens vivent dangereusement.

— Je connais beaucoup de femmes qui boivent autant que moi, insista Daisy.

— Les choses en deviennent-elles plus acceptables ?

Daisy eut l'impression que Leah lui donnait des leçons et se sentit soudain en colère. Comment cette étrangère osait-elle la juger d'après ce qu'elle buvait ? Daisy venait de subir une perte terrible et cette femme n'avait aucune idée de ce qu'elle endurait.

— Je ne vois pas ce qui vous autorise à me parler de cette façon, dit-elle avec hostilité.

Leah ne perdit pas pour autant sa sérénité.

— Rien, répliqua-t-elle, mais je dirige un centre de remise en forme. Ce serait lamentable si j'ignorais ce qu'on peut avaler ou pas sans nuire à son corps. C'est comme un moteur. Si vous voulez qu'il marche bien, vous y faites attention. Dans le cas contraire, vous utilisez le carburant de la plus mauvaise qualité, mais vous ne devez pas vous étonner quand vous tombez en panne.

— Je me fiche de mon corps. Je ne l'aime pas.

Daisy s'arrêta net, sidérée par ses propres paroles.

— C'est évident. Libre à vous de renoncer à construire votre vie et à prendre soin de vous... Mais, ce faisant, vous n'avez pas à détruire les autres. Je conduis plutôt lentement, mais si ça avait été quelqu'un d'autre ? Quelqu'un qui roule vite ? Vous auriez été renversée.

Daisy rougit de nouveau.

— Je sais, je n'arrête pas d'y penser.

— Et le conducteur tué. Il ne s'agit pas que de vous...

Daisy aurait tout donné pour que Leah se taise. Les coudes sur les genoux, elle enfouit son visage dans ses mains.

— Mon compagnon m'a quittée pour vivre avec une autre femme, qui est enceinte de lui. Vous comprenez, maintenant ?

A partir de là, Daisy dit tout à Leah : ses terribles années de solitude avant de rencontrer Alex, comment il lui avait donné le goût de la vie, son amour pour lui, son espoir d'avoir un enfant, sa quête d'un traitement contre la stérilité et, enfin, le départ d'Alex. Compte tenu de cela, Daisy estimait avoir le droit de se soûler ou se jeter du haut d'un pont.

— Si je comprends bien, vous voulez punir Alex de vous avoir fait souffrir en vous fabriquant une cirrhose ou en ayant un accident sur la route ?

Formulé ainsi, cela paraissait stupide.

— Non... Je désirais me sentir moins triste, rien de plus.

— Et punir Alex en vous faisant du mal ?

— Laissez-moi tranquille !

— C'est la vérité.

Daisy était sur la défensive.

— Non ! Quand on a mal, on a besoin de se défouler.

— Se défouler de cette manière ne donne jamais de bons résultats.

Daisy s'en voulait de ne pas mieux se défendre et en voulait à Leah de faire mouche. Elle venait de lui ouvrir son cœur et Leah lui renvoyait la réalité à la figure.

— Vous, vous savez tout, n'est-ce pas ? Vous êtes experte en peines de cœur ?

Leah ne répondit pas tout de suite. Elle prit le temps de boire son thé à la framboise, bien calée dans le fauteuil. Le silence dura deux minutes, puis trois, sans autre bruit que l'écho des téléphones qui sonnaient à la réception et de la jeune femme de l'accueil qui répondait d'une voix alerte.

— Puisque vous le dites, reprit enfin Leah, oui. Je suis experte en peines de cœur. Pourtant, je ne l'ai pas souhaité. J'ai perdu mon fils.

Daisy se sentit soudain glacée.

— Pardonnez-moi, bafouilla-t-elle.

Elle se souvint des spéculations auxquelles Mary et elle s'étaient livrées, où elles imaginaient Leah en riche divorcée sans aucune attache.

— Je suis une mère qui n'a plus d'enfant dont elle peut s'occuper.

Pour la première fois depuis longtemps, Daisy eut honte de sa conduite. Son espoir d'avoir un enfant s'était évanoui, mais elle n'avait pas perdu un enfant. Avoir un bébé et le voir mourir ne pouvait se comparer avec la perte d'un bébé imaginaire.

Ce n'était pas comme si on lui avait dit qu'elle n'aurait jamais d'enfants. Elle, elle avait de l'espoir. Elle rencontrerait peut-être le prince charmant, serait heureuse et donnerait la vie. Le fils de Leah était mort pour toujours.

— Qu'est-il arrivé ?

— Je n'aime pas en parler.

— Excusez-moi.

— Pas de problème. Je voulais dire que j'ai du mal à évoquer la mort de Jesse, mais je le fais quand même. Le chagrin, ça vous détruit de l'intérieur, et ça peut aider d'en parler. Du moins, d'après ce qu'on raconte.

— Je ne voulais pas remuer des souvenirs...

— Les souvenirs, interrompit Leah, ce sont des choses auxquelles on songe de temps en temps. Je pense à Jesse tous les jours. Il est avec moi à chaque instant.

Leah porta la main à son collier d'améthystes.

356

— Il m'a acheté ce collier pendant des vacances. Je l'ai mis de côté et, jusqu'à sa mort, je l'ai rarement porté. Désormais, il me donne une sensation de paix.

Daisy regarda Leah avec étonnement.

— Comment arrivez-vous à vous sentir en paix ?

— Il s'agit d'une paix relative, corrigea Leah. Celle qu'on crée en admettant qu'on ne peut changer les choses, même si on se réveille, la nuit, en pleurant. Il faut accepter la réalité. Apprendre à vivre avec.

Leah regarda Daisy avec un petit sourire amer.

— Je suppose que les vieux clichés sont encore ce qui marche le mieux...

— Je suis vraiment désolée pour vous, répondit Daisy.

— Jesse aurait eu trente-trois ans cette année. Il vous aurait plu, Daisy. Il était grand et très beau – à moins que ce ne soit un a priori maternel. Comme il avait de nombreuses amies, je dois être dans le vrai. Il avait de l'esprit, il était intelligent, gentil, et il aimait son chien. Je dois vous donner l'impression d'une mère aveuglée par l'amour de son enfant, n'est-ce pas ? Pour moi, mon fils était parfait. Malheureusement, il y avait une faille. Il aimait le danger. Il pratiquait le ski hors piste, avec dépose en hélicoptère, l'alpinisme, l'escalade à mains nues, tout ce qui fait trembler les compagnies d'assurances. Il faisait de la moto. C'est ainsi qu'il s'est tué.

Daisy ne pouvait pas imaginer qu'on survive à une perte pareille. Dans la même situation, elle aurait mis fin à ses jours.

— Comment vous en êtes-vous sortie ?

— J'ai appris à vivre seule. Je me suis regardée et je n'ai pas aimé ce que j'ai vu. La seule bonne chose de ma vie, en dehors de mon mari, avait été mon fils. Je voulais en finir, mais je n'ai pas eu le courage d'avaler les comprimés. C'était un moment épouvantable.

Daisy ne répondit rien, se contentant d'écouter.

— Pendant les deux premières années, j'ai survécu. Mon couple s'est défait. Il paraît que c'est assez courant après la perte d'un enfant. Ensuite, je me suis impliquée dans une association qui faisait campagne pour encourager les gens à donner leurs organes. Pour nombre de personnes, c'est assez inconcevable, mais, en réalité, la plupart d'entre elles n'y ont même pas pensé. Que faire de ses organes après sa mort reste un sujet de conversation malaisé. En travaillant pour cette organisation, je me suis aidée moi-même. En plus, j'avais l'impression d'œuvrer à quelque chose de bien pour le monde dans son ensemble. Mais ça ne suffisait pas. J'étais comme...

Leah hésita, cherchant les mots exacts pour décrire ce qu'elle avait ressenti.

— J'étais comme une droguée qui avait arrêté de prendre des substances dangereuses, mais restait dépendante, si vous voyez ce que je veux dire. Je n'avais pas réglé le problème.

Daisy acquiesça de la tête.

— Je donnais l'impression de vivre, mais ce n'était pas vrai, poursuivit Leah. A l'intérieur de moi, j'étais morte et je n'avais pas affronté la situation. Vous comprenez, je trouvais ce qui m'était arrivé terriblement injuste. Une mère ne devrait pas avoir à faire le deuil de son enfant.

— Je suis vraiment désolée pour vous, répéta Daisy, qui se sentait démunie devant Leah. Et, pour vous avouer la vérité, j'ai honte de moi. J'ai cru que le pire m'était arrivé, mais j'avais tort. Vous avez vécu le pire.

— Ne pas pouvoir avoir d'enfants est aussi un grand chagrin, répondit Leah. Il faut l'admettre et ce n'est pas facile. C'est la même chose quand une femme fait une fausse couche et qu'on lui conseille de faire un autre bébé. Comme si ça lui permettait d'oublier celui qu'elle a perdu ! De la même façon, vous pleurez celui que vous n'avez pas eu. Mais pour vous, Daisy, ce n'est pas fini. La relation avec Alex est morte, c'est certain, mais on ne vous a pas dit que vous n'auriez pas d'enfants. Et si c'était le cas, il vous resterait la possibilité d'en adopter ou de devenir parent d'accueil. Les seules limites sont celles que vous vous imposez à vous-même. Si vous adoptiez un enfant, serait-il moins le vôtre ?

— Non. Je n'y avais jamais pensé. Alex et moi allions d'abord suivre la procédure de procréation assistée ; ensuite, nous verrions ce qui arriverait. Le plus dur était de franchir le pas. Et pendant ce temps l'amour de ma vie me trompait et faisait un enfant à une autre femme. Quelle gourde j'ai été !

— Non ! s'exclama Leah. Quand on a mal, on se sent stupide, parce qu'on se reproche de ne pas avoir compris ce qui se passait. Mais si on savait ce qui nous attend on ne se lèverait plus le matin. Ce que je veux vous dire, c'est de garder l'esprit et le cœur ouverts à toutes les possibilités.

Leah regarda soudain sa montre.

— Je dois aller travailler, Daisy. Nous avons quelques clientes très sympathiques, aujourd'hui. Vous devriez les rejoindre, cet après-midi, et faire un ou deux soins, sans oublier le jacuzzi !

— Ça ne m'a pas réussi, pourtant !

Quelques jours après son passage au spa, Daisy était allée à la clinique avec Alex.

— Je suppose, rétorqua Leah, que vous n'étiez pas prête.

Cela fit tilt dans l'esprit de Daisy, sans qu'elle détermine de quoi il s'agissait.

— Mais je n'ai ni réservé ni prévenu...

Leah adressa un grand sourire à Daisy.

— Nous avons toujours une petite place pour quelqu'un qui en a vraiment besoin.

17

Ce même jour, Mel alla chercher Caroline à la gare de Carrickwell à huit heures du matin pour leur journée au Cloud's Hill.

Lynda s'occupait des filles toute la matinée et Karen prenait la relève dans l'après-midi. Quant aux fils de Caroline, la sœur de Graham les récupérerait à l'école. Quand Mel avait expliqué l'organisation de la journée à Adrian, il s'était extasié :

« Très diplomatique !

— J'ai affiné mes dons de diplomate hier, quand Sarah et Carrie ont voulu jouer au même moment avec le même jouet. On a frôlé la guerre et j'ai réussi à ramener la paix.

— Comment ?

— J'ai confisqué le jouet, je leur ai mis leur dessin animé préféré et j'ai usé de corruption à l'aide de lait chaud et de biscuits.

— Si j'étais toi, je me présenterais aux élections présidentielles. Je te jure que je voterais pour toi. »

Mel souriait encore au souvenir de cette conversation quand elle aperçut Caroline qui descendait les marches, une valise à la main.

— Coucou ! lui lança Mel.

Elle s'interrompit net. Au lieu d'avoir l'air excitée à l'idée du moment de détente qui l'attendait, Caroline semblait épuisée. Elle avait les yeux rouges, comme si elle avait pleuré durant tout le trajet depuis Dublin.

Mel eut soudain la vision d'une grosse dispute entre

Graham et Caroline. Si elle ne se trompait pas, le bien que Caroline aurait retiré de cette journée était réduit à néant.

— Ça va, dit Caroline d'une voix tendue. Graham était content de me voir partir jusqu'à demain. Sa sœur s'occupera des enfants et il pourra travailler tard...

Elle eut un petit rire triste et parut sur le point de craquer.

— J'aimerais savoir où il ira ce soir. Un restaurant romantique, comme ceux où il m'emmenait, ou un hôtel de luxe avec... l'autre. Et sa sœur n'y verra que du feu. Il lui racontera qu'il a invité des clients à prendre un verre.

— Tu n'es même pas certaine qu'il ait une liaison !

Les apparences étaient contre Graham, mais cela ne signifiait pas que c'était vrai.

— Je sais, mais...

— Viens, on parlera dans la voiture.

Mel prit son amie par les épaules et la serra contre elle. Pauvre Caroline !

— Je ne devrais pas pleurer, mais je ne peux pas m'en empêcher. Je suis nulle, n'est-ce pas ? Je ne peux quand même pas aller dans ce spa élégant avec cette allure-là.

— Personne n'y fera attention ! Sinon, tu n'auras qu'à dire que tu t'es fait enlever les points noirs en prévision du masque. Ça ferait pleurer n'importe qui.

Mel ne sut jamais comment elle avait trouvé le chemin jusqu'au Cloud's Hill, car elle était si occupée à réconforter Caroline qu'elle conduisait sans faire attention. A présent que Caroline avait enfin pu avouer à quelqu'un que cela allait mal, elle n'arrivait plus à s'arrêter.

— Je me sens minable, fit-elle entre deux sanglots. J'ai l'impression que tout est ma faute. Je sais que j'ai changé, mais qu'y puis-je ? Les enfants passent en premier. Graham est assez vieux pour s'occuper de lui-même et se préparer un sandwich s'il en veut un. Je ne prends plus la peine de le lui faire. Ce qui m'exaspère, c'est qu'il désire que ce soit comme avant, que je le materne, alors que j'ai déjà tant à faire avec les garçons. Je devrais être une super-maman et une super-maîtresse. Sans oublier la super-carriériste que j'étais quand il m'a connue. Je ne peux pas...

— Bien sûr que non ! C'est impossible, confirma Mel. Tu as changé. Moi aussi, depuis que j'ai arrêté de travailler. Ça demande une énorme faculté d'adaptation et Graham aurait dû le comprendre.

Mel remercia en elle-même le ciel de lui avoir fait rencontrer un homme comme Adrian, qui avait accepté le changement de vie de sa femme sans problème. Il l'aimait pour ce qu'elle était et non pour le rôle qu'elle jouait. Quand quelqu'un vous aime vraiment, on peut être soi-même. Mel ne pouvait pas le dire à Caroline. Elle aurait l'impression de vouloir se montrer supérieure. Or, elle se sentait juste chanceuse.

Elles finirent par arriver au Cloud's Hill.

— N'est-ce pas superbe ? s'enthousiasma Mel.

C'était, en effet, somptueux. De plus, l'altitude et l'environnement montagneux donnaient aux lieux un air de sérénité.

— Tu te rappelles, quand on était jeunes et qu'on économisait pour aller se faire faire des soins au salon en face du bureau ? fit Caroline d'un ton rêveur.

Quand Mel et elle avaient commencé à travailler, la majeure partie de leur salaire servait à payer le loyer et les sorties. Elles se débrouillaient pour, en plus, s'offrir des nettoyages de peau et des épilations soignées.

— J'ai adoré cette époque de ma vie, ajouta Caroline. Je croyais que tout irait bien.

— Ça va s'arranger, répondit Mel.

Pourvu que ce soit vrai !

Au cours des trois jours qu'elle venait de passer au Cloud's Hill, Cleo s'était peu à peu détendue. Jusqu'alors, elle ne s'était pas rendu compte à quel point elle était tendue. Elle avait marché des heures dans la montagne autour de l'établissement et avait pris plaisir à monter au sommet du Mount Carraig. De là-haut, elle avait découvert Carrickwell dans le lointain. Elle avait aussi apprécié de discuter avec les membres du personnel. Tous adoraient Leah.

Niall, qui avait travaillé comme manœuvre sur le chantier du spa, en était devenu l'homme à tout faire. Il avait raconté à Cleo que Mme Meyer lui avait donné le meilleur conseil de sa vie. Sa mère et sa petite amie s'entendaient mal et il se sentait déchiré entre elles deux. D'un côté, il voulait demander à Lizza de l'épouser ; de l'autre, il savait que sa mère en serait furieuse. Quand une future belle-mère et sa belle-fille se détestent, qui peut présager de l'avenir ?

Mme Meyer avait dit à Niall que cela donnait l'impression que chacune des deux femmes voulait être la seule dans sa vie. Or, avait-elle souligné, c'était impossible.

« Elle m'a suggéré de les réunir, de leur dire que je ne pouvais me passer d'elles, que je ne supportais plus leur comportement de gamines et que c'était à elles de décider de s'entendre. Ça a marché ! avait conclu Niall avec ravissement. Je ne sais pas comment, mais ça a marché.

— Je vois ce que tu veux dire », avait répondu Cleo.

Il lui suffisait de penser à ses longues conversations avec Leah. Elle ignorait comment Leah s'y prenait, mais elle l'amenait doucement à trouver elle-même la solution à ses problèmes – solution que, en réalité, elle connaissait depuis le début. Cleo commençait à admettre qu'elle devait se réconcilier avec Barney et Jason, et téléphoner à ses parents. Elle avait été folle de laisser une brouille stupide la séparer d'eux.

Elle appela Trish pour lui en parler.

— Tu devrais venir au Cloud's Hill, ajouta-t-elle. Ça te plairait. Je peux t'avoir un prix. Je me suis à nouveau fait faire un massage indien de la tête et...

— Cleo, laisse tomber ton histoire ! Tyler a appelé. Il te cherchait.

— Quoi ? Comment a-t-il eu le numéro ?

— Je suppose qu'on le lui a donné à l'hôtel. Tu sais bien qu'il y a tout dans ton dossier et que, si on veut une information, il suffit d'y mettre le prix.

Trish paraissait très au courant de ces pratiques.

— Personne n'est à l'abri de l'espionnage, comme je te l'ai toujours dit. Dès lors que ce qui te concerne figure dans la mémoire d'un ordinateur, n'importe qui peut y accéder.

— Trish ! soupira Cleo, tu dois arrêter de lire des romans policiers. Qu'est-ce que Tyler a dit ?

Cleo était excitée à l'idée qu'il ait essayé de reprendre

contact avec elle. Il s'intéressait à elle ! Elle n'était pas que son passe-temps de Dublin. A moins qu'il ne fasse partie de ces hommes qui ne supportent pas de rencontrer une fille sans l'emmener au lit et arriver à leurs fins.

— Ce n'est pas moi qui ai décroché, mais Ron, précisa Trish.

— Ron !

Cleo faillit hurler. Elle imaginait ce que Tyler penserait après qu'un homme avait répondu au numéro censé être le sien.

— Je te rappelle que Tyler l'a rencontré le soir où vous êtes sortis ensemble pour la première fois et où nous nous sommes retrouvés au pub. Donc, Tyler a fini par comprendre que nous vivions tous ensemble.

C'était fichu pour l'histoire chic de la maison en ville partagée avec une amie que Cleo avait imaginée.

— Ensuite ?

— Ron a dit à Tyler que tu étais retournée à Carrickwell comme si tu avais le feu où tu penses et que tu étais hors de toi parce qu'un voyou avait acheté ton hôtel pour le démolir. Il a prétendu que tu allais te jeter devant les bulldozers pour les arrêter.

Cleo espéra un instant qu'il s'agissait d'une des plaisanteries de Trish.

— Il n'a pas raconté ça ?

— Je crains que si. Tu sais que Ron n'est pas une lumière. Je l'ai traité de tous les noms, quand j'ai appris ça. Je lui ai rappelé que tu n'avais jamais rien dit de semblable, mais il est convaincu que tu en es capable.

— Et ensuite ?

— Tyler a demandé si Ron faisait allusion au Willow et, comme le gros idiot qu'il est, Ron a rétorqué que oui, et qu'il t'était passé sous le nez.

— Ça suffit ! grogna Cleo. Zut ! Et après ?

— Tu oublies que ce n'est pas le style de Ron de remarquer les émotions d'autrui. Pour lui, quand une femme dit qu'elle a envie de parler, ça signifie qu'elle a un problème sentimental, et qu'elle veut l'empêcher de regarder le foot et lui gâcher la journée en partageant son problème avec lui.

— Tu as raison, reconnut Cleo. Tyler lui a-t-il dit s'il irait à Carrickwell pour me voir ?

Cleo croisa les doigts, espérant que ce soit le cas.

— Non, mais Ron et Tyler ont décidé d'aller à un match de foot ensemble, la prochaine fois que Tyler viendra à Dublin.

— Ça, c'est génial ! Vraiment génial ! La bonne vieille complicité masculine dans son expression la plus primaire !

Cleo ruminait encore cette conversation quand deux femmes passèrent le seuil de l'hôtel et se dirigèrent vers son bureau. C'était sa première matinée de travail et, jusqu'alors, elle avait apprécié d'être à l'accueil. A l'idée de passer une journée de détente, les clients arrivaient décontractés. Aucun n'était entré en pestant contre le retard de son avion ou les embouteillages qui l'avaient empêché d'être à l'heure à une réunion.

— Bonjour ! dit Cleo avec un grand sourire. Je suis heureuse de vous accueillir au Cloud's Hill. Que puis-je pour vous ?

— Nous avons réservé aux noms de Mel Redmond et Caroline Casey.

C'était la plus petite des deux femmes qui avait parlé. Elle était très jolie, avec son visage aux pommettes bien dessinées et ses immenses yeux bleus. Elle avait une expression pleine de vie. Ses cheveux blonds étaient coiffés à la mode, dans un style savamment décoiffé que Cleo adorait. Malheureusement, ce genre de coupe était impossible avec sa chevelure.

L'amie de la jeune femme, qui semblait triste, s'appuya contre le bureau comme si elle risquait de tomber. Cleo trouva les fiches de réservation.

— Si vous voulez bien signer ici, dit-elle à la blonde. Vous avez vingt minutes d'avance par rapport à l'heure de votre premier soin. Voulez-vous vous installer au petit salon pour vous relaxer ? Je vais vous y faire apporter du café et des viennoiseries.

— Avec plaisir, répondit Mel.

— Vous démarrez par un soin du visage en aromathérapie

avec Li-Chan et Mme Casey est inscrite pour un soin holistique du corps aux boues minérales.

— Ça a l'air formidable, dit Mel.

— Je vous le garantis ! Je pense que vous aimerez aussi la séance de réflexologie. J'en ai fait une hier et j'ai trouvé ça extraordinaire. Vous avez l'impression de flotter sur un petit nuage. Pour finir, vous avez rendez-vous pour un massage et une manucure avec un enveloppement de paraffine.

Mel n'avait cessé de sourire en écoutant le programme.

— J'avais hâte d'être ici ! soupira-t-elle.

Il n'était que cinq heures de l'après-midi, mais Leah se sentait fatiguée. Elle n'avait plus la même énergie qu'à l'époque où Jesse était petit.

Depuis sa conversation avec Daisy, elle avait beaucoup pensé à lui. Non qu'il ne soit sans cesse dans ses pensées et dans son cœur. Entendre Daisy parler de son désir d'enfant avait rappelé à Leah l'enfance et l'adolescence de Jesse. Elle s'était remémoré ces années heureuses, où son mari, son fils et elle skiaient ensemble. Ils se levaient tôt et passaient la journée sur les pistes. Le soir, quand ils rentraient, épuisés et heureux, ils s'installaient dans le jacuzzi qui dominait le lac et parlaient.

Jesse adorait le ski. Il n'avait peur de rien. « Maman ! Regarde ! » hurlait-il à l'âge de six ans, alors qu'il se débrouillait déjà très bien. Il prenait ses virages sans hésitation et poussait sur ses bâtons, les yeux brillants ; il réalisait des prouesses que Leah n'aurait pas osé imaginer.

Ils allaient en général dans le grand chalet confortable de Vanna, la mère de Leah, à Tahoe. Vanna ne l'utilisait plus depuis des années, préférant la chaleur de Los Angeles, même si elle s'abritait du soleil.

Le soleil ? Parfait pour vieillir ! Vanna, une ancienne starlette de séries B qui était devenue une reine des feuilletons télévisés, avait appris à sa fille à se protéger des rayons ultra-violets. « Ton visage, c'est ton seul trésor, disait-elle avec une ferveur quasi religieuse. Il faut faire le maximum pour rester jeune, car, quand tu as perdu ta beauté, tu n'as aucune chance de la retrouver. » Tout en parlant, elle caressait ses pommettes hautes et sa figure qui commençait à se faner.

Leah aurait pu devenir comme elle, obsédée par l'apparence et les biens matériels, s'il n'y avait pas eu Sol et Jesse. Sol Meyer possédait un magasin de meubles. Leah l'avait rencontré à l'âge de vingt-cinq ans. « Il n'est pas dans le cinéma ? » avait demandé Vanna d'un air horrifié quand elle avait appris que Leah sortait avec lui. Pour elle, on ne pouvait pas être quelqu'un si on ne faisait pas partie du monde du cinéma. « Moi non plus, je ne suis pas dans le cinéma. Et j'aime Sol. » Vanna avait théâtralement balayé l'explication de sa fille d'un geste de sa main manucurée. « Quelle importance ! Tu en reviendras. » Leah avait épousé Sol et, deux ans plus tard, Jesse était né. Les Meyer vivaient dans les faubourgs de Carmel. Jesse allait à l'école locale et les affaires de Sol prospéraient. Ils étaient devenus riches, mais leur vie restait la même : confortable, chaleureuse et heureuse.

Ensuite, Jesse était allé à l'université faire des études d'ingénierie aéronautique. Il se passionnait pour le programme d'exploration spatiale et avait visité plusieurs fois les installations de la NASA à Houston. Quand les nuits étaient claires et que la famille était installée sur la terrasse de la maison, Jesse désignait les étoiles. « Regarde, maman ! Il y a un monde à explorer, là-haut. L'humanité n'a appréhendé qu'une infime partie de l'univers. Il reste tant à découvrir ! »

Leah, qui avait le vertige sur un tabouret, avait frissonné en imaginant son fils bien-aimé dans les étoiles. Mais on doit laisser les gens vivre leur vie.

Le téléphone avait sonné, un matin de sinistre mémoire. Très tôt. C'était Carl, le meilleur ami de Jesse, qui appelait de l'hôpital. Des jeunes gens qui avaient volé une voiture avaient fait une embardée devant la moto de Jesse et il s'était écrasé contre un mur.

L'équipe médicale avait été formidable avec Leah et Sol. Jesse était en état de mort cérébrale, mais ses organes fonctionnaient. La question était de savoir si ses parents accepteraient qu'on les prélève. C'était un choix terrible pour eux. Leur fils était mort, mais ses cornées, son foie, ses poumons, son cœur, sa peau pouvaient être greffés sur des malades qui seraient sauvés. Par la suite, Leah avait entendu dire que, dans les hôpitaux, on appelait les motos des « cycles à donneurs ».

Eperdus de chagrin, son mari et elle avaient essayé de réfléchir à ce que Jesse aurait aimé qu'ils fassent. Mais ce n'était pas un sujet qu'on abordait en famille. Carl les avait aidés à trouver la réponse. Quoique traumatisé, il refusait de rentrer chez lui, pour soutenir Leah et Sol. Il leur rappela la course à laquelle Jesse avait participé, peu de temps auparavant, au profit d'une association pour les enfants atteints du cancer. Il s'était impliqué. « Je pense qu'il aurait voulu donner tout ce qu'il pouvait donner. Vous savez, c'est une façon de continuer à vivre... » Jesse disait avec affection que Carl parlait comme un néo-hippie.

Leah et Sol avaient donné leur accord pour qu'on prélève les organes de Jesse. Carl avait serré Leah dans ses bras, un peu comme Jesse l'aurait fait, en lui disant que c'était le bon choix. Il pleurait.

La mort de Jesse avait permis à douze personnes en attente d'une greffe de recommencer à vivre ; elle avait aussi marqué le début d'un changement d'existence pour Leah. Celle-ci ne savait plus qui elle était ni où elle était. Elle avait affronté le chagrin d'une manière différente de Sol. Soudain, cela avait été comme si son mari et elle habitaient des mondes différents. En moins d'un an, ils s'étaient séparés, après vingt-six années de mariage. Ils étaient incapables de supporter leur peine respective. Chaque fois qu'ils s'asseyaient pour dîner, Leah pensait que Jesse aurait dû être avec eux et elle se levait pour aller pleurer.

Elle n'aurait jamais cru qu'elle reprendrait goût à la vie. Elle avait essayé diverses thérapies, des démarches de guérison, des retraites dirigées par des évangélistes à la télévision, tout ce qu'elle avait pu trouver. Une amie l'avait emmenée dans un spa en Arizona. L'endroit était loin de tout et baigné de soleil, absolument superbe dans son environnement sauvage. Il donnait l'impression de ne pas avoir été touché par la civilisation. Là, dans la chaleur et la poussière, dans ce lieu radicalement différent de tout ce qui avait donné du charme à son ancienne vie, Leah avait trouvé la paix.

Le spa portait le nom de Cloud's Hill, qui était celui que les Indiens avaient donné à ce petit territoire rocheux. Des gens d'horizons très divers y venaient pour se remettre d'une maladie ou d'un choc émotionnel. Sequoia, la propriétaire, une Indienne sans âge, accueillait aussi bien les milliardaires, dont le jet atterrissait sur la piste privée, que les personnes démunies, car elle gérait le Cloud's Hill de telle sorte que les riches subventionnaient ceux qui n'avaient pas les moyens de payer. Pendant la première semaine de son séjour, Leah avait passé beaucoup de temps avec deux adolescentes califor-niennes qui tentaient de se refaire une santé après avoir arrêté la drogue. Elle avait aussi fait de longues marches avec un acteur new-yorkais devenu boulimique après la mort de sa mère. D'après Sequoia, le lieu exerçait un effet bénéfique sur les clients en les aidant à dépasser leurs problèmes.

«Vous vous débrouillez bien avec les gens, avait-elle dit à Leah. Vous êtes gentille et douce, vous connaissez la souf-france. On ne peut pas aider autrui à s'en sortir si on n'est pas soi-même tombé très bas. Accepteriez-vous de travailler avec moi ? »

Leah était restée deux ans au Cloud's Hill. Elle y avait découvert qu'elle s'aidait elle-même en aidant les autres et qu'elle était douée pour cette tâche. Sa souffrance ne disparaî-trait jamais et, si elle avait eu tendance à être dépendante, comme nombre de personnes qui avaient défilé au Cloud's Hill au cours de ces deux années, elle serait devenue droguée aux médicaments, alcoolique ou boulimique. Tenir son chagrin à distance était une nécessité, mais, quand on se réveillait le matin, il était toujours là. Il fallait trouver un moyen de vivre avec.

Un jour, Leah avait avoué à Sequoia son désir de créer un spa à l'image du Cloud's Hill dans un autre lieu.

Trouver l'endroit lui avait demandé du temps. L'ancienne maison Delaney, sur le Mount Carraig, lui avait paru parfaite. Quant au nom, il s'était imposé de lui-même.

« Il y a un Cloud's Hill en Arizona, j'aimerais en créer un en Irlande. Me permets-tu d'utiliser le nom ?

— Bien sûr ! avait répondu Sequoia. Nos deux centres seront comme des étoiles jumelles dans le ciel, éclairant le chemin de ceux qui ont besoin de se ressourcer. »

Leah s'était rappelé que Jesse aimait les étoiles et le vaste espace où elles brillaient, et avait pensé que Sequoia avait compris.

On frappa à la porte de son bureau.

— Leah, dit Cleo, vous nous rejoignez dans le jacuzzi ?

— Oui, et j'ai proposé à Daisy de venir avec nous, si elle en avait envie.

Cleo avait fait la connaissance de Daisy la veille, au dîner.

— Parfait ! Il y a deux autres clientes qui n'ont pas encore terminé leurs soins, Mel Redmond et Caroline Casey. Je viens de croiser Mel dans les vestiaires. Elle attendait Caroline pour se rendre au jacuzzi.

— Je vous y retrouve dans cinq minutes.

La salle du jacuzzi faisait face au sud-ouest. En fin de journée, les panneaux coulissants laissaient entrer la lumière du soleil couchant. La tiédeur du soir se mêlait ainsi aux vapeurs d'eau chaude.

Mel se glissa dans le bassin. Elle se sentait très bien. Malheureusement, elle n'était pas certaine qu'il en soit de même pour Caroline. Elles avaient passé une journée extraordinaire à se faire dorloter, mais le moral de Caroline ne s'était guère amélioré. Au cours du déjeuner, Mel, agacée qu'elle soit dans cet état d'esprit, s'était fait un devoir de la secouer. Mais en la voyant jouer avec son alliance d'un air absent elle s'en était voulu de son impatience. Caroline voulait sauver son couple et refusait de prendre une décision précipitée. C'était la solution la plus courageuse, Mel le savait.

Caroline alla s'asseoir en face d'elle dans l'eau chaude et s'abandonna, les yeux clos.

Il y avait déjà une autre cliente dans l'eau, plus jeune que Mel, très séduisante, avec des formes voluptueuses, une peau laiteuse de rousse et une masse de boucles flamboyantes ramassées en chignon. Elle avait timidement souri à Mel et Caroline en les voyant arriver puis avait fermé les yeux. C'était un moyen facile de ne parler à personne quand on était si près les unes des autres.

Une voix les arracha à leur rêverie.

— Qui veut un jus de fruits ?

C'était la jeune femme qui les avait accueillies à leur arrivée. Elle était chargée d'un plateau plein de verres et de carafes colorées. Mel se souvint de son nom : Cleo.

— J'ai de l'orange et de la mangue. Et aussi, poursuivit Cleo avec un grand sourire, pour celles qui ont besoin de mettre du piment dans leur vie, du fruit de la passion !

Cela les fit rire.

— En ce qui me concerne, reprit Cleo, c'est bien la seule passion que je risque de connaître, en ce moment.

— Je n'en crois pas un mot ! releva Mel. Je parie que je suis la plus vieille, ici. Vous, les jeunes, êtes en proie aux ardeurs sentimentales.

Elle avait inclus la belle rousse dans les « jeunes ».

— Je ne peux pas imaginer que vous soyez la plus âgée d'entre nous, dit Cleo, étonnée.

« Encore quelqu'un qui ne me donne pas mon âge », songea Mel.

— Si, insista-t-elle. J'ai la quarantaine. Et vous ? Vingt-quatre ans ?

— C'est si évident ? répondit Cleo en riant. J'essaie désespérément de paraître davantage pour donner une impression de sérieux dans mon travail. J'ai un diplôme de gestion hôtelière. Ça m'aiderait d'avoir l'air plus âgée.

— C'est certainement le seul cas où ça peut aider ! intervint Caroline. Puis-je avoir un jus de fruit de la passion ?

— Moi aussi, s'il vous plaît, renchérit Daisy.

Elle se tourna ensuite vers Mel.

— Vous vous trompez au sujet de la passion. En ce qui me concerne, c'est aussi le seul genre de passion qui m'attend. Un grand verre, Cleo, s'il vous plaît !

Cleo leur servit ce qu'elles demandaient puis les rejoignit

dans le jacuzzi. Elles laissèrent passer un moment de silence relaxant. Ce fut Caroline qui le brisa.

— Je n'aurais pas cru qu'un jacuzzi apporte une telle détente. Je n'en avais jamais vu l'intérêt, mais c'est vraiment très apaisant.

— Je suis d'accord avec vous, répondit Daisy. La première fois que je suis venue ici, Leah m'a expliqué que ce bain était celui de la vérité. Ou bien était-ce de la sincérité ?

— Non, intervint Cleo. Je crois qu'elle m'a parlé de la vérité.

Caroline éclata de rire.

— Ne me dites pas que l'eau chaude oblige à avouer la vérité ? Si c'est vrai, ce jacuzzi a dû entendre pas mal de secrets. Je ne pense pas que les miens l'intéresseraient beaucoup.

— Vous devez dire ce que vous aimeriez le plus avoir au monde, lui expliqua Daisy. Surtout, vous ne devez pas tricher.

Elle se souvint du mensonge dont elle s'était rendue coupable le jour où elle était venue avec Mary et Paula. Elle avait prétendu qu'elle aimerait manger autant de chocolat qu'elle en avait envie.

— Vous vous rappelez, quand on était adolescentes et qu'on jouait à « Action ou Vérité » ? demanda Cleo.

— Je détestais ça ! répondit Mel avec une grimace. Les autres filles essayaient de vous forcer à révéler des détails intimes. Et on ne pouvait pas se défendre.

— Moi, dit Daisy, je n'y ai jamais joué.

On ne demandait pas aux filles grosses de participer à un jeu dans lequel on risquait d'aborder les questions sexuelles. Daisy effleura le bourrelet de son estomac sous l'eau. Elle n'arrêtait pas de prendre des kilos, depuis quelque temps. Elle devrait renouveler sa garde-robe.

— Daisy, je ne peux pas le croire ! lâcha Cleo.

Daisy fit signe que c'était pourtant vrai.

— Avec Mel, on a joué à « Action ou Vérité », il y a pas mal d'années, intervint Caroline. Nous travaillions dans la même société et nous avons eu quelques moments de fou rire.

Elle se tourna vers les deux autres avant de poursuivre.

— Maintenant, on est devenues des casse-pieds coincées à la maison. J'ai trois garçons et je suis mère à plein temps.

Elle jeta un regard méfiant à Cleo et Daisy, comme pour les défier de dire quoi que ce soit de négatif sur les femmes qui choisissent de rester chez elles pour s'occuper de leur progéniture.

Mel remarqua que Caroline n'avait pas indiqué qu'elle était mariée.

— J'ai arrêté de travailler pour m'occuper de mes enfants il n'y a pas très longtemps, précisa-t-elle. Je suis mariée et j'ai deux petites filles, Sarah et Carrie.

Elle ne s'autorisa pas à dire qu'elle travaillait pour Lorimar. Ce genre de présentation appartenait au passé. Ce qu'elle avait été n'avait plus d'importance. Ce qui comptait, c'était ce qu'elle était devenue. Elle n'avait plus besoin d'annoncer son poste dans une société pour se définir.

— Ça doit être merveilleux de rester chez soi à s'occuper de ses enfants, dit Daisy avec envie. J'adorerais avoir des enfants, mais...

Elle s'interrompit. Elle avait failli utiliser une expression hypocrite comme « cela ne s'est pas produit ». Pourquoi mentir ? Où cela l'avait-il menée ?

— Mon ami et moi, nous nous sommes séparés récemment, juste avant que nous commencions un traitement dans le cadre de la procréation assistée. Je n'arrivais pas à être enceinte. Désormais, ce n'est plus à l'ordre du jour.

La voix de Daisy avait tremblé.

— Je suis désolée pour toi, dit Mel en lançant un regard de sympathie à Daisy.

Elle était spontanément passée au tutoiement, touchée par le désarroi de Daisy.

— Que s'est-il passé ? demanda Caroline.

Pour la première fois depuis le début de la journée, elle semblait oublier ses propres difficultés.

— Il a dit qu'une séparation nous ferait du bien.

— Bien sûr ! s'exclama Cleo avec véhémence. Ce n'est pas la première fois que je l'entends, celle-là !

— C'est typique de ces sales menteurs, renchérit Caroline.

Daisy haussa les épaules et se laissa glisser dans l'eau jusqu'au menton.

— J'ai cru que c'était l'histoire de la procréation assistée qui lui faisait peur, mais j'ai découvert qu'il était amoureux d'une autre, une femme avec qui il travaille. En plus, elle était enceinte. Enfin, je veux dire qu'elle est enceinte.

Caroline en resta bouche bée.

— C'est affreux ! fit Mel.

— Oui, vraiment affreux, ajouta Cleo, qui était devenue livide. Daisy, je suis désolée, je n'avais aucune idée de ce qui était arrivé. Hier soir, au dîner, Leah nous a expliqué que vous étiez venue pour reprendre des forces, mais je ne pensais pas que c'était si grave. Quelle trahison !

Quand sa famille lui avait tourné le dos, elle avait pensé qu'il n'y avait rien de pire ; elle s'était trompée. Il s'agissait d'une banale dispute familiale et elle pouvait faire marche arrière. C'était elle qui avait décidé que les siens ne l'aimaient pas, puisqu'ils n'avaient pas capitulé devant elle. Cela aurait été différent s'ils l'avaient froidement mise à la porte, dans le genre de ce que son petit ami avait infligé à Daisy.

— Qu'allez-vous faire ? s'enquit Cleo. Va-t-il rester avec l'autre femme ?

Daisy eut une expression désabusée.

— Il l'aime.

— Je suis navrée pour toi, dit à son tour Mel. Ça doit être difficile à vivre.

Elle trouvait Daisy si jolie, si séduisante, avec ses formes pleines, si touchante ! Peu de femmes auraient eu l'air aussi sexy qu'elle dans un jacuzzi brûlant, avec les cheveux ramassés en chignon à la diable.

— Vous ne pouvez pas le reprendre, trancha Cleo.

— Avant de venir ici, c'est ce que j'aurais voulu, avoua Daisy. Quelles que soient les conditions...

Cela lui faisait du bien de l'exprimer, de dévoiler qu'elle avait été dépendante d'Alex.

— Ce serait impossible de revivre avec lui ! insista Cleo.

En ce qui la concernait, jamais elle n'aurait accepté de servir de solution de remplacement. L'amour devait être pur, sinon ce n'était pas de l'amour.

— Avez-vous pensé à l'autre femme avec son bébé ? Ils seraient toujours présents, d'une façon ou d'une autre.

— J'ai bêtement imaginé qu'elle vivrait de son côté, sans que ça empêche Alex d'assumer ses responsabilités vis-à-vis de l'enfant. Nous en aurions eu un, nous aussi, et Alex serait resté avec moi. Nous aurions eu notre propre famille et ça aurait tout arrangé.

— Et, reprit Cleo, en regardant votre ami dormir, vous ne vous seriez jamais demandé à qui il souriait ? Moi, si !

Mel avait eu envie de poser cette question indiscrète, mais s'était abstenue, d'autant plus que Caroline était au bord des larmes.

— Alex aurait été à mon côté, expliqua Daisy, comme si cela suffisait. C'est ce que je pensais. Maintenant, j'ai compris que ça n'aurait pas marché. C'est ma faute si nous n'avons pas eu d'enfants. Alex a prouvé que le problème ne vient pas de lui. Quoi qu'il en soit, nous ne pouvons pas reprendre notre histoire comme s'il ne s'était rien passé. Si Alex le voulait, nous y arriverions peut-être. Seulement, il ne le veut pas et il n'y a rien d'autre à dire.

Daisy avait toujours cette impression que, dans sa tête, une petite lumière clignotait, comme pour lui signifier quelque chose. Mais quoi ?

— Si Alex vous l'avait demandé, vous auriez essayé de reprendre la vie commune ? demanda Caroline d'une voix tremblante.

— Peut être... Qui sait ?

— C'est juste que...

Caroline tendit la main derrière elle pour prendre sa serviette sur le carrelage et s'essuyer les yeux.

— Je pense que mon mari a une liaison et je ne sais pas quoi faire, lâcha-t-elle.

Mel en eut le souffle coupé.

— Vous le « pensez » ? dit Cleo en se penchant vers Caroline. A votre place, je le lui demanderais. Et si c'était vrai je le jetterais dehors sur-le-champ, et avec ses valises ! En prime, je viderais son portefeuille avant de le lui lancer à la tête, pour qu'il ne lui reste pas un centime et qu'il doive aller pleurer chez ses copains. Je me débrouillerais pour qu'il comprenne ce que c'est que d'être humilié en public !

Mel éclata de rire. Cleo était vraiment trop drôle de parler de façon si convaincue !

— Désolée, Cleo ! C'est un projet fabuleux mais peut-être pas si facile à exécuter. Et si...

Mel regarda Caroline et se dit qu'elles étaient toutes différentes les unes des autres. Cleo, pleine de l'impétuosité de la jeunesse, se débarrasserait du traître ; Caroline s'évertuerait à préserver son couple pour épargner ses fils.

— Imaginez que vous ayez des enfants, reprit Mel, et que vous aimiez votre mari...

Daisy les regarda d'un air pensif.

— Ça dépendrait d'une chose : m'aimerait-il assez ou pas. S'il voulait recommencer et moi aussi, ce serait possible. Nos rapports seraient différents et il me faudrait un long moment pour lui faire à nouveau confiance, mais je pense que j'y arriverais.

Daisy comprenait que, si Alex était revenu vivre avec elle, ils auraient dû déployer beaucoup d'énergie pour transformer leur relation et parvenir à ce que cela marche entre eux. Si Daisy était restée la femme passive et intériorisée qu'elle avait été, la situation se serait répétée : Alex aurait été l'élément fort de leur couple et Daisy se serait contentée de lui plaire, parce qu'elle était prête à tout pour qu'on l'aime.

— J'ignore si Graham m'aime toujours ou même s'il veut encore être marié, dit Caroline d'une petite voix.

Cleo s'insurgea.

— Demandez-le-lui ! Ne perdez pas de temps, foncez !

— Je crois que vous avez raison. Je vais le faire. Je lui poserai la question dès demain, en rentrant chez moi.

Caroline se tourna vers Mel, guettant son approbation.

— Faire l'autruche n'arrange rien. Je sais que tu veux agir dans l'intérêt des garçons, mais te voiler la face ne peut pas leur faire de bien.

Soudain, Mel estima qu'elle pouvait dire ce qu'elle pensait au fond. Elle espérait que cela ne vexerait pas son amie.

— Caroline, reprit-elle, les enfants ont des antennes. S'il y a des problèmes entre les parents, ils s'en aperçoivent tôt ou tard. Je pense donc que tu dois la vérité à tes fils, comme tu te la dois à toi-même. Tu es une mère formidable et je t'admire...

Mel en avait assez dit et même peut-être trop. Caroline se mordit la lèvre, mais adressa un signe à Mel en lui disant merci. De son côté, constatant le chagrin de Caroline, Cleo se reprocha d'avoir été si directe.

— Ne faites rien que vous n'ayez envie de faire, simplement parce que j'ai parlé trop vite, dit-elle. Je suis du genre tout ou rien, vous savez. D'ailleurs, ces derniers temps, je n'ai fait que de mauvais choix. En quelques mois, j'ai réussi à me brouiller avec ma famille et à laisser tomber le seul homme qui m'ait jamais vraiment fait battre le cœur, parce que, au moment où j'ai agi, j'étais convaincue que c'était la seule solution. Cleo, la super-héroïne, la seule qui sait détruire des relations d'un coup !

Mel était heureuse de voir la conversation se porter sur quelqu'un d'autre.

— Cleo, fit-elle, ce ne peut pas être si catastrophique !

— Si ! soupira Cleo. Vous voyez, j'ai rencontré un homme formidable...

Elle raconta sa courte aventure avec plus ou moins de détails.

— J'ai pensé que Tyler m'avait menti. Mon amie Trish me répète qu'il n'avait aucun intérêt à le faire. Comme elle a tendance à voir des conspirations partout, si elle pense que Tyler a été sincère, je peux la croire. Mais j'étais si furieuse quand j'ai vu les plans de transformation du Willow que j'ai pris la fuite.

— Et vous n'avez pas parlé à Tyler depuis ? demanda Daisy.

Cleo eut un signe de dénégation.

— Je ne lui ai jamais donné mon numéro de portable, parce que nous nous voyions tous les jours et qu'il pouvait me trouver à la réception quand il le désirait. De mon côté, j'avais le numéro de sa suite. De toute façon, après ce que j'ai fait, je ne vois pas pourquoi il aurait envie de renouer. Mais c'est du passé et je n'ai pas l'intention de regarder en arrière.

— Et votre famille ? demanda encore Daisy.

— Je vais téléphoner à mes parents, mais je dois d'abord m'expliquer avec mes frères.

Caroline hocha la tête d'un air pensif.

— Eclaircir la situation, c'est aussi ce que je dois faire. C'est bien ton avis, Mel ?

— Caroline, quoi que tu décides, cela devra te permettre de te sentir bien, dit Mel en marchant sur des œufs. Réfléchis et agis selon ce qui te semble le mieux pour toi. Tu sais, je ne suis pas experte en la matière. Songe au temps qu'il m'a fallu pour prendre la plus grande décision de ma vie.

— Et c'était la bonne ! souligna Caroline. Je te sens plus heureuse qu'avant.

— Qu'avez-vous fait ? demanda Cleo.

Ces femmes avaient déjà vécu tant de choses !

Mel lui décocha un sourire un peu ironique.

— Je travaillais et, à partir d'un certain moment, c'est devenu trop lourd. J'étais au service de la publicité des assurances Lorimar et j'adorais ce que je faisais, mais, après la naissance de mes filles, tout a changé. Chaque journée s'est transformée en parcours du combattant et j'avais du mal à m'en sortir. Bien sûr, j'avais des idées sur la mère que je voulais être et la carrière que je désirais mener, mais les deux n'étaient pas compatibles. Désolée, je vous ennuie avec mes problèmes. Vous n'avez certainement pas envie de m'en entendre parler.

— Mais si ! s'exclama Daisy.

— Je vous en prie, continuez, renchérit Cleo.

— La plupart des sociétés ne sont pas prêtes à se pencher sur la question des mères qui travaillent, reprit Mel. Les responsables ne comprennent pas que la flexibilité des horaires ou le partage du temps peuvent être bénéfiques pour tout le monde. Ils ne voient qu'une chose, c'est que ces salariées partent à cinq heures pile et doivent prendre des jours de congé quand leurs enfants sont malades. Les dirigeants estiment qu'elles ne parviennent pas à se concentrer sur leur travail. Ils veulent des gens qui s'investissent totalement. Ça implique de rester tard, de savoir aller prendre un verre au pub avec son patron, bref, de faire semblant de ne pas avoir de vie personnelle. Et ainsi chaque jour, parce que seule l'entreprise compte. Ce sont des bêtises ! Tout le monde a une vie en dehors de son travail. Les femmes sont juste plus honnêtes sur ce point.

Mel était lancée et n'avait pas envie de passer à autre chose.

— Certaines, cependant, qui sont cadres, se comportent comme les hommes, car c'est pour elles la seule façon de faire leur chemin dans le monde professionnel. Si vous êtes une femme et que vous refusez de leur ressembler, elles vous regardent de haut. Ma patronne était comme ça. Il m'aurait été difficile de l'accuser de sexisme…

— Je n'aurais jamais cru que ça se passait ainsi. Je pensais qu'il existe des lois pour protéger les femmes au travail, dit Cleo en se redressant, prête à s'enflammer et à combattre l'injustice. Elles sont aussi douées que les hommes sur tous les plans. L'époque où elles devaient faire leurs preuves est révolue. Le féminisme, c'est de l'histoire ancienne. Personne ne devrait avoir à s'enchaîner aux grilles du tribunal, telle une suffragette, pour obtenir la reconnaissance de ses droits !

Mel regarda Cleo et poussa un grand soupir.

— Les femmes, jusqu'à la génération de ma mère, ont dû prouver qu'elles étaient les égales des hommes. Néanmoins, elles sont, par nature, différentes, parce qu'elles portent les enfants et, souvent, s'en s'occupent ; et nul ne leur facilite la tâche.

Daisy était pensive. Elle avait imaginé que la maternité l'entraînerait dans une vie de rêve, où elle continuerait à travailler sans problème, en mettant son bébé dans un kangourou.

— Je n'avais pas envisagé la question sous cet angle-là, dit-elle. Vous savez, je suis associée dans une boutique de prêt-à-porter. Je suppose que je parviendrais à mieux me débrouiller que la plupart des femmes, parce que je suis en partie propriétaire de l'affaire.

— Si vous n'étiez qu'une employée, que se passerait-il ? demanda Mel. Votre patronne serait-elle compréhensive, si vous deviez prendre quelques jours parce que votre enfant est opéré et que vous souhaitez rester avec lui à l'hôpital ?

— Je ne sais pas...

— Mel, êtes-vous plus heureuse depuis que vous avez cessé de travailler ? s'enquit Cleo.

Elle n'imaginait pas de vivre sans travailler et construire sa carrière. Pourtant, elle avait toujours pensé qu'elle élèverait ses enfants au Willow, de la même façon qu'elle y avait été élevée – ce qui ne risquait plus d'arriver.

Mel prit le temps de réfléchir à la question.

— Je n'ai plus besoin de me débrouiller pour faire des choses avec mes enfants, c'est-à-dire de réussir à caser en une heure ce qui nécessite une journée. Et ça ne m'empêchait pas de me sentir coupable de mal m'en occuper. Quant aux filles, elles se couchaient fatiguées en se demandant pourquoi leur maman était si énervée. Le soir, j'essayais de jouer avec elles et je les mettais au lit trop tard. Ça me faisait mal au cœur et je me disais que j'avais tout raté. Donc, oui, je suis plus heureuse. Ce qui ne signifie pas que tout est rose. Parfois, je crie contre Sarah ou Carrie, même si je me le reproche après. Par ailleurs, je n'ai pas une minute à moi, même pour aller aux toilettes ! Je songe aussi que j'aurais dû réussir à tout assumer. Vous comprenez, avec un seul salaire, ce n'est pas facile. J'ai donc peur que les filles ne manquent de quelque chose. Le sentiment de culpabilité mène toujours la danse !

— Mais, reprit Cleo, si vous étiez parvenue à concilier vie privée et activité professionnelle, auriez-vous continué à travailler ?

C'était une question à mille euros, pensa Mel. En effet, quelque chose lui manquait. Bien sûr, Adrian et elle étaient heureux. Ils avaient du temps pour être ensemble et leurs conversations ne se limitaient plus à « Bonsoir, comment ça s'est passé aujourd'hui, il y a une pizza dans le réfrigérateur ». Quant à Sarah et Carrie, elles s'épanouissaient. Pourtant...

Mel avait besoin de trouver son équilibre. Elle n'avait pas envie de recommencer à courir comme une folle, mais aspirait à renouer avec le monde du travail. En revanche, cette fois, cela se ferait en fonction de ses besoins.

— J'aimerais à la fois m'occuper de mes enfants et m'accomplir. Beaucoup de gens y parviennent, ce doit donc être possible. Je n'ai pas encore trouvé comment.

— Mais comme l'a suggéré Daisy ! répondit Cleo d'un ton triomphant. Soyez votre propre patronne ! Vous travaillerez aux heures qui vous conviennent et accepterez que vos éventuelles collaboratrices jouent sur les horaires pour assumer leur fonction correctement.

— Pourquoi ne te lancerais-tu pas ? intervint Caroline avec intérêt. Rien ne t'empêche de créer ta société chez toi et de t'associer avec des personnes qui veulent un emploi du temps flexible.

Cleo commençait à se passionner pour l'idée.

— Oui, c'est ce que vous devriez faire !

— Et tu préparerais des muffins quand tu en as envie, plaisanta Caroline.

— Vous n'oubliez qu'un élément : les filles. Quel genre de société pourrais-je lancer ?

Cleo balaya l'objection d'un geste énergique.

— Je suis certaine qu'on va trouver.

— Et si j'essayais d'abord le travail à temps partiel ? Ça me permettrait de savoir si je peux combiner les deux. Ensuite, je m'attaquerais à la création d'entreprise.

Daisy hocha la tête d'un air approbateur.

— Ça me semble raisonnable. Et je propose que nous nous rencontrions chaque mois, pour voir comment Mel se débrouille.

— Tu veux dire, comment nous nous débrouillons toutes, intervint Caroline, chacune avec un projet.

— Je crois que je vais m'occuper des miens demain, dit Daisy. Ce soir, j'ai juste envie de me détendre.

Le petit signal qui n'avait cessé de clignoter dans son esprit devint soudain clair. Elle avait compris !

— Je sais à quoi je pensais ! Vous connaissez l'adage « Le

maître arrive quand l'élève est prêt » ? J'ai cru qu'il s'appliquait à moi au moment où je me suis décidée à recourir à la
procréation assistée. En réalité, il me concerne maintenant. Je
suis prête à transformer ma vie. Je le sens ! Je vais déménager. Je n'arrête pas d'y songer, parce que, là-bas, tout me
parle d'Alex. Ça ne me fait plus peur. Je vais tout changer.

Elles levèrent avec ensemble leurs verres de jus de fruits à
présent vides.

— Buvons au changement ! lança Mel.

Leah s'était assise sur un banc en bois, juste sous les baies
du jacuzzi. Quand elles étaient ouvertes et qu'il n'y avait pas
d'autre bruit que le bourdonnement des insectes dans les
derniers rayons du soleil couchant, on percevait ce qui se disait
à l'intérieur. Leah était sortie pour cueillir des fleurs, mais, en
entendant la voix de ses clientes, avait préféré les laisser seules.
Elles se débrouillaient très bien sans elle.

18

— Je suis chaque jour plus forte, plus belle, plus intelligente. J'ai de plus en plus confiance en moi...

Daisy soupira.

— Tu parles à ton miroir, grande gourde ! Et regarde ce bouton !

En théorie, l'idée de se répéter des formules d'encouragement chaque matin devant une glace était excellente ; en pratique, Daisy se sentait ridicule. Cela lui donnait aussi la possibilité de voir son visage de trop près. Comment n'avait-elle jamais remarqué que ses pores étaient dilatés ? Ils étaient énormes, de vrais cratères.

Renoncer à l'alcool pour boire des litres d'eau n'avait pas eu l'effet attendu sur la peau de Daisy. Ses reins et son foie devaient apprécier le changement, mais sa vessie était en état de choc. Quant aux toxines, elles s'évacuaient par des boutons peu sympathiques. Daisy avait d'abord lutté contre l'apparition de trois bubons sur le front, puis une éruption moins grave sur le menton, mais une nouvelle pustule, gigantesque et brillante, était en train d'éclore au milieu du front. Ce mode de vie plus sain rendait Daisy horrible ! En plus, elle avait toujours ses kilos en trop, car elle avait troqué la bouteille de vin du soir contre une boîte de chocolats. Néanmoins, une semaine après son retour du Cloud's Hill, elle se sentait mieux.

Elle s'était offert quelques vêtements pour aller avec sa nouvelle silhouette et avait commencé à chercher un logement dans les environs. Elle avait vu deux ou trois appartements, parfaits, dans le centre de Carrickwell. Quant aux maisons, bien qu'elle ait dit à l'agent immobilier qu'elle n'était pas vraiment intéressée, il y en avait une qui lui avait tapé dans l'œil. En revenant du Cloud's Hill, elle avait vu un panneau « A vendre » sur un ravissant cottage.

Leah l'appela, comme elle le faisait presque tous les matins avant qu'elle parte travailler.

— Je suis encore triste, dit Daisy, mais j'arrive à y faire face. Je sais que le chagrin ne va pas disparaître en un clin d'œil. La différence, c'est que j'ai confiance en moi. Est-ce que ça vous paraît stupide ? demanda-t-elle d'un ton inquiet.

— Pas du tout ! Je trouve que vous vous débrouillez bien, Daisy. Vous affrontez ce qui n'allait pas dans votre vie et ça vous donne la capacité d'aller plus loin. Avant, vous réprimiez vos émotions et vos sentiments ; désormais, vous avez moins peur de prendre des coups.

— Pourtant, ça fait mal, répondit Daisy sur un ton ironique. Vous n'avez pas idée du nombre de publicités pour les couches qui passent à la télévision, même très tard. Je ne vois que ça, partout, des bébés en train de gazouiller. C'est à vous briser le cœur. Par exemple, j'ai vu un film sur une mère dont on avait enlevé la fille. Je n'ai pas arrêté de pleurer pendant la première moitié, comme si c'était mon bébé qu'on m'avait pris.

— Je comprends, répliqua Leah d'une voix douce. A la mort de mon fils, j'ai eu l'impression qu'il y avait soudain trois fois plus d'hommes de trente-trois ans en Californie. Ils étaient partout, à la station-service, à la caisse des magasins, sur les trottoirs, marchant d'un air heureux, en bonne santé, vivants. C'était comme s'ils me rappelaient en permanence celui que j'avais perdu. Et je me disais : « Pourquoi n'est-ce pas l'un d'eux qui est mort à la place de Jesse ? »

— Leah, j'ai honte de pleurnicher sur votre épaule comme je le fais. Vous avez assez souffert pour ne pas devoir supporter mes gémissements. Je suis désolée.

— Daisy, quand vous me confiez vos sentiments, vous m'aidez. Il y a peu de gens avec qui je peux parler de ce que j'ai ressenti à la mort de Jesse. Quand vous évoquez Alex et votre chagrin de ne pas avoir d'enfants, je sais que vous pouvez comprendre. Nous nous aidons mutuellement.

— Leah, je vous promets de ne plus me plaindre. Hier soir, quand j'ai trouvé ce film trop dur, j'ai zappé sur une chaîne d'informations. Il y avait un reportage sur les orphelins du sida en Afrique. Quelle claque ! Je suis en train de pleurer sur ma boîte de chocolats, et voilà ces enfants, avec toute la détresse du monde dans les yeux. Il n'y a plus personne pour s'occuper d'eux, car leurs parents sont décédés. Je me suis dit que je ferais mieux de m'impliquer dans une association qui essaie de les aider. Ça semble si égoïste de s'apitoyer sur soi en permanence, vous ne croyez pas ?

— Je vous admire, Daisy, dit Leah en souriant.

— M'admirer ? répéta Daisy d'une voix étranglée.

— Vous êtes généreuse et tendre. Un jour, j'en suis sûre, vous serez une mère formidable. Et si vous adoptez un enfant ça ne fera pas de différence ; vous serez une vraie mère pour lui.

Pendant quelques instants, Daisy resta pétrifiée.

— Je l'espère, Leah, dit-elle enfin.

Comme elle se sentait mieux, Daisy avait repris son travail. Les vêtements, les chaussures et les accessoires qu'elle avait commandés en février arrivaient par cartons entiers. Chaque jour, il s'agissait de déballer, d'enregistrer et d'étiqueter des dizaines d'articles. En même temps, il fallait ranger les invendus de la collection automne-hiver.

Mary et Daisy étaient en train de vérifier un colis de magnifiques tricots français quand Daisy mentionna distraitement qu'elle avait décidé de déménager.

— Pourquoi ? demanda Mary. Tu as un très bel appartement. Tu serais folle de t'en débarrasser.

— Tout m'y rappelle Alex.

Daisy continua à déballer des gilets confortables, des cardigans aux coloris subtils et des petits hauts à bord de velours. Elle les avait adorés dès qu'elle les avait vus au salon de Paris, en janvier, et constatait qu'ils lui plaisaient toujours autant. Il était si facile d'acheter des modèles qui avaient l'air fantastiques à première vue, mais qui vous décevaient à la livraison.

— Tu dis n'importe quoi ! répondit Mary. Ma maison me rappelle Bart, ce n'est pas une raison pour que je la quitte.

Daisy éclata de rire. Mary avait un certain talent pour tourner les choses en dérision.

— C'est différent. Tu as les enfants. Alex et moi n'avons rien qui nous lie. Nous n'avons même pas parlé de ce que nous voulions faire de l'appartement.

— J'espère que tu vas trouver un avocat redoutable qui t'obtiendra un arrangement financier avantageux. Je vais te donner le nom du mien, il est parfait. Il me doit toujours une balade dans la Porsche qu'il s'est offerte avec les honoraires que je lui ai versés...

— Je n'ai pas envie d'un tueur. Je veux lâcher prise et construire ma vie.

Depuis que Daisy avait séjourné au Cloud's Hill, elle ne pensait à rien d'autre. Elle avait passé trop de temps prisonnière du passé, vouant une gratitude éternelle à Alex pour l'avoir arrachée à son triste sort.

— Lâcher prise et déménager ne veut pas dire que tu dois devenir stupide et brader ce qui a de la valeur. Tu possèdes la moitié d'un bien qui représente beaucoup d'argent. Par ailleurs, il est normal que tu obtiennes quelque chose après avoir passé quatorze ans avec Alex.

— Oh ! On ne peut pas dire qu'il ne m'a rien laissé, répondit Daisy du tac au tac. Et mon énorme complexe d'infériorité, voyons !

Mary s'esclaffa.

— Je ne pense pas qu'un tribunal considérerait ça comme un atout.

— En toute honnêteté, je crois que j'en étais déjà atteinte longtemps avant de rencontrer Alex. Je veux ma part de l'appartement, et rien d'autre. Je n'attends pas un centime de plus, Mary.

— Et où penses-tu aller ? J'espère que tu ne vas pas quitter Carrickwell.

— Il y a un cottage en vente pas très loin de chez Leah. Pas très loin de chez ma mère, non plus... Je suis passée deux ou trois fois devant en voiture. Je le visite samedi après-midi. Je n'avais jamais pensé à acheter une maison, auparavant, mais c'était parce qu'Alex n'aimait que les appartements. J'ai cru que c'était aussi mon cas, mais non. C'est drôle.

Carla passa la tête par la porte de la réserve.

— J'ai vendu des dizaines d'articles en solde, dit-elle, ravie.

Elle tendit un jean à l'ourlet brodé à bout de bras.

— Personne n'a essayé celui-ci depuis des jours. Est-ce qu'on doit baisser le prix ?

Daisy prit le pantalon en soupirant tandis que Carla retournait dans le magasin.

— Je suppose que nous n'avons pas le choix. Je vais m'occuper de l'étiquette. Je déteste les soldes ! C'est un reproche permanent pour ce que j'ai acheté à tort. J'aurais cru que les clientes succomberaient à ce joli modèle.

— C'est le cas ! Simplement, en taille 36, il n'a pas trouvé d'acheteuse.

— Avant, j'entrais dans du 36.

— Ah non ! Ne commence pas !

— Promis ! Je vais perdre tous ces kilos.

— Pourquoi ? Tu crois que si tu es de nouveau mince Alex te reviendra ?

— Non ! Je veux juste être belle. Et ainsi, aux salons du mois prochain, je me trouverai un homme extraordinaire.

— Si c'est ton programme, je viens avec toi ! plaisanta Mary.

Elle se réjouissait que Daisy retrouve son énergie. Elles savaient toutes les deux que l'idée de flirter n'effleurait pas Daisy, mais en rire était un pas dans la bonne direction.

— Pas question, Mary ! Tu ne m'accompagnes pas. D'après Cleo, les hommes sont plus enclins à draguer les femmes qui voyagent seules. Elle prétend qu'elle le constate sans arrêt dans les hôtels. Les femmes en groupe représentent une menace pour les hommes.

— D'accord, je n'ai rien dit. Mais n'oublie pas d'acheter quand même quelques vêtements pendant que tu chercheras ton bel inconnu, tu veux bien ? Nous avons une affaire à faire tourner !

Le cottage était à un peu plus d'un kilomètre avant le Cloud's Hill. Là, la route faisait pas mal de virages. La propriété était protégée par un long mur de pierre doublé d'une haute haie. Daisy ne savait pas trop à quoi s'attendre. Les agents immobiliers présentaient les biens à vendre avec un optimisme exagéré. « Rare sur le marché ! Un cottage ancien, au caractère remarquable ! » pouvait aisément désigner une bâtisse hideuse, humide, dépourvue de chauffage et qui avait vue sur une ligne à haute tension.

Daisy arriva devant le portail d'entrée de The Anchor. « L'Ancre » ? Si elle l'achetait, elle s'empresserait de changer le nom. Il n'y avait pas le moindre rivage à des kilomètres de là. En découvrant la réalité, elle soupira de plaisir.

Le cottage offrait une image idéale, avec son toit en pente, sa porte bleu marine et son joyeux fouillis de fleurs sauvages dans le jardin. A moins que son nom ne signifie qu'il y avait de gros problèmes de plomberie, pour Daisy, il était parfait. Il y avait des fenêtres à meneaux, comme chez sa mère. En fait, on avait l'impression que les deux maisons avaient été dessinées par le même architecte.

L'agent immobilier attendait avec la clé.

A l'intérieur, la référence maritime prit tout son sens. A l'évidence, le propriétaire était fou de bateaux. Il y avait d'innombrables maquettes, en bouteille ou non, et mille objets d'origine maritime suspendus au plafond. Les murs avaient besoin d'être rafraîchis et la moquette du hall, du salon et de la minuscule salle à manger aurait pu accéder au statut d'antiquité. Malgré tout, l'ensemble possédait du charme.

L'agent immobilier s'aplatit contre le mur de la cuisine pour laisser Daisy entrer.

— La pièce n'est pas grande, mais vous pouvez créer une extension. Et admirez le panorama !

De l'arrière de la maison, on bénéficiait d'une vue extraordinaire sur la vallée, avec Carrickwell au loin, dans son écrin de montagnes. Daisy imagina qu'elle faisait ajouter une véranda et s'y installait pour admirer le paysage, comme dans le jacuzzi du Cloud's Hill.

Elle se sentit chez elle, en sécurité.

Le baptême du bébé de Paula était prévu pour le dimanche suivant. En dépit des progrès qu'elle avait faits en deux semaines, Daisy n'avait pas envie d'y aller. La petite Emma se portait bien et sa mère voulait que tout le monde assiste à la cérémonie puis à la réception. Daisy avait peur que cela ne la fasse déprimer de nouveau. Voir des bébés dans les publicités était une chose, en approcher un vrai, une autre.

— Il faut que tu viennes, lui dit Paula au téléphone. Je sais que ce n'est pas facile pour toi depuis qu'Alex t'a quittée, mais, s'il te plaît, Daisy, ce serait terrible si tu n'étais pas là.

Daisy se réjouissait de ne pas avoir parlé à Paula de sa visite à la clinique Avalon. Si Paula avait été au courant, elle n'aurait pas insisté à propos du baptême. Daisy en parla à Mary le lendemain.

— Tu comprends pourquoi j'ai préféré me taire. Je ne voulais pas que les gens aient pitié ou se sentent tristes pour moi parce que je n'avais pas d'enfants. De toute façon, il est clair qu'Alex se moquait de tout ça.

— La procréation assistée n'est pas un sujet facile pour les hommes, rétorqua Mary d'un ton pensif. Ça leur fait peur.

— Tu les défends ?

— Bien sûr que non ! Mais la thérapie m'a appris à envisager la situation des deux côtés.

— Mary, je te préférais quand tu voulais faire une poupée de cire d'Alex pour y planter des aiguilles et lui jeter un sort !

Mary fit de son mieux pour garder son sérieux et prendre une expression sereine. Daisy gloussa.

— Je pense que toi et moi avons besoin d'une séance dans le jacuzzi de Leah. Ça nous déridera et pourrait peut-être guérir mon éruption de boutons.

— Oui ! gémit Mary. Nous devrions nous offrir un ou deux soins avant le baptême. Ça ne me ferait pas de mal. Par exemple, le massage avec les pierres chaudes ?

— Un soin du visage, reprit Daisy. Ce serait idéal. Ça

m'aiderait à affronter la famille de Paula. Ce sont des gens adorables, mais ils n'arrêteront pas de me plaindre de ne plus être avec Alex. En plus, ils me tapoteront l'épaule par gentillesse chaque fois que je passerai près d'Emma en me disant : « Ne vous inquiétez pas, ce sera bientôt votre tour. » J'ignore si je le supporterai.

— Je suis certaine que tu te trompes. Ils vont juste te prendre pour une célibataire un peu tordue qui déteste les hommes. Tu resteras seule dans ton coin.

— Ça me paraît mieux comme solution.

— As-tu visité le cottage, hier après-midi ?

Daisy fit oui avec la tête.

— C'est superbe et je vais faire une offre. Avant, je dois mettre l'appartement sur le marché et donc appeler Alex pour lui en parler. Je déteste cette idée.

— Puisque tu auras besoin d'un notaire pour la vente, prends-en un dès maintenant et demande-lui d'écrire à Alex que tu veux vendre aussi vite que possible. Ça t'évitera de l'appeler.

Daisy hocha la tête, sachant que Mary esquivait la question réelle : elle devrait revoir Alex à un moment ou à un autre, ne serait-ce que pour en terminer avec leur histoire. Il y avait des choses qu'elle devait lui dire ; elle attendrait juste de se sentir assez forte pour le faire. Elle ignorait quand ce moment arriverait. Parfois, on ne trouvait du courage que pour une petite chose à la fois.

Emma avait hérité des grands yeux bleus de Paula et de la peau mate de son père. Dans sa robe de baptême ivoire, elle ressemblait à un ange.

Paula, soudain, la tendit à Daisy.

— Tiens ! A ton tour de la porter. C'est un amour, elle fait des sourires à tout le monde et ne pleure presque jamais.

— N'est-elle pas adorable ? roucoula Mary.

— Si, murmura Daisy.

Sans savoir comment c'était arrivé, elle se retrouva avec Emma dans les bras. Le bébé ne s'était pas réveillé depuis qu'on avait versé l'eau sur son front ni quand elle était passée des bras de ses grand-mères à ceux de sa marraine puis de son parrain. Mais, dans ceux de Daisy, elle décida d'ouvrir les yeux. Elle la contempla avec cet air plein de sagesse qu'ont certains bébés et sa petite bouche se retroussa en un sourire délicieux.

— Oh ! Vous avez vu ?

Daisy se sentait très excitée, malgré la boule qui s'était formée dans sa gorge.

— Mais oui, dit Paula en caressant sa fille du bout du doigt. Elle n'arrête pas de me sourire à moi aussi ; elle sait que je suis sa maman. Et elle devine que tu vas être son amie, tante Daisy.

Daisy entendit à peine, perdue dans la contemplation d'Emma.

— Elle a les cils d'une longueur incroyable ! Et ses cheveux sont si noirs !

— Oui, elle est superbe, dit Paula, gâteuse. Ma belle-mère prétend qu'elle est le portrait de son père quand il était bébé, mais sans les oreilles !

La plaisanterie déclencha un éclat de rire général. Daisy se tourna vers Mary.

— Tu veux la tenir ?

— Non, répondit Mary. Elle est très heureuse avec toi. Tu es douée pour ça.

— Oui ! renchérit Paula.

Mary et Daisy échangèrent un regard complice, qui sous-entendait que Daisy avait eu raison de venir. C'était merveilleux de tenir ce nourrisson contre soi. Daisy ne se sentait pas malade de tristesse comme elle l'aurait cru, mais apaisée et pleine d'espérance. Elle se réjouissait de ne pas être restée chez elle à broyer du noir. Ce n'était pas facile de se montrer généreuse et gentille quand on avait du chagrin, mais, au bout du compte, cela en valait vraiment la peine.

La mère de Paula, une surprenante apparition en soie violette avec des plumes assorties dans les cheveux, arriva, les mains tendues, pour prendre son premier petit-enfant.

— Elle est adorable. Elle vous apprécie, Daisy. Je suis sûre que ce sera bientôt votre tour.

Daisy embrassa Emma sur le front et la tendit à sa grand-mère.

— J'adorerais être la prochaine à avoir un bébé, mais Alex et moi sommes séparés depuis quelques mois. Je risque donc de ne pas rejoindre le club des mamans avant un bon bout de temps.

La mère de Paula refusa de se laisser décourager par une simple absence d'homme. Après deux apéritifs, elle se sentait optimiste.

— Ne dites pas de bêtises ! Vous êtes une femme magnifique. L'autre jour encore, je disais à Paula que personne ne porte la toilette comme vous. Et ça vous va bien d'avoir pris quelques rondeurs. Je suis sûre que d'ici peu les hommes piafferont derrière vous. Sincèrement, je n'appréciais guère cet Alex.

— Maman ! s'exclama Paula d'un ton de reproche.

— C'est vrai ! insista sa mère. Il faut dire ce qu'on pense, et c'est ce que je fais. Il n'était pas assez bien pour notre Daisy et elle trouvera bientôt quelqu'un qui soit digne d'elle. Ce jour-là, vous vous souviendrez de ce que je vous ai dit.

Sur ces paroles, elle prit doucement Emma dans ses bras.

— Merci, dit Daisy de bon cœur.

La mère de Paula n'en avait pas fini sur le sujet.

— Vous savez, le fils du cousin de mon beau-frère est un très beau jeune homme. Il vient de divorcer et il n'a pas d'enfants. Ce serait idéal pour vous. Il a son affaire, et tout, et tout.

Mary, Paula et Daisy éclatèrent de rire.

— Je crois que je vais m'abstenir de rencontres masculines pendant un moment, répondit Daisy le plus poliment possible.

— Ah ! Je vois. Mais je vous préviens, vous aurez envie d'y revenir, mon chou. Ça vous fera du bien.

Et elle s'éloigna, portant Emma.

— Je suis désolée, fit Paula. J'espère que ma mère ne t'a pas trop...

— Pas du tout ! l'interrompit Daisy. Elle n'a rien dit de mal. Elle a raison. Alex n'était pas assez bien pour moi.

Mary poussa un soupir théâtral.

— Alléluia ! Tu prêches une convertie. Je suis contente que tu aies enfin retrouvé la raison.

— Coucou, Daisy !

Daisy se retourna et découvrit Mel, une fillette sur la hanche et une autre, plus âgée, à la main.

— Bonjour, Mel, dit Daisy avec plaisir. Que fais-tu ici ?

— Enrico travaille avec mon mari, Adrian. Carrickwell est une petite ville. Paula, viens que je t'embrasse ! Toutes mes félicitations ! Emma est magnifique.

Mel embrassa aussi Daisy et, craignant que la situation ne soit pénible pour elle, murmura :

— Comment supportes-tu tout ça ?

— Très bien ! répondit Daisy avec assurance.

Paula, ravie de retrouver Mel, s'empressa de lancer la conversation sur les joies de la maternité, les horaires de sommeil des bébés et les biberons. Elle n'oublia pas de mentionner que, même si on avait l'impression que c'était ce qui allait arriver, on ne mourait pas de ne pas dormir.

Mel ne cessait de jeter des coups d'œil inquiets à Daisy. La conversation n'était certainement pas réjouissante pour elle, mais Daisy lui sourit avec courage et lui fit signe que tout allait bien.

Daisy s'accroupit pour parler à la petite fille qui se tenait au côté de Mel.

— Bonjour, je m'appelle Daisy. Et toi ?

L'enfant la considéra quelques instants d'un air grave.

— Sarah. J'aime ton collier.

Daisy baissa la tête vers son décolleté. Elle portait un pendentif qu'elle avait acheté des années plus tôt lors d'un déplacement à l'étranger.

— C'est de l'ambre, expliqua-t-elle. C'est la résine d'arbres qui ont été écrasés, il y a des millions d'années.

— Des millions d'années ? Quand il y avait des dinosaures ?

— Exactement. Je me demande si ça t'irait ?

Daisy ôta le pendentif et le passa au cou de Sarah, qui essaya de le voir en penchant la tête autant que possible.

— Nous devons trouver un miroir, reprit Daisy.

Se relevant, elle se tourna vers Mel en lui expliquant qu'elle allait chercher une glace pour que sa fille puisse s'y regarder.

— Bonne idée ! Je crains que Sarah ne s'ennuie.

Daisy prit la main de Sarah et l'entraîna.

— Elle ne va plus s'ennuyer. Viens, Sarah, je parie que tante Paula a un immense miroir quelque part. Elle veut toujours s'admirer, le matin, avant de partir ! Et toi, tu t'admires quand tu t'habilles ?

— Oui, dit Sarah d'un ton pénétré. Maman m'a dit que tu travailles dans le magasin avec Paula, là où il y a de jolis habits. J'aime les habits.

— Nous n'en avons que pour les adultes. Peut-être devrions-nous en avoir aussi pour les enfants, surtout pour les jolies petites filles comme toi.

— Ce serait bien, dit Sarah avec conviction. Je t'aime bien.

La journée, en définitive, fut excellente. Daisy avait pensé rester une demi-heure et se sauver ; or, à sept heures et demie du soir, elle fut parmi les derniers invités à prendre congé de Paula et Enrico. Mary et Mel partirent en même temps qu'elle. Tout le monde avait rendu hommage à la beauté du bébé dans la journée et Paula était enchantée. Sa mère avait passé une bonne partie du temps à dresser une liste des hommes envisageables pour Daisy et avait fait rire l'auditoire en énumérant les qualités de chacun des soupirants potentiels.

A un moment, Paula, Mary, Mel et Daisy s'étaient retrouvées dans la véranda.

« Tim, celui qui possède la ferme, me paraît le plus intéressant, avait dit Daisy. Mais celui qui collectionne les vinyles et en a trois mille classés par ordre alphabétique... je ne sais pas ce que vous en pensez... il me paraît un peu obsessionnel.

— Ça me rappelle une de mes amies, du temps où je travaillais chez Lorimar. Elle s'appelle Vanessa et élève son enfant seule. Sa mère était décidée à lui trouver un homme. Vous n'imagineriez jamais les prétendants qu'elle lui a trouvés ! Tous étaient des fils de ses amies et, curieusement, célibataires. Vanessa lui répondait qu'elle était assez occupée avec l'homme de sa vie, Conal. C'est son fils et il a treize ans.

— Ils peuvent vous donner du fil à retordre, à cet âge »,
avait renchéri Mary.

Daisy s'était renfoncée dans le fauteuil et mentalement
retirée en elle-même. Deux semaines plus tôt, elle aurait été
incapable de supporter la conversation. Elle se serait sentie
exclue, étant la seule dans ce groupe de quatre femmes à ne
pas être mère, à ne pas partager la complicité des parents. Bien
sûr, elle souffrait encore du fait de ne pas avoir un enfant, mais
moins qu'avant. Il n'y avait aucune raison pour que cela dure
toujours.

Daisy avait compris qu'elle ne pouvait rejeter tout le blâme
sur Alex. Elle ne pouvait lui reprocher de ne pas être tombée
enceinte alors que Louise l'était. Dans sa naïveté, elle avait cru
qu'un bébé serait le remède miracle. Aujourd'hui, elle réfléchissait de manière plus raisonnable.

Elle était revenue dans la conversation. Mel et Mary discutaient des problèmes du consumérisme et de la façon dont leur
progéniture voulait ce qu'elle voyait à la télévision.

« Les publicités sur les chaînes pour la jeunesse sont
incroyables, disait Mel. Rien d'étonnant à ce que les lettres
au père Noël soient plus longues qu'un roman. Des produits
sortent tous les jours. Comment ne pas céder à la demande
d'un enfant quand ses petits camarades possèdent les choses
présentées à la télé ? J'ai l'impression que la plupart des amies
de Sarah ont tout ce qu'elles réclament. Je ne peux pas suivre,
depuis que je ne travaille plus. Et quand bien même, je ne
suis pas d'accord avec ça. Je trouve malsain de laisser croire
aux enfants qu'il leur suffit de demander pour obtenir ce qu'ils
désirent. Ce n'est pas ainsi que j'ai été élevée.

— Ça m'inquiète aussi, avait glissé Paula. Je n'aimerais pas
qu'Emma devienne une enfant gâtée.

— Elle n'a que quelques semaines ! On dit qu'on ne peut
pas trop gâter un bébé ; quand il grandit, ça arrive, c'est
certain, avait ajouté Mary.

— Je sais, avait repris Paula, mais comment savoir si c'est le
cas ou non ?

— C'est le problème. Il faut ajuster les choses en

permanence. De toute façon, on est toujours convaincu de faire mal », avait conclu Mel.

C'était bizarre, avait pensé Daisy. Elle avait cru que toute mère possédait un savoir inné pour ce qui concernait ses enfants, et elle découvrait que ce n'était pas le cas et que ses amies se posaient des questions. C'était rassurant. Décidément, personne ne possédait de certitudes.

En rentrant chez elle, Daisy trouva un message de Claudia sur son répondeur. C'était une de leurs rares amies communes, à Alex et elle, qui ne l'avaient pas laissée tomber. La plupart des autres avaient choisi Alex et Louise, et Daisy n'avait plus de leurs nouvelles. Cela lui avait fait du mal. Elle avait repensé aux moments qu'Alex et elle avaient partagés avec ces couples, de nombreuses soirées et même des week-ends. Pendant ce temps, ils avaient été les amis d'Alex, pas les siens.

Claudia était une exception. Son mari, Andrew, connaissait Alex depuis la maternelle. Quant à Claudia, elle avait de l'amitié pour Daisy.

Après cette journée si chaleureuse, Daisy se sentait encline à bavarder. Elle rappela Claudia, qui se montra aussi loquace que d'habitude. N'était-il pas formidable que Michelle et Gerry aient enfin décidé de se marier ?

— Viendras-tu au mariage ? demanda Claudia d'un ton prudent. Ce n'est pas parce qu'Alex t'a quittée que tu ne devrais pas y assister. Andrew et moi pourrions t'emmener.

— Je ne suis pas invitée, répondit Daisy. Je n'étais même pas au courant.

— Zut ! J'ai gaffé. J'étais certaine que tu étais conviée. Vous avez toujours été si proches, Michelle et toi...

— Apparemment, pas tant que ça !

Daisy ne voulait pas paraître amère, mais c'était difficile.

— Peut-être que tu n'as pas encore reçu l'invitation, reprit Claudia avec gêne. Mais c'est dans une semaine et tu aurais déjà dû l'avoir, n'est-ce pas ?

— Nous avons habillé tant de monde pour des cérémonies,

cet été, dit Daisy d'un ton léger, qu'aller à l'une d'elles ne me tente pas. Tu me raconteras comment c'était.

D'un point de vue légal, pouvait-on accuser de harcèlement une femme qui se rendait à un mariage où elle n'était pas invitée, juste pour apercevoir son ex avec sa nouvelle compagne ? Cette question avait hanté Daisy toute la semaine. Elle mourait d'envie de surprendre Alex et Louise ensemble, afin d'imaginer leur intimité ; ensuite, elle commencerait à oublier.

Etait-ce un comportement bizarre ? Oui, c'était du harcèlement, se dit Daisy la veille de l'événement. Non, elle n'irait pas.

Le lendemain, elle se joignit discrètement à l'assemblée, à trois heures vingt, vingt minutes après le début officiel de la cérémonie. Michelle était en retard, comme il se devait pour une star ! Daisy se faufila dans la travée latérale de l'église. En temps normal, elle aurait détaillé la tenue des invités et attiré l'attention de ses amis pour leur sourire. Mais là, elle n'avait pas envie qu'on la remarque et fit de son mieux pour ne regarder ni les vêtements, ni les bijoux, ni les chapeaux.

Elle se glissa entre deux rangées de chaises avant d'avoir atteint la moitié de l'allée. Elle s'appliqua à garder la tête baissée, dans l'espoir qu'on la prendrait pour une dévote venue faire une prière et tombée par hasard au milieu d'un mariage élégant. Bien sûr, avec son vaste imperméable et son grand chapeau de paille, elle pouvait aussi passer pour une de ces femmes un peu folles, qui erraient en poussant un chariot de supermarché, un chapelet à la main. En fait, on ne la remarquerait sans doute pas. Le regard des gens glissait sur ce genre de personne.

Un joyeux bourdonnement de voix montait depuis le chœur, résultat des salutations et des compliments qu'échangeaient les uns et les autres. Là-bas, au premier rang, se tenait Gerry, l'air un peu nerveux. A côté de lui, le garçon d'honneur devait être son frère.

Daisy parcourut du regard les autres rangées de chaises du côté du marié et, soudain, elle vit Alex. Sa taille le rendait

397

facile à repérer. De toute façon, même sans cela, Daisy l'aurait retrouvé dans une foule. Elle sentit revenir son chagrin. Alex portait le costume gris qu'ils avaient acheté ensemble chez Paul Smith, celui qu'il ne voulait pas prendre sous prétexte que cela lui donnait l'air d'une *fashion victim*. Il était superbe.

Ensuite, Daisy vit Louise. Son chagrin fut multiplié par dix, car Louise rayonnait. On aurait dit un mannequin posant pour une ligne de vêtements de grossesse. Ses longs cheveux, magnifiques, étaient noués en un catogan décontracté que Daisy n'avait jamais su réussir sur elle-même. Quant à sa robe, c'était un drapé d'un rouge magnifique qui mettait son ventre rond en valeur, certainement un modèle de Diane von Fürstenberg. Daisy en aurait mis la main au feu.

Louise était épanouie et visiblement heureuse à n'en plus pouvoir. A côté d'elle, malgré les kilos qu'elle avait pris, Daisy avait l'impression de n'être qu'une momie desséchée. Louise avait tout pour elle, absolument tout. Elle avait Alex et bientôt elle aurait un bébé. Daisy n'avait rien ni personne, et c'était sa faute.

Les premières notes de la marche nuptiale retentirent et Louise s'accrocha avec excitation au bras d'Alex. Sans cesser de bavarder, les invités se levèrent et se tournèrent pour assister à l'entrée de la mariée. De là où elle était, Daisy ne pouvait pas encore la voir, mais elle était certaine que Michelle, qui avait beaucoup de goût, n'avait pas choisi une robe style meringue. En attendant qu'elle apparaisse, Daisy observait les gens. Il n'y avait pas de vide autour de Louise et Alex, personne n'avait laissé de chaise libre pour marquer une quelconque désapprobation au sujet de leur relation ou de la façon dont Alex avait quitté Daisy. Non, nul ne semblait avoir remarqué que Daisy n'était pas là. Daisy ou Louise, c'était la même chose, elles étaient interchangeables. Toutes les petites amies se ressemblaient, sauf que la nouvelle était enceinte et que l'ancienne n'avait pas réussi à l'être.

Daisy sentit une nouvelle vague de chagrin l'envahir. Elle ne serait peut-être jamais mère. Cela devenait une souffrance presque physique. Elle devait sortir de l'église. Elle remonta la travée vers le portail et, à cet instant précis, un des invités se tourna vers elle. C'était un ami d'Alex ! Il l'avait vue ! Gênée à en mourir, Daisy chercha le premier endroit où se cacher. Peut-être ne l'avait-il pas reconnue, peut-être avait-il enregistré le passage d'une femme assez grande, avec un imperméable et un chapeau ridicule tiré sur les yeux. Daisy arrivait à la hauteur d'un confessionnal. Elle s'y glissa et ferma la porte derrière elle. Il régnait dans le minuscule habitacle une puissante odeur de vieux rideaux de velours, d'encaustique et de bois. Il y avait longtemps que Daisy ne l'avait pas sentie. Dans la pénombre, elle s'abandonna à sa peine.

— Mon Dieu ! J'espère qu'il ne m'a pas vue. Mais pourquoi ces choses n'arrivent-elles qu'à moi ?

— Pardon ? Pourriez-vous parler un peu plus fort ?

C'était une voix d'homme âgé et asthmatique.

— Mon Dieu ! répéta Daisy entre ses dents.

Le volet de séparation entre les deux parties de l'isoloir coulissa et, derrière la grille en bois, Daisy aperçut le visage encadré de cheveux blancs d'un prêtre. Il avait dû se réfugier là pour prier. Daisy devinait son regard perçant qui cherchait le sien.

— Je crains que l'heure des confessions ne soit passée.

— Oh ! bafouilla Daisy. Ça ne me dérange pas. Je ne suis pas venue pour ça.

— Ce n'est pas grave, mon petit, si vous en avez besoin...

Daisy savait qu'elle devait avoir piètre allure, avec son air triste et ses yeux pleins de larmes.

— En fait... Oui, j'ai besoin... Mais pas forcément de me confesser.

Non, pensa-t-elle. Cela sonnait faux.

— Je veux dire que je ne me suis pas confessée depuis longtemps, reprit-elle. Mais...

— Vous vous êtes dit que vous pourriez peut-être revenir vers l'Eglise ? suggéra le prêtre de sa voix douce.

— En réalité, ce n'est pas tout à fait ça.

Daisy plongea la main dans la poche de son imperméable. Peut-être y avait-elle oublié un mouchoir en papier... Elle en sortit un morceau d'essuie-tout. Cela ferait l'affaire.

— Nous savons aussi écouter, reprit le prêtre. Nous

pouvons parler, si quelque chose vous tracasse. Vous savez, nous ne demandons plus à nos pénitents de réciter dix chapelets ! Nous avons évolué.

Daisy s'agenouilla sur le coussin de velours usé par d'innombrables genoux. Elle s'essuya les yeux et le nez avec le morceau d'essuie-tout.

— Oui, j'aimerais bien parler avec vous, dit-elle poliment.

Elle ne voulait pas se montrer incorrecte en partant tout de suite, puisqu'elle avait dérangé le prêtre. De toute façon, ce serait sans doute bien qu'elle parle à quelqu'un qui n'était pas impliqué.

— Mon père, je crois que j'ai gâché beaucoup de choses.

— C'est la vie, mais il est toujours possible de reprendre le bon chemin et de remettre son existence en ordre. Il faut juste s'abandonner à Dieu.

Cela semblait simple, mais aussi irréaliste. S'abandonner à Dieu ! Mais où était Dieu, quand Alex trompait Daisy avec Louise, quand Il la laissait seule avec sa souffrance ?

— Jusqu'à présent, je n'ai pas trouvé que ça marchait très bien, fit-elle d'un ton navré.

Le père lui répondit avec une gravité égale à sa tristesse.

— Parce que vous n'avez pas la foi. Croire, c'est la clé de tout. Dieu prendra soin de tout en Son temps. Nous ne savons pas ce qu'Il a prévu pour nous.

Cela ressemblait un peu au dicton selon lequel le maître arrive quand l'élève est prêt. Le bouddhisme et le catholicisme conspiraient-ils pour pousser Daisy vers une spiritualité qui l'aiderait à avancer ? Zut ! Il devait bien y avoir du vrai dans tout cela. Daisy pouvait prendre la peine d'essayer.

— Merci, mon père, dit-elle en se levant. Ça m'a fait du bien de parler avec vous. Excusez-moi de vous avoir dérangé.

— Vous pouvez venir quand vous en avez besoin. Nous sommes toujours là. L'église reste ouverte.

— Je vous remercie, répondit Daisy machinalement.

— Non.

Daisy regarda le prêtre et se rendit compte qu'il était très âgé. Son crâne chauve donnait l'impression d'une coquille fragile.

— Non, répéta-t-il, nous sommes réellement toujours ici. Beaucoup de choses et de gens disparaissent, mais pas Dieu.

En sortant du confessionnal, Daisy constata que les invités étaient absorbés par la cérémonie. Elle pouvait s'en aller sans se faire remarquer. Une fois dehors, elle courut jusqu'à sa voiture et démarra sur les chapeaux de roues. Elle refusait de prendre le risque de rencontrer d'éventuels retardataires.

Elle était contente d'avoir agi comme elle l'avait fait. Pendant un moment, elle s'était trouvée stupide parce qu'elle avait failli être reconnue. Mais maintenant qu'elle avait parlé avec le prêtre elle pensait avoir fait le bon choix. Elle avait vu Alex et Louise, très heureux, au milieu de leurs amis, qui avaient, autrefois, été les siens. Et, en définitive, le monde ne s'était pas écroulé. La vie avait continué, sauf pour elle, et elle devait l'accepter, aussi douloureux que cela soit. Il n'y avait pas moyen de revenir en arrière, elle devait aller de l'avant !

Trois jours après le mariage, Louise donna naissance à un garçon. Claudia appela Daisy pour le lui dire.

— Je ne voulais pas que tu l'apprennes par hasard, expliqua-t-elle. Il n'y a rien de pire que les gens qui te cachent les nouvelles importantes.

Depuis sa fenêtre, Daisy voyait la Tullow, que descendaient quelques kayaks. Les rameurs portaient un gilet jaune vif et ne semblaient guère expérimentés, car ils n'arrêtaient pas de se rentrer les uns dans les autres. Cela les faisait rire.

Daisy se détourna de la rivière et de la ville.

— Merci, Claudia. Merci de m'avoir prévenue. Comment s'appelle le bébé ?

Elle n'avait pas besoin de se torturer avec ça, mais elle voulait savoir.

— Daragh.

Daisy répéta le prénom à haute voix. Il était joli, plein de force et aisé à retenir. A présent, Daragh n'était plus la cause de la rupture entre Alex et elle, mais un être humain à part entière. Il serait plus facile de penser à lui comme à une personne entraînée sans le savoir dans une histoire triste. Ce n'était pas sa faute si Daisy avait tant souffert de son arrivée dans le monde.

— Comment te sens-tu ? demanda Claudia d'une voix hésitante.

— Pas trop mal...

C'était la vérité. Daisy s'attendait à apprendre, tôt ou tard, la naissance du bébé. Elle était donc aussi prête qu'elle pouvait l'être. Les conversations téléphoniques quotidiennes avec Leah et sa détermination à se montrer courageuse l'avaient aidée. Avec un peu d'espoir, elle aurait un avenir. Si Leah arrivait à rester positive après ce qu'elle avait enduré, Daisy devait être capable de relever la tête et de construire sa vie.

Daragh avait aussi une vie devant lui. Daisy refusait de créer de mauvaises ondes en se mettant en colère contre lui. Que ce soit le prêtre qui avait été si gentil avec elle ou un maître bouddhiste, ils approuveraient sa façon de voir.

— Je suis en train d'acheter une maison, dit Daisy. C'est un cottage proche de celui de ma mère. Il est petit, charmant et accueillant. Bien sûr, il faut refaire la décoration, mais je suis heureuse d'avoir un projet. Je vais le transformer en petit bijou et le garnir d'objets anciens. Alex n'aimait que le moderne et le minimaliste. Tu sais que ce n'est pas mon style.

— En effet, je n'ai jamais pensé que l'appartement te ressemblait. On aurait dit un appartement témoin.

— Alex passait son temps à tout remettre au carré. Les magazines devaient former un angle droit exact avec le bord de la table basse ou il se mettait en colère.

— Oui, oui ! Ça me rendait folle de le voir faire. Il doit être obsessionnel ou, en tout cas, souffrir d'un désordre de ce genre.

Claudia éclata de rire. Daisy songea que c'était formidable de ne plus avoir envie de mourir à la simple évocation du nom d'Alex et de se moquer de lui. Elle progressait !

— Je m'absente pour un salon. Je pars pour Milan à la fin du mois pour les collections printemps-été de l'année prochaine.

Claudia, qui s'ennuyait à mourir dans son travail, soupira.

— Quelle chance ! Ça doit être passionnant.

— J'espère que ce le sera. Je ne suis allée qu'une fois à Milan et c'était extraordinaire. J'ai hâte d'y être. Ensuite, je dois assister aux salons du prêt-à-porter de Paris et de Londres.

Claudia changea une nouvelle fois de sujet.

— Est-ce que ça te dirait de sortir un soir de la semaine prochaine ? Il n'y a aucune histoire de couples, ajouta-t-elle précipitamment.

— Tu sais, je supporte de me trouver avec des couples ! Du moins, tant qu'il ne s'agit pas d'Alex et Louise.

Claudia faillit s'en étrangler.

— Bien sûr que non ! L'idée ne m'en serait pas venue. Il s'agit juste de quelques vieux amis d'Andrew et de moi. Nous nous sommes dit que ça pourrait te plaire.

— Tant que tu ne tentes pas de me faire rencontrer un homme...

— Euh... En toute franchise, il y a un collègue d'Andrew. Il est vraiment bien. Il vient de traverser une période difficile, mais je suis sûre que tu prendrais plaisir à bavarder avec lui. Il est très agréable.

— Claudia ! fit Daisy d'un ton menaçant. N'essaie pas de me caser, s'il te plaît ! J'aimerais sortir avec Andrew et toi, mais le charmant collègue d'Andrew doit comprendre que je ne suis pas sur le marché, d'accord ?

— D'accord ! Nous avions juste pensé que ça t'amuserait d'avoir un soupirant.

Daisy souffrait de ne plus sentir les bras d'Alex se refermer sur elle, de ne plus avoir l'être cher à côté d'elle, celui avec qui elle faisait un câlin et auquel elle demandait d'ouvrir le couvercle des bocaux de conserve quand il était coincé. C'était ce genre de petites choses qui marquait le plus.

L'envie d'avoir de nouveau quelqu'un dans sa vie n'était toutefois pas une raison suffisante pour qu'elle se jette à la tête du premier venu. Leah avait dit quelque chose d'intéressant, l'autre jour : « Il faut d'abord que vous vous soigniez, Daisy. Il est inutile de vouloir que quelqu'un le fasse à votre place. Sinon, vous vous contenterez de mettre un gros pansement sur une grosse blessure et ça ne guérira pas. »

— Claudia, dit Daisy d'un ton décidé, j'apprécie mon célibat. Je peux faire ce que je veux, quand je veux. Décorer ma nouvelle maison avec des fleurs et des volants, si ça me plaît. Autrement dit, je peux enfin être moi-même, et c'est de ça que j'ai besoin, en ce moment. Pas d'un homme !

— Je t'admire, Daisy. Tu as renversé la situation et tu en as tiré du positif. J'ignore si j'en serais capable, si Andrew me quittait pour partir avec une autre.

— Andrew t'aime. C'est le problème, vois-tu. Alex ne m'aimait pas vraiment. Pour lui, je n'étais qu'un passe-temps, jusqu'à ce qu'il rencontre la femme de sa vie.

— Il ne t'a quand même pas dit ça ?

Claudia était outrée.

— Si. Louise est la partenaire qu'il espérait et j'étais la solution d'attente.

L'idée était moins insupportable à Daisy qu'avant. Elle avait appris qu'on surmontait le chagrin, qu'il suffisait de se lever le matin et de faire un pas après l'autre, jusqu'au moment où on se couchait.

— Mais tu viendras avec nous, la semaine prochaine ?

— Bien sûr, répondit Daisy ; simplement, pas de rendez-vous arrangé...

Le lendemain, après avoir revu son futur cottage, Daisy poussa jusqu'au Cloud's Hill.

Leah était allée marcher et n'avait pas dit quand elle rentrerait, mais Cleo fut ravie de voir Daisy. La première fois qu'elles s'étaient rencontrées, Daisy paraissait si triste, si seule. Or, elle arrivait avec un sourire rayonnant et dans de beaux vêtements. Au début, Cleo avait cru qu'elle ne portait jamais autre chose que d'informes survêtements trop grands pour elle et qui ne la flattaient guère. Ce jour-là, en jean délavé, pull camel et écharpe de soie, elle dégageait la confiance en soi. Ses boucles tombaient librement sur ses épaules. La preuve, songea Cleo, que le Cloud's Hill et Leah accomplissaient des miracles ! Elle-même avait changé. Elle se sentait plus heureuse à présent qu'elle avait remis de l'ordre dans sa tête. Pendant un moment, elle avait eu le visage marqué par la

404

tristesse. A présent, quand elle se regardait dans le miroir, elle voyait une femme soulagée de ne plus porter le poids du monde sur ses épaules.

— Puis-je te demander de me déposer à Carrickwell quand tu redescendras ? demanda-t-elle à Daisy. J'ai décidé de saisir le taureau par les cornes ; je vais voir mon frère Barney. Il prend son mardi après-midi et je vais donc passer chez lui sans m'annoncer. Ça lui évitera de concocter une histoire sur les raisons pour lesquelles Jason et lui ne se sont pas manifestés. Les chameaux !

Le trajet n'était pas assez long pour qu'elles se racontent tout, mais elles finirent par être à peu près au courant de leur évolution respective.

— Quand penses-tu emménager dans ta nouvelle maison ?

— Dans une quinzaine de jours, du moins je l'espère. Croise les doigts ! Pourvu que tout aille bien.

Elles arrivaient en ville et Daisy gara la voiture au coin de la rue où habitaient Sondra et Barney.

— Tu ne veux pas que je t'accompagne ? Ça ne me dérange pas. Ça fait du bien d'avoir une amie avec soi dans les démarches difficiles.

Daisy sentait que Cleo éprouvait des émotions contradictoires. Elle allait faire amende honorable chez Sondra et Barney, ce qui lui demandait du courage ; en parallèle, elle était furieuse de la façon dont ses frères s'étaient comportés à son égard. Daisy voyait qu'elle était inquiète de la façon dont on l'accueillerait.

— Je sais que je suis en grande partie responsable de ce qui s'est passé, dit Cleo. Je me suis conduite de façon puérile, mais Barney et Jason n'ont pas fait mieux. J'espère juste que ce n'est pas pour une raison aussi futile qu'ils ont évité de m'appeler. Tu sais, quand nous étions petits et que nous nous disputions, Barney passait parfois des jours sans me dire un mot. Moi, je n'ai jamais tenu plus d'un quart d'heure. Cette fois, j'ai peur que ce ne soit plus grave, que mes frères ne veuillent plus me voir.

Et si tout avait changé ? Si les siens avaient été irrémédiablement blessés par sa réaction ? Cleo surmonterait une grosse dispute, mais une brouille définitive lui briserait le cœur.

— Je t'assure que ça ne me dérange pas de t'accompagner, répéta Daisy.

— Je te remercie, mais je dois y aller seule. Ça ira ! Barney ne mord pas. Sondra ? Un peu, oui, mais je peux la contrôler. Enfin, plus ou moins... C'est le problème. Je ne sais pas m'y prendre avec elle et j'ai cru que mes parents l'aimaient plus que moi. Comment ai-je pu être si bête !

Cleo soupira au souvenir de ses disputes avec Sondra. D'une certaine façon, c'était un miracle si sa famille était restée unie si longtemps. Seule la détermination de son père à ne pas se fâcher avait permis de maintenir la tension à un niveau supportable. La paix avait été artificielle, faussant les relations.

Daisy semblait pensive.

— Ce serait bien si on nous donnait des cours, à l'école, sur la meilleure façon de devenir adulte. Au lieu de cours de géographie ou d'économie domestique, on pourrait en avoir sur la manière de se comporter avec ses parents ou l'art d'inculquer en trois mois à son petit ami comment se conduire correctement.

— Bonne idée ! Et que dirais-tu d'un cours où on apprendrait à comprendre ce que disent les autres ? Ça aiderait à éviter les malentendus.

— Tu crois que ça constituerait une unité de valeur sur deux ans ? demanda Daisy en riant.

— Je crois que ça devrait durer au moins vingt ans, rétorqua Cleo en hochant la tête.

— Inscris-moi tout de suite, j'ai renoncé à décrypter le langage des hommes.

— Mission impossible, répondit Cleo sans hésiter. Tu dois leur dire ce que tu penses, à eux de se débrouiller avec.

A voir la réaction de Daisy, elle comprit qu'elle avait touché le point sensible.

— Dans ce domaine, je ne suis pas douée, bafouilla Daisy. Et l'inverse est vrai ! Alex disait une chose et ça en signifiait une autre. Il n'a jamais été sincère. Pour une femme, faire l'amour avec un homme n'est pas anodin. C'est une rencontre de deux êtres qui veulent être aussi proches l'un de l'autre que possible, qui s'engagent de façon intime et profonde. Chez un homme, ça signifie : « Je t'ai laissée tomber pour coucher avec une autre qui attend un bébé de moi, mais, pour l'instant, on est seuls. Puisque personne ne le saura, pourquoi ne coucherions-nous pas ensemble, vite fait bien fait ? » Ou était-ce juste la façon d'être d'Alex ?

Cleo riait tant que son mascara, qu'elle avait appliqué à la hâte avant de quitter son travail, commença à couler.

— C'est vrai ! insista Daisy. Les hommes répètent à l'envi que les femmes disent une chose et en pensent une autre, mais eux c'est mille fois pire.

Cleo songea au désastre de la dernière relation amoureuse de Trish. Un certain Lucas lui avait envoyé un SMS de rupture après six rencontres inoubliables, où il l'avait couverte de compliments, prétendant qu'il n'avait jamais rencontré une femme comme elle de sa vie !

— Tu n'as pas tort, dit Cleo. Pendant deux semaines, le dernier copain de Trish lui a adressé quinze SMS par soirée et, d'un seul coup, il a disparu. Est-ce que son téléphone lui avait été volé ? Est-ce qu'il s'était cassé la jambe ? Non ! Monsieur était occupé. Il a fini par rompre avec ce message : « Je ve kc avec toi. Dslé. » Tu te rends compte ? Il n'avait cessé de trouver Trish fantastique et, d'un seul coup, désolé, je veux casser, c'est fini. En plus, en se cachant derrière son portable ! Après tout, pourquoi se gêner ?

Cleo sentait revenir sa terrible colère contre les hommes comme Tyler Roth. Elle avait envie de s'en prendre à l'ensemble du sexe mâle.

Le jour où elle avait coupé avec Nat, elle avait été d'une honnêteté brutale avec lui et il en avait souffert. Mais elle avait eu le courage de lui dire les choses en face, pas comme le menteur qui avait trompé Trish.

Avec Tyler, c'était différent. Cleo s'était contentée de partir sans lui dire au revoir...

— A l'avenir, reprit Daisy, je serai si sincère que ça

deviendra insupportable ! Je dirai systématiquement ce que je pense.

— Es-tu certaine que ça ne posera pas quelques problèmes à la boutique ? Imagine qu'une femme essaie une robe qui ne lui va pas. Ne dois-tu pas lui jurer que c'est parfait sur elle, juste pour ne pas la vexer ?

Daisy eut l'air scandalisée.

— Je ne mens jamais pour réussir une vente ! C'est parce que nous sommes honnêtes que nos clientes reviennent. Si un vêtement ne leur va pas, je le leur dis ou Mary s'en charge. Elle a le don, en trente secondes, pour le leur faire enlever et leur en proposer un qui leur va parfaitement. Et je ne sais pas comment elle se débrouille, mais elle a le chic pour escamoter la tenue qui ne convient pas.

— Il faut que je vienne essayer deux ou trois choses, mais promets-moi que tu me diras la vérité.

— Juré !

— Je dois aussi t'avouer que je ne suis pas riche.

— Tu auras la réduction du personnel. C'est ma prérogative de propriétaire de la moitié de la boutique !

Cleo embrassa Daisy avant de descendre de la voiture.

— Viendras-tu au cours de yoga, mardi ? Maintenant que je fais partie du personnel du Cloud's Hill, je dois faire de la publicité. Tu verras, c'est formidable.

— Je ne sais pas... Je ne suis pas bonne en sport. Je ne veux pas être la seule incapable de passer la jambe autour de son cou ! Tu sais, quand on est plus grosse que les autres, ces exercices peuvent être humiliants. De plus, je ne suis pas en bonne forme et j'ai peur d'être raide pendant des jours après la séance.

— Tu ne risques rien ; on n'a pas besoin de se contorsionner dans tous les sens. C'est un cours très plan-plan. Ce n'est pas comme certaines postures, où tu ne peux plus marcher pendant une semaine ! Là, ça devrait te plaire.

Sondra et Barney vivaient dans le périmètre de la cathédrale. Les maisons mitoyennes de brique rouge donnaient son caractère au quartier, qui était l'un des mieux préservés du vieux Carrickwell. Sondra et Barney habitaient à l'angle d'une rue, dans une bâtisse un peu plus grande que les autres et, surtout, non mitoyenne. Cleo savait qu'elle avait été achetée grâce à un généreux apport de fonds de la part de ses parents.

Il valait mieux éviter ce genre de pensées amères au sujet de l'argent, se dit-elle en poussant le portail peint en noir. Elle remonta lentement l'allée qui menait au perron. Au fil des ans, ses frères avaient empoché de gros intéressements sur le chiffre d'affaires de l'hôtel, mais elle, pas un centime. Elle aurait pu se sentir insultée et se révolter contre ce partage injuste des biens de la famille, mais ce n'avait pas été le cas. L'argent était trop souvent à l'origine de brouilles mortelles. Une famille bien connue à Carrickwell s'était divisée en deux clans à cause d'un héritage. Cleo avait estimé que ces gens étaient fous de se haïr pour des questions matérielles.

Elle refusait de commettre la même erreur et entendait bien réussir en dirigeant son propre hôtel. Malheureusement, ce ne serait pas le Willow et elle le regretterait sans doute toute sa vie. On ne peut pas grandir dans une maison et l'aimer sans éprouver du chagrin quand on en est dépouillé.

Cleo s'était pourtant promis de ne pas laisser le ressentiment l'empêcher d'évoluer. Leah avait dit quelque chose à ce sujet : « Un obstacle offre l'occasion d'apprendre quelque chose. » Cela avait tant frappé Cleo qu'elle l'avait écrit. Leah exprimait des jugements qui méritaient qu'on les médite.

Cleo avait beaucoup appris au cours des derniers mois et elle avait l'intention de se servir de ces leçons pour créer son établissement. Il serait bien à elle et personne ne le lui prendrait. Jamais !

Elle sonna, remarquant que la porte avait besoin d'entretien et de quelques réparations. Quant au petit jardin de devant, ni Sondra ni Barney ne semblaient avoir compris que les bruyères pouvaient mourir et que les brindilles desséchées n'étaient pas du meilleur effet.

Aucune réponse au coup de sonnette. Cleo regretta presque de ne pas avoir téléphoné avant de venir. Elle insista, se disant qu'elle pouvait aller jusqu'au bureau de Jason. A cet instant, une silhouette se profila derrière la vitre dépolie et la porte s'ouvrit. Une femme demanda d'une voix fâchée qui était là. C'était Sondra. Cleo eut du mal à la reconnaître. Sa belle-sœur, d'habitude tirée à quatre épingles, avait l'air épuisée par sa grossesse avancée. Ses cheveux blonds montraient deux centimètres de racines brunes et elle n'avait même pas de rouge à lèvres.

Il aurait été difficile de dire laquelle des deux femmes fut la plus étonnée. Sondra faillit s'en étrangler.

— Cleo !

— Bonjour, Sondra. Euh... Comment va le bébé ?

— Comme tu vois, ce n'est pas vraiment ce que je pensais. Il n'est pas question d'avoir la peau lumineuse et la chevelure plus épaisse. Ce sont des mensonges ! Je me sens nauséeuse, j'ai des bouffées de chaleur et mal au dos en permanence. Entre, si tu veux.

Sondra tourna les talons et, traînant les pieds, prit la direction de la cuisine. Cleo en fut quitte pour fermer elle-même la porte.

— Et je ne te parle pas de la rétention d'eau ! grommela Sondra. Les chevilles de ma grand-mère sont plus fines que les miennes, en ce moment. Je ne peux même plus rester assise assez longtemps pour me faire coiffer. Regarde ces racines ! Et... Qu'est-ce que tu fais ici ?

— Je voulais vous voir, Barney et toi.

Cela faisait longtemps que Cleo n'était pas entrée dans la maison. Elle se souvenait de sa première visite, quand toute la famille était venue admirer l'installation des jeunes mariés. Cleo s'était sentie outragée en découvrant l'immense télévision à écran plat et la coûteuse stéréo. Sachant que les équipements avaient été payés sur l'hôtel, elle n'avait pu retenir une remarque. L'aménagement était luxueux, pour deux personnes qui démarraient dans la vie ! « Tu préférerais que ton frère vive dans un taudis ? » avait demandé Sheila Málainn d'un ton fâché.

A présent, Cleo avait honte de ses paroles. Cela n'avait pas été gentil de sa part.

La cuisine avait changé. Cleo fut étonnée de la découvrir très confortable, avec de nombreuses touches féminines. De

jolis coussins garnissaient les chaises en pin et des porce-
laines s'alignaient sur un confiturier en châtaignier disposé
dans un coin. Par de nombreux détails, la pièce ne reflétait
guère la personnalité de Sondra. Il y avait même des rideaux
à carreaux rouges et à volants.

Voyant que Sondra s'installait dans un fauteuil, Cleo lui
proposa de faire du thé.

— La théière est dans le lave-vaisselle et les sachets dans le
placard à côté de l'évier.

Sondra parlait toujours du même ton autoritaire. Cela, au
moins, n'avait pas changé.

Elle posa les pieds sur un tabouret bas, se saisit de la télécommande et se tourna vers la télévision posée sur le plan
de travail. Ricki Lake, son animatrice fétiche, encourageait un
public de femmes déchaînées à dire ce qu'elles pensaient d'un
homme peu séduisant. Il venait de qualifier son épouse, en
pleine dépression, de « grosse bonne femme ». Cleo se
demanda où Ricki dénichait ses invités. Comment un homme
pouvait-il être assez bête pour se présenter devant un parterre
féminin et hostile, et proférer ce genre d'âneries ?

— Quel idiot ! marmonna Sondra. Ricki va lui régler son
compte. Ce n'est pas comme s'il était un apollon. J'adore
Ricki. Hier, elle avait fait venir une femme qui menait quatre
aventures de front. C'était incroyable...

Cleo laissa Sondra parler tandis qu'elle s'occupait du thé.
Elle savait comment sa belle-sœur l'aimait : elle lui en avait
souvent préparé au Willow. Elle trouva des sablés dans une
boîte en fer et en disposa quelques-uns sur une assiette. Tout
en s'activant, elle remarqua que la cuisine était d'une propreté
remarquable. Sondra s'intéressait donc plus au ménage que
Cleo ne l'aurait cru. A moins que ce ne soit Barney qui s'en
charge. Comme il était allergique aux tâches ménagères,
c'était peu probable.

Cleo posa le thé devant Sondra et tira un tabouret pour
s'asseoir à côté d'elle.

— J'ai l'impression que le fait d'être enceinte n'est pas le
paradis pour toi ?

— Non ! Je vais aux toilettes tous les quarts d'heure et je ne peux plus rien manger sans avoir des brûlures d'estomac. Et regarde ma tête ! Je suis couverte de couperose, je suis devenue hideuse.

Cleo ne put s'empêcher de rire. Elle ne connaissait pas cette facette de sa belle-sœur.

— Non, tu n'es pas hideuse.

— Facile à dire pour toi ! marmonna Sondra.

A la télévision, l'invité de l'émission était en train de se faire huer. Cleo et Sondra burent leur thé en silence, à l'aise ensemble, et Sondra dévora six sablés. Cleo se remémora que, à une époque, si elle en avait mangé autant, Sondra lui aurait envoyé quelque remarque déplaisante sur le rapport entre les biscuits et les poignées d'amour. Cleo lui aurait rétorqué qu'elle préférait avoir des poignées d'amour plutôt que les côtes apparentes, tel un lévrier. Elles s'étaient mal conduites l'une envers l'autre. Etait-ce elle qui avait diabolisé Sondra ou l'inverse ?

Elles échangèrent des nouvelles pendant les publicités. Tamara était retournée travailler dans le salon de coiffure qui l'employait avant qu'elle soit à la réception du Willow.

— Elle est plus heureuse là-bas, dit Sondra. Elle n'a jamais aimé l'hôtellerie.

Cleo fit un effort et retint sa langue.

Jason avait une nouvelle petite amie, Liz.

— Elle est gentille. Elle ne s'intéresse pas à son apparence.

Avant, cela aurait une condamnation sans appel dans la bouche de Sondra.

— Elle n'entrerait pas dans mon jean de grossesse, sans parler de mes vêtements normaux !

Sondra baissa la tête d'un air malheureux sur son ventre déformé et soupira.

— Je crains de ne jamais pouvoir remettre mes affaires, de toute façon ! Liz est parfaite pour Jason. Tu sais qu'il avait l'habitude de passer les soirées seul chez lui à jouer sur son ordinateur. Eh bien ! Liz l'oblige à sortir tous les jours. Il avait très envie d'une nouvelle voiture, mais Liz a dit que le fait d'avoir gagné un peu d'argent avec la vente de l'hôtel ne l'obligeait pas à le gaspiller. Elle a du bon sens...

412

Sondra s'interrompit, consciente d'avoir abordé le sujet tabou, le Willow.

— C'est la raison de ma visite, dit Cleo d'un ton aisé.

— Pour nous enguirlander un peu plus ?

— Non, pour essayer de reconstruire nos relations. Avant ça, j'aimerais savoir pourquoi mes frères n'ont pas jugé utile de me téléphoner, comme papa et maman le leur avaient demandé ?

Bien que Sondra se soit améliorée par rapport à ce qu'elle avait été, Cleo ne put s'empêcher de prendre un ton mordant.

— C'est ta faute, Cleo, répondit Sondra avec lassitude. Te rends-tu compte que tu as traité Barney et Jason comme des idiots ? Tu n'as pas arrêté de répéter que tu savais ce qu'il fallait faire pour gérer l'hôtel et qu'ils étaient une paire d'ignorants ne connaissant rien à rien. Tu les as blessés et je crois que tu ne t'en es même pas rendu compte.

— Que veux-tu dire ?

Sondra prit un nouveau sablé.

— Cleo, par pitié ! D'abord, tu n'arrêtes pas de te vanter de ce que tu as appris et de ce que représente ton diplôme. Ensuite, ton père passe son temps à chanter tes louanges, Cleo par-ci, Cleo par-là ! Ça ne pouvait qu'agacer tes frères, qui n'ont pas fait d'études. Barney est très complexé par ça, tu sais. Il dit que notre enfant ira dans la meilleure université, quoi qu'il arrive.

— Je ne me vante pas de mon diplôme, répondit Cleo, blessée. Et je n'ai jamais essayé de dénigrer mes frères. Au contraire, ils se moquaient de moi parce que je travaillais dur à l'école.

Cleo se rappelait leur enfance, quand ils faisaient leurs devoirs ensemble. Barney et Jason peinaient sur les leurs alors qu'elle avait les meilleures notes. Elle avait même gardé quelques carnets pour s'en souvenir. Ses frères n'avaient qu'une idée : quitter l'école. Le jour où c'était arrivé, ils avaient brûlé leurs livres et leurs cahiers en grande pompe dans l'incinérateur du Willow.

D'une certaine façon, c'était à cause d'eux, ou grâce à eux, que Cleo n'avait pas pensé que les femmes étaient inférieures

413

aux hommes en quoi que ce soit. Elle était la plus jeune de la fratrie et la plus intelligente. Elle ne s'était jamais demandé comment Barney et Jason vivaient la situation.

— M'en veulent-ils vraiment d'avoir fait des études et décroché un diplôme ?

— Un peu.

En parlant, Sondra essaya de s'installer mieux dans le fauteuil.

— Veux-tu que je t'aide ? proposa Cleo d'une voix hésitante.

Sondra la remercia d'un signe de tête.

— Oui, je ne peux pas rester longtemps dans la même position. Si je me penche en avant, pourrais-tu arranger les coussins ?

Cleo fit de son mieux puis aida sa belle-sœur à se réinstaller. Elle n'avait jamais eu un geste si amical envers elle.

— J'avais peur que mes frères ne refusent de reprendre contact avec moi à cause de la question d'argent, avoua-t-elle enfin. Je me demandais s'ils voulaient ma part...

Tout en parlant, elle se rendit compte que Sondra retrouvait une de ses anciennes expressions, scandalisée.

— Comme si ton père le permettrait ! Personne n'a touché à ta part.

— Mais alors, pourquoi n'ont-ils pas repris contact avec moi ?

— Ils étaient en colère contre toi et pensaient que ça te ferait du bien de rester un moment dans ton coin. Ensuite, ils n'avaient plus le courage de t'appeler. Ils ont pensé qu'ils avaient laissé traîner les choses trop longtemps. Ils se réjouiront de ton retour. Barney déteste les disputes. Simplement, abstiens-toi de jouer à « madame j'ai raison et vous avez tort » ! Respecte les sentiments des autres, Cleo.

— Ça, c'est ce qu'on appelle l'hôpital qui se moque de la charité !

— Bonsoir, voyageuse !

Cleo se retourna. Barney se tenait sur le seuil de la cuisine, les mains encombrées de sacs d'épicerie. Il avait toujours les cheveux ébouriffés et l'expression d'un enfant prêt à faire des bêtises. Pourtant, il avait quelques rides nouvelles autour des yeux. Cleo se rendit compte que la brouille les avait tous affectés. Bizarre qu'elle ait pu penser être la seule à en souffrir.

— Tu en as mis du temps à revenir, grogna son frère. Encore quelques semaines et tu serais devenue tante Cleo sans même le savoir.

— Désolée...

Les projets de Cleo de provoquer l'explication du siècle furent instantanément oubliés. A l'idée que ses frères avaient été intimidés par son intelligence, elle sentit combien elle les aimait.

— Tu ne vas pas, non plus, gagner le prix du grand frère qui téléphone, je crois, ajouta-t-elle affectueusement.

Elle courut se jeter dans les bras de Barney, sans même lui laisser le temps de se débarrasser des courses.

— As-tu déjà parlé à papa et maman ?

Cleo fit signe que non.

— Eh bien... Tu pourrais oublier de leur dire que nous ne t'avons pas appelée... Il n'est peut-être pas nécessaire...

— Tu veux dire que maman va vous massacrer si elle l'apprend ?

— Quelque chose comme ça !

— Je fais le numéro tout de suite, dit Sondra.

Cleo n'eut pas le temps de s'inquiéter de la façon dont ses parents l'accueilleraient. Ils n'étaient pas chez eux et Sondra laissa un message sur le répondeur.

Jason et Liz furent invités pour le dîner.

— Il faut mettre le poulet à cuire, Cleo, dit Sondra de son ton de commandant. Je suis incapable de m'en occuper et Barney ne réussit que des plats brûlés ou crus. J'ai déjà assez mal à l'estomac comme ça !

Cleo se lança dans la préparation de sa spécialité, le poulet à la diable avec de la sauce barbecue. Elle en avait fait, un soir, chez Trish. Tous les garçons de la maison avaient adoré la recette et réclamé une seconde portion.

« Le chemin du cœur d'un homme passe par son estomac, avait soupiré Ron.

— Non, avait rétorqué Trish en riant. Il passe à travers ses côtes. »

Ils s'assirent autour de la table de cuisine.

— C'est excellent ! dit Liz.

Sondra avait dit vrai à son sujet, pensa Cleo ; Liz était adorable, très douce, et avec des formes voluptueuses. De son côté, Sondra mangeait pour deux.

— Oui, renchérit-elle. C'est délicieux.

Barney et Jason dévoraient comme s'ils n'avaient rien avalé depuis vingt-quatre heures. Fidèles à eux-mêmes, ils n'avaient pas un mot de compliment. Liz décida que cela devait changer.

— Jason, souffla-t-elle, tu pourrais féliciter ta sœur Tu as oublié les bonnes manières ?

— C'est très bon, frangine, marmonna Jason, la bouche pleine.

Cleo fit un clin d'œil à Liz. C'était d'une femme comme elle que son frère avait besoin. Liz et Sondra encouragèrent les hommes à faire la vaisselle et Cleo proposa de les aider.

— Tu as tout préparé, protesta Liz. Tu as le droit de t'asseoir, maintenant.

— Ce n'est pas grave.

Cleo voulait avoir l'occasion de parler avec Barney et Jason. Elle lava donc la vaisselle, Barney l'essuya et Jason la rangea à grand bruit.

— J'étais triste que notre dispute ne finisse pas.

— Ne t'en fais pas, frangine, dit Jason. Tout va bien.

— Oui, tout va bien, renchérit Barney. Mais tu as un fichu caractère !

— Ne m'en parle pas ! reprit Jason. Pour tes quatre ans, Cleo, tu as reçu une poupée, que j'ai voulu te prendre. Tu m'as tapé avec. J'en ai encore la cicatrice...

Jason s'interrompit dans sa tâche pour remonter la jambe de son pantalon et exhiber la marque.

— Et moi, répliqua Cleo, la clavicule me fait mal depuis le jour où vous m'avez convaincue de descendre l'escalier sur la rampe !

Elle ignorait si son histoire était plausible, mais elle n'avait pas l'intention de ne pas répliquer à l'affaire de la cicatrice...

— Vous m'aviez dit, reprit-elle, que je ferais partie de votre bande si je m'exécutais. J'avais à peine cinq ans ! Maman a failli vous tuer pour m'avoir poussée à faire une telle bêtise.

— En plus, avoua Barney, on ne t'a pas laissée entrer dans la bande. On n'a pas été chic.

— Et vous m'appeliez Cleo la ronchon !

Elle avait détesté ce surnom. Elle avait détesté sentir que ses frères la tenaient à l'écart de leurs jeux.

— C'est pour ça que tu as cassé mon aquarium à fourmis ! dit Jason en riant. On a trouvé des bestioles dans toute la maison pendant des mois. Tu as toujours eu un caractère impossible, Cleo. Ça n'a pas changé ! Barney, qu'est-ce que papa a dit quand on a vendu l'hôtel ? Que si Cleo savait que c'était Roth Hotels qui l'achetait, elle piquerait une rage épouvantable.

Jason vit trop tard le regard d'avertissement que Barney lui lançait.

— Quoi ? J'ai juste...

Cleo interrompit Jason d'une voix tendue, comme quelqu'un dont le monde vient de s'écrouler.

— Vous connaissiez l'acquéreur du Willow ?

— Ne crie pas, s'il te plaît ! dit Barney. L'offre était extraordinaire. La banque harcelait papa pour des impayés et nous n'avions pas le choix. Nous savions que tu détesterais cette solution. Nous n'étions pas heureux non plus. Pourquoi aurais-tu souffert davantage que le reste de la famille ? C'était aussi notre maison.

Cleo était incapable de parler.

— De toute façon, quelle importance de savoir à qui on vend, à partir du moment où on doit le faire ? demanda Barney. Crois-tu que ce serait plus agréable de voir le Willow remplacé par un lotissement de logements sociaux que par un hôtel élégant ? Dans les deux cas, il ne nous appartient plus.

Sondra apparut sur le seuil de la cuisine, alertée par le ton de la conversation.

— Vous n'êtes pas de nouveau en train de vous disputer ?

417

Cleo fit non de la tête.

— Les disputes de la famille Málainn sont finies. Mes frères sont juste en train de me donner des renseignements sur l'acheteur du Willow.

— Ça ne m'étonnerait pas que la chaîne Roth fasse une fortune avec l'hôtel, une fois qu'il aura été modernisé, dit Sondra d'un air sombre.

Cleo ne pouvait pas dévoiler qu'elle avait vu le projet de rénovation. Elle se sentait ridicule. Elle avait quitté sa famille et Tyler à cause de son mauvais caractère. Et, dans les deux cas, elle avait fait une erreur. Apprendrait-elle jamais quelque chose dans la vie ?

Ils prirent le café et parlèrent jusqu'à neuf heures et demie. Cleo déclara qu'elle ferait mieux d'appeler un taxi, car elle commençait sa journée très tôt le lendemain.

— On te dépose, dit Jason.

Cleo rassemblait ses affaires quand le téléphone sonna. Barney jeta un coup d'œil à l'écran d'affichage de l'appareil.

— C'est le numéro de papa et maman. Décroche, Cleo.

Cleo se sentit brusquement la bouche sèche.

— Bonsoir, maman, dit-elle d'une voix tremblante.

— Cleo, ma chérie, que se passe-t-il ? Sondra est en train d'accoucher ?

— Non.

Avant, Cleo aurait mal pris que sa mère fasse passer Sondra avant elle. A présent, elle admettait qu'une femme dans un état de grossesse avancé ait priorité dans une conversation téléphonique. Elle préférait ne pas imaginer comment ce serait après la naissance du bébé. Elle avait bien fait de mettre de l'ordre dans ses relations avec sa famille avant la naissance.

— Sondra va bien. Je suis ici avec mes frères et avec Liz. Nous voulions vous parler, à papa et toi.

— Tu es certaine que Sondra va bien ? Tu n'essaies pas de m'épargner ? Elle a eu une grossesse si difficile !

— Je te promets que c'est vrai, maman.

— Bonsoir, Sheila ! cria Sondra depuis son fauteuil. Je suis ici ! Je suis toujours enceinte.

— Ouf ! Cleo, tu m'as manqué. Tu nous as manqué à tous les deux.

Cleo se sentit au bord des larmes.

— Moi aussi, maman, vous m'avez manqué. Pardon. J'étais hors de moi et...

— Harry, viens vite, c'est Cleo !

La joie que Cleo entendit dans la voix de sa mère balaya ses doutes.

— Je suis si heureux ! fit son père d'un ton étranglé.

— Moi aussi, papa. Je vous aime très fort, maman et toi, et je suis désolée. J'adorais le Willow et je n'avais pas compris combien la situation s'était dégradée.

— J'aurais dû t'en parler. Je n'ai pas réussi à le faire. Je savais que ça te briserait le cœur, mais nous devions conclure l'affaire rapidement ; sinon, nous aurions tout perdu. Je pouvais difficilement te téléphoner à Bristol et t'annoncer la nouvelle. Surtout au sujet...

Harry Málainn n'osait toujours pas le dire.

— Au sujet du groupe Roth, compléta Cleo. Je suis au courant, papa. Barney a raison. A partir du moment où nous étions obligés de vendre, l'identité de l'acheteur n'avait plus d'importance. Mais je suis sûre que Roth fera quelque chose de bien.

Cleo entendit son père soupirer de soulagement.

— J'en suis certain, ma chérie. Les petits hôteliers comme nous n'apprécient guère les gros, mais je dois dire que Roth est respectable. Bon, quand viens-tu nous voir en France ? Nous avons loué une très jolie maison en Ardèche et nous y sommes encore pour deux semaines. Ce n'est ni immense ni specta-culaire, mais il y a deux chambres d'amis. Il y en a une qui t'attend.

— Papa, j'ai un nouveau travail, mais je vais tâcher de venir passer quelques jours avec vous.

Cleo parla plusieurs minutes avec son père, qui s'intéressa à son expérience au McArthur's. Il aurait aussi aimé discuter avec elle du Cloud's Hill, mais Sheila réclamait le téléphone.

— Cleo, ma chérie, j'étais dans tous mes états. Je sais que tu as la tête dure, mais je ne pensais pas que tu ne nous téléphonerais pas, que tu ne nous enverrais même pas un mot, alors que Barney et Jason t'avaient parlé.

Cleo ne réfléchit pas avant de répondre. Si son père savait la vérité, il massacrerait ses frères. Elle dirait la vérité à sa mère, un jour, mais plus tard. Il fallait d'abord que sa famille se retrouve comme avant.

— Je suis désolée, maman, dit-elle d'un ton contrit. Je suis inexcusable. Tu me connais ; Cleo la ronchon, c'est moi !

— Mais non ! Nous t'aimons, ma chérie. Je suis fière de toi. Mais avec ta façon de tout prendre à cœur tu te prépares une vie difficile.

— Je sais, maman, mais je m'améliore. C'est promis.

— Tu viendras donc bientôt nous voir ?

Cleo savait que Leah se réjouirait d'apprendre qu'elle s'était réconciliée avec sa famille. Comme elle avait deux jours à récupérer la semaine suivante, si elle faisait quelques remplacements supplémentaires, elle pourrait peut-être obtenir un week-end prolongé.

— Je peux venir dans une semaine. J'ai vraiment hâte de vous retrouver.

Quand Cleo raccrocha, Jason lui donna un léger coup de poing sur le bras.

— Merci de ne pas nous avoir trahis, frangine ! Papa serait fou contre nous, s'il savait. En définitive, je crois qu'on n'aurait pas dû te laisser en dehors de la bande.

Cleo lui rendit son coup de poing pour jouer.

— Tant que vous m'acceptez maintenant, tout va bien.

Jason et Liz raccompagnèrent Cleo au Cloud's Hill.

— C'est superbe, ici ! s'exclama Jason en arrivant.

Cleo remarqua une grande voiture noire garée à l'emplacement habituel de celle de Leah. Sans doute Leah avait-elle des invités à qui elle avait dit de se mettre là.

La réflexion admirative de Jason permit à Cleo de voir le Cloud's Hill d'un regard neuf.

— Oui, c'est un très bel endroit. J'adore y être employée, même si je trouve difficile de travailler à Carrickwell sans que ce soit au Willow.

Liz se pencha vers elle et lui caressa le bras d'un geste encourageant. Cleo la remercia d'un sourire.

— Je suis heureuse d'avoir fait ta connaissance, Liz.

Cleo sortit de la voiture et Jason en fit autant.

— Content de t'avoir revue, frangine !

Son ton bourru ne trompa pas Cleo, qui le serra contre elle de toutes ses forces.

— Tu m'as manqué, dit Jason d'une voix étranglée.

— Toi aussi ; vous tous m'avez beaucoup manqué.

Cleo relâcha Jason et lui sourit affectueusement.

— Fais attention à toi, et prends soin de Liz. C'est la femme qu'il te faut.

— Fais attention à toi aussi.

Dans l'obscurité tombante, ni Cleo ni Jason ne virent l'homme assis dans la voiture, qui observait leurs adieux avec intérêt. Il avait les cheveux coupés en brosse.

— Au revoir !

Cleo agita la main tandis que Jason repartait puis rentra. Cette journée si riche en émotions l'avait épuisée.

19

On était à la fin de l'été et il faisait encore un temps superbe. Mel emmena Sarah et Carrie au parc pour leur promenade de l'après-midi. Sarah se précipita pour entrer la première, heureuse de courir. Le parc offrait son visage de fin de saison, avec des allées poussiéreuses et un gazon jauni. Une brise légère disséminait les graines des fleurs sauvages, préparant le paysage de l'année suivante.

— Regarde, maman ! Des fleurs de fées !

Sarah aimait inventer des noms. Pour elle, les fées avaient semé les pâquerettes qui poussaient par millions à l'entrée d'Abraham Park ; quant aux pissenlits, les elfes s'en étaient chargés, car elle n'aimait ni les pissenlits ni les elfes.

Elle fit un beau sourire à sa mère et courut vers une étendue de pâquerettes.

— Des *trettes*, dit Carrie, les yeux pleins d'émerveillement. Des *trettes* !

Les deux sœurs se mirent à rire et se laissèrent tomber dans l'herbe. Le jeu consistait à cueillir autant de fleurs qu'elles le pouvaient. Un corniaud noir, qu'elles connaissaient bien, vint jouer avec elles, faisant des gambades de bienvenue et remuant la queue à toute vitesse.

— Maman ! Il bave sur moi, cria Sarah en embrassant l'animal sur le museau.

Il courut ensuite vers Mel et fouilla de la truffe dans le sac qui contenait le goûter des filles. Mel lui donna une caresse puis un morceau de biscuit.

— Les filles ? Venez ! On va à l'aire de jeu.

Sarah et Carrie la précédèrent en courant, le chien bondissant entre elles. Elles le caressaient à tour de rôle, très fières qu'il les ait choisies pour l'accompagner dans sa promenade. A l'entrée de l'aire de jeu, il y avait une petite barrière.

— Tu dois rester dehors, dit Mel au chien.

— Maman, s'il te plaît ! supplia Sarah. C'est notre ami.

— Peut-être, mais les chiens n'ont pas le droit d'entrer ici. Il va nous attendre à l'extérieur.

Tandis que Sarah et Carrie jouaient, Mel pensa qu'ils devraient avoir un chien. Sarah en avait toujours eu envie et elle aussi. Avant, Mel n'aurait pas osé envisager cette possibilité. Elle prit conscience que, depuis qu'elle avait arrêté de travailler, toute sa vie avait changé. Aujourd'hui, elle avait le temps de s'amuser.

Elle avait pendant longtemps mené un rythme si épuisant que le fait de s'occuper de ses enfants avait été une tâche supplémentaire, presque une corvée. Bien sûr, cela n'aurait pas dû être le cas. A la naissance de Sarah et de Carrie, Mel avait été bouleversée de sentir la force de son amour pour elles, mais elle n'avait pas eu le temps d'en profiter. Elle avait dû reprendre son travail très vite, être de nouveau la meilleure et se donner à « deux cents pour cent », comme Hilary avait l'habitude de le hurler. Personne n'avait dit à Mel qu'elle se trompait dans ses priorités. Avoir des enfants avait cessé d'être la joie de sa vie et était devenu une sorte de test d'endurance. Mel passait son temps à courir contre la montre. Si elle prenait un itinéraire plutôt qu'un autre pour aller à son bureau, elle gagnait cinq minutes ; si elle préparait dix repas pendant le week-end et les congelait, elle économisait un quart d'heure chaque soir.

Au cours des derniers mois, elle avait eu l'impression que, pour la première fois depuis la naissance de Sarah, elle goûtait aux plaisirs de la vie.

Elle alla s'asseoir sur un banc et regarda ses filles qui s'en donnaient à cœur joie. Quand Sarah retrouvait ses amies, elle faisait semblant de ne plus connaître Carrie, mais, quand elles étaient seules comme ce jour-là, elles s'accrochaient spontanément l'une à l'autre.

Carrie venait de s'asseoir sur la balançoire.

— Sarah, pousse-moi, pousse-moi !

Et Sarah obéissait. Carrie hurlait de plaisir.

— Sarah, s'il te plaît, plus doucement !

Sensible à l'avertissement de sa mère, Sarah freina la balançoire et poussa plus doucement.

Les enfants, pensa Mel, voyaient encore la magie qui échappait aux adultes. Le matin même, Sarah avait remarqué une coccinelle dans la cuisine. Elle l'avait soigneusement transportée dans le jardin et posée sur une feuille. « Viens voir, maman ! » avait-elle dit. Mel, abandonnant la vaisselle, était sortie pour admirer la petite bête. Les bols du petit déjeuner pouvaient attendre, mais pas cet instant privilégié.

Après la balançoire, Mel et ses filles retrouvèrent leur ami à quatre pattes et, d'un pas tranquille, dépassèrent un bosquet de sycomores. Elles franchirent ensuite un pont au-dessous duquel courait un maigre filet d'eau. Un peu après s'étendaient les courts, où les balles de tennis rebondissaient avec leur bruit caractéristique. Sarah, qui aimait regarder les joueurs, s'agrippa au grillage.

— On peut essayer, maman ?

— On va bientôt acheter des raquettes, c'est promis !

Mel retardait l'achat autant que possible. Elle avait vu avec quelle force Sarah frappait la balle sur le *swingball* chez une de ses amies.

— Tu l'as déjà dit hier, grogna Sarah.

— Demain, c'est promis. Ne me dis pas que je ne tiens pas mes promesses ?

Sarah releva le menton d'un air de défi.

— Comment ça ? Je ne tiens pas mes promesses ?

Mel l'attira contre elle et se mit à la chatouiller.

— Si ! couina Sarah. Si ! Arrête, maman !

Dans la partie du parc au nord de l'aire de jeu, il y avait des bancs. Elles y rencontrèrent Bernie avec Stevie, son fils, et Jaye, sa fille d'environ six ans. Le nez de Jaye coulait. Effondrée sur un banc, Bernie regardait ses enfants se disputer. Elle n'avait pas l'air de profiter des dernières belles journées de l'été et Mel savait en partie pourquoi.

Mel ne s'était arrêtée de travailler que depuis quelques mois. Ne pas aller au bureau le matin lui donnait encore l'impression d'être en vacances. Le contraste entre son ancienne et sa nouvelle vie lui faisait savourer chaque instant. Bernie ne vivait pas la situation de la même façon. Elle avait souvent laissé entendre qu'elle apprécierait de renouer avec le monde professionnel.

Stevie avait le même âge que Carrie. En s'apercevant, ils se dirigèrent l'un vers l'autre à pas prudents. Sarah et Jaye, au contraire, coururent à l'écart des adultes pour se raconter leurs secrets. Pourvu, pensa Mel, que Sarah n'attrape pas le rhume de Jaye.

— Comment ça va ? demanda Mel en s'asseyant à côté de Bernie.

— Ça va, répondit Bernie d'un ton las. Je suis fatiguée, tu sais ce que c'est.

— C'est tout ? Tu es sûre qu'il n'y a rien d'autre ?

Il n'y avait pas longtemps encore, Mel n'aurait pas imaginé de poser une question si intime à Bernie. Mais, désormais, elle avait l'impression de la connaître assez, de même que les autres mères du groupe de l'école St Simeon. Chacune avait sa vie privée et ses secrets, mais, quand elles parlaient entre elles, elles montraient beaucoup de franchise. La maternité les mettait sur un pied d'égalité et cela créait un lien.

— Mon infernale belle-mère ! lâcha Bernie. Je voudrais qu'elle me respecte une fois dans sa vie ! J'ai épousé son fils, j'élève ses petits-enfants, et ça ne représente rien pour elle.

Bernie avait déjà parlé à Mel de sa belle-mère, une femme pour laquelle les pires clichés sexistes n'étaient pas assez forts.

— Elle est venue dîner hier soir et, à peine arrivée, elle saute sur Mick, et lui parle comme s'il n'avait pas mieux à faire dans la vie que d'être son fils. Moi, je ne compte pas. Les enfants non plus. Pourtant, elle jure qu'elle les adore. Non, il n'y a que Mick, Mick ! Son bébé chéri ! Comment peut-elle être si grossière !

Toute à sa colère, Bernie s'interrompit pour reprendre son souffle.

— Elle s'assied à côté de lui, reprit-elle, cherche à tout

425

savoir sur ses occupations de la semaine, regarde le match avec lui à la télé. Pendant ce temps, je reste seule à la cuisine. Je prépare comme je peux un repas de trois plats, avec Stevie qui fouille dans le placard dès que j'ai le dos tourné. Et je me retrouve avec un sac de farine répandu par terre, quand ce n'est pas pire !

Bernie, en se remémorant la soirée, s'animait.

— Et ensuite, alors que j'ai tout préparé, j'ai droit à une leçon de diététique. Une alimentation saine ? De la part d'une femme qui prétend qu'on ne devrait donner aux enfants que du lait écrémé pour qu'ils ne grossissent pas ? Ça ne l'empêche pas de leur apporter un énorme paquet de caramels à chaque visite. Je ne sais pas comment je ne l'ai pas tuée. Et tu sais le pire ?

Mel avait déjà compris.

— Ton mari ne te soutient pas ?

— Exactement ! Tout ce que je demande, c'est un peu de reconnaissance, un minimum de soutien, un tout petit quelque chose pour me dire que je me débrouille bien, merci.

Mel essaya de trouver quoi répondre, mais Bernie était si démoralisée que c'était difficile. Elle ne voyait pas que faire dans une situation pareille, en dehors de conseiller à sa belle-mère et à son mari de ficher le camp et d'aller se gâcher la vie ailleurs.

— Je m'en veux, je t'embête avec ces histoires.

— Mais non ! Il faut que tu en parles à quelqu'un, si tu ne veux pas finir cinglée.

— Merci ! Viendras-tu à la matinée de charité chez Viv, vendredi ? C'est pour l'hospice.

— Désolée, je dois aller à Dublin. J'ai rendez-vous avec une ancienne collègue.

Mel fouilla dans sa poche pour y prendre quelques pièces.

— Tu donneras ça de ma part. Et n'hésite pas à m'appeler, si tu en as besoin.

En parlant, Mel avait noté son numéro sur un papier et l'avait donné à Bernie.

Sarah et Carrie étaient fatiguées et, une fois rentrées, elles s'écroulèrent sur le canapé tandis que Mel s'occupait du dîner. Elle repensa à l'idée de monter une affaire. Comme le lui avaient suggéré Daisy, Cleo et Caroline, elle pouvait travailler à temps partiel et de chez elle. Aucune n'avait encore trouvé un projet valable, mais Mel en avait un. Elle allait créer un groupe de soutien pour les mères au foyer. Malheureusement, il n'y avait pas un centime à gagner avec cela, même si de nombreuses femmes en auraient eu besoin, telles Bernie et Caroline.

Quand Mel avait raccompagné Caroline à la gare de Carrickwell le lendemain de leur journée au spa, elle l'avait embrassée en lui disant : « Quoi qu'il arrive ce soir, si tu as besoin de moi, appelle-moi et je viendrai. » Caroline l'avait remerciée en l'embrassant aussi. Elle n'avait pas pleuré, alors que la veille encore elle n'aurait pas pu s'en empêcher. Mel espérait que c'était parce qu'elle se sentait plus forte, de nouveau elle-même.

Mel avait attendu que le téléphone sonne jusqu'à neuf heures du soir, mais Caroline ne s'était pas manifestée. A cette heure-là, Mel n'osait pas tenter de la joindre. Elle-même détestait qu'on la dérange alors que Sarah et Carrie étaient couchées et qu'elle se reposait devant la télévision. Heureusement, le lendemain à huit heures du matin, le téléphone sonna dans la cuisine.

— Mel, c'est moi. C'est fini.

Mel crut que son cœur s'arrêtait.

— Fini ? Graham t'a quittée ?

— Non, il a mis fin à sa liaison. C'est vraiment fini. Mel, tu ne peux pas savoir comme il a pleuré. Moi aussi, d'ailleurs ! Il m'a dit qu'il ne l'avait pas vraiment voulu et qu'il se sentait coupable. Il ne savait pas quoi faire. Il avait peur que je ne découvre la vérité.

Pendant qu'elles avaient cette conversation, Sarah et Carrie prenaient leur petit déjeuner. Elles étaient satisfaites, chacune avec ses céréales préférées. Mel tira une chaise jusqu'à l'appareil et s'assit.

— Qui, pourquoi, où, quand et pendant combien de temps ? demanda-t-elle.

— Une collègue de travail, mais elle est partie dans une autre société.

— Vraiment ? insista Mel.

— Graham m'a dit son nom et je sais qu'elle a démissionné. Elle aussi est mariée et craignait que son mari n'apprenne son aventure. Ça date de Noël dernier, à la soirée du personnel, mais il n'y avait rien eu d'autre jusqu'au mois de mai, quand ils ont commencé à travailler tard. Graham m'a avoué qu'il ne s'est jamais senti aussi honteux de sa vie. Il était terrifié à l'idée de nous perdre, les enfants et moi.

Mel restait dubitative, mais préféra ne rien dire.

— Ce qui est bizarre, reprit Caroline, c'est qu'elle est banale, pas spécialement jolie. Je ne comprends pas. Elle est juste performante dans son travail. C'est plus facile pour moi maintenant que je sais à quoi elle ressemble, parce que je ne m'imagine plus en compétition avec une créature de rêve. Tu comprends, je suis mieux qu'elle et, pourtant, je ne suis pas exactement Miss Monde, en ce moment.

Mel comprenait que Caroline soit soulagée à l'idée que sa rivale n'était pas très belle. Dans le cas contraire, l'infidélité aurait été plus difficile à pardonner, car Caroline n'aurait pas cessé d'établir des comparaisons. Toutefois, Mel trouvait que Graham s'en tirait un peu trop facilement.

— As-tu fixé un ultimatum à ton mari ?

— Il m'a affirmé que c'est fini et je le crois. Nous allons consulter un conseiller conjugal. C'est moi qui l'ai proposé. Tu sais que Graham ferait n'importe quoi pour ne pas avoir à parler de ses sentiments, mais, cette fois, il a dit oui sans discuter. Il veut que nous restions ensemble.

— Et toi ?

— Moi aussi.

— Je suis heureuse pour toi, Caroline, mais n'oublie pas que je serai là si tu as besoin de moi.

En raccrochant, Mel adressa une prière au ciel en demandant que tout s'arrange pour Caroline et Graham. Elle admirait Caroline d'essayer de sauver son couple. Si Adrian la trompait, Mel ignorait si elle serait capable de lui pardonner si vite pour le seul bien de sa famille.

Vanessa appela Mel la veille de leur rendez-vous. Elle voulait savoir si Kami, la remplaçante de Mel chez Lorimar, pouvait se joindre à elles pour leur déjeuner au très élégant Café de Montmartre.

— Elle aimerait te rencontrer, dit Vanessa.

Mel se sentit aussitôt sur la défensive.

— Pourquoi ?

— Je lui ai parlé de toi, c'est tout.

Vanessa avait expliqué à Mel que Kami avait environ vingt-cinq ans, mais, dans la réalité, elle paraissait plus jeune. En revanche, elle était aussi sereine que Vanessa l'avait annoncé. Mel imaginait Hilary faisant des remontrances à Kami et se heurtant à son impassibilité.

— Hilary ne sait pas comment s'y prendre avec Kami, dit Vanessa d'une mine réjouie tandis qu'elles étudiaient le menu.

Kami haussa ses fines épaules.

— Pourquoi s'énerver ? Hilary s'affole quand il y a un problème. Pas moi. Je suis là pour faire mon travail aussi bien que possible. Si je n'y arrive pas tout de suite, j'essaierai de faire mieux le lendemain. Je ne peux pas faire plus que de mon mieux.

Mel éclata de rire.

— Je sais maintenant comment j'aurais dû me conduire avec Hilary. Elle a rarement haussé le ton avec moi, mais, quand elle se mettait en colère, j'avais l'impression que ce qui n'allait pas était ma faute et que c'était à moi de tout arranger. J'aurais été mieux inspirée de lui décocher un grand sourire en disant que je ferais mieux le lendemain.

— Ça l'embête, confirma Kami, mais ce n'est pas mon problème. Je ne suis pas responsable de ses sautes d'humeur. La semaine dernière, notre site Internet est tombé en panne et il y a eu un tas d'histoires. Un abonné, furieux, a téléphoné à la presse et nous a fait passer pour des crétins. Qu'est-ce qu'on y peut ?

Mel se sentait réconfortée à l'idée que cela n'allait pas pour le mieux chez Lorimar depuis son départ. Elle appréciait l'honnêteté de Kami à ce sujet. Vanessa profita d'une absence de Kami, qui s'était rendue aux toilettes, pour en dire plus à Mel.

— Tu comprends pourquoi Hilary ne la supporte pas ? Kami est trop sincère. Elle ne voit pas l'intérêt de mentir. Comme Hilary est à cinquante pour cent dans l'apparence, ça la déstabilise.

Le déjeuner se poursuivit agréablement, tandis qu'elles parlaient toutes les trois des gens et du travail.

— Tu as été courageuse de renoncer à ta carrière, dit soudain Kami à Mel. Ça n'a pas dû être facile pour toi. En Chine, les femmes qui travaillent s'appuient sur leur famille. Ici, c'est plus compliqué. On ne peut compter que sur soi.

— Ma mère m'a beaucoup aidée, répondit Mel, mais ce n'était pas le fond du problème. Je pensais que j'aurais dû m'occuper de mes enfants, ne pas laisser ce soin à d'autres personnes.

— Je ne crois pas que je renoncerais à mon travail, même si je pouvais me le permettre, dit Vanessa. Tes filles sont encore petites, Mel, mais mon fils grandit vite. En janvier prochain, il aura quatorze ans et, dans quelques années, je serai sa vieille casse-pieds de mère ; il ne voudra même plus me voir ! Le plus dur, pourtant, est déjà passé.

— Dans certains pays, reprit Kami, les crèches sont bien organisées et ça facilite la vie des femmes.

— Mais, rétorqua Mel, je parie qu'elles se sentent aussi coupables quand une réunion leur fait rater les sorties scolaires où elles ont promis d'accompagner leurs enfants. Peu importe qu'ils soient vraiment heureux à la garderie, leur mère a toujours une petite voix pernicieuse dans la tête qui lui demande si elle a bien agi. J'ignore si j'ai fait le bon choix.

— Ma sœur vit en Chine. Elle travaille à l'hôpital. Quand elle rentre chez elle, elle passe des heures à aider son fils pour ses devoirs. En Chine, les écoliers ont beaucoup de travail à faire chez eux. Le système est ainsi.

Kami eut de nouveau ce haussement d'épaules que Mel trouvait charmant.

— Tu as raison, dit Mel, ce n'est peut-être pas si mal ici.

— Si on commandait le dessert ? proposa Vanessa.

Mel se tourna et chercha le serveur du regard. Elle lui sourit et il ne la remarqua pas. Zut ! Ne saurait-elle plus attirer l'attention sur elle ? Simplement parce qu'elle ne portait plus un tailleur strict de cadre ? Elle jeta un regard au miroir mural : ses cheveux lui tombaient en boucles sur les épaules et avaient retrouvé leur joli reflet blond depuis qu'elle avait fait refaire sa couleur. Sa robe de lin écru et son cardigan bleu-vert n'étaient vraiment pas une tenue de travail. Il est vrai qu'elle n'avait pas à courir à une réunion ou à avoir une discussion difficile avec son patron comme la plupart des clients du restaurant. Elle allait flâner en ville, faire du lèche-vitrine et acheter une bricole pour ses filles. Ensuite, elle rentrerait chez elle sans se presser et aurait tout son temps pour écouter Sarah et Carrie lui raconter la fête d'anniversaire à laquelle leur grand-mère les avait emmenées. Pendant qu'elles joueraient dans le jardin, Mel prendrait un thé avec sa mère avant de préparer le dîner. Elle referait sans doute du poulet, car elle en avait assez des tourtes au hachis Parmentier et des lasagnes. En réalité, elle menait une vie idéale.

Elle releva le menton et regarda le serveur comme quelqu'un qui n'a pas l'intention d'attendre une seconde de plus.

— Madame ?

Par miracle, il s'était précipité avec un sourire charmeur.

— Nous voudrions commander les desserts, répondit Mel en lui renvoyant son sourire.

Sur le chemin du retour, elle s'arrêta à la boucherie pour acheter un beau morceau d'agneau, la viande préférée d'Adrian. Ce serait agréable de préparer un dîner en tête à tête pour le vendredi soir. Mel avait quelque chose à annoncer à son mari. Quand elle arriva chez elle, les cris et les éclats de rire l'accueillirent. Sa mère et ses filles étaient dans le jardin. Mel sentit une grande détente l'envahir, comme toujours quand elle rentrait et que tout allait bien. Elle n'avait pas réussi à se débarrasser complètement de l'idée angoissante qu'il suffisait qu'elle s'absente pour qu'une catastrophe se produise.

Tandis qu'elle posait ses affaires dans l'entrée, elle prit le temps de regarder sa maison. Elle avait changé d'allure. Au cours des trois derniers mois, Mel s'était occupée de beaucoup de choses. Les fenêtres n'étaient certes pas très propres, mais on ne pouvait pas passer sa vie à faire le ménage ! L'intérieur était net, mais pas d'une façon hystérique, comme si la vie de Mel en dépendait. C'était simplement accueillant et assez organisé pour que l'existence soit agréable. Le congélateur n'était plus rempli à ras bord de surgelés, à l'exception d'un rare hachis Parmentier maison enfoui au fond. Mel, à l'époque, préparait ce genre de plat parce qu'elle culpabilisait de ne pas nourrir sa famille correctement. Ensuite, elle l'oubliait, parce que les cochonneries achetées au supermarché étaient meilleures ! A présent, elle n'éprouvait plus de culpabilité si elle se contentait de réchauffer un plat surgelé.

Un jour, elle avait commencé à repeindre le lambris de l'entrée, « aidée » par les filles. Elles s'étaient bien amusées avec les pinceaux et les pots de peinture que Mel leur avait donnés. Elle leur avait indiqué un coin où s'exercer, mais, devant le talent avec lequel elles barbouillaient le plancher plutôt que le mur, avait rapidement dû mettre fin à l'expérience. Le travail n'était pas fini, ce qui n'était pas grave. Mel avait le temps de le terminer.

Elle rangea les courses et passa dans le jardin.

— Bonjour, les filles ! Bonjour, maman, dit-elle en embrassant tout le monde. Comment ça va ?

Adrian rentra à sept heures et demie et fut intrigué par le spectacle qui l'attendait dans la salle à manger. La table était mise pour deux avec beaucoup de soin.

— Tu as sorti les serviettes du service de fête ? En quel honneur ? Non, laisse-moi deviner ! Tu te fais opérer pour devenir un homme, mais tu veux me le dire avec style ?

— C'est chaud, mais ce n'est pas la bonne réponse, Sherlock !

— Tu t'apprêtes à t'enfuir avec le laitier et tu ne sais pas comment me l'annoncer ?

— Comment as-tu trouvé ? Mais tu te trompes sur un point : il s'agit du facteur ! Tu comprends, c'est si confortable sur les grands sacs de courrier à l'arrière du fourgon !

— Ouf ! Je me sens mieux. Je n'aurais pas supporté que tu partes avec le laitier.

Adrian posa son attaché-case, dénoua sa cravate et s'assit. Mel glissa le cake aux tomates et au fenouil qu'elle venait de faire devant lui.

— Les filles dorment. Elles ont passé une excellente journée. Ce matin, nous sommes allées au parc et, cet après-midi, maman les a emmenées à l'anniversaire de Tabitha. Les parents avaient fait des folies, j'ai l'impression. Il y avait une maquilleuse et un clown.

Adrian regarda Mel, stupéfait.

— Pour l'anniversaire d'une gamine ?

— Mais oui ! Il y avait même un gâteau en forme de princesse. Maman et moi avons passé des heures à convaincre Sarah que tout le monde ne peut pas avoir un gâteau en forme de princesse et une maquilleuse ou un clown pour ses cinq ans. Sans compter la maison de poupée avec ses accessoires !

— Je me demande ce que Tabitha recevra pour ses vingt et un ans ?

— Sans doute une garde-robe de grand couturier et une Porsche ! Et maintenant, si Monsieur permet, je vais servir.

— Et tu me révéleras, quand tu l'auras décidé, la raison de cette mise en scène ?

Adrian désigna les fleurs et le joli couvert de la tête. Mel se pencha vers lui pour lui donner un long baiser sensuel.

— Oui, quand j'en aurai envie.

— Non, continue comme ça et je verrai peut-être d'un autre œil l'idée de te partager avec le facteur !

Adrian attira Mel contre lui et lui caressa les hanches.

— Que dirais-tu d'oublier le dîner, de monter et de passer directement au dessert ? demanda-t-il, plein d'espoir.

— Pas quand j'ai mis deux heures à tout préparer ! Tu devras attendre pour le dessert. On a de l'agneau rôti avec une salade marocaine pour commencer.

— Je reviens sur ma proposition, répondit Adrian en dépliant sa serviette. On mange d'abord et on passe au dessert après.

Une fois repu, Adrian se cala sur son siège.

— Alors, qu'avais-tu à me dire ?

— J'aimerais reprendre un travail.

— Je m'attendais à ce que tu m'en parles tôt ou tard.

— Vraiment ?

Mel était étonnée, mais, en définitive, pas tant que cela. Adrian la connaissait bien, depuis le temps qu'ils vivaient ensemble.

— J'étais sûr que tu aurais besoin de faire autre chose, reprit-il. Non que le travail à la maison ne te suffise pas ! Mais tu as eu des responsabilités professionnelles. Ça ne pouvait qu'être difficile pour toi de renoncer au prestige et à l'excitation qui en découlent.

Parfois, Adrian se montrait intuitif.

— Oui, mais cette fois je veux m'y prendre différemment.

— Comment ça ?

— Je voudrais un temps partiel, quelque chose qui soit plus pratique.

— Qu'as-tu envie de faire ?

— Je ne sais pas, sans doute la même chose qu'avant. Peut-être que je pourrais aller voir au supermarché de Carrickwell. Je veux retrouver, au moins quelques heures chaque semaine, l'ambiance du travail. Ça rend le temps libre plus agréable et j'aimerais avoir de nouveau le plaisir de gagner mon propre argent.

— Mais celui que je gagne est aussi le tien ! protesta Adrian. Je ne te demande pas de me rendre compte du moindre centime que tu dépenses.

— Oui, mais...

Mel avait du mal à expliquer ce qu'elle ressentait.

— Le problème ne vient pas de toi, mais de moi. J'ai

434

l'impression de devenir un peu moins adulte depuis que je ne touche plus rien.

Mel regarda Adrian d'un air intrigué.

— Mais comment as-tu deviné que j'avais envie de reprendre un travail ? Tu n'as quand même pas cru que j'étais malheureuse d'avoir arrêté ? J'en ai été ravie et je le reste.

— N'oublie pas que je te connais bien ! Je sais que tu veux t'occuper des enfants, mais aussi que tu aimes les défis professionnels.

— S'occuper de ses enfants, c'est un sacré défi !

— Excuse-moi, ce n'est pas ce que je voulais dire. Tu aimes le défi que représente la réussite d'une tâche différente chaque jour.

Mel hocha la tête et soupira.

— Oui, mais c'est difficile de concilier ça et la maternité. C'était très dur, avant. Je croyais que je pouvais devenir super-woman, que je tiendrais le rythme après la naissance des filles. Et tu sais quoi ? C'était impossible. Non que je sois devenue moins intelligente, moins ambitieuse ou moins impliquée dans mes fonctions. Non, mais je me sentais déchirée. Avoir des enfants m'a transformée.

— J'adore celle que tu es devenue, dit Adrian avec une profonde tendresse.

— Vraiment ?

Mel était toujours frappée de constater combien elle l'aimait. Il était son âme sœur, il la comprenait et voulait ce qu'il y avait de mieux pour elle. Elle pensa à Caroline et à la façon dont son couple s'était détérioré. Elle se demanda si son amie aurait jamais pensé à son mari comme à son âme sœur.

— Je veux m'occuper de Sarah et Carrie, être là quand il faut les emmener chez le médecin et les accompagner à l'hôpital si c'est nécessaire. Je refuse que quelqu'un d'autre s'en charge. J'ai besoin de conserver cette liberté dans mon prochain travail. Mais dis-moi où trouver un patron capable de comprendre qu'on est mère avant tout ?

— Pourquoi ne crées-tu pas ton affaire ?

Les yeux de Mel se mirent à briller.

— Tu es la quatrième personne à me le dire ! Il y a donc peut-être du vrai là-dedans.

— Le quatrième ? Je suis donc le dernier à être au courant… Qui d'autre t'en a parlé ? Le facteur…

Mel se recula sur sa chaise et posa ses pieds nus sur les genoux d'Adrian. Il lui caressa les orteils et lui massa la plante des pieds.

— Continue comme ça, et je te le dirai.

— Nous pourrions monter tout de suite, proposa Adrian. On rangera demain matin.

Mel se leva d'un bond et prit Adrian par la main.

— Tu as raison ! Vivons dangereusement !

En disant ces mots, elle aperçut le reste d'agneau. Il y en avait assez pour un second repas et cela n'avait pas été un morceau bon marché…

— Juste un instant, je mets la viande au réfrigérateur.

Adrian éclata de rire. Sous l'effet de la surprise, Mel ne put s'empêcher de l'imiter.

— Qu'y a-t-il ? demanda-t-elle. Tu adores ça et tu pourrais le manger froid pour le déjeuner de demain.

— C'est toi qui me fais rire ! Tu as raison. Il ne faut pas gaspiller.

Adrian s'était levé et aidait Mel à débarrasser. Elle était redevenue sérieuse.

— Tu sais, tant que je n'ai pas trouvé un travail à temps partiel, nous devons faire attention.

— Et si je te disais que j'ai eu une augmentation ?

Mel se figea sur place.

— Quoi ?

— Oui, j'ai eu une promotion. C'était ma grande nouvelle du soir et j'allais te l'annoncer plus tard… Après t'avoir fait subir les derniers outrages ! Rappelle-toi, nous espérions tous les deux que, après que j'aurais eu mon mastère, ma carrière décollerait. Ça a marché ! J'ai gravi un échelon de salaire et désormais je fais partie de l'équipe de direction. Je l'ai appris aujourd'hui.

— Adrian, je suis si fière de toi !

— Je n'y serais pas arrivé sans toi, murmura-t-il, ses lèvres sur celles de Mel.

— Bien sûr que si !

Il la serra plus fort dans ses bras.

— Non, ma chérie. Je n'y serais pas arrivé. Tu sais quoi ? Je crois que nous formons une bonne équipe.

Adrian commença à embrasser Mel dans le cou comme elle l'aimait et elle trouva soudain que le rangement ne présentait aucun intérêt.

— Tu as raison, dit-elle en s'écartant d'Adrian. L'agneau va dans le réfrigérateur et le reste attendra demain. On a quelque chose de plus important à faire.

20

Daisy regarda une dernière fois le salon de son ancien appartement. A présent, en dehors d'un tas de cartons et de la poussière qui s'était glissée dans les coins, il était vide. Daisy était triste de s'en aller. Cela avait été sa maison, son foyer, pendant six ans. L'endroit, tel un agenda en trois dimensions, reflétait un pan de sa vie. Tout à l'heure, quand elle fermerait la porte derrière elle pour toujours, ces années s'effaceraient-elles ? Serait-ce comme de perdre un calepin plein de souvenirs ? Une minuscule tache de café, sur la moquette de la chambre, remontait à l'époque où Daisy et Alex avaient acheté une nouvelle cafetière. Daisy avait tendu sa tasse à Alex et, comme elle était brûlante, il l'avait lâchée. Il y avait aussi la partie de son placard réservée aux chaussures. Elle l'avait fait faire sur mesure et Alex avait beaucoup ri. Il l'avait appelée la reine des chaussures. Dans le cottage, il n'y avait pas de placard, et encore moins de niches sur mesure pour des chaussures à hauts talons. En revanche, il y avait tout l'espace voulu pour que Daisy procède aux aménagements qu'elle souhaiterait. Comme elle avait payé son achat un prix raisonnable, il lui resterait de l'argent sur sa part de l'appartement.

Une voix fatiguée retentit derrière elle.

— Ces escaliers sont mortels !

C'était les déménageurs. Ils venaient de descendre le lit et n'avaient pu le faire entrer dans l'ascenseur.

— Je crois que nous allons faire une pause, dit le chef d'équipe.

— Je vous en prie. Je jette un dernier coup d'œil. Est-ce que je peux vous laisser les clés ? L'agent immobilier passera les prendre à quatre heures.

Daisy sortit, la tête haute, rejoignit sa voiture et écouta les messages sur son portable. Il y en avait six. Tout le monde savait que c'était le grand jour du déménagement.

Mary disait qu'elle passerait au cottage plus tard en apportant un plat de lasagnes. « Quelque chose de bien gras, ma chérie ! Parce que si toi tu veux faire un régime, moi pas ! »

Daisy avait décidé de mincir et de rejoindre un groupe d'entraide, pas très loin de chez elle. Mais pas tout de suite !

Ensuite, Claudia l'avait appelée : la soirée du lendemain était maintenue, mais elle commencerait à huit heures au lieu de sept heures et demie. Cela convenait-il à Daisy ? Claudia ajoutait que c'était décontracté, juste un dîner dans une pizzeria. Andrew avait promis de ne pas chercher à caser Daisy !

Paula lui souhaitait bonne chance et lui reprochait de ne pas être venue les voir, Emma et elle, depuis longtemps. « Emma grandit vite. Elle veut voir sa tante Daisy. »

Daisy sourit. Elle serait heureuse de revoir Emma. Depuis quelque temps, elle avait l'impression d'avoir franchi un cap. Elle n'avait plus envie de pleurer en croisant les femmes avec des poussettes dans la rue ou quand une publicité pour des couches ou des petits pots pour bébé passait à la télévision. Elle n'en désirait pas moins avoir un enfant, mais avait réussi à prendre du recul. Personne ne lui avait dit qu'elle n'arriverait pas à tomber enceinte. Puisqu'elle n'avait jamais fait de test, elle ignorait si le fait de ne pas avoir eu de bébé avec Alex relevait du hasard ou d'un problème physique. Sans diagnostic médical, elle refusait de croire au pire.

D'abord, elle devait faire le deuil des enfants qu'elle n'avait pas eus avec Alex. De curieuse façon, la naissance de Daragh l'avait aidée à passer cette étape. C'était étrange qu'un bébé lui permette ainsi de tourner la page. Mary, qui insistait sur la nécessité d'aller de l'avant, applaudirait des deux mains !

Un autre message venait de Zsa Zsa. Elle informait Daisy qu'elle fréquentait depuis plusieurs semaines un homme extraordinaire, qui avait beaucoup d'amis aussi extraordinaires. « Maintenant que tu es libre – oh ! à propos, est-ce que ça a marché avec KC ? –, tu pourrais nous rejoindre et on sortirait à quatre ? »

Certainement pas ! pensa Daisy avec un frisson d'horreur. Elle ne voulait surtout pas qu'on lui rappelle KC et les jours horribles qui avaient suivi le départ d'Alex. Elle n'en était plus là ! Elle n'était plus cette idiote aveuglée et dépendante d'un infidèle. Si elle se retrouvait en compagnie de cette bande de joyeux fêtards qui entouraient Zsa Zsa, elle retomberait dans le même état d'esprit.

Le message de Leah commençait par des chants de baleines. Leah disait qu'elle pensait à Daisy et souhaitait la voir bientôt. « J'espère que vous aimez la musique. J'ai eu du mal à trouver le disque que vous m'aviez réclamé... » Daisy éclata de rire. Leah avait le chic pour lui faire du bien.

Le dernier message venait de Nan Farrell. « Bonjour, Daisy ! Quelles nouvelles ? Tante Imogen et moi sommes restées long-temps absentes, comme tu sais, mais nous sommes rentrées et... » Une longue pause... Daisy imaginait sa mère se creusant la tête pour trouver quoi dire ensuite. Bizarre ! Normale-ment, elle n'avait aucun problème pour parler au répondeur. « Brendan m'a dit, reprenait-elle, que tu es venue passer quelques jours ici. Merci de tout avoir laissé en parfait état. Euh... Voilà ! J'espère que tu vas bien, Denise. »

Daisy détestait que sa mère l'appelle Denise. Une petite voix dans sa tête ne cessait de lui demander pourquoi elle ne le lui faisait pas remarquer. Elle préférait qu'on l'appelle Daisy.

Leah avait dit quelque chose à ce sujet... « Vous devez formuler ce que vous pensez et ce que vous ressentez. On ne peut pas deviner. »

Nan Farrell avait ajouté quelques mots : « Passe-moi un coup de fil ! Au revoir. » Pour la première fois de sa vie, la voix froide et hautaine de sa mère n'exaspéra pas Daisy. C'était juste sa façon de parler. Elle ne pouvait s'en empêcher. Elle avait été élevée ainsi ; elle avait appris à se conduire en dame et savait comment saluer un archevêque ou une comtesse. Son monde était façonné par un manuel de savoir-vivre, par ce qui se fait et ce qui ne se fait pas ! Elle aurait sans doute préféré courir nue dans la rue plutôt que de confier quelque chose de personnel à sa fille unique. C'était dans sa nature, de même qu'il était dans celle de Daisy d'être naïve, confiante et vulnérable.

« Eh bien ! pensa-t-elle avec surprise. On dirait que je viens encore de tourner une page. »

Elle commença par rappeler Mary.

— Tu peux apporter tes lasagnes bien grasses à partir du moment où tu n'oublies pas le gâteau au fromage.

Mary éclata de rire.

— Je retrouve la Daisy d'avant ! Veux-tu que je prenne aussi une ou deux bouteilles de vin ?

— Non, répondit Daisy. Je crois que j'ai abusé après le départ d'Alex. Ça ne me fait pas de bien.

Il ne lui était pas facile de ne plus boire. Elle en avait pris l'habitude et avait l'impression que l'alcool l'anesthésiait. Elle avait conscience qu'elle avait failli devenir alcoolique, et il n'en était pas question.

— Je ne suis donc pas la seule ! Il est aisé de se laisser prendre au piège de la femme abandonnée qui reste chez elle avec sa bouteille. Pour éviter ça, je me suis rabattue sur le chocolat et les biscuits diététiques.

— C'est une bonne idée. En plus, tu peux manger autant de biscuits basses calories que tu en as envie.

— Exactement, acquiesça Mary. Et quand tu en as avalé dix-sept tu n'as plus envie d'appeler ton ex pour lui dire ce que tu penses de lui ! Bref, je te retrouve à six heures et je t'aiderai à déballer tes affaires.

Daisy s'apprêtait à démarrer quand elle se souvint d'un carton qu'elle voulait emporter tout de suite au cottage. Elle y avait rangé la bouilloire, le thé, le lait, les petites choses indispensables aux premiers moments d'installation. Ses aides, Mary, Cleo et Leah, avaient déclaré qu'elles ne feraient rien sans une tasse de thé. Daisy remonta donc l'escalier en courant, car les déménageurs monopolisaient l'ascenseur. Elle poussa la porte de l'appartement à la volée, pensant n'y trouver personne. Dans l'entrée, les déménageurs discutaient de la meilleure façon de descendre son fauteuil préféré et, devant la fenêtre, se tenait quelqu'un. Ce quelqu'un serrait une grosse boîte contre sa poitrine et regardait à l'extérieur, comme il l'avait souvent fait. C'était Alex.

— Oh ! Tu m'as surprise.

— Je ne voulais pas te faire peur. Je croyais que tu étais partie. J'ai attendu de te voir monter dans ta voiture.

Alex avait débité sa déclaration d'un ton assez agressif. Daisy trouva triste que l'homme avec qui elle avait vécu et qu'elle avait aimé n'ait pas eu le courage d'entrer en sa présence. Au temps pour sa théorie selon laquelle ils pouvaient rester amis...

— Je suis venu chercher le reste de mes affaires, reprit Alex. Le notaire a dit que tu laisserais tout dans des cartons. Je voulais passer plus tard, mais...

— Il n'y a pas de problème, Alex.

Daisy le vit se détendre, mais se sentit elle-même en colère. Cela ne lui arrivait guère, pourtant.

— Que crois-tu que je vais faire ? demanda-t-elle d'un ton irrité. Crier au scandale et courir en brandissant un couteau de cuisine ?

Alex sembla si étonné de la réflexion qu'elle éclata de rire.

— Désolée, je n'ai pas pu résister. Je plaisantais, Alex. Tu te rappelles que ça existe, les plaisanteries ?

— Oui, excuse-moi ! Mais la situation est un peu difficile...

— J'ai tendance à penser qu'elle l'est plus pour moi que pour toi, lança Daisy.

— Je sais, je sais. Daisy, je suis navré, vraiment navré. Je ne voulais pas que ça se termine de cette façon, crois-moi, je t'en prie. Si je pouvais revenir en arrière, je le ferais. Mais ce n'est pas possible.

Un mois plus tôt, Daisy aurait tout donné pour entendre Alex prononcer ces mots, mais là elle ne ressentait rien. Alex était désolé, c'était parfait. Cela signifiait que leur relation avait représenté quelque chose pour lui, qu'il lui avait été assez attaché pour regretter de l'avoir fait souffrir. Pourtant, ses excuses sonnaient creux ; il l'avait traitée avec une extrême cruauté. Daisy n'oublierait jamais qu'il lui avait dit qu'il avait trouvé confortable d'être avec elle en attendant de rencontrer la femme de sa vie.

Soudain, elle eut envie de se montrer cruelle envers lui, à son tour. Il n'imaginait pas ce qu'elle avait souffert quand il l'avait quittée et elle avait besoin de lui rendre la monnaie de sa pièce. Les mots tourbillonnaient dans sa tête. Peut-être pouvait-elle lui demander s'il estimait toujours qu'elle était une garce capable de détruire sa relation avec Louise en lui disant qu'ils avaient couché ensemble sur la moquette ?

Cette pensée lui avait à peine traversé l'esprit qu'elle eut honte d'elle-même. Alex l'avait blessée à un point qu'il n'évaluerait jamais, mais la vengeance n'adoucirait en rien le chagrin qu'elle ressentait. Au moins, à présent, elle avait des souvenirs de leur vie commune. Elle était fière de la façon dont elle s'était conduite envers lui.

— Tu as raison, dit-elle calmement. Tu ne peux pas revenir en arrière. Je regrette juste que tu n'aies pas été honnête avec moi dès le début. Tu m'as laissée croire que nous aurions un enfant, alors que tu ne pensais qu'à me quitter. C'est indigne, Alex.

Il s'adossa à la fenêtre, sans lâcher le carton qu'il tenait contre lui, tel un bouclier.

— Je sais. Je n'ai pas eu le courage de te parler ; tu étais si enthousiasmée…

— N'essaie pas de me rendre responsable de ton infidélité ! Assume tes responsabilités ! Tu me mentais et, plus ton mensonge a duré, plus ça m'a fait souffrir.

Alex contemplait ses chaussures d'un air embarrassé.

— J'avais peur, je ne savais pas comment m'y prendre.

Daisy se sentit soudain pleine de confiance en elle-même.

— Dans ce cas, c'est quelque chose que nous avons appris tous les deux. Il faut dire la vérité, même si ça fait mal.

— Tu as changé.

— J'y ai été obligée. Ma vie a été détruite. Ce à quoi je croyais n'est plus. Ça m'a demandé un gros travail d'adaptation.

Le silence s'installa entre eux. On n'entendait plus que les déménageurs sur le palier.

— Comment va Daragh ? demanda Daisy.

Alex en resta bouche bée. Son expression dénotait autant l'étonnement que l'admiration. Daisy se sentit grandir.

— Et Louise ? ajouta-t-elle.

— Ils vont très bien, bafouilla Alex. Tu... C'est formidable que tu puisses parler comme ça, Daisy.

Daisy revit l'image des bouteilles vides. Elle avait cherché à se détruire. Elle avait tant pleuré !

— Je veux dormir la conscience en paix, Alex. Si je te souhaitais tous les malheurs du monde, ce ne serait pas possible. Je dois essayer de te pardonner, pour ma propre tranquillité d'esprit.

— Ma mère ne m'a pas pardonné.

— Même pas depuis que tu lui as fait un petit-fils ?

Daisy aurait tant voulu donner des petits-enfants à la mère d'Alex !

— Elle m'a écrit une lettre adorable, poursuivit-elle. Elle me dit qu'elle était triste et furieuse contre toi. Elle espère que nous resterons amies. Elle m'a communiqué son numéro de portable en me demandant de l'appeler. Je ne l'ai pas encore fait. Ce sera pour plus tard. Dans l'immédiat, je ne peux pas.

— Si tu lui téléphonais, elle cesserait de m'en vouloir.

L'espace d'un instant, Alex était redevenu l'homme que Daisy avait connu, l'égoïste qui ne pensait qu'à lui.

— Si je comprends bien, tu aimerais que je joigne ta mère pour lui dire que je vais bien et qu'elle ne doit pas être fâchée contre toi ?

Alex parut mal à l'aise.

— D'accord, je n'aurais pas dû dire ça. Excuse-moi, Daisy.

Daisy savait qu'il était temps qu'elle parte. C'était au tour d'Alex de rester en arrière. Elle prit le carton qui contenait les affaires pour le thé.

— Au revoir, Alex. Je ne pense pas que nous nous reverrons. Prends soin de toi.

— Toi aussi...

Il fit quelques pas vers elle puis s'arrêta.

— Daisy, tu es extraordinaire de réagir ainsi. Vraiment extraordinaire !

Daisy lui fit un grand sourire.

— Je crois que c'est vrai.

Sur ce, elle s'en alla. Elle quitta l'immeuble et se dirigea vers sa voiture d'un pas léger, mais, au moment où elle s'assit, ses jambes se mirent à trembler. Elle avait réussi ! Elle avait dit à Alex ce qu'elle avait sur le cœur. Elle ne s'était pas mise en colère, parce qu'elle ne voulait plus perdre son énergie avec lui. Il appartenait au passé, à son ancienne vie. Aujourd'hui commençait la nouvelle.

Le lendemain matin, Nan Farrell fut surprise de découvrir sa fille à sa porte, fraîche et en pleine forme.

— Denise !

Son éducation reprit le dessus et elle ajouta qu'elle était ravie de la voir.

Daisy était décidée à ne pas se laisser décourager par l'usage de son vrai prénom. Elle amènerait la conversation sur le sujet plus tard.

— J'ai eu envie de te faire une petite visite de voisinage, maman.

— De voisinage ? Comment peux-tu dire ça, puisque tu habites à Carrickwell ? Je ne comprends pas.

— J'ai des nouvelles à te raconter. D'abord, j'ai déménagé. J'habite au bout de la route.

Daisy fut soulagée de voir que Nan ne paraissait pas épouvantée par l'information.

— Quelle bonne idée ! C'est si beau, par ici. Les gens sont accueillants.

Si Daisy fut étonnée de cette réaction, elle n'en laissa rien paraître. Elle n'aurait pas cru que sa mère se souciait de ses voisins. Il était vrai qu'elle ne la connaissait pas bien.

— Où avez-vous exactement emménagé, Alexander et toi ?

— C'est une autre chose que je voulais te dire. Nous ne sommes plus ensemble.

Daisy se rendit compte qu'il était étrange qu'elle mette sa mère au courant des derniers événements de sa vie plusieurs mois après qu'ils s'étaient produits. D'autres femmes auraient appelé la leur avant même d'avoir versé la première larme !

445

— Nous nous sommes séparés.

— Seigneur ! s'exclama Nan Farrell.

Puis elle se tut, attendant les détails. Daisy essaya de ne pas flancher.

— Alex a rencontré une autre femme et elle est tombée enceinte. Ils ont un petit garçon.

Daisy s'était exprimée aussi légèrement que possible, mais, malgré tous ses progrès, cela restait difficile.

— Je suis désolée de l'apprendre, Daisy. Vraiment.

Daisy se dit que Nan était sincère. Le fait qu'elle l'appelle Daisy et pas Denise était un gage d'apaisement dans leurs rapports.

— Quand cela est-il arrivé ?

— Il y a quelques mois.

Pendant un instant, Daisy fut tentée de ne pas tout révéler à Nan, mais elle opta pour la sincérité ; ainsi, elle verrait si elles pouvaient établir leurs relations sur un meilleur pied. Si Nan restait aussi indifférente que d'habitude à l'égard de Daisy, au moins celle-ci se consolerait-elle en pensant qu'elle avait essayé.

— A cette époque, reprit-elle, nous essayions d'avoir un bébé. Je croyais qu'Alex le désirait autant que moi. Ça a dû contribuer à la dégradation de nos rapports, mais ça n'a pas été l'unique raison. Alex était tombé amoureux de son assistante et l'avait mise enceinte. Voilà. Que puis-je te dire d'autre ?

— J'aimerais exprimer ma pensée à ce jeune homme ! répondit Nan avec colère.

Daisy n'en revenait pas : sa mère, en colère parce qu'on lui avait fait du mal ?

— Comment a-t-il osé faire ça ? reprit-elle. Traîner ton nom dans la boue de cette façon, c'est honteux ! Si ton grand-père était vivant, cet Alexander Kenny ne se serait pas conduit de cette façon !

Le grand-père de Daisy avait été un grand propriétaire local et un homme puissant. Sur un seul de ses regards, Alex aurait épousé Daisy sur-le-champ. Mais quel aurait été l'intérêt ? Ils

446

auraient été mariés sans s'aimer au lieu de vivre ensemble sans s'aimer.

— Merci, dit Daisy.

Nan la dévisagea, assez étonnée.

— Mais de quoi ?

— D'avoir dit ce que tu viens de dire, d'être de mon côté.

— Qu'attendais-tu d'autre de ma part ? Cette pauvre Imogen sera dans tous ses états. Elle se remet à peine de son opération et, maintenant, ça !

— Tante Imogen ira très bien, dit Daisy d'un ton rassurant. Si elle a survécu au divorce de Lillian, elle survivra à tout.

Cela avait été un drame, quelques années plus tôt, quand la fille de tante Imogen avait quitté son mari.

— Je crois que tu as raison. Tout change. Pourtant, le divorce n'était pas le genre de la famille.

Daisy venait de découvrir qu'il était plus facile de parler à sa mère en la taquinant pour lui faire oublier ses craintes. C'était là qu'elle s'était toujours trompée ; elle voulait trop obtenir son approbation. Si Nan haussait le ton, même imperceptiblement, Daisy se mettait à trembler.

— Je peux appeler Imogen et le lui dire, si tu préfères ? proposa Daisy.

— Peut-être que tu devrais aller la voir. Elle en serait heureuse, à présent qu'elle est guérie. Je crois qu'elle se sent seule. Je t'accompagnerais. Ce serait amusant. Ne crois-tu pas ? L'autre jour, Imogen et moi nous disions que nous devions nous serrer les coudes. Nous ne rajeunissons pas et nous sommes la seule famille qui nous reste.

— Tu m'as, moi.

— Bien sûr, répondit Nan d'un ton brusque. Je voulais parler de la famille telle qu'elle était quand j'étais petite, des gens qui se souviennent de l'ancien temps et de la façon dont nous vivions. Ça t'échappe, Daisy. Le monde a basculé à l'époque de ta naissance.

Nan semblait si triste que Daisy éprouva un soudain élan d'affection pour elle, mêlé de pitié. Sa mère s'était appuyée sur des gloires passées pour affronter la vie.

— Pauvre maman ! s'exclama Daisy.

447

Elle prit sa mère dans ses bras et l'embrassa.

Nan ne se laissa pas aller sur son épaule. Ce n'était pas son style. Au lieu de cela, Daisy sentit qu'elle se raidissait.

— Tête haute ! lâcha-t-elle en s'écartant. Il ne faut jamais laisser voir qu'on pleure, c'est la devise de la famille.

— Je crains qu'il ne nous en faille une nouvelle, murmura Daisy pour elle-même.

Daisy prit une chaise dans la dernière rangée et observa ce qui se passait autour d'elle. C'était la réunion du mercredi soir de la branche de Carrickwell de l'association Nés pour être minces. Les participants étaient de taille et de corpulence diverses. Certains, ayant retrouvé leur minceur, rayonnaient de fierté, tandis que d'autres débordaient de tristesse, comme écrasés par leurs kilos superflus. Ceux qui étaient déjà passés par l'épreuve de la pesée bavardaient, échangeant des commentaires sur le ou les kilos qu'ils avaient réussi à perdre, évoquant le mariage qui approchait à toute vitesse ou le plaisir d'entrer dans du 44, ou encore avouant qu'ils étaient prêts à tout pour avoir droit à un peu de vrai beurre.

Daisy n'entrait plus dans le 44. Elle en était humiliée. Elle avait supprimé les friandises qui traînaient dans la cuisine, n'achetait pas de chocolat quand elle passait devant la vitrine du pâtissier et mangeait des tonnes de salade, qu'elle assaisonnait avec de la vinaigrette basses calories au vague goût de plastique. Rien ne marchait. Elle s'était résignée à venir dans ce groupe, à étaler sa honte devant une quarantaine de femmes et quelques hommes.

Le dépliant de Nés pour être minces, qu'elle avait pris dans le magasin d'aliments diététiques où elle se rendait, promettait à quiconque désirant perdre du poids d'y arriver. « Tout ce qu'il vous faut, c'est la volonté de devenir mince », proclamait-il. Comme la tisane amincissante n'avait servi à rien, Daisy avait fini par se décider.

Elle voulait maigrir. Si le désir suffisait à faire se produire les choses, elle aurait déjà fondu. Mais elle avait aussi souhaité de toutes ses forces qu'Alex revienne et ce n'avait pas été le cas. Vouloir quelque chose ne suffisait donc pas pour l'obtenir.

La responsable du groupe lui semblait vaguement familière. Elle avait les cheveux courts et Daisy se souvenait d'une femme aux cheveux longs, que leur propriétaire rejetait en arrière d'un geste décidé. Oui ! les cours de danse. Elles étaient allées ensemble au cours de danse.

Daisy aurait préféré oublier ces années où elle piétinait dans ses chaussons aux cours de Mme De Fressange. Elle s'était toujours sentie trop ronde et gênée par son corps pour faire des bonds de gazelle. Lors des spectacles de Noël, on la confinait dans le rôle du dernier cygne, au fond de la scène. Nan Farrell insistait : « La danse classique est excellente pour apprendre à se tenir droite, Denise. »

Instinctivement, Daisy se redressa sur sa chaise. Yvette avait été une des étoiles de l'école de Mme De Fressange et elle ne semblait pas avoir changé. Elle était mince, avait gardé sa prestance et était sans doute restée capable de faire un jeté sans ressembler à un éléphant. Pourtant, elle devait avoir beaucoup grossi, à un moment, pour devenir responsable d'un groupe d'amincissement. Pourquoi n'affichait-elle pas sa photo avant et après ? Cela aurait permis aux autres d'être moins intimidés.

Daisy prit sa place dans la file des gens qui allaient se faire peser. Elle espérait qu'Yvette ne se souviendrait pas d'elle lorsqu'elle passerait à la torture.

— Daisy ! Je suis très contente de te voir. Tu es superbe. Bien sûr, quelques kilos en moins ne te feraient pas de mal. Ne t'inquiète pas pour ça. On va vite t'en débarrasser et tu seras une nouvelle femme !

Yvette, malgré sa sveltesse, donnait curieusement l'impression d'engloutir la personne qu'elle embrassait dans ses bras. La chaleur de son accueil prit Daisy par surprise.

— Bonsoir, marmonna-t-elle, gênée.

Yvette nota le poids de Daisy sur sa fiche.

— Je suis vraiment contente de te voir, reprit-elle. Maintenant, on va te mesurer. C'est ainsi qu'on calculera ton poids idéal.

Bavarder gaiement avec les membres du groupe pour les aider à supporter l'épreuve de la pesée était sans doute le secret de la réussite d'Yvette. En quelques instants, Daisy se retrouva avec une feuille de papier où figurait le chiffre honteux de son poids avec celui du poids qu'elle devrait atteindre. Il y avait quinze kilos d'écart entre les deux et, même si elle y arrivait, elle ne redeviendrait pas aussi mince qu'elle l'avait été au cours des dernières années.

Une femme qui venait de passer sur la balance s'assit à côté d'elle et lui sourit timidement. Daisy lui rendit son sourire et se présenta.

— Et moi je m'appelle Cyn.

Cyn était énorme, à la limite de l'obésité pathologique. Daisy remercia sa bonne étoile de ne pas être devenue comme elle. Pourtant, Cyn possédait un visage ravissant et de grands yeux brillants de vie. Elle avait aussi un sourire adorable même si, pour le remarquer, il fallait oublier ses joues trop rebondies Daisy se rendit compte que, si elle avait croisé Cyn dans la rue, elle n'aurait vu que son côté monstrueux. En réalité, c'était ainsi qu'on l'avait elle-même regardée à une époque.

Elle sentit une autre forme de honte l'envahir. Elle avait fait exactement ce qu'elle n'aurait pas aimé qu'on lui fasse : juger d'après les apparences.

Tandis qu'Yvette faisait un cours sur les aliments à proscrire et ceux à privilégier, Cyn et Daisy bavardèrent.

Cyn avait vingt-cinq ans et désirait devenir infirmière, mais son poids le lui interdisait.

— Je suis ici pour un dernier essai, expliqua-t-elle. Si ça ne marche pas, je me ferai poser un anneau gastrique. Je suis devenue comme ça au moment de l'adolescence. Tous les membres de ma famille sont gros, mais ils s'en moquent. Et toi, qu'est-ce que tu fais ici ?

— Comme toi.

— Je ne comprends pas.

Daisy hésita. Elle ne pouvait pas répondre qu'elle était là pour maigrir car, par comparaison avec Cyn, sa présence semblait déplacée. La vérité la frappa d'une manière éblouissante.

— Je suis plus grosse que je ne voudrais l'être.

— Tu plaisantes ! Tu n'as pas besoin du groupe.

Cyn, que l'aveu de Daisy avait fait rire, assistait aux réunions depuis quinze jours et avait déjà perdu quatre kilos.

— J'ai eu du mal. J'ai eu des envies épouvantables de pain et de fromage à la crème. J'aurais tué pour en manger ! Mais je savais que, si je commençais, je ne m'arrêterais plus.

— Et le chocolat, soupira Daisy.

— Ne m'en parle pas !

Elles bavardèrent pendant tout le cours, puis Daisy proposa à Cyn d'aller prendre un café chez Mo's. Cyn hésita.

— J'évite de sortir le soir.

Elle avait repris son expression de grande timidité.

— Juste un café noir, sans sucre, insista Daisy.

Et si quelqu'un se permettait la moindre remarque sur la silhouette de Cyn, Daisy l'assommerait !

Elle se retrouvait quand elle regardait Cyn : une femme qui évitait de voir qui elle était au fond d'elle-même. Cyn avait besoin de perdre du poids, mais pas seulement. Pendant des années, Daisy s'était convaincue que, si elle devenait mince, sa vie changerait. Elle s'était trompée ! Elle avait maigri, mais sa névrose s'était aggravée.

Elles s'installèrent dans une alcôve au fond de la grande salle de Mo's. Cyn s'installa en biais sur la banquette, car elle n'arrivait pas à se glisser derrière la table. Elle regarda autour d'elle.

— Je suis contente d'être venue.

— Je crois que je ne retournerai pas dans le groupe, dit Daisy. J'ai passé des années à paniquer au sujet de mes kilos et à me répéter que tout irait mieux quand je les aurai perdus. J'ai eu tort. Maintenant, j'ai compris !

Cela la faisait rire. Elle avait été mince lorsqu'elle était avec Alex et il l'avait quittée. Ce qui comptait, c'était son état d'esprit, pas son poids. Elle avait fait une erreur en rejoignant Nés pour être minces. Sa prise de conscience la rendait heureuse, comme si plusieurs kilos venaient de s'envoler. La meilleure aide pour faire un régime était de trouver la paix de l'esprit.

Cyn avait l'air navrée.

— Mais si tu ne viens pas, à qui vais-je pouvoir parler ?

— Je n'ai pas dit que nous ne serions pas amies.

— Sincèrement ?

— Sincèrement ! Il y a quelqu'un que tu devrais rencontrer, je pense. C'est Leah Meyer. Elle dirige le Cloud's Hill Spa.

— Je n'en ai jamais entendu parler. Je ne vais pas dans les spas ou les salles de gymnastique, tu comprends.

Daisy prit la main de Cyn. Elle avait les doigts fins et déliés.

— Au Cloud's Hill, reprit-elle, il n'est pas question de gymnastique ou de régime. C'est...

Elle chercha ses mots.

— Je ne sais pas comment dire, c'est magique. Si je t'explique comment ça m'a aidée, viendras-tu avec moi ?

Le regard de Cyn croisa celui de Daisy et elle fit oui de la tête.

— Personne ne se moquera de moi ?

— Non, je te le promets. Tu seras bien accueillie.

— Mais qu'est-ce que je ferai là-bas ?

Daisy pensa à ce que le Cloud's Hill lui avait apporté. Elle avait été transformée. Sa vision du monde avait changé ; elle n'était plus angoissée, terrifiée, prisonnière de ses craintes. Elle avait dû résister à l'épreuve, lui avait fait remarquer Leah. Elle était une survivante et avait un avenir.

Comment expliquer cela à Cyn ?

— Tu rencontreras des gens qui t'aideront à voir ta vie d'un autre point de vue. Tu arrêteras d'avoir peur et apprendras à t'aimer toi-même.

Cyn ouvrit de grands yeux, incrédule.

— Ça t'arrivera, insista Daisy avec enthousiasme. Je suis passée par là et, il y a quelques mois, je n'aurais jamais cru que c'était possible. Mais ça l'est, crois-moi !

21

La valise de Cleo était prête. Leah la conduirait à la gare le lendemain matin. Elle devait être à l'aéroport à dix heures pour son vol à destination de la France. Sa mère s'était montrée impatiente de la revoir. « Je pense aussi que tu as besoin de prendre quelques jours de repos, avait-elle ajouté. Il me suffit d'entendre ta voix pour savoir que tu en fais trop. »

Trish, à qui Cleo venait de téléphoner, avoua qu'elle aimerait aussi faire une pause.

— Mes projets sont tombés à l'eau, se plaignit-elle, et je n'ai plus rien de prévu.

— Quels projets ?

— Carol avait prévu de partir en septembre en Tunisie avec quelques amis. L'autre jour, je lui en ai reparlé et elle avait changé d'avis. Elle n'est pas fiable.

Cleo, qui n'avait pas oublié la soirée où elle avait dû supporter les manières aguicheuses de Carol avec Tyler, fut contente de n'avoir fait aucune réflexion désagréable.

— Trish, nous pourrions partir ensemble à la fin de l'année. Ou prendre un mois de vacances à l'étranger. J'ai envie d'aller en Australie et toi aussi. Nous le méritons bien, tu ne crois pas ?

Trish poussa un cri d'enthousiasme.

— Ce serait génial ! Mais que fais-tu des projets de tes parents pour installer un B&B en France ? Je croyais que tu voulais les aider ?

Cela avait, en effet, été à l'ordre du jour, mais après réflexion Cleo avait estimé qu'elle ne devait pas s'en mêler, qu'elle n'avait pas à envahir leur retraite. Après des années passées à s'occuper de tout et de tout le monde, ils avaient besoin et envie d'être seuls. De son côté, Cleo devait s'occuper de sa propre vie. Elle était devenue adulte.

— Tu peux prendre un mois de vacances ? demanda Trish. Ici, je devrai me battre pour y arriver, mais on ne me le refusera pas.

— Il n'y aura pas de problème au Cloud's Hill. Je n'y suis pas attachée pour toujours, de toute façon. Donc, pourquoi pas ?

De plus, cela lui ferait du bien de s'éloigner de Carrickwell pendant quelques semaines. Elle se sentirait plus forte, à son retour, quand elle découvrirait le Willow transformé en hôtel Roth et repenserait à ce qui aurait pu se passer avec Tyler.

— Vraiment génial ! répéta Trish. Ecoute, je viens à Carrickwell et on va fêter ça. Un mois de vacances ! Je n'arrive pas à y croire ! Appelle Eileen et, pendant ce temps, j'essaie de retrouver ma robe de sortie. Le tas de vêtements est pire que jamais et je ne retrouve rien !

Une soirée avec Trish et Eileen, la veille de son départ pour la France, n'avait pas figuré sur la liste des priorités de Cleo, mais elle n'avait rien prévu d'autre que se coucher tôt et dormir.

Eileen sauta de joie en apprenant que Trish venait passer la soirée à Carrickwell.

— Je ne l'ai pas vue depuis des semaines. Je parie que je sais ce que nous fêtons ! Tu es vraiment une cachottière, Cleo.

— Comment ça ?

— Un homme d'un mètre quatre-vingt-dix, ça ne te dit rien ?

— Rien du tout ! De quoi parles-tu ?

— Tyler Roth est en ville !

— Tyler ? Tu l'as vu ?

— Tu l'ignorais ? Je croyais qu'il était venu pour te voir et que nous sortions pour que tu nous le présentes dans les règles. Bien sûr, cette fois, on évitera de s'écrouler sur le trottoir !

— Si seulement c'était vrai ! dit Cleo avant de pouvoir s'en empêcher.

— Tu ne l'as pas vu ?

— Il n'a certainement pas envie de me voir, répliqua Cleo d'un ton morose. D'abord, je sors de sa suite sans rien dire ; ensuite, Ron lui raconte que je suis furieuse parce qu'un sale type a racheté le Willow !

— Mais il a essayé de te retrouver ?

— Il aurait pu me trouver, s'il l'avait voulu.

C'était la vérité. Tyler avait su remonter jusqu'à Trish et avait appris que Cleo faisait partie de la famille Málainn. Il n'aurait pas eu de mal à la joindre. Seulement, il ne s'en était pas donné la peine.

— Alors, c'est à toi d'aller le trouver, dit Eileen.

— Quoi ? Mais... bafouilla Cleo.

Elle n'avait pas envisagé cette possibilité. De toute façon, c'était impensable. C'étaient les hommes qui se débrouillaient pour retrouver les femmes et leur dire qu'ils les aimaient. Cela ne se passait pas autrement. Cleo l'avait lu assez souvent dans ses romans préférés !

— C'est à lui de le faire, marmonna-t-elle.

— Pourquoi ?

— Parce que c'est comme ça !

— C'est comme ça dans tes livres idiots, où le prince charmant saute sur son cheval blanc pour sauver la princesse qui s'évanouit dans ses bras !

Eileen était furieuse.

— Tu te rends compte de ce que tu dis, Cleo ! Une fille aussi indépendante que toi, plus intelligente, plus ambitieuse et plus énergique que n'importe quel homme ! Et tu te conduis comme une gamine ou comme une héroïne de roman de gare quand il s'agit de ce qu'il y a de plus important dans ta vie ?

Cleo en resta muette. Eileen était toujours de bonne humeur. Pourquoi se mettait-elle en colère ?

— Retrouve-le ! Dis-lui que tu es folle de lui ! Je ne vois pas ce que ça a de difficile...

Dit de cette façon, c'était simple. Mais si Tyler prenait son air dur en voyant Cleo ? S'il lui disait qu'elle avait laissé passer

455

sa chance ? Cleo ne supportait l'idée que Tyler la méprise que dans la mesure où il ne le formulait pas.

— Mais où… commença-t-elle.

— Au Willow, espèce de gourde ! jeta Eileen. Et s'il n'est pas là on te dira où il est allé. Sinon, demande chez Mo's. Carrickwell n'est pas si grand que ça. Cleo, je te jure que je ne sors pas avec Trish et toi, ce soir, si tu ne fais pas un effort pour parler à Tyler. Un peu de courage, ma vieille ! Quel est le pire qui pourrait arriver ?

— Il pourrait être dégoûté de moi ou prétendre que je ne lui ai pas donné sa chance et que j'ai tiré des conclusions hâtives. Et moi je me sentirais minable, marmonna Cleo.

— Et alors ? Dans ce cas, réponds-lui que c'est tant pis pour lui et va-t'en la tête haute. Après, on ira danser toutes les trois et trouver d'autres hommes plus beaux que Tyler. Qu'as-tu à perdre ?

Cleo terminait à quatre heures et avait prévu de retrouver ses amies à huit chez Eileen. Cela lui laissait le temps de terminer sa valise, de répondre à quelques messages téléphoniques et de s'habiller pour sortir. Mais elle ne fit rien de tout cela. Elle demanda la permission à Leah d'emprunter une des camionnettes du spa et, son travail à peine fini, fila sans même prendre la peine d'enlever son uniforme.

On avait posé un cadenas à la grille du Willow, mais il n'était pas fermé. Cleo poussa les vantaux. Ils étaient si rouillés qu'elle ne parvint pas à les écarter assez pour entrer avec le van. Elle se faufila donc à pied dans l'allée.

Les nids-de-poule étaient pires que jamais et elle se tordait les chevilles, avec les chaussures à hauts talons qu'elle mettait pour travailler. A côté de l'hôtel se dressait un bureau en préfabriqué. Il y avait aussi plusieurs engins de chantier. Les travaux avaient commencé. Cleo sentit revenir sa fureur à l'idée qu'on détruisait sa maison. Deux hommes en veste fluorescente jaune et casque assorti se tenaient devant le baraquement, lui tournant le dos. Cleo se glissa dans le hall d'entrée sans qu'ils la voient.

L'intérieur du Willow était sale et poussiéreux. Cleo

découvrit avec horreur que la cheminée en marbre de la réception, une belle pièce qui avait plus de deux siècles, avait disparu. Comment était-ce possible ? Si c'était cela le projet du groupe Roth, le Willow allait être démoli. Qu'allaient-ils construire à la place ? Quelque hideuse copie d'édifice historique avec du doré partout et, en guise de touche finale, un léopard en porcelaine de chaque côté de la porte d'entrée ?

Le tapis de l'escalier s'était également envolé et les barres de fixation en cuivre étaient posées en désordre sur les marches. A ce spectacle, on se disait que le Willow aurait bientôt disparu. A chaque nouvelle découverte, la colère de Cleo enflait. Cette bâtisse n'appartenait peut-être plus à sa famille, mais, au moins, elle dirait une dernière fois ce qu'elle pensait.

Elle ressortit et se dirigea vers le bureau de chantier d'un pas énergique. Les deux ouvriers continuaient à parler.

— Qu'est-ce qui se passe, ici ? hurla Cleo. Voici une belle demeure ancienne et vous êtes en train de la démolir ! N'avez-vous aucune idée de la valeur de la cheminée ?

Un des deux hommes leva les mains en signe d'apaisement.

— Inutile de vous en prendre à nous ! Adressez-vous au patron !

Il désigna la porte du préfabriqué d'un signe de la tête.

— Dites-moi où je peux le voir, et je vais lui dire deux mots ! D'abord, j'aimerais savoir si vous avez l'autorisation de démolir ?

Un troisième homme apparut dans l'ouverture de la porte. Il était grand. Il portait un jean et un tee-shirt sous la veste jaune de sécurité. Il avait le regard sombre et une expression glaciale. C'était Tyler.

— Vous faites partie du service des permis de construire, maintenant ? fit-il d'un ton acide. Vous changez facilement de métier, mademoiselle Málainn.

Cleo leva le menton dans un mouvement de défi.

— Bonjour, Tyler !

Les ouvriers se rapprochèrent, intéressés. Tyler ne dit rien, mais leur jeta un coup d'œil rapide.

— Euh... Oui... marmonna l'un d'eux.

457

— On a à faire... renchérit l'autre.

— A plus tard !

Ils s'éclipsèrent.

— Vous vouliez voir ce que vos ennemis font à votre précieuse maison ?

Tyler avait l'air si en colère que Cleo en fut pétrifiée.

— Eh bien... Oui ! Je voulais voir ce qui arrivait.

— Contente ? Est-ce que notre façon de tout détruire obtient votre agrément ?

Cleo constata avec horreur qu'il n'y avait plus que de la dureté dans la voix de Tyler. Ce n'était pas l'homme dont elle se souvenait, doté d'un sens aigu de l'humour et dont l'œil pétillait en la voyant.

— Détruire, oui, c'est le mot juste.

— En réalité, nous avons engagé un architecte qui est spécialisé dans les bâtiments anciens. Nous voulons être certains que la restauration sera parfaite. Nous avons ôté les éléments de valeur, telles les cheminées, pour les mettre en sûreté. Détruire ce bâtiment est exactement ce que nous ne voulons pas faire. Quant à vous, vous m'avez menti.

Piquée par la froideur de Tyler, Cleo lui répondit sur le même ton. S'il voulait jouer à ça, ils seraient deux ! Et, si c'était le vrai Tyler qu'elle découvrait en cet instant, elle avait fait ce qu'il fallait en venant à sa rencontre.

— Et vous, vous avez été honnête avec moi ? Vous ne m'avez rien dit sur cet hôtel que vous achetiez à Carrickwell. Pourtant, c'était dans cette ville que vous m'aviez rencontrée. Vous n'avez pas pensé à m'en parler ?

— Je ne devais pas mentionner une affaire en cours. Je n'ai pas imaginé que je devais vous embêter avec mes projets professionnels. Pour moi, vous n'étiez pas un cheval de Troie, mais une fille superbe que j'avais rencontrée dans une ville de province !

Cleo sentit qu'elle risquait de ne plus se contrôler. Elle aurait voulu avouer à Tyler que, si elle avait menti sur son nom de famille, c'était parce qu'elle refusait qu'il s'apitoie sur la perte qu'elle venait de subir. Mais il n'était plus question

458

qu'elle s'abaisse à lui donner la moindre explication, pas quand il était devenu ce sale type froid et arrogant.

— Vous avez de grands projets pour le Willow, je le sais. Oh, excusez-moi ! Je voulais dire : le Carrickwell Roth. Pour vous, ce n'est qu'un élément de plus dans votre empire, de même que je ne suis qu'une conquête de plus dans votre vie. Je suis sûre que les noms de filles pleines de bonne volonté pullulent dans le livre de paie de vos hôtels.

— Oui, dit Tyler d'un ton sarcastique. Une différente chaque soir ! Vous avez découvert les plans de l'architecte le soir où c'était à votre tour d'y passer. C'est pour ça que vous avez pris la fuite ?

— Oui, je les ai vus, admit Cleo d'une voix plus calme.

Elle se souvenait du choc qu'elle avait ressenti.

— Je suppose, reprit-elle, que vous aurez des séminaires de motivation avec les employés, quand vous ouvrirez. Ça vous permettra d'expliquer comment vous avez découvert ce petit hôtel mal géré et conduit à la faillite par les Málainn ? Vous vous vanterez de l'avoir découvert et transformé en un joyau de l'empire Roth en Europe !

Tyler regarda Cleo, intrigué.

— C'est ce que tu penses ? Que je suis capable d'acheter un établissement pour me moquer des gens qui ont passé trente ans de leur vie à essayer de le faire marcher aussi bien que possible ?

Cleo revit l'expression triste de son père au cours des derniers mois où le Willow perdait de l'argent.

— Ce n'est pas ce que tu veux faire ? Le transformer en hôtel de luxe et te moquer de nous ?

Comme Tyler, Cleo était revenue au tutoiement.

— Cleo, arrête !

Soudain, il n'y avait plus de colère dans la voix de Tyler.

— Arrête ce petit jeu, s'il te plaît ! Je suis fatigué. Je n'ai pas cessé de me déplacer. Je suis arrivé hier soir. Je n'étais pas venu depuis deux semaines et, dans ce laps de temps, j'ai pris six fois l'avion. Je ne supporte plus le décalage horaire, et pas davantage la situation avec toi. Rentre chez toi, Cleo.

— C'est ici, chez moi ! cria-t-elle.

— Plus maintenant. Rentre au Cloud's Hill ! Je suis venu, il y a deux semaines, pour te parler. Mais quand je suis arrivé j'ai compris que j'avais fait une erreur. Tu n'es pas la femme que je croyais, et ça n'a rien à voir avec ton nom. Tu n'as pas perdu ton temps après m'avoir laissé tomber.

— Je ne comprends pas ce que tu veux dire, répondit Cleo, étonnée. Je suis ici pour t'avouer la vérité au sujet de mon départ.

— Ce n'est pas la peine, dit Tyler d'un ton las. Je n'ai même pas envie de le savoir.

Sur quoi, il tourna le dos à Cleo et se dirigea vers la maison.

Cleo resta sur place à le regarder s'éloigner, impuissante.

Comment osait-il la traiter ainsi ? Furieuse, elle le suivit en se tordant les chevilles un peu plus. Elle s'en voulait d'avoir écouté les conseils d'Eileen. Elle en voulait encore plus à Tyler. Qu'avait-elle bien pu lui trouver ? Et que voulait-il dire en affirmant qu'elle n'était pas celle qu'il avait imaginée ? Il parlait par énigmes.

Donc, deux semaines plus tôt, il était allé au Cloud's Hill. Elle était blessée qu'il n'ait pas essayé de la rencontrer. C'était ce qu'un homme digne de ce nom aurait fait : il serait arrivé à toute vitesse au Cloud's Hill et l'aurait enlevée dans un bolide...

Cloud's Hill ? Il prétendait qu'il était venu pour la voir ? Cleo ne comprenait pas. Elle ne l'avait pas aperçu ! Soudain, la mémoire lui revint. Deux semaines plus tôt, Jason et Liz l'avaient ramenée après le dîner chez Sondra et Barney. En embrassant Jason pour lui dire au revoir, elle avait remarqué la présence d'une voiture noire garée à la place de celle de Leah. Etait-ce Tyler ?

Cleo comprenait tout : Tyler avait pris Jason pour son amant ! Elle ne s'étonnait plus qu'il ait été si fâché. Il était venu la chercher et l'avait trouvée dans les bras d'un autre homme. A cette idée, Cleo se sentit ragaillardie. Après tout, Tyler ne la haïssait pas ! Son attitude proclamait même le contraire.

Comment avait-il pu croire qu'elle s'intéressait à un autre homme ? Quel idiot ! Il aurait dû lui faire confiance et, s'il avait eu un peu de courage, il aurait fait demi-tour et aurait couru la prendre dans ses bras pour lui dire que tout cela n'avait pas d'importance, qu'il l'aimait et qu'il pouvait tout éclaircir...

Cleo s'interrompit. Elle recommençait. Elle vivait dans un roman, comme Eileen le lui avait dit. Tyler n'était pas le prince charmant sur un cheval blanc, c'était un homme qui était tombé amoureux d'elle et qui croyait qu'elle se fichait de lui. Il n'y avait qu'une personne capable d'éclaircir la situation et ce n'était pas lui. La personne qui devait sauver l'autre en galopant sur son cheval blanc, c'était elle-même.

Elle fit demi-tour et reprit d'un pas ferme le chemin de la réception, ses talons claquant avec bruit sur le parquet.

— Tyler ! Je veux te parler.

Assis sur la dernière marche de l'escalier, il semblait à bout.

— On n'a que ça à faire...

Se sentant avantagée par leur position respective, lui assis sur une marche et elle le regardant de toute sa hauteur, Cleo s'approcha et prit son souffle.

— Je suis partie de ta suite parce que j'ai été bouleversée en découvrant ce que tu allais faire de ma maison. Mais j'ai eu tort, j'aurais dû te donner la possibilité de t'expliquer. Je suis venue ici pour te le dire et pour te présenter mes excuses.

— C'est vraiment pour ça ? s'enquit Tyler, radouci.

Son expression était indéchiffrable, mais Cleo devinait ce qui allait venir. Il lui dirait de disparaître.

— Oui, reprit-elle fièrement. J'ai tout gâché et je n'ai pas honte de le reconnaître. J'étais amoureuse de toi, mais je crois que je vais devoir t'oublier.

Son courage commença de l'abandonner. Tyler se taisait. Ses yeux restaient dans le vague. La situation était sans issue. Cleo n'aurait jamais dû venir. Tyler n'avait rien à faire d'elle.

— Et tu ne sais pas ce que tu rates, Tyler, parce que je suis honnête et franche. Nous aurions pu vivre un amour extraordinaire, mais tu ne m'as pas demandé ce que je ressentais pour toi. Je t'aurais répondu que je t'aimais et que l'homme que j'embrassais, il y a deux semaines, sur le parking du Cloud's

461

Hill, était mon frère Jason ! Vous avez laissé passer votre chance, monsieur Roth. Adieu !

« Voilà, c'est fait ! » ajouta Cleo en elle-même.

Elle tourna le dos à Tyler d'une manière théâtrale, mais son talon se prit dans une lame de parquet et elle se sentit basculer en arrière. Soudain, deux bras musclés la rattrapèrent.

— Serait-ce une habitude, chez toi, de tomber dans les bras d'un homme ? lui demanda Tyler d'une voix tendre.

Cleo reprit son souffle comme elle put puis faillit à nouveau s'étrangler : Tyler la regardait avec une expression joyeuse. Elle était de nouveau dans ses bras et ses lèvres étaient tout près des siennes. C'était comme dans ses romans préférés, peuplés de héros romantiques...

— Et puis zut ! dit-elle soudain.

Elle se dressa sur la pointe des pieds, prit le visage de Tyler dans ses mains et l'embrassa avec passion.

Epilogue

Quatre mois plus tard, Mel admirait Carrickwell, qui s'étalait à ses pieds dans l'obscurité d'une soirée d'hiver. Les lumières de la ville lui rappelèrent les guirlandes lumineuses et tout ce qu'elle avait encore à faire pour Noël. Elle aurait dû être en pleine activité au lieu de se prélasser dans le jacuzzi du Cloud's Hill avec Caroline, Leah et Cyn, en train de bavarder et de siroter un moka.

Il y avait de la neige sur le Mount Carraig et l'air était chargé de froid. Bien que les baies coulissantes soient ouvertes, il régnait une chaleur délicieuse dans la pièce.

Mel s'étira dans l'eau.

— Je devrais avoir honte. Il ne reste qu'une semaine avant Noël. Je devrais être en train de courir les magasins pour acheter les derniers cadeaux et paniquer parce que je n'en ai pas encore pour tout le monde.

— C'est la même chose pour moi, dit Cyn. Je suis allée faire des courses la semaine dernière et j'ai fini par ne rien acheter pour personne d'autre que moi. C'est affreux ! J'ai juste trouvé quelques vêtements.

Ses yeux brillaient. Elle paraissait pleine d'énergie et de joie de vivre. On ne pouvait s'empêcher de sourire en la voyant.

— Saviez-vous qu'on fait des soutiens-gorge en soie à nouer par-devant ? J'en ai acheté deux ! Vous vous rendez compte ? Moi avec deux soutiens-gorge en soie qui se nouent devant ? Je n'aurais jamais cru ça possible.

Elles éclatèrent de rire. Mel trouvait que Cyn avait changé de façon incroyable. Lors de leur première rencontre, elle s'était dit que même Leah aurait du mal à faire quelque chose pour cette jeune fille timide et seule qui s'était détruite à force de se déprécier. Le gros problème de Cyn n'était pas son poids, mais sa conviction qu'elle ne méritait pas mieux.

Leah, avec son génie habituel, avait réussi à redonner espoir et confiance en elle à Cyn. Celle-ci ne serait jamais une sylphide, mais elle n'était plus obèse au point de risquer sa santé. Elle assistait au cours de gymnastique et, ce qui était excellent, avait retrouvé le goût de vivre. Beaucoup de choses avaient changé dans leurs vies à toutes, cela grâce à Leah.

— Daisy m'a dit qu'elle a l'intention d'ouvrir un rayon lingerie, révéla Caroline. C'est formidable ! Elle sait choisir des modèles si féminins, si beaux ! J'aimerais voir quel genre de sous-vêtements elle sélectionnera. Ne croyez-vous pas que les hommes d'ici seront ravis ? Il leur suffira d'entrer dans la boutique, de marmonner qu'ils veulent un cadeau pour Noël et Daisy leur préparera un joli paquet avec des choses qui nous feront plaisir.

— C'est ce que Graham va faire pour Noël ?

Mel n'avait pas pu résister au plaisir de taquiner son amie. Cyn n'était pas la seule à avoir retrouvé la joie de vivre. Caroline et Graham avaient surmonté la crise qu'ils avaient traversée et leur couple en était sorti renforcé. Mel aurait presque dit que la liaison de Graham avait été bénéfique. Il était si facile de se laisser piéger par les habitudes ! Prendre conscience de ce qu'il risquait de perdre avait donné à Graham un choc salutaire. Plus tôt dans l'après-midi, tandis qu'elle nageait dans la piscine, Caroline avait expliqué à Mel que son mari et elle avaient progressé dans leur relation. « C'est différent. J'ai changé et lui aussi. Nous avons plus de respect l'un pour l'autre. Est-ce que tu comprends ce que je veux dire ? Nous savons tous les deux que nous devons travailler pour améliorer notre relation, mais ça en vaut la peine. »

Caroline éclata de rire à l'idée de Graham lui achetant de la lingerie.

— Ce n'est pas le genre de Graham, je peux vous le garantir ! Et Adrian ?

Mel pensa à lui avec tendresse. Il se serait jeté dans le feu pour elle et était assez moderne pour ne pas rougir à l'idée de lui choisir des dessous. Il savait ce qu'elle aimait et connaissait sa taille. Le problème était ailleurs ; il était financier. Mel travaillait à mi-temps, mais ils ne pouvaient toujours pas se permettre ce genre de luxe. Ils économisaient pour remplacer le chauffage au fuel, qui ne marchait pas bien, par un au gaz. La lingerie en soie était la dernière de leurs priorités. De plus, la lettre au père Noël de Carrie était presque aussi longue que celle de sa sœur. Il aurait fallu plusieurs traîneaux pour apporter ce que les filles avaient commandé.

Mel avait réussi à rassembler ce qu'elles avaient demandé ; les autres se contenteraient de cadeaux moins importants. Après tout, Noël était la fête des enfants !

— Ça ne dérangerait pas Adrian de m'acheter de la lingerie, dit Mel. Mais, entre les dépenses de Noël et nos économies pour un nouveau chauffage, nous devons faire attention.

Si Leah n'avait pas insisté pour que Mel vienne passer la journée gratuitement au Cloud's Hill, elle n'aurait pas été là. Elle travaillait trois matinées par semaine à faire de la frappe dans une société de secrétariat à Carrickwell, ce qui ne lui rapportait pas grand-chose. En revanche, elle avait été ravie de la proposition de Leah. Un peu plus tôt dans la journée, avec sa douceur habituelle, Leah l'avait invitée à l'accompagner jusqu'à son bureau. Elle devrait embaucher quelqu'un en janvier à cause du départ de Cleo. De plus, Cleo partait d'abord un mois en Australie avec son amie Trish.

« Tyler n'arrive pas à croire qu'elle part sans lui, avait dit Leah. Il a tellement l'habitude qu'on fasse les choses comme il le veut ! Il va s'améliorer, avec une femme comme Cleo. » Mel avait souri à l'idée du beau Tyler, qu'elle n'avait toujours pas rencontré, se heurtant à la détermination de Cleo Málainn. Après son voyage, Cleo partait en stage de direction à l'hôtel Roth de Manhattan.

« Tyler l'a convaincue de poser sa candidature, mais elle a refusé qu'il intervienne de quelque façon que ce soit pour l'aider. Elle s'est servie du nom de Malley pour le dossier d'admission. Elle veut faire son stage dans les mêmes conditions que les autres. Ce qui m'amène à mes problèmes de personnel. Je sais que vous ne voulez qu'un temps partiel et que vous n'avez pas d'expérience de la réception. Je pense pourtant que vous êtes la personne qu'il nous faut. Que diriez-vous de travailler quelques heures ici toutes les semaines ? J'aimerais que vous fassiez partie de notre équipe, Mel. Vous voulez bien y réfléchir ? »

Mel désirait parler de la proposition à Adrian avant de l'accepter. Travailler au Cloud's Hill ? Quelle question ! Elle en mourait d'envie.

Dans le jacuzzi, Cyn finit son moka.

— Quel dommage que Daisy ne soit pas là, dit-elle. Elle me manque. Je déteste aller au cours de gymnastique seule. Mais sa mère et elle ont eu un tarif extraordinaire pour leurs deux semaines au Maroc.

— Je crois que sa tante les a accompagnées, glissa Mel.

— Oui, répondit Cyn. Elles ne sont jamais parties ensemble. Vous vous rendez compte ? Sa mère veut suivre un cours de peinture en Italie, cet été, et elle essaie de convaincre Daisy de l'accompagner. Elle lui a dit qu'il y a des hommes célibataires et très agréables dans ce genre de stage.

— Je croyais que Daisy voulait partir en randonnée au Pérou ? fit Mel, surprise. C'est ce qu'elle m'a dit la dernière fois que je l'ai vue.

Daisy s'était jetée dans le célibat avec enthousiasme et Mel s'étonnait de la voir se lancer dans des projets avec une belle énergie. Au cours des derniers mois, elle avait essayé la plongée – « Ce n'est pas pour moi, je déteste mettre la tête sous la douche ». Ensuite, elle était allée à des cours de salsa – « C'est fantastique ! » –, puis avait découvert la randonnée. La salsa lui permettait d'épanouir son sens du rythme et de la mode, tandis que la randonnée l'aidait à se défouler physiquement.

« Tu as mal à des muscles dont tu ne savais pas qu'ils existaient, avait-elle dit à Mel, mais c'est si satisfaisant ! J'adore ça. En fait, j'ai quelques dépliants sur les vacances-aventures où tu peux faire la piste inca jusqu'au Machu Picchu. J'adorerais y aller, des gens de tout âge le font. Bien sûr, il faut rester prudent à cause de l'altitude, mais rien ne permet d'affirmer a priori qu'on aura des problèmes. Même une vieille chose comme moi peut essayer.

— Si tu es une vieille chose à trente-cinq ans, moi j'ai besoin d'un déambulateur ! » avait renchéri Mel.

— Peut-être Daisy fera-t-elle les deux, dit Leah. Elle ira au Pérou et au stage de peinture. C'est formidable de la voir si épanouie.

Elles acquiescèrent toutes de la tête. En dépit de sa réussite professionnelle, Daisy restait vulnérable et les gens qui l'aimaient voulaient la protéger.

Mel jeta un coup d'œil à l'horloge. Presque six heures ! Elle devait bientôt s'en aller, car sa mère gardait les filles et elle avait promis d'être de retour à six heures et demie.

Il restait une chose qu'elle voulait dire à Leah. Puisqu'elle allait travailler au Cloud's Hill, elle pouvait faire des propositions.

— Leah, j'ai eu une idée. Vous nous avez parlé de l'équipe du Cloud's Hill américain et de son engagement social. Ne pourrions-nous réaliser la même chose ici ? J'ai lu un article sur une femme qui a deux enfants autistes. Elle espérait avoir de l'aide pour arriver à prendre un peu de vacances, mais disait qu'elle était trop épuisée pour partir. J'ai pensé...

— Mel, vous m'impressionnez ! l'interrompit Leah. J'ai lu cet article. C'est dans l'un des nouveaux magazines que Cleo a achetés pour le salon de détente. J'ai eu la même idée que vous.

— Les parents de ces enfants pourraient venir ici.

— Exactement ! Cela signifie-t-il que vous acceptez de travailler avec nous ?

— Oui, répondit Mel en riant, mais je dois vraiment arrêter de prendre des décisions avant d'en avoir discuté avec Adrian.

Toutes manifestèrent leur enthousiasme pour ce nouveau projet puis se turent. Leah regardait le paysage et se disait que le Cloud's Hill de Carrickwell lui avait déjà apporté beaucoup de joie. Elle posa les doigts sur le collier qu'elle portait. C'était son talisman. Jesse aurait beaucoup aimé cet endroit. Il aurait goûté la paix et le bien-être qu'on y éprouvait. Noël représentait une période difficile pour Leah. Elle aimait l'ambiance de cette fête, mais souffrait à l'idée de ce qu'elle avait perdu. Son fils lui manquait. Pourtant, il était dans son cœur pour toujours. Elle espérait que, s'il la voyait en ce moment, il serait fier d'elle.

Achevé d'imprimer sur les presses de

BUSSIÈRE

GROUPE CPI

à Saint-Amand-Montrond (Cher)
en octobre 2007